À PROPOS DE *TIGANE*...

TIGANE –1

DU MÊME AUTEUR

La Tapisserie de Fionavar
    1- *L'Arbre de l'Été*. Roman.
        Montréal : Québec/Amérique, Sextant 8, 1994.
    2- *Le Feu vagabond*. Roman.
        Montréal : Québec/Amérique, Sextant 12, 1994.
    3- *La Route obscure*. Roman.
        Montréal : Québec/Amérique, Sextant 13, 1995.

Une chanson pour Arbonne. Roman.
    Montréal : XYZ, 1995.

Tigane (2 vol.). Roman.
    Beauport : Alire, Romans 18 / 19, 1998.

Les Lions d'Al-Rassan. Roman.
    Beauport : Alire, Romans 24. *(Printemps 1999)*

TIGANE -1

GUY GAVRIEL KAY

traduit de l'anglais
par
CORINNE FAURE-GEORS

ALIRE

Données de catalogage avant publication (Canada)

Kay, Guy Gavriel, 19–

[Tigana. Français]

Tigane

(Romans; 18-19)
Traduction de: Tigana.

ISBN 2-922145-19-0 (v. 1)
ISBN 2-922145-20-4 (v. 2)

I. Faure-Geors, Corinne. II. Titre. III. Titre: Tigana. Français.

PS8571.A936T5414 1998   C813'54   C98-941180-X
PS9571.A935T5414 1998
PR9199.3K39T5414 1998

Illustration de couverture   Photographie
GUY ENGLAND   BETH GWINN

Diffusion et Distribution pour le Canada
Québec Livres

Pour toute information supplémentaire
LES ÉDITIONS ALIRE INC.
C. P. 67, Succ. B, Québec (Qc) Canada G1K 7A1
Télécopieur: 418-667-5348
Courrier électronique: alire@alire.com
Internet:www.alire.com

Dépôt légal: 3ᵉ trimestre 1998
Bibliothèque nationale du Québec
Bibliothèque nationale du Canada

Les Éditions Alire inc. bénéficient des programmes d'aide à l'édition
du Conseil des arts du Canada (CAC) et de la Société de
développement des entreprises culturelles du Québec (SODEC)

TABLE DES MATIÈRES

Remerciements

Nombreux sont ceux qui m'ont aidé à concevoir cet ouvrage, les uns au travers de leurs compétences, les autres par leur soutien, et je tiens à les en remercier. Une fois de plus, Sue Reynolds m'a offert une carte qui reflétait l'histoire que j'avais en tête et qui m'a aussi aidé à progresser dans sa conception. Rex Kay et Neil Randall m'ont tous deux fait don de leur enthousiasme et de commentaires pertinents depuis les premières étapes du roman jusqu'aux dernières corrections. Je leur en suis vivement reconnaissant.

Je dois beaucoup à l'érudition de certains grands auteurs, hommes et femmes. J'éprouve une admiration toute particulière pour l'œuvre de Carlo Grinzberg *les Batailles de la nuit (I Benandanti)*. J'ai également beaucoup appris de la lecture des œuvres de Gene Brucker, Lauro Martines, Jacob Burckhardt, Iris Origo et Joseph Huizinga. À cet égard, je tiens également à saluer la mémoire de deux hommes pour qui j'ai le plus grand respect et dont les sources d'inspiration et le travail ont durablement influencé le mien : Joseph Campbell et Robert Graves.

Enfin, même si le fait de mentionner le rôle de son conjoint dans l'élaboration d'un livre apparaît souvent comme une simple convention ou un geste machinal, je tiens à exprimer ma gratitude et mon amour à ma femme, Laura, et à la remercier pour les encouragements constants et les conseils qu'elle m'a prodigués pendant la rédaction de *Tigane*, aussi bien en Toscane que dans notre pays.

Quelques notes de prononciation

À ceux qui attachent de l'importance à ces considérations, il faudrait peut-être indiquer que la plupart des noms propres de ce roman doivent se prononcer à l'italienne. Par exemple, toutes les voyelles finales se prononcent : il y a deux syllabes dans « Corte », trois dans « Sinave » et « Forese ». Les deux premières lettres de « Chiara » se prononcent *k* comme celles de « chianti », mais le C de Certando se prononce *tʃe* comme dans « tchèque ».

Tu laisseras tout ce que tu aimes,
ce qui t'est le plus cher : et c'est là le trait
que l'arc de l'exil décoche le premier.

Tu éprouveras combien la saveur est amère
du pain d'autrui, et combien c'est dur chemin
que de descendre et de monter l'escalier d'autrui.

Dante, *la Divine Comédie*,
traduction de L. Espinasse-Mongenet
(Les Libraires associés, 1965).

Que peut se rappeler une flamme ? Si elle se rappelle
un peu moins qu'il ne faut, elle s'éteint. Si elle se
rappelle un peu plus qu'il ne faut, elle s'éteint. Si
elle pouvait nous enseigner, tant qu'elle brûle, à
nous souvenir avec justesse !

George Seferis, *Stratis le marin décrit un homme*,
traduction de Jacques Lacarrière et Égérie Mavraki
(Mercure de France, 1963).

PROLOGUE

Les deux lunes étaient pleines, qui éclipsaient toutes les étoiles hormis les plus brillantes. De chaque côté du fleuve, les feux de camp s'étiraient avant de disparaître dans la nuit. La Deisa au cours tranquille retenait le clair de lune et l'orangé des feux les plus proches, puis les réfléchissait en longs rubans aux contours imprécis. Tous ces faisceaux lumineux convergeaient à hauteur de ses yeux, à l'endroit de la berge où il était assis, les bras autour des genoux, songeant à sa mort prochaine et à la vie qui avait été la sienne.

Quelle nuit admirable, se dit-il en inspirant une bouffée d'air tiède ; il huma le fleuve, les plantes aquatiques, le tapis d'herbe, contempla le reflet bleu argenté du clair de lune, entendit le murmure de la Deisa et les chants lointains qui montaient autour des feux de camp. De l'autre côté aussi on chantait, remarqua-t-il en écoutant les soldats ennemis sur la rive nord. Il était bien difficile de croire que ces voix à l'unisson appartenaient à des êtres foncièrement mauvais et de les haïr aussi aveuglément qu'il est nécessaire pour faire un bon soldat. Il n'en était pas vraiment un, d'ailleurs, et n'avait jamais tout à fait réussi à haïr qui que ce soit.

Il ne distinguait pas les silhouettes dans l'herbe de l'autre côté du fleuve, mais les feux si, et il eut tôt fait de constater qu'il y en avait bien plus au nord de la Deisa que derrière lui, là où les siens attendaient le lever du jour.

Pour la dernière fois sans doute. Il ne se faisait aucune illusion ; plus personne ne s'en faisait depuis la bataille qui s'était livrée en bordure de ce même fleuve cinq jours plus tôt. Il ne leur restait que leur détermination et un chef au courage insolent, père de deux fils presque aussi valeureux que lui.

Tous deux beaux garçons. Saevar regrettait de n'avoir jamais eu l'occasion de les sculpter. Du prince, bien sûr, il avait réalisé de nombreuses sculptures ; le prince le traitait en ami. On ne pouvait pas dire, songea Saevar, qu'il avait mené une existence inutile ou vaine ; il y avait eu son art, la joie et la motivation qu'il lui avait procurées, et les louanges que lui avaient prodiguées les grands de sa province, de toute la péninsule en vérité.

Et il avait connu l'amour. Il eut une pensée pour sa femme et ses enfants. Sa fille, dont le regard lui avait tant appris sur le sens de l'existence le jour de sa naissance, quinze années auparavant. Et son fils, trop jeune d'un an pour l'accompagner dans le Nord à la guerre. Saevar se souvenait de l'expression de son visage le jour où ils s'étaient séparés. La sienne n'était sûrement pas très différente de celle du jeune garçon. Il avait embrassé ses enfants, puis tenu sa femme enlacée un long moment, sans prononcer une parole ; tout ce qui valait la peine d'être dit l'avait déjà été bien des fois par le passé. Puis il s'était brusquement détourné, afin qu'ils ne pussent voir ses larmes, et avait enfourché sa monture ; passablement entravé par l'épée sur sa hanche, il s'était éloigné aux côtés de son prince pour guerroyer contre ceux qui étaient venus de l'autre côté de la mer.

Il entendit un pas léger derrière lui, sur sa gauche, qui venait de la direction où rougeoyaient les feux de camp et d'où s'élevaient des voix sur un air joué par un luth. Il se retourna.

« Prenez garde, dit-il obligeamment, vous vous apprêtez à trébucher sur un malheureux sculpteur.

—C'est toi, Saevar ? » murmura une voix amusée. Une voix qu'il connaissait bien.

« C'est moi, monseigneur. Aviez-vous jamais vu nuit aussi parfaite que celle-ci ? »

Valentin s'approcha – il y avait bien assez de lumière pour se repérer – et se laissa délicatement glisser dans l'herbe à côté de lui. « Je ne crois pas, acquiesça-t-il. Tu as vu ? Vidomni croît à mesure qu'Ilarion décroît. Accolées, elles formeraient un tout.

— Un tout bien étrange, fit Saevar.

— Mais cette nuit l'est tout autant.

— Vraiment ? La nuit serait-elle affectée par ce que nous autres mortels entreprenons ici-bas ? Par notre folie ?

— Notre façon d'appréhender les choses l'est, sans aucun doute, fit Valentin d'une voix douce, car son esprit vif se sentait titillé par la question. Si nous trouvons la nuit aussi belle, c'est, en partie du moins, parce que nous savons ce que l'aube nous réserve.

— Et que nous réserve-t-elle, monseigneur ? » ne put s'empêcher de répliquer Saevar. Il constata qu'il espérait encore, à la manière d'un enfant, que son prince à la chevelure de jais, son prince gracieux et fier, allait trouver une parade à ce qui les attendait de l'autre côté du fleuve. Une parade à ces voix ygrathiennes et à tous ces feux ygrathiens qui brûlaient au nord. Une parade, surtout, au terrible roi d'Ygrath et à sa magie noire, ainsi qu'à la haine qu'il n'aurait, lui, aucune difficulté à stimuler dès le lever du jour.

Valentin, le regard tourné vers le fleuve, garda le silence. Au-dessus d'eux, Saevar vit tomber une étoile ; elle traversa le ciel en diagonale, à l'ouest de leur position, et finit vraisemblablement par plonger dans l'immensité de l'océan. Il regrettait d'avoir posé cette question ; ce n'était pas le moment d'accabler le prince de convictions erronées.

Il allait lui présenter ses excuses lorsque Valentin lui répondit, d'une voix basse et mesurée, afin de ne pas sortir du cercle de leur intimité.

« J'ai arpenté le campement, tout comme Corsin et Loredan, et nous avons tenté d'apporter un peu de réconfort, d'espoir et de gaieté aux hommes pour les aider à trouver le sommeil. C'est à peu près tout ce que nous pouvons faire.

— Ce sont des garçons généreux, l'un comme l'autre. Je me disais justement que je n'avais jamais eu l'occasion de les sculpter.

— Tu m'en vois désolé, fit Valentin. Si quelque chose promet de survivre quelque temps encore après notre disparition, ce sont les œuvres d'art telles que tes sculptures. Ou telles que nos livres, notre musique, la tour verte et blanche d'Orsaria en Avalle. » Il se tut et revint à sa pensée première. «Ce sont certes des garçons courageux. Pourtant ils n'ont que seize et dix-neuf ans et, si j'avais pu, je les aurais laissés à la maison avec leur frère… et ton fils. »

C'était une des raisons pour lesquelles le sculpteur aimait tant son prince : Valentin n'oubliait pas que Saevar aussi était père d'un garçon, dont il associait l'existence à celle de son propre fils, même dans un moment pareil.

Derrière eux, légèrement à l'est et à l'écart des feux, un trialla se mit à chanter, et les deux hommes se turent, attentifs à ce chant cristallin. Saevar était si ému qu'il craignait de se couvrir de honte en se mettant à pleurer : ne penserait-on pas qu'il s'agissait de larmes de peur ?

Valentin poursuivit : «Je n'ai pas répondu à ta question, mon ami. La vérité me paraît plus facile à affronter ici, dans l'obscurité, loin du camp et de l'angoisse que j'y ai rencontrée. Saevar, tu m'en vois profondément peiné, mais la vérité c'est que le sang versé demain matin sera le nôtre et uniquement le nôtre. Je t'en demande pardon.

— Vous n'avez rien à vous faire pardonner, s'empressa de répondre Saevar, d'une voix aussi assurée que possible ; vous n'êtes pas responsable de cette guerre, vous n'aviez pas les moyens de l'empêcher, vous ne pouviez pas refuser de la faire. D'ailleurs, je ne suis peut-être pas bon soldat, mais j'ose espérer que je ne suis pas complètement imbécile. Ma question, je le vois, était superflue car la réponse s'impose d'elle-même, monseigneur : elle est dans les feux sur l'autre rive.

—Et dans la sorcellerie, ajouta tranquillement Valentin. Plus encore que dans les feux. Nous pourrions infliger une défaite à une armée plus importante, même après les blessures et la fatigue de la bataille livrée la semaine dernière. Mais Brandin et sa magie sont avec elle désormais. Ce n'est plus le lionceau mais le lion en personne qui les accompagne et, comme le lionceau est mort, il leur faut du sang frais pour saluer le lever du soleil. Aurais-je dû me rendre la semaine dernière ? Au jeune homme ? »

Saevar se tourna vers le prince et le regarda à la lumière des deux lunes, incrédule. Il resta sans voix un moment, puis recouvra l'usage de la parole. « Je serais rentré chez moi après une telle reddition, dit-il résolument, j'aurais pénétré dans le palais de la Mer et j'aurais brisé chacune des sculptures que j'ai réalisées de vous. »

Un instant plus tard, il entendit un bruit étrange. Il lui fallut un moment pour s'apercevoir que Valentin riait : Saevar n'avait jamais entendu quiconque rire de la sorte.

« Oh, mon ami, fit le prince, je me doutais de ta réponse. Vanité des hommes, terrible, terrible vanité. Est-ce de cette vanité-là dont on se souviendra, crois-tu, lorsque nous ne serons plus ?

—Peut-être, dit Saevar. Mais on se souviendra. La seule chose dont nous soyons sûrs est qu'on se souviendra de nous. Ici dans la péninsule, et à Ygrath, Quileia, et même à l'ouest, de l'autre côté de la mer, dans l'empire de Barbadior. Nous laisserons un nom.

—Et nous laissons nos enfants, ajouta Valentin ; les plus jeunes d'entre eux. Des fils et des filles qui se souviendront de nous. De tout petits enfants à qui nos femmes et nos aïeux révéleront, lorsqu'ils auront grandi, l'histoire de la Deisa, de ce qui va se passer ici, et, plus encore, leur diront comment nous avons vécu dans cette province avant la chute. Que Brandin d'Ygrath nous anéantisse demain, qu'il détruise nos demeures, il ne peut effacer notre nom ni la mémoire de ce que nous avons été.

—Il ne le peut pas, répéta Saevar, qui se sentait inexplicablement revigoré. Je suis sûr que vous avez raison. Nous ne sommes pas la dernière génération d'hommes libres. La mémoire de ce qui va se passer demain perdurera à travers les âges. Les enfants de nos enfants se souviendront de nous et ne ploieront pas servilement sous le joug.

—Et si l'un d'eux semble manifester des dispositions pour cela, ajouta Valentin sur un autre ton, les enfants ou les petits-enfants d'un certain sculpteur n'hésiteront pas à lui fendre le crâne, de pierre ou de chair.»

Saevar sourit dans l'obscurité. Il avait voulu rire mais n'y était pas tout à fait parvenu. «Je l'espère, monseigneur, si les déesses et le dieu le permettent. Merci à vous. Merci pour ces paroles.

—Pas de merci entre nous, Saevar, et surtout pas ce soir. Que la Triade te garde et te protège, demain et les jours à venir; qu'elle garde et protège tout ce qui t'est cher.»

Saevar avala sa salive. «À commencer par vous, monseigneur. Car vous n'ignorez pas que vous faites partie de ceux que j'ai aimés.»

Valentin ne répondit rien. Mais, un instant plus tard, il se pencha et déposa un baiser sur le front de Saevar. Puis il leva la main, et le sculpteur, dont le regard se brouillait, leva la sienne pour toucher celle du prince, paume contre paume, en signe d'adieu. Valentin se leva et disparut, telle une ombre dans le clair de lune; il se dirigeait vers le campement de son armée.

Sur chaque rive, les chants s'étaient tus. Il était très tard. Saevar n'ignorait pas qu'il lui fallait s'arracher à sa contemplation et aller prendre quelques heures de sommeil. Mais il avait du mal à s'éloigner, à renoncer à la beauté parfaite de cette dernière nuit: le fleuve, les deux lunes, la voûte céleste, les lucioles et tous les feux.

Il décida de rester au bord du fleuve. Assis sur la rive de la Deisa dans l'obscurité de cette nuit d'été, ses mains puissantes juste posées sur les genoux, il vit les deux lunes disparaître et les feux s'éteindre un à un, et il pensa à sa femme, à ses enfants et à ce qu'il avait accompli de ses deux mains et qui lui survivrait. Le trialla chanta pour lui toute la nuit durant.

PREMIÈRE PARTIE

UNE ÉPÉE DANS L'ÂME

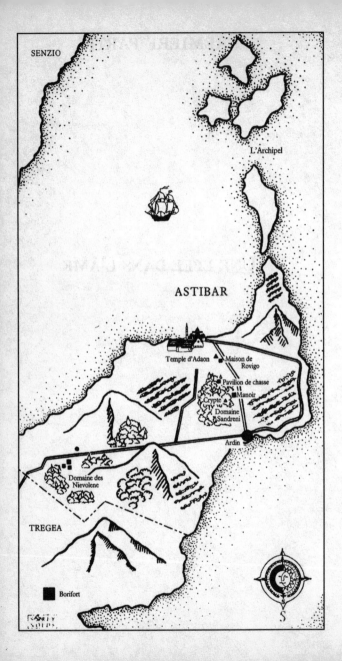

CHAPITRE 1

Quand vint l'époque des Vignes, la nouvelle courut parmi les cyprès, les oliviers et les vignes chargées de raisin de son domaine que Sandre, duc d'Astibar, qui régnait autrefois sur cette ville et la province environnante, avait poussé un ultime soupir que la vieillesse et les années d'exil coloraient d'amertume, puis s'était éteint.

Aucun serviteur de la Triade n'était à ses côtés pour prononcer les rites de la mort. Ni les prêtres d'Eanna, en robe blanche, ni ceux de la sombre Morian des Portes, ni les prêtresses d'Adaon, le dieu.

Nul ne fut surpris d'apprendre ces détails en même temps que le décès du duc. Chacun savait que Sandre avait passé ses dix-huit années d'exil à enrager contre la Triade et son clergé. Même lorsqu'il détenait le pouvoir, le duc n'avait jamais caché son absence de dévotion.

On était à la veille de la fête des Vignes, et la ville regorgeait de gens venus de la campagne proche et de plus loin encore. Dans les tavernes bondées et les khaveries, on s'échangeait des vérités et des men[...] sur le duc au même titre que la laine et le [...] Ceux qui se livraient à ce commerce n'a[...] ne serait-ce qu'aperçu son visage et aura[...] avec raison s'ils avaient été convoqu[...] d'Astibar.

De son vivant, le duc Sandre avait toujours suscité force commentaires et spéculations d'un bout à l'autre de la péninsule qu'on nommait la Palme, et c'était encore le cas à sa mort. Qu'Alberico de Barbadior ait fait irruption avec une armée de l'Empire d'outremer et exilé Sandre dix-huit ans plus tôt n'y avait rien changé. Même lorsqu'il disparaît, le pouvoir laisse des traces.

C'est en partie pour cela, mais aussi parce que tous ses actes étaient marqués par la prudence et la circonspection, qu'Alberico, qui tenait quatre des neuf provinces d'une poigne de fer et se disputait la neuvième avec Brandin d'Ygrath, respecta scrupuleusement le protocole.

À midi sonné le jour de la mort du duc, on aperçut un messager d'Alberico qui sortait de la ville par la porte orientale, un messager tenant la bannière bleu argenté du deuil et porteur, nul doute, de condoléances soigneusement pesées à l'intention des enfants et petits-enfants de Sandre, rassemblés dans leur vaste domaine à sept milles des murs de la ville.

Au *Paelion*, la khaverie où les gens d'esprit avaient élu domicile cette saison, on fit remarquer non sans cynisme que le tyran aurait certainement envoyé une compagnie de ses mercenaires barbadiens, non pas un simple messager, si les Sandreni étaient autre chose qu'un ramassis d'incapables. Chacun dans la salle approuva en riant, tout en guettant du coin de l'œil la présence d'oreilles indiscrètes ; juste avant que le calme ne revienne, un musicien ambulant – ils étaient des dizaines dans la ville d'Astibar cette semaine-là – offrit de parier ses gains des trois prochains jours qu'avant la fin du festival des condoléances versifiées arriveraient de l'île de Chiara.

« L'occasion est trop belle », expliqua le musicien mpétueux en levant une tasse de khav fumant arrosé n des nombreux alcools alignés sur les étagères der- e le comptoir du *Paelion*. « Brandin ne résistera pas tentation de rappeler à Alberico, ainsi qu'à nous même s'ils se sont partagé la péninsule, que le

patrimoine artistique et intellectuel réside plutôt du
côté de Chiara. Soyez sûrs que le gros Doarde nous aura
gratifiés d'une demi-douzaine de rimes maladroites et
Camena de quelque acrostiche à déchiffrer, avec le nom
de Sandre orthographié de six manières différentes et
de droite à gauche, avant que les rues d'Astibar aient
retrouvé leur calme habituel. »

Quelques rires fusèrent, encore empreints de mé-
fiance, même en cette veille de festival où une longue
tradition respectée par Alberico de Barbadior permettait
une liberté plus grande qu'à toute autre période de
l'année. Quelques individus doués pour les chiffres
calculèrent promptement le temps qu'il faudrait pour
effectuer la traversée à la voile, en tenant compte des
risques de tempête, importants à cette époque de l'année
au nord de la province du Senzio et dans l'Archipel ; le
musicien constata bientôt qu'on avait pris note de son
pari et qu'il avait été dûment consigné sur l'ardoise qui
couvrait tout un mur du *Paelion* à cette seule fin, dans
une ville où les paris allaient bon train.

Quelques instants plus tard, bavardages et paris
s'arrêtèrent tout net. Un homme, la tête couverte d'une
casquette penchée ornée d'une plume enroulée, venait
d'ouvrir brusquement la porte du bar et de réclamer
l'attention générale ; l'ayant obtenue, il annonça que le
messager du tyran était revenu par la porte qu'il avait
récemment empruntée pour sortir. Que, cette fois, il
allait à beaucoup plus vive allure et qu'à moins de trois
milles suivait le cercueil du duc Sandre d'Astibar qui,
en accord avec ses derniers vœux, venait reposer en
grand apparat une nuit et une journée dans la ville où il
avait régné.

Les clients du *Paelion*, c'était prévisible, réagirent
sur-le-champ et se mirent à crier comme des forcenés
pour couvrir le tintamarre dont ils étaient eux-mêmes
les auteurs et se faire entendre. Le bruit, la politique et
les plaisirs imminents du festival donnaient soif à tout
le monde. Son commerce marchait si bien que le patron
du *Paelion*, tout excité, versait inconsidérément de

grandes rasades d'alcool dans les khavs corsés qui lui
étaient commandés. Sa femme, d'un tempérament plus
placide, continuait à rationner tous ses clients sans distinction.

« On ne les laissera pas entrer ! » s'exclama Adreano,
le jeune poète, en reposant violemment sa tasse ; le
khav brûlant éclaboussa la table de chêne sombre dans
la plus grande loge du *Paelion*. « Alberico ne le per-
mettra jamais ! » Ses amis ainsi que la cohorte de curieux
qui se pressaient toujours auprès de cette table-là
poussèrent des grognements d'approbation.

Adreano jeta un regard vers le trouvère qui avait si
audacieusement parié sur les intentions de Brandin
d'Ygrath et des poètes de la cour de Chiara. L'homme,
les sourcils arqués, le regard narquois, s'installa confortablement sur la chaise qu'il avait eu le toupet d'approcher de la loge quelques instants plus tôt. Ses remarques
avaient froissé Adreano, mais celui-ci n'aurait su dire
pour quelle raison précise il avait pris ombrage : était-ce
parce que le musicien avait affirmé la supériorité cultu-
relle de Chiara avec autant de désinvolture, ou parce
qu'il s'était montré si cavalier envers le grand Camena
di Chiara qu'Adreano imitait avec ferveur ces derniers
mois, tant dans ses tournures que dans le port incondi-
tionnel d'une cape à trois épaisseurs de jour comme de
nuit ?

Adreano était suffisamment intelligent pour percevoir
comme une contradiction interne dans ce double motif
d'irritation, mais son extrême jeunesse ainsi que la
quantité importante de khav arrosé de cognac senzian
qu'il venait d'absorber suffisaient à maintenir cette
intuition soigneusement enfouie dans son inconscient.

Ses pensées conscientes, elles, restaient tournées vers
ce rustre si présomptueux. De toute évidence, l'homme
était venu en ville avec l'intention de passer les trois
prochains jours à gratter de quelque instrument rustique
en échange d'une poignée de pièces vite gaspillées sur
les lieux du festival. De quel droit ce petit personnage
osait-il pénétrer dans la khaverie la plus en vogue à

l'est de la Palme et asseoir son rustique postérieur à proximité de la table la plus convoitée de la khaverie ? Adreano avait encore en mémoire des souvenirs pénibles car, même après la publication de ses premiers vers, il lui avait fallu un bon mois – tantôt avançant à pas prudents, tantôt reculant par peur des rebuffades – pour s'en approcher et se faire admettre au sein de l'élite qui revendiquait le droit de s'installer dans cette loge.

Il se surprit à espérer que le musicien aurait l'audace de le contredire : il venait de composer un brillant distique à l'intention de cette racaille ambulante qui se permet de porter des jugements sur ses supérieurs en leur présence.

Il n'eut pas longtemps à attendre : l'homme se carra un peu plus dans son siège, caressa ses tempes prématurément argentées et déclara en s'adressant directement à Adreano : « Eh bien, on dirait que c'est mon jour pour les gageures, et je suis prêt à engager tout l'argent que je vais gagner à mon précédent pari qu'Alberico, prudent comme il est, ne risquera pas de gâcher le festival pour cela. Les visiteurs sont déjà trop nombreux et l'humeur trop euphorique en dépit du khav trop léger qu'on sert ici, même aux habitués qui devraient pourtant s'en rendre compte. »

Il sourit pour atténuer le mordant de sa dernière remarque.

« Le tyran a bien plus intérêt à se montrer courtois, poursuivit-il, et à laisser son vieil ennemi reposer en paix tout en remerciant je ne sais quels dieux que l'empereur de l'autre côté des mers a ordonné aux Barbadiens d'honorer. Des remerciements et une offrande car, je n'en doute pas, les eunuques que Sandre laisse derrière lui auront le bon goût de renoncer sans tarder à la poursuite désuète d'une liberté que lui-même incarnait avant que la province d'Astibar ne soit castrée. »

À la fin de ce discours, il ne souriait plus et ses yeux gris profondément enfoncés dans leurs orbites ne quittaient pas ceux d'Adreano.

Car pour la première fois des paroles dangereuses venaient d'être prononcées. D'une voix douce, certes, mais chacun dans la loge avait entendu, et brusquement ce secteur du *Paelion* plongea dans un silence insolite, comparé au vacarme incontrôlé qui régnait partout ailleurs dans la salle ; le distique piquant qu'Adreano avait si promptement composé lui parut futile et inapproprié. Il demeura silencieux, tandis que son cœur battait la chamade. Non sans peine, il regarda le musicien dans les yeux.

Lequel, souriant de nouveau, demanda : « Soutiendrez-vous cette gageure, l'ami ? »

Tout en essayant de gagner du temps pour calculer rapidement combien d'astins il pouvait réunir en acculant certains amis, Adreano répondit : « Auriez-vous l'obligeance de nous expliquer pourquoi un cultivateur des environs se montre aussi libéral avec de l'argent qu'il n'a pas encore gagné ainsi qu'avec ses opinions toutes personnelles sur des sujets tels que celui-ci ? »

Son vis-à-vis sourit de plus belle, découvrant des dents aussi blanches que régulières.

« Mais je ne suis ni cultivateur ni originaire de votre région, protesta-t-il gentiment. Je suis berger sur les montagnes au sud de la Tregea et je vais vous avouer une chose. » Il regarda autour de lui de ses yeux gris et malicieux, pour montrer qu'il s'adressait à la loge tout entière. « Un troupeau de moutons en dit plus long sur la nature humaine que certains aiment à le croire, et les chèvres… les chèvres sont plus aptes à faire de vous un philosophe que les prêtres de Morian, surtout dans la montagne, par temps de pluie, lorsqu'il faut leur courir après tandis que le tonnerre et l'obscurité approchent à grands pas. »

Les occupants de la loge rirent de bon cœur, quelque peu rassurés par le relâchement de la tension. Adreano tenta en vain de garder une expression de sévère réprobation.

« Et notre pari ? » demanda une seconde fois le berger, la mine affable et détendue.

Adreano n'eut pas la peine de répondre et ses amis firent l'économie d'une déception et d'une perte d'argent : Néron, le peintre, faisait irruption dans le bar avec davantage de précipitation encore que le rapporteur à la casquette surmontée d'une plume.

« Alberico a donné son aval ! claironna-t-il pour couvrir le vacarme du *Paelion*. Il vient juste de décréter que l'exil de Sandre prenait fin avec sa mort. La dépouille du duc sera exposée en grande pompe au vieux palais des Sandreni, et il aura droit à des funérailles honorifiques avec rien moins que les neuf rites ! À condition… (il fit une pause théâtrale) à condition que le clergé de la Triade y soit admis et prenne part à la cérémonie. »

Les conséquences de tout cela étaient trop graves pour qu'Adreano continuât de ressasser sa déconfiture bien longtemps. Les jeunes poètes fougueux ne sont que trop habitués à pareille mésaventure qui leur arrive dix fois par jour. L'événement était d'une telle importance ! Sans qu'il sût très bien pourquoi, il tourna de nouveau le regard vers le berger. L'homme arborait une expression sereine et intéressée, mais certainement pas victorieuse.

« Bah, fit l'inconnu en hochant tristement la tête, j'avais raison et je crains qu'une fois de plus ce soit la seule compensation à mon extrême pauvreté ; mais il en a toujours été ainsi. »

Adreano éclata de rire. Il décocha une tape dans le dos du peintre corpulent et essoufflé, et se poussa pour lui faire de la place. « Qu'Eanna nous bénisse tous deux, lui dit-il. Sais-tu que tu viens juste d'économiser plus d'astins que tu n'en possèdes ? Je t'aurais rançonné pour soutenir un pari que j'aurais perdu en raison des nouvelles que tu nous apportes. »

En guise de réponse, Néron s'empara de la tasse encore à moitié pleine d'Adreano et avala le khav d'un trait. Il jeta un coup d'œil optimiste alentour, mais, les habitudes du peintre étant connues de tous, chacun surveillait sa consommation. Le berger de Tregea à la

chevelure sombre lui tendit sa propre tasse en riant.
Ayant appris à ne jamais refuser ce qu'on lui offrait,
Néron en lampa le contenu. Quand elle fut vide il
n'oublia pas de murmurer un merci.

Adreano avait remarqué l'échange, mais son esprit
explorait des sphères encore inconnues et ce qu'il en
déduisit l'étonna lui-même.

« Tu viens de nous montrer une fois de plus, dit-il
brusquement en s'adressant à Néron mais aussi à la
loge dans son ensemble, à quel point le sorcier barbadien
qui nous gouverne est malin. Par le biais d'un unique
décret, Alberico vient de resserrer ses liens avec le clergé
de la Triade. Il a mis une condition parfaite au respect
des dernières volontés du duc. Les héritiers de Sandre
seront contraints d'accepter – non pas qu'ils aient
jamais refusé quoi que ce soit – et j'ose à peine songer
à la somme astronomique qu'ils vont devoir payer pour
amadouer prêtres et prêtresses et les convaincre d'entrer
dans le palais Sandreni demain matin. Alberico pourra
désormais se targuer d'avoir réussi à ramener Sandre
le renégat dans le giron de la Triade à sa mort. »

Il parcourut la loge du regard, stimulé par la force
de son raisonnement. « Par le sang d'Adaon, voilà qui
me rappelle les intrigues d'antan ! Il fut une époque où
l'on procédait en tout avec pareille rouerie. Des rouages
à l'intérieur des rouages, voilà ce qui a forgé le destin
de la péninsule entière.

—Eh bien, fit le Trégéen, l'air soudain grave, c'est
certainement la meilleure analyse que nous ayons entendue en ce jour bruyant. Mais dis-moi, poursuivit-il
tandis qu'Adreano rougissait de plaisir, si la manœuvre
d'Alberico t'a aussitôt fait penser, toi, et les autres
aussi, je n'en doute pas, même s'il leur faut un peu
plus de temps, à la manière de procéder qui prévalait
ici avant qu'Alberico vienne s'imposer et que Brandin
s'empare de Chiara et des provinces occidentales, cela
ne signifie-t-il pas – il parlait tout bas, s'adressant à
Adreano qui seul pouvait l'entendre dans le vacarme

ambiant – qu'il a trouvé plus fort que lui à ce jeu ? qu'il a été battu par un défunt ? »

Autour d'eux des hommes se levaient bruyamment et réglaient leurs consommations en hâte, impatients de se retrouver dehors où se déroulaient des événements d'une ampleur exceptionnelle. Chacun se dirigeait vers la porte d'Orient pour voir les Sandreni ramener leur seigneur défunt au terme de dix-huit années d'exil. Un quart d'heure plus tôt, Adreano leur aurait emboîté le pas, drapé dans son manteau à trois épaisseurs, filant pour atteindre la porte au plus vite et s'assurer un bon point de vue. Plus maintenant. Son cerveau bondissait pour suivre la voix du Trégéen dans une nouvelle direction ; il était traversé d'éclairs de compréhension qui répandaient la lumière, comme une chandelle dans l'obscurité.

« Tu vois ce que je veux dire ? » lui demanda simplement son nouvel interlocuteur. Ils étaient seuls dans la loge. Néron s'était attardé pour avaler en hâte ce qui restait de khav après le départ précipité des buveurs, qu'il avait alors suivis dans le soleil et la brise automnale.

« Je crois que oui, répondit Adreano qui réfléchissait. Sandre gagne en perdant.

— En perdant une bataille qui ne l'a jamais vraiment passionné, rectifia le berger, une lueur dans ses yeux gris. Je ne pense pas qu'il se soit jamais intéressé au clergé. Ce n'était pas un ennemi. Alberico n'est pas dépourvu de subtilité ; néanmoins, s'il a conquis cette province ainsi que la Tregea, le Ferraut et le Certando, c'est grâce à son armée et à ses talents de sorcier. C'est également grâce à eux qu'il tient la Palme orientale. Sandre d'Astibar a gouverné cette ville et cette province pendant vingt-cinq ans, et il a, que je sache, essuyé une demi-douzaine de rébellions et de tentatives d'assassinat. Il y est parvenu grâce à une poignée de soldats à peu près fiables, grâce à sa famille aussi, ainsi qu'à une capacité à ruser qui était déjà légendaire alors. Me permets-tu de suggérer qu'il a refusé de recevoir prêtres et prêtresses

sur son lit de mort uniquement pour pousser Alberico à
en faire une condition qui lui permettrait de sauver la
face ? »

Adreano l'ignorait. Ce qu'il n'ignorait pas, par contre,
c'est qu'il ressentait un enthousiasme, une exaltation
tels qu'il ne savait plus s'il avait envie de prendre une
épée ou bien une plume et de l'encre afin de coucher
sur le papier les mots qui se bousculaient dans sa tête.

« À votre avis, que va-t-il se passer ? demanda-t-il
avec une déférence propre à étonner ses amis.

—Je n'en suis pas sûr, répondit l'autre avec franchise.
Mais il m'apparaît de plus en plus clairement que la
fête des Vignes de cette année risque de marquer le
début d'événements que nul n'aurait pu soupçonner. »

Il fut sur le point d'ajouter autre chose, mais se ravisa.

Il se leva et fit tinter quelques pièces de monnaie en
les posant sur la table. « Il faut que j'y aille. C'est
l'heure de la répétition. Je suis embauché par une compagnie avec laquelle je n'ai encore jamais joué. La
peste de l'année dernière a fait des ravages parmi les
musiciens ambulants, c'est ce qui m'a permis de prendre
congé de mes chèvres. »

Il sourit, puis jeta un coup d'œil au tableau des paris
sur le mur. « Dis à tes amis que je repasserai par ici
avant le coucher du soleil, dans trois jours, pour voir
ce qu'il en est des condoléances poétiques en provenance de Chiara. À bientôt donc.

—À bientôt », fit Adreano par automatisme en regardant son interlocuteur sortir de la salle presque vide.

Le patron et sa femme allaient et venaient, débarras-
sant les tasses et les verres, essuyant les tables et les
bancs. Adreano commanda un dernier verre. Quelques
instants plus tard, tandis qu'il sirotait une tasse de khav
sans alcool cette fois pour s'éclaircir les idées, il s'aperçut qu'il avait oublié de demander au musicien comment
il s'appelait.

CHAPITRE 2

Devin vivait une dure journée.

À dix-neuf ans, il avait presque entièrement accepté sa petite taille ainsi que le visage puéril au teint clair dont l'avait doté la Triade par surcroît. Cela faisait longtemps qu'il avait renoncé à se suspendre par les pieds aux arbres de la forêt qui jouxtait la ferme familiale en Asoli, dans l'espoir de gagner quelques centimètres.

L'acuité de sa mémoire lui avait toujours procuré plaisir et fierté, mais il aurait donné cher pour oublier un certain nombre de souvenirs, comme ce fameux après-midi où les jumeaux étaient revenus de la chasse avec un couple de canards et l'avaient surpris suspendu à un arbre par les pieds. Six ans plus tard, il supportait encore très mal que ses frères, si parfaitement stupides en règle générale, eussent immédiatement compris ce qu'il essayait de faire.

« On va te donner un coup de main, petiot ! » s'était écrié Povar, tout joyeux, et, avant que Devin ait eu le temps de se remettre debout et de s'enfuir, Nico le tenait par les bras, Povar par les pieds, et ses deux grands costauds de frères le tiraient chacun par un bout tout en jacassant avec bonne humeur, appréciant entre autres choses l'étendue du vocabulaire impie de Devin, très précoce en la matière.

En réalité, cet épisode avait marqué la fin de ses tentatives pour grandir. La nuit suivante, il s'était introduit subrepticement dans la chambre des jumeaux qui ronflaient comme des bienheureux et avait consciencieusement renversé un seau de pâtée à cochons sur chacun d'eux. Puis, filant comme Adaon sur sa montagne, il avait traversé la cour de la ferme et enjambé la barrière avant même qu'ils ne commencent à crier.

Il n'était pas réapparu des deux jours suivants et, quand il était enfin rentré, son père l'attendait avec un fouet. Il était certain qu'il allait devoir laver les draps, mais Povar s'en était chargé, et les jumeaux, doués d'une gentillesse à toute épreuve, avaient déjà oublié l'incident.

La mémoire de Devin, digne de celle d'Eanna des Noms, était tantôt une bénédiction, tantôt une malédiction, mais elle restait infaillible. Il était difficile, voire impossible, d'en vouloir aux jumeaux bien longtemps ; pourtant, cela ne l'empêchait pas de se sentir très seul dans cette ferme des basses terres. Peu après l'incident, Devin avait quitté les siens pour devenir apprenti chanteur chez Menico di Ferraut dont la troupe effectuait une tournée dans le nord de l'Asoli tous les deux ou trois printemps.

Devin n'était pas rentré chez lui depuis, bien qu'il eût pris une semaine de congé, trois années plus tôt, lors d'un passage de la troupe dans le Nord, et une autre au printemps dernier. Aucun des siens ne l'avait jamais maltraité, mais il n'était pas à sa place à la ferme et tous quatre le savaient. Ce n'était pas une mince affaire que d'exercer le métier d'agriculteur en Asoli : le travail était souvent pénible, car il fallait se battre pour préserver sa terre et sa santé mentale, menacées, l'une par les constantes incursions de la mer, l'autre par la monotonie des journées chaudes, brumeuses et ternes.

Les choses auraient peut-être été différentes si sa mère avait vécu, mais la ferme d'Asoli où Garin de

Basse-Corte avait amené ses trois fils était un endroit austère, sans trace aucune de présence féminine. Les jumeaux s'en accommodaient parce qu'ils étaient deux ; son père aussi, qui était devenu un autre homme depuis qu'il vivait dans les grands espaces insipides des basses terres, mais ce n'était pas une source d'épanouissement et de souvenirs amènes pour un puîné de petite taille, vif et plein d'imagination, pourvu de talents dont on ignorait encore où ils le mèneraient, mais certainement pas à l'agriculture.

Quand ils eurent appris de la bouche de Menico di Ferraut que Devin était capable de chanter bien autre chose que des romances, c'est avec un certain soulagement que les siens lui dirent adieu, dans la sempiternelle grisaille et la pluie. Nico et son père partirent vérifier le niveau du fleuve avant même que les adieux aient pris fin. Povar, lui, resta jusqu'au départ de ce drôle de petit frère et le gratifia d'une bourrade un peu maladroite.

« S'ils ne te traitent pas comme il faut, avait-il dit, tu n'auras qu'à revenir, Dev. Il y aura toujours une place pour toi. »

Devin n'avait rien oublié, ni la bourrade affectueuse qui avait pris une valeur excessive au fil des années, ni les paroles brèves et rudes qui avaient suivi. La vérité, c'est qu'il se souvenait effectivement de tout ou presque, sauf de sa mère et de leur vie en Basse-Corte. Mais il n'avait pas deux ans lorsqu'elle était morte au cours des combats qui avaient eu lieu là-bas, et seulement un mois de plus quand Garin avait emmené ses trois fils dans le Nord.

Depuis lors, tout avait été soigneusement consigné dans sa tête.

Et, s'il avait été parieur – ce qu'il n'était pas, pour avoir hérité de la prudence des Asoliens –, il aurait volontiers misé un chiaro ou un astin qu'il n'avait pas éprouvé pareille frustration depuis des années. Pour être parfaitement sincère, depuis l'époque où l'on s'était mis à craindre qu'il ne grandît jamais.

Comment diable faut-il s'y prendre pour se faire servir à boire en Astibar ? se demandait-il en ronchonnant. Et à la veille de la fête des Vignes, qui plus est !

Une question franchement risible si elle n'avait pas été aussi exaspérante. C'est aux prêtres coincés et rabat-joie d'Eanna que l'on devait cette mesure, avait-il appris dans la première auberge qui avait refusé de lui servir une fillette de vin vert du Senzio. La déesse, songea Devin avec le plus grand sérieux, était pourtant en droit d'attendre autre chose de ses serviteurs.

C'était l'année précédente, au cours d'interminables intrigues pour rivaliser avec le clergé qui servait Morian et Adaon, que les prêtres d'Eanna avaient persuadé les conseillers fantoches du tyran que les jeunes d'Astibar étaient par trop licencieux et que – argument plus convaincant encore – pareille licence était source d'agitation. Et comme il paraissait évident que les tavernes et les khaveries étaient à l'origine de cette licence…

Moins de deux semaines plus tard, Alberico faisait promulguer et appliquer une loi interdisant à toute personne de moins de dix-sept ans de consommer des boissons alcoolisées en Astibar.

Les prêtres partisans de ce régime sec savourèrent, à la manière ascétique qui était la leur, cette victoire mesquine sur les ministres du culte de Morian et les élégantes prêtresses du dieu, connus pour leurs sombres passions, lesquelles passaient inévitablement par la consommation de vin.

Les taverniers, quoique mécontents, demeurèrent silencieux. (Mieux valait ne pas manifester son mécontentement trop bruyamment en Astibar.) En réalité, ce n'était pas tant le manque à gagner que la façon insidieuse dont la loi avait été imposée qui les mécontentait ; car cette loi laissait aux patrons de tavernes, d'auberges et de khaveries le soin d'estimer eux-mêmes l'âge des clients. Et si par malheur un de ces ubiquistes de mercenaires barbadiens venait à passer par là et décidait de la manière la plus arbitraire qu'un client paraissait trop jeune… la taverne était fermée pour un mois et le tenancier passait ce laps de temps en prison.

Ce qui ne laissait pas la moindre chance aux quinze, seize ans d'Astibar. Ni à un petit chanteur asolien de dix-neuf à la mine enfantine, comme il s'avéra au cours de la matinée.

Après trois renvois sommaires d'établissements situés sur le versant ouest de la rue des Temples, Devin fut brièvement tenté de traverser, de pénétrer dans le sanctuaire de Morian et de feindre l'extase dans l'espoir qu'on croyait ici aux vertus du senzio pour soulager les extases comateuses. Plus fou encore, il envisagea de briser une fenêtre du sanctuaire en dôme d'Eanna, afin de voir si les imbéciles à la virilité douteuse qui veillaient à l'intérieur étaient capables de piquer un sprint et de l'attraper.

Il s'abstint pour deux raisons : il vouait une adoration sincère à Eanna des Noms, et il avait une conscience aiguë du nombre impressionnant de mercenaires barbadiens – tous grands et bien armés – qui patrouillaient dans les rues d'Astibar. Les Barbadiens étaient certes présents dans toute la partie orientale de la Palme, mais c'était à Astibar, où Alberico avait élu domicile, que leur présence était de loin la plus manifeste et la plus dérangeante.

Finalement Devin, déplorant de ne pas être enrhumé, prit à l'ouest en direction du port, puis, se fiant à son odorat malheureusement intact, se dirigea vers l'allée des Tanneurs. Là, l'estomac tout retourné par les émanations en provenance des tanneries qui supplantaient jusqu'à l'odeur des salines, il put enfin obtenir une bouteille de vin nouveau sans qu'on lui posât de questions, dans une taverne du nom de *l'Oiseau Marin*, tenue par un aubergiste dégingandé qui traînait un peu les pieds, sans doute parce que sa vue s'accommodait mal des ombres noires dans un établissement qui ne comportait qu'une seule salle et pas de fenêtre.

Même ce trou à rats malodorant était plein à craquer. La ville d'Astibar regorgeait de monde en cette veille de fête des Vignes. La récolte avait été bonne partout sauf au Certando, Devin le savait ; les gens avaient de l'argent et semblaient disposés à le dépenser.

Il n'y avait pas la moindre table de libre à *l'Oiseau Marin*. Devin se faufila dans un angle où le bois sombre et noueux du bar touchait le mur du fond, avala une gorgée de vin, allongé d'eau, certes, mais sans excès, et se prépara corps et âme à méditer sur la perfidie et l'inconséquence des femmes.

Telles qu'elles lui étaient apparues en la personne de Catriana d'Astibar ces deux dernières semaines.

Il calcula qu'il avait le temps d'y réfléchir tout en dégustant une fillette, et d'arriver à la répétition prévue en fin d'après-midi la tête froide. Ce serait la dernière avant une série de représentations dont la première devait avoir lieu au domicile d'un petit viticulteur le lendemain. Après tout, c'était lui le membre le plus expérimenté de la troupe, songea-t-il avec indignation. Et l'un des actionnaires, qui plus est. Il connaissait les détails de la représentation comme les doigts de la main. Menico avait décidé de ces quelques répétitions supplémentaires uniquement pour le bénéfice des trois nouveaux.

Dont l'impossible Catriana, qui l'avait contraint à quitter la répétition du matin en rage, peu avant que Menico n'y ait mis fin lui-même. Comment, par Adaon, était-il censé réagir quand une jeune femme sans expérience mais sûre de son talent, qu'il avait traitée avec beaucoup de gentillesse depuis son entrée dans la troupe quinze jours plus tôt, disait ce qu'elle avait dit devant tout le monde ce matin ?

Maudissant sa mémoire, Devin revit les neuf membres de la troupe répétant dans la salle qu'ils avaient louée au rez-de-chaussée de leur auberge. Quatre musiciens, deux danseuses, Menico, Catriana, et lui-même, chantant au premier plan. Ils exécutaient le *Chant d'amour* de Rauder, une mélodie que l'épouse du négociant en vins ne manquerait pas de réclamer et que Devin répétait depuis bientôt six ans, au point de se sentir capable de la chanter dans n'importe quel état : hébété, évanoui et même endormi.

Aussi s'ennuyait-il un peu et s'était-il montré légèrement distrait, au point de se pencher un peu plus que ne le voulait la stricte décence vers la nouvelle chanteuse aux cheveux roux et d'introduire certain message dans son expression et sa voix ; mais tout de même...

« Devin, au nom de la Triade, était intervenue Catriana d'Astibar en interrompant la répétition, pourrais-tu oublier un instant tes désirs charnels et nous chanter cette mélodie convenablement ? Ce chant n'est pourtant pas difficile ! »

En raison de son teint clair, Devin avait immédiatement viré au rouge vif. Menico, Menico qui aurait dû réprimander vertement la jeune fille pour son impertinence, s'était mis à rire sans pouvoir se contrôler, le teint encore plus rouge que Devin lui-même. Et tous les autres sans exception en avaient fait autant.

Incapable de formuler une réponse et peu enclin à compromettre davantage ce qui lui restait de dignité en cédant à la tentation de frapper la jeune fille sur la nuque, Devin s'était contenté de faire demi-tour et de prendre congé.

Il avait lancé un regard de reproche à Menico, mais cela n'avait pas suffi à l'apaiser : le ventre imposant du directeur de la troupe était secoué d'hilarité tandis qu'il essuyait les larmes sur son visage poupin et barbu.

C'est ainsi que, par cette belle matinée d'automne, Devin s'était mis en quête d'une bouteille de senzio et d'un endroit sombre où la déguster. Ayant fini par se procurer le vin et le confort précaire d'une taverne mal éclairée, il s'attendait à trouver, après une demi-bouteille, les paroles qu'il aurait dû assener à cette arrogante créature à la crinière rousse dans la salle de répétition.

Si seulement elle n'était pas aussi grande ! C'était à déprimer, songea-t-il. L'air morose, il remplit de nouveau son verre. Apercevant les poutres noircies du plafond, il envisagea un instant de s'en servir pour se pendre ; par les talons bien sûr. Comme au bon vieux temps.

« Je vous offre un verre ? » demanda quelqu'un.

En poussant un soupir, Devin se prépara à rejeter une proposition à laquelle il faut s'attendre lorsqu'on est menu et pourvu d'un visage enfantin, et qu'on boit seul dans un bar de marins.

Le personnage qu'il découvrit était rassurant. Un homme entre deux âges, sobrement vêtu, les cheveux grisonnants, les tempes barrées de rides imputables aux soucis ou à l'hilarité. Mais mieux valait être prudent malgré tout.

« Non merci, fit Devin. Je viens juste d'entamer ma bouteille, et je préfère la compagnie des femmes à celle des marins. Je suis aussi plus âgé qu'il n'y paraît. »

L'homme rit de bon cœur. « Dans ce cas, dit-il, sincèrement amusé, vous pouvez m'offrir à boire le temps que je vous parle de mes filles aînées, toutes deux bonnes à marier, et des deux autres, qui en auront l'âge avant que j'aie pu m'y préparer. Je me présente : Rovigo d'Astibar, capitaine du vaisseau *la Sirène*, de retour après un voyage au large de la Tregea. »

Devin sourit à son tour et prit un second verre sous le bar : l'affluence était telle qu'il valait mieux renoncer à attirer l'attention du patron au regard chassieux, et d'ailleurs Devin avait des raisons personnelles de ne pas vouloir faire signe à l'homme.

« Je serais heureux de partager cette bouteille avec vous, dit-il à Rovigo, bien que votre femme risque d'être fâchée si vous poussez une de vos filles dans les bras d'un musicien ambulant.

— Ma femme, répondit Rovigo avec émotion, sauterait de joie si je ramenais un garçon vacher des prairies certandanes pour l'aînée. »

Devin fit la grimace. « À ce point ? murmura-t-il. Eh bien, nous pouvons toujours boire à votre retour de Tregea, juste à temps pour la fête des Vignes. Devin d'Asoli, fils de Garin, à votre service.

—Et moi au tien, l'ami, toi qui n'es pas aussi jeune qu'il y paraît. Tu as eu du mal à te faire servir ? ajouta Rovigo avec pas mal d'à-propos.

—J'ai franchi plus de seuils que n'en connaît Morian des Portes et je suis ressorti chaque fois la gorge aussi sèche. » Devin renifla imprudemment l'air vicié ; même parmi les odeurs de la foule dans une salle aveugle, la puanteur de la tannerie demeurait désagréablement présente. « Sinon, je ne me serais pas rabattu sur cet endroit pour boire une bouteille de vin. »

Rovigo lui sourit. « Je trouve cela normal. Vais-je passer pour un original à tes yeux si je te dis que je viens toujours directement ici dès que *la Sirène* rentre au port ? L'odeur me rappelle que j'ai mis pied à terre, que je suis de retour.

—Vous n'aimez pas la mer ?

—Je suis quasiment convaincu que ceux qui prétendent l'aimer ont des dettes, une mégère pour femme et… » Il s'interrompit, comme s'il venait brusquement de songer à quelque chose. « À bien y réfléchir… » ajouta-t-il, l'air exagérément pensif. Puis il lui adressa un clin d'œil.

Devin éclata de rire et remplit leurs verres.

« Pourquoi êtes-vous marin alors ?

—Les affaires marchent bien, répondit Rovigo avec franchise. *La Sirène*, de par son faible tonnage, peut contourner la péninsule et passer à l'ouest du Senzio et du Ferraut ou bien se glisser dans des ports de la côte où les gros bateaux ne prennent jamais la peine de s'arrêter ; comme elle est également assez rapide, je peux me permettre de faire route au sud et de filer au large des montagnes jusqu'en Quileia. On ne peut pas dire que ce soit avec la bénédiction des autorités, en raison de l'embargo là-bas, mais quand on a des contacts à l'écart des ports les plus fréquentés et qu'on ne lambine pas, le risque est moindre, et il y a de l'argent à gagner. J'emporte des épices de Barbadior que j'achète au marché ici même, ou de la soie en provenance du

Nord, et les vends dans des bourgades de Quileia qui
ignoreraient sinon jusqu'à l'existence de tels produits.
Je rapporte des tapis, des bois sculptés, des pantoufles,
des poignards incrustés de pierres, quelquefois des fûts
de buinath que je vends aux taverniers ; j'achète tout ce
qui est à un prix raisonnable. Je ne peux pas transporter
de grosses quantités, alors je dois calculer mes marges
bénéficiaires au plus près, mais je gagne convenablement ma vie, à condition que le coût de l'assurance ne
se mette pas à grimper et qu'Adaon des Vagues me
permette de flotter. En sortant d'ici je me rends au
temple du dieu avant de rentrer chez moi.

—Mais vous venez ici en premier. » Devin eut un
sourire.

« Je viens toujours ici en premier. » Ils trinquèrent et
vidèrent leurs verres. Devin les remplit à nouveau.

« Quelles nouvelles en provenance de Quileia ?
demanda-t-il.

—Justement, j'en arrive, dit Rovigo. Tregea n'était
qu'une escale sur le chemin du retour. Il y a du nouveau,
en fait. Marius a cette fois encore gagné son combat
dans le Bosquet aux Chênes cet été.

—J'en ai entendu parler, répondit Devin en hochant
la tête, plein d'admiration mais la mine lugubre. Un
infirme, qui doit bien avoir dans les cinquante ans maintenant. Cela fait combien de fois qu'il gagne ? Six de
rang ?

—Sept », dit Rovigo d'une voix neutre. Il s'arrêta,
comme s'il attendait une réaction.

« Excusez-moi, fit Devin, mais ce chiffre revêt-il une
signification particulière ?

—Marius le pense. Il vient juste d'annoncer qu'il
n'y aura plus de défi dans le Bosquet aux Chênes. Le
sept est un chiffre sacré, a-t-il déclaré. En lui accordant
cette dernière victoire, la déesse mère a fait connaître sa
volonté. Marius s'est proclamé roi de Quileia, et non
plus seulement consort de la grande prêtresse.

—Quoi ? » s'exclama Devin d'une voix si forte que
certains clients se retournèrent. Il baissa le ton. « Il s'est

proclamé… lui, un homme… Je pensais qu'ils avaient un régime matriarcal, là-bas.

—La grande prêtresse aussi, mais elle n'est plus. »

Les musiciens, qui voyageaient dans toute la péninsule, s'arrêtant dans des villages de montagne, des châteaux ou des manoirs reculés, mais aussi dans de grands centres d'affaires, entendaient forcément parler des événements importants et des commentaires qu'ils suscitaient. Mais, dans la brève expérience de Devin, ces conversations n'avaient d'autre but que de passer le temps lors des longues soirées d'hiver devant la cheminée d'une salle d'auberge au Certando, ou de tenter d'impressionner un voyageur dans une taverne de Corte en murmurant qu'un parti pro-barbadien était en train de se former dans cette province ygrathienne.

Il ne s'agissait là que de rumeurs, Devin l'avait compris depuis longtemps. Les deux sorciers venus de l'autre côté des mers, l'un par l'est, l'autre par l'ouest, pour s'emparer du pouvoir, s'étaient littéralement partagé la Palme en deux portions égales ; seul le Senzio, l'infortuné, le décadent Senzio, n'était pas encore officiellement occupé et jetait des regards nerveux de part et d'autre de l'océan. Son gouverneur était physiquement incapable de désigner celui des deux loups qui aurait le privilège de le dévorer, et les deux fauves se tournaient autour avec circonspection depuis presque vingt ans, aucun d'eux ne paraissant prêt à faire le premier pas.

Devin avait le sentiment que l'équilibre du pouvoir dans la péninsule était gravé dans la pierre depuis qu'il avait l'âge de raison. Tant que la mort ne frapperait pas un des deux sorciers – or ces gens-là ont la réputation de vivre très vieux –, il ne fallait rien attendre de ces bavardages, qu'ils aient pour cadre des khaveries ou de grands manoirs.

Le problème posé par la Quileia, cependant, était d'une autre nature. Devin n'avait pas l'expérience nécessaire pour le bien cerner ; il ne parvenait même pas à entrevoir les conséquences du geste de Marius dans cet étrange pays au sud des montagnes. Qu'allait-il découler de cette situation nouvelle : la Quileia dotée d'un roi moins éphémère, qui n'aurait plus besoin de se rendre tous les deux ans à ce fameux Bosquet aux Chênes, nu comme un ver, mutilé selon un rite bien précis et sans arme, pour y rencontrer un ennemi pourvu d'une épée, décidé à le tuer et à prendre sa place ? Pourtant, Marius avait échappé à la mort. Sept fois de suite.

Et voici que la grande prêtresse était morte. Le message de Rovigo, tel que celui-ci l'avait formulé, était parfaitement clair. Un peu effrayé, Devin secoua la tête.

Il leva les yeux et s'aperçut que son nouvel ami le regardait d'un air intrigué.

« Vous réfléchissez beaucoup pour un jeune homme, non ? » demanda le marchand.

Devin haussa les épaules, brusquement mal à l'aise. « Pas spécialement. Je n'en sais rien, en fait. En tout cas, on ne peut pas dire que je sois très perspicace, ni que j'entende des nouvelles comme celle-ci tous les jours. Que pensez-vous qu'il en résulte ? »

Il n'entendit pas la réponse.

Le patron, qui jusque-là avait sciemment ignoré les signes répétés de Rovigo pour obtenir une autre bouteille de vin, s'élança brusquement vers eux, le visage rouge de colère, même dans l'obscurité de la salle.

« Toi là, dit-il sur un ton agressif, tu t'appelles bien Devin ? »

Stupéfait, Devin acquiesça d'un signe de tête. Le tavernier prit une expression encore plus méchante.

« Fiche-moi le camp, gronda-t-il d'une voix rauque. Ta sœur – la Triade la maudisse ! – t'attend dans la rue. Elle dit que ton père t'a ordonné de rentrer sur-le-champ et – Morian vous fasse sauter la cervelle à tous les deux ! – qu'il a l'intention de me faire coffrer pour avoir servi un gamin de ton espèce. Sale petit asticot, je vais t'apprendre à me faire menacer de fermeture à la veille de la fête ! »

Avant que Devin ait pu bouger, un pichet de vin aigre lui éclaboussa le visage, lui brûlant les yeux. Il recula en titubant et se mit à jurer comme un charretier tout en essuyant ses yeux ruisselants de larmes.

Quand il recouvra l'usage de la vue, ce fut pour observer une scène inattendue.

Rovigo, qui n'était pourtant pas bien épais, s'était déplacé le long du bar et tenait le tavernier par le col de sa tunique crasseuse. Sans effort apparent, il le tira jusque sur le comptoir, tandis que l'autre battait l'air de ses deux pieds sans résultat. Rovigo tordit le col de sa blouse de sorte que le visage du bonhomme impuissant commença de virer au pourpre.

« Goro, je n'aime pas qu'on insulte mes amis, expliqua calmement le négociant. Le père de ce jeune homme n'est pas d'ici et je doute qu'il ait une sœur. » Il leva un sourcil interrogateur en direction de Devin qui secoua sa tête dégoulinante avec véhémence.

« Comme je te le disais, poursuivit Rovigo qui n'était même pas essoufflé, il n'a pas de sœur dans les parages. D'autre part, il est de toute évidence en âge de boire, n'importe quel tavernier te le dirait, sauf ceux qui comme toi engloutissent des litres de leur propre bibine après la fermeture. Maintenant, Goro, voudrais-tu me faire le plaisir de présenter tes excuses à Devin d'Asoli, mon nouvel ami, en lui offrant deux bouteilles de certando rouge bouché pour attester de ton sincère repentir ? En retour, je me laisserai peut-être convaincre de te céder un de ces fûts de buinath quiléian qui attendent dans *la Sirène* en ce moment même. À un prix raisonnable bien sûr, étant donné ce que tu peux tirer de ce breuvage en période de fête. »

Le visage de Goro avait pris une coloration franchement inquiétante. Devin se dit qu'il devenait urgent d'en avertir Rovigo, mais le tavernier réussit alors un hochement de tête convulsif et saccadé, et le marchand desserra un peu les doigts. Goro inhala l'air fétide de son établissement comme s'il embaumait les fleurs de montagne de Chiara, et bafouilla trois mots d'excuse à l'intention de Devin.

«Et le vin?» lui rappela gentiment Rovigo.

Il reposa le tavernier sans effort apparent. L'homme farfouilla derrière le bar puis émergea avec deux bouteilles d'un vin qui ressemblait fort à du certando rouge.

Rovigo relâcha progressivement son étreinte. «Un bon cru?» demanda-t-il calmement.

Goro hocha convulsivement la tête.

«Eh bien, déclara Rovigo en libérant sa victime, il semble que nous soyons quittes. Je suppose, ajouta-t-il en se tournant vers Devin, que vous devriez aller vérifier l'identité de la personne qui se fait passer pour votre sœur.

—Je sais qui c'est, répondit Devin, l'air mécontent. Merci à vous. J'ai l'habitude de me défendre tout seul; mais ce n'est pas désagréable de trouver un allié de temps à autre.

—Il n'est jamais désagréable d'avoir un allié, rectifia Rovigo. Mais il me paraît évident que vous n'avez pas très envie de vous coltiner cette prétendue sœur. Je vais donc vous laisser régler cette affaire-là en privé. Je me permets une fois de plus de vous recommander chaleureusement mes propres filles, qui, tout bien considéré, ont reçu une bonne éducation.

—Je n'en doute pas, fit Devin. Et, si je peux vous rendre service à mon tour, ce sera avec plaisir. Je fais partie de la troupe de Menico di Ferraut et nous allons rester ici durant toutes les festivités. Votre épouse aimerait peut-être nous entendre. Si vous venez à une représentation publique, faites-moi demander et je ferai en sorte que vous ayez des places gratuites et bien situées.

—Je vous en remercie; et, si vos pérégrinations vous conduisent au sud-est de notre ville, maintenant ou plus tard dans l'année, notre propriété est à cinq milles à droite de la route. Il y a un petit temple d'Adaon juste avant l'entrée et le faîte du portail s'orne d'un bateau. C'est une de mes filles qui l'a dessiné. Elles ont toutes du talent», ajouta-t-il avec un sourire.

Devin éclata de rire et les deux hommes se touchèrent la main de manière solennelle, paume contre paume. Rovigo retourna s'installer à l'extrémité du comptoir. Devin, l'air lugubre parce que conscient d'avoir été arrosé de vin malodorant depuis la racine de ses cheveux châtains jusqu'à la taille, et de porter un haut-de-chausses tout couvert de taches, sortit en serrant ses deux bouteilles de certando contre lui. Pendant quelques secondes, le soleil le fit cligner des yeux comme une chouette, puis il aperçut Catriana d'Astibar de l'autre côté de la rue, ses cheveux roux flamboyant dans la lumière, le nez résolument enfoncé dans son mouchoir.

Devin s'élança sur la chaussée d'un pas vif et faillit entrer en collision avec la charrette d'un tanneur. S'ensuivit une discussion brève mais satisfaisante pour tous deux. Le tanneur se remit en marche, et Devin, tout en se promettant intérieurement de ne pas se laisser réduire à la défensive cette fois, traversa la rue jusqu'à l'endroit d'où Catriana avait observé l'altercation sans manifester la moindre émotion.

« Eh bien, fit-il, caustique, j'apprécie ô combien que tu sois venue jusqu'ici me faire des excuses, mais tu aurais peut-être pu recourir à d'autres moyens pour me trouver, si ton repentir était sincère. Je me sentirais nettement mieux si mes vêtements n'étaient pas imbibés de vin aigre ; mais, bien entendu, tu vas me proposer de les laver. »

Catriana ignora purement et simplement tout ce discours et l'inspecta de haut en bas d'un œil froid. « Tu vas devoir te laver et te changer, cela ne fait aucun doute, déclara-t-elle en s'abritant derrière son mouchoir parfumé. Je ne pensais pas provoquer une telle réaction. Mais, n'ayant pas le moindre astin à dépenser pour m'acheter les services de quelqu'un, je n'ai pas trouvé de meilleur moyen pour obliger le tavernier à te chercher. » C'est une explication, se dit Devin, mais certainement pas une excuse.

« Pardonne-moi, dit-il en feignant le remords. Il faut que je m'entretienne avec Menico : il semblerait, outre toutes les erreurs que nous avons commises, que nous ne te payions pas assez. Tu dois être habituée à beaucoup mieux. »

Elle parut soudain hésitante. « L'allée des Tanneurs est-elle vraiment le meilleur endroit pour en discuter ? »

Sans un mot, Devin esquissa une révérence et lui fit signe de le guider. Elle prit la direction opposée au port et il lui emboîta le pas. Ils marchèrent quelques minutes en silence et, quand l'odeur des tanneries se fut enfin estompée, Catriana rangea son mouchoir avec un soupir.

« Où m'emmènes-tu ? » demanda Devin

Encore une erreur, semblait-il. Les yeux bleus étaient brillants de colère.

« Au nom de la Triade, où pourrais-je bien t'emmener ? » La voix de Catriana débordait de sarcasme. « Dans ma chambre à l'auberge pour y faire l'amour comme Eanna et Adaon aux premiers jours de la création ?

—Très bien, dit-il sèchement, sentant sa propre colère se rallumer. Et pourquoi ne pas mettre nos fonds en commun et payer une autre femme pour tenir le rôle de Morian, ceci afin d'éviter que je m'ennuie, comprends-tu ? »

Catriana pâlit, mais, avant qu'elle ait pu ouvrir la bouche, Devin lui saisit le bras de sa main libre et la fit pivoter au beau milieu de la rue pour l'obliger à lui faire face. Tout en levant le regard vers ses yeux bleus (et en pestant d'y être contraint), il demanda d'une voix brusque :

« Catriana, que t'ai-je fait au juste ? Pourquoi ai-je droit à des réponses comme celle-là ? Et que dire de ton attitude de ce matin ? Je n'ai jamais été désagréable avec toi depuis que nous t'avons engagée, et, en tant que chanteuse professionnelle, tu dois savoir que ce n'est pas toujours le cas dans les troupes ambulantes. Pour ne rien te cacher, Marra, la jeune femme que tu remplaces, était ma meilleure amie dans cette troupe.

Elle est morte de la peste au Certando. J'aurais pu t'en faire voir tant et plus. Je ne t'ai jamais taquinée. Ni au début, ni maintenant. Je t'ai immédiatement laissée entendre que je te trouvais séduisante. Je ne savais pas que c'était un péché quand c'est dit avec courtoisie. »

Il lui lâcha le bras, brusquement conscient qu'il la tenait très serrée sur la voie publique ; heureusement, il y avait toujours une accalmie en début d'après-midi. Il regarda instinctivement autour de lui. Pas le moindre Barbadien en vue. Sa poitrine se serra, comme à l'approche d'une douleur qu'on appréhende. Il éprouvait ce même serrement chaque fois qu'il pensait à Marra. La première véritable amie qu'il avait jamais eue. Deux enfants incompris, à qui Eanna avait fait cadeau de voix superbes et qui, trois années durant, avaient passé des nuits à se raconter leurs angoisses et leurs rêves, chaque fois dans un lit différent, au gré des déplacements de la troupe à travers la Palme. Sa première maîtresse. Sa première expérience de la mort.

Bien qu'il l'ait lâchée, Catriana ne bougeait pas, et il y avait dans son regard – peut-être parce qu'il venait d'évoquer la mort – quelque chose pour lui donner à penser qu'il s'était sans doute trompé sur son âge. Il la croyait plus vieille que lui ; il n'en était plus aussi sûr maintenant.

Il attendit, le souffle court après cette algarade. Il y eut un silence interminable, puis elle fit d'une voix très douce : « Tu chantes trop bien. »

Devin cligna des yeux. Il ne s'attendait pas à cela.

« J'ai besoin de travailler dur », poursuivit-elle, et pour la première fois il constata qu'elle rougissait. « J'ai beaucoup de mal à chanter Rauder, c'est une musique particulièrement difficile. Et ce matin tu interprétais le *Chant d'amour* sans même penser à ce que tu faisais, tu amusais les autres, tu essayais de me séduire… Devin, j'ai besoin de me concentrer quand je chante. Tu m'as fait perdre mes moyens, et je rembarre toujours les gens quand c'est le cas. »

Devin inspira longuement et regarda quelques instants la rue inondée de soleil, déserte à cette heure, tout
en réfléchissant. « Sais-tu… fit-il enfin, t'a-t-on jamais
dit qu'il était possible et même utile de confier ces
choses-là aux gens, surtout ceux avec qui on travaille ? »

Elle fit non de la tête. « Non. Je n'avais encore
jamais parlé ainsi à qui que ce soit.

—Alors pourquoi viens-tu de le faire ? osa-t-il
demander. Pourquoi es-tu venue me trouver ? »

Elle mit plus longtemps encore à répondre. Un
groupe d'apprentis artisans déboula dans la rue et,
obéissant à quelque réflexe grivois, se mit à klaxonner
dès qu'il eut aperçu le jeune couple ; mais cette plaisanterie était dépourvue de méchanceté, et les jeunes
gens poursuivirent leur chemin sans faire d'histoires.
Des feuilles mordorées ou pourpres rasaient les pavés,
poussées par la brise.

« Il s'est produit un événement de taille, fit Catriana
d'Astibar, et Menico nous a expliqué que tu étais la clé
de ce qui va suivre.

—Menico t'a envoyée me chercher, toi ? » Cela paraissait tout à fait improbable après six années passées
ensemble.

« Non, non, répondit Catriana en hâte tout en secouant la tête. Non, il a dit que tu serais de retour à
temps, comme toujours. Mais je me sentais nerveuse,
étant donné l'importance de l'enjeu. L'idée de rester
sur place à t'attendre m'était insupportable. Tu étais
parti un peu… euh… fâché, après tout.

—Un peu, en effet », acquiesça Devin, l'air grave.
Il venait de remarquer que ses paroles ressemblaient à
des excuses. Il se serait tout de même senti plus sûr de
lui s'il ne l'avait pas trouvée aussi séduisante. Il ne pouvait s'empêcher d'imaginer ses seins libérés du corsage
montant et empesé. Marra aurait su les lui décrire, il en
était sûr, et l'aurait même aidé à faire la conquête de la
jeune femme. Elle l'avait déjà fait une fois ; ils avaient
ensuite échangé leurs expériences sur la route, lors du
dernier voyage au Certando, où elle était morte.

«Tu ferais mieux de me raconter ce qui s'est passé»,
dit-il en s'obligeant à revenir au temps présent. Les
fantasmes, tout comme les souvenirs, sont dangereux.

«Sandre, le duc en exil, est mort la nuit dernière»,
annonça Catriana. Elle jeta un coup d'œil alentour,
mais la rue était vide. «Pour une raison encore mal
définie, Alberico a accepté que le corps soit exposé en
grande pompe au palais Sandreni cette nuit et demain
matin, et puis…»

Elle s'arrêta, le regard pétillant. Devin, dont le pouls
s'emballait, finit à sa place :

«Des funérailles ? Avec tout le rituel ? Je n'arrive
pas à le croire.

—Avec tout le rituel ! Et Menico doit passer une
audition cet après-midi ! L'opportunité pour nous de
donner la représentation la plus remarquée de toute
l'année dans la Palme.» Elle lui parut soudain très
jeune. Et d'une beauté troublante. Ses yeux brillaient
comme ceux d'une enfant.

«Et alors tu es venue me chercher, murmura-t-il en
hochant doucement la tête, avant que j'aie assez bu pour
tomber en hébétude et oublier mes désirs inassouvis.»
Il avait un léger avantage désormais ; ce retournement
de situation n'était pas pour lui déplaire, surtout après
les nouvelles passionnantes qu'elle venait de lui apprendre. Il se mit en marche et, cette fois, ce fut lui qui
l'obligea à se régler sur son allure.

«Il ne s'agit pas de cela, protesta-t-elle. Devin,
l'enjeu est capital. Menico dit que notre chance de
réussir repose entièrement sur ta voix… et que c'est
dans les chants funèbres que tu donnes toute la mesure
de ton talent.

—Je ne sais pas si je dois me sentir flatté ou insulté
que tu aies pu me croire assez insouciant pour manquer une répétition à la veille de la fête des Vignes.

—Inutile de te fatiguer à chercher, répondit Catriana
d'Astibar avec un rien d'aspérité dans la voix. Nous
n'avons pas de temps à perdre. Contente-toi d'être bon
cet après-midi. Meilleur que jamais.»

Devin aurait dû se retenir, il le savait, mais il se sentait trop heureux soudain.

« Dans ce cas, ne serait-il pas judicieux de faire un détour par ta chambre ? » demanda-t-il, un tantinet narquois.

Il y avait à cet instant plus d'éléments dans la balance qu'il ne pouvait le deviner. Catriana d'Astibar se mit à rire très fort, sans la moindre retenue ; c'était la première fois.

« Voilà qui est mieux, fit Devin en souriant. Je doutais quelque peu de ton sens de l'humour. »

Elle se calma. « Il m'arrive également d'en douter », fit-elle d'une voix absente. Puis, adoptant un autre ton, elle ajouta : « Devin, tu ne peux pas savoir à quel point je tiens à ce contrat.

— C'est normal, répliqua-t-il. Notre carrière en dépend.

— C'est vrai. » Elle lui effleura l'épaule et répéta : « Tu ne peux pas savoir à quel point j'en ai envie. »

Il aurait pu tirer parti de cet effleurement, s'il n'avait pas été aussi perspicace ou si elle avait employé un autre ton. Car il n'avait pas décelé dans ses paroles la moindre trace d'ambition personnelle ou de désir au sens que Devin attribuait à ce mot.

Ce qu'il venait d'entendre ressemblait davantage à une aspiration profonde et fit vibrer en lui une corde dont il ignorait jusqu'à l'existence.

« Je ferai ce que je pourrai », dit-il un moment plus tard et, sans raison apparente, il se mit à penser à Marra et aux larmes qu'il avait versées.

À la ferme, les siens avaient remarqué très tôt qu'il était doué pour la musique, mais on était à l'écart de tout et aucun n'avait suffisamment de références pour juger ou évaluer ces choses-là.

Dans l'un des tout premiers souvenirs que Devin gardait de son père et qu'il invoquait souvent parce que c'était une image tendre d'un homme dur, Garin fredonnait l'air d'une vieille berceuse pour aider son fils à s'endormir un soir qu'il avait de la fièvre.

Le lendemain matin, quand le garçonnet, qui n'avait guère plus de quatre ans, s'était réveillé, la fièvre était tombée et il chantonnait ce même air à la perfection. Le visage de Garin avait pris une expression complexe ; plus tard, lorsque Devin lisait cette même expression sur le visage de son père, il savait que Garin pensait à sa femme. Ce matin-là pourtant, son père l'avait embrassé. C'était le seul baiser dont il se souvînt.

Cet air était devenu quelque chose qu'ils partageaient. Une porte d'accès à une relative intimité. Ils le fredonnaient tous deux en faisant des efforts rudimentaires pour chanter en harmonie. Plus tard, Garin avait acheté un luth à trois cordes pour le petit au marché d'Asoli, où il se rendait deux fois l'an. Cet achat donna lieu à quelques soirées dont Devin aimait à se souvenir, parce qu'avant d'aller au lit son père, les jumeaux et lui-même, assis au coin du feu, chantaient des ballades qui parlaient de la mer et des montagnes.

En grandissant, il s'était mis à chanter pour d'autres fermiers ; on le sollicitait pour les cérémonies de mariage ou de dénomination. Un jour, accompagné d'un prêtre de Morian de passage, il avait chanté en contrepoint sur l'*Hymne à Morian des Portes* à l'occasion des Quatre-Temps d'automne. Le prêtre avait ensuite essayé de coucher avec lui, mais Devin avait déjà appris à repousser ce genre de propositions sans offenser leur auteur.

Quelque temps après, on avait commencé à le demander dans les tavernes. Il n'y avait pas d'âge légal pour boire, au nord de l'Asoli : on était homme dès qu'on devenait capable de faire sa journée aux champs, on était femme dès qu'apparaissaient les premières règles.

Et, un jour de marché, dans la taverne d'Asoli dite *la Rivière*, le jeune Devin, qui venait d'avoir quatorze ans, avait chanté *le Voyage de Corso à Corte* ; un homme barbu du nom de Menico di Ferraut, qui, s'avéra-t-il, dirigeait une troupe de musiciens, l'avait entendu ; quelques jours plus tard, il l'emmenait, changeant ainsi le cours de son existence.

« C'est à nous », annonça Menico en lissant nerveusement son plus beau pourpoint de satin sur sa bedaine. Devin, qui cherchait négligemment l'air de sa berceuse sur un luth qui traînait là, eut un sourire rassurant pour son employeur. Son associé, pour être exact.

Devin avait cessé d'être apprenti à l'âge de dix-sept ans. Menico, fatigué de repousser tous ceux, et ils étaient nombreux, qui offraient de racheter le contrat de son jeune ténor, avait fini par proposer à Devin le statut de compagnon, tel qu'il était défini par la guilde, ainsi qu'un salaire fixe, après avoir bien expliqué au jeune homme combien il était redevable à son patron, et qu'une conduite loyale était le seul moyen de s'acquitter de sa dette et de lui prouver sa gratitude. Devin en était parfaitement conscient ; d'ailleurs, il avait beaucoup d'affection pour Menico.

L'été suivant, après que d'autres directeurs de troupes rivales eurent réitéré leur désir d'embaucher Devin pendant la saison des mariages en Corte, Menico lui avait cédé dix pour cent des actions de la compagnie. Non sans lui tenir le même discours, au mot près, que la fois précédente.

C'était un honneur considérable, Devin ne l'ignorait pas. Seul le vieil Eghano, qui jouait des percussions et de divers instruments à cordes du Certando, et suivait Menico depuis le début, était également associé. Les autres étaient tous apprentis ou compagnons avec des contrats de quelques mois seulement. Mais, présentement, en raison de l'épidémie de peste qui avait sévi dans le Sud au printemps, toutes les troupes de la Palme étaient à court d'artistes et cherchaient des musiciens, des danseurs et des chanteurs pour la saison.

Un chapelet de sons obsédants, à peine audibles, retinrent l'attention de Devin qui posa son luth. Il tourna la tête et sourit. Alessan, l'un des trois nouveaux, esquissait d'un souffle léger la berceuse que Devin essayait de jouer au luth. À la flûte de Pan des bergers de Tregea, la musique en était étrange, presque surnaturelle.

Alessan, dont les cheveux de jais blanchissaient déjà aux tempes, lui fit un clin d'œil tandis que ses doigts continuaient à s'activer sur l'instrument. Ils terminèrent le morceau ensemble, s'accompagnant à la flûte et au luth, et fredonnant l'air sur un registre de ténor.

« J'aimerais bien connaître cette chanson, fit Devin avec regret lorsqu'ils eurent terminé. C'est mon père qui m'a appris cet air lorsque j'étais enfant, mais il n'a jamais pu retrouver les paroles. »

Le visage fin et mobile d'Alessan paraissait absorbé. Devin ne savait pas grand-chose du Trégéen au bout de deux semaines de répétitions, sinon que l'homme jouait exceptionnellement bien de la flûte et se conduisait en vrai professionnel. En tant qu'associé de Menico, seuls ces deux critères lui importaient. Alessan ne traînait guère dans les parages de l'auberge en dehors du travail, mais il était toujours à l'heure pour les répétitions annoncées.

« Je pourrais peut-être les retrouver en cherchant un peu, dit-il en se passant la main dans les cheveux d'une façon qui lui était propre. Je les ai sues autrefois, il y a très longtemps. » Il sourit.

« Ce n'est pas important, fit Devin. J'ai bien vécu sans jusqu'à présent. Ce n'est qu'une vieille chanson, un souvenir de mon père. Si tu restes avec nous cet hiver, nous aurons tout le temps de chercher. »

Menico aurait approuvé pareille suggestion, il le savait. Le directeur de la troupe estimait qu'Alessan était une trouvaille et que le salaire qu'il demandait était plus que raisonnable.

La bouche expressive du flûtiste se tordit en une moue légèrement ironique. « Les vieilles chansons et les souvenirs qu'on garde de son père sont importants, fit-il. Le tien serait-il mort ? »

Devin exécuta le geste de protection : main tendue, deux doigts repliés vers le bas.

« Pas que je sache, bien que je ne l'aie pas vu depuis six ans. Menico lui a parlé lors de son dernier passage au nord de l'Asoli, et lui a remis quelques chiaros de ma part. Mais moi, je ne suis jamais retourné à la ferme. »

Alessan réfléchit quelques instants. « Pure souche asolienne, devina-t-il d'une voix pénétrante. Pas de place pour un garçon avec de l'ambition et une voix comme la tienne ?

— C'est presque ça, admit Devin, chagrin. Bien que je ne me sois jamais vraiment senti ambitieux. Instable, plutôt. Et nous ne sommes pas originaires d'Asoli, à vrai dire. Nous sommes venus de Basse-Corte quand j'étais tout petit. »

Alessan acquiesça. « Je n'étais pas loin », fit-il. L'homme avait des accents de monsieur-qui-sait-tout, se dit Devin, mais il jouait de la flûte trégéenne comme un dieu. Aussi bien que les bergers sur la montagne d'Adaon, dans le Sud.

Mais ils n'eurent pas le temps de poursuivre cette discussion.

« C'est à nous ! » fit Menico, revenant en hâte vers la pièce où ils attendaient, au milieu de meubles couverts de toiles poussiéreuses, dans un palais vide depuis si longtemps.

« Nous commencerons par le *Lamento pour Adaon* », annonça-t-il alors qu'ils étaient déjà au courant depuis le début de l'après-midi. Il s'essuya les paumes sur les flancs de son pourpoint. « Devin, ce chant est le tien, mon garçon. Fais en sorte que je sois fier de toi. » Son exhortation habituelle. « Puis nous enchaînerons tous ensemble avec *la Ronde des années*. Catriana, es-tu sûre de pouvoir monter aussi haut ou préfères-tu que nous baissions d'un ton ?

— Je peux monter », répondit Catriana avec une brusquerie que Devin mit sur le compte de la nervosité. Mais, quand elle se tourna vers lui, il comprit :

son regard, loin au-delà de l'envie de satisfaire un désir immédiat, tendait vers un rivage qu'il ne connaissait pas.

« J'aimerais beaucoup obtenir ce contrat », déclara alors Alessan de Tregea avec une grande douceur.

« Pas possible ! » fit Devin, moqueur, découvrant à mesure qu'il parlait qu'il était nerveux lui aussi. Alessan éclata pourtant de rire, ainsi que le vieil Eghano, qui franchit le seuil avec eux : Eghano avait été témoin de tant d'événements après toutes ces années de tournées qu'il n'allait pas s'énerver pour une simple audition. Sans qu'il prononçât une parole, sa présence eut, comme toujours, un effet apaisant sur Devin.

« J'espère me montrer convaincant. Je ferai de mon mieux », ajouta le jeune homme pour la deuxième fois de l'après-midi, sans savoir très bien à qui il s'adressait ni pourquoi il éprouvait le besoin de faire cette déclaration.

Fut-ce grâce à la Triade ou en dépit de la Triade, comme disait son père, Devin convainquit tout le monde.

Le principal auditeur était un descendant des Sandreni, délicatement parfumé et habillé avec extravagance. Avec son allure avachie et les cernes artificiellement accentués autour de ses yeux, cet homme qui, selon Devin, devait approcher de la quarantaine, était la preuve manifeste qu'Alberico le tyran n'avait pas grand-chose à craindre des descendants de Sandre d'Astibar.

Alignés derrière ce personnage bouffon, les prêtres d'Eanna et de Morian arboraient des vêtements blancs ou gris clair. Le contraste était saisissant avec la prêtresse d'Adaon en robe écarlate, les cheveux coupés très court. On était en automne, les Quatre-Temps approchaient, aussi ne fut-il pas surpris par sa coiffure. Par contre, il n'en revenait pas que le clergé assistât à l'audition. Ces gens-là le mettaient mal à l'aise, un sentiment qu'il avait hérité de son père, mais dans la situation présente il ne s'agissait pas de laisser pareille gêne le troubler, et il chassa bien vite cette pensée.

Il garda le regard tourné vers l'élégant fils du duc, le seul qui importât vraiment, en fait. Il se concentra pour atteindre un point silencieux à l'intérieur de lui-même, comme Menico lui avait appris à le faire.

Celui-ci donna le signal à Nieri et Aldine, les deux danseuses aux membres graciles, qui avaient revêtu une chemise de deuil gris-bleu, presque transparente, et des gants noirs. Un instant plus tard, après qu'elles eurent exécuté un premier passage bras dessus, bras dessous, il se tournait vers Devin.

Et Devin lui donna à entendre, ainsi qu'à tous les autres, le *Lamento* qui accompagne la mort automnale d'Adaon parmi les cyprès des collines comme jamais encore il ne l'avait interprété.

Alessan de Tregea l'accompagnait à la flûte, et on aurait dit qu'à eux deux ils entraînaient Nieri et Aldine au-delà des pas de danse sur le plancher fraîchement balayé, et leur ouvraient la voie à l'articulation laco-nique et précise du rituel qu'exigeait le *Lamento* et qui n'était que rarement atteinte.

Quand ils eurent fini, Devin redescendit doucement des collines de Tregea où le dieu était mort au milieu des cèdres et des cyprès, et où il mourrait de nouveau chaque automne, pour s'apercevoir que le fils de Sandre d'Astibar pleurait. Ses larmes laissaient de longues traînées sur les ombres soigneusement dessinées autour des yeux, ce qui signifiait, Devin le comprit brusque-ment, qu'il n'avait pas pleuré en entendant les trois compagnies précédentes.

Marra, que sa jeunesse et son attitude strictement professionnelle rendaient intolérante, aurait méprisé ces larmes-là, il le savait. « À quoi bon pareil étalage en présence de professionnels ? » disait-elle quand leurs rites funèbres étaient interrompus par les effusions de leurs clients.

Déjà à l'époque, Devin se montrait moins sévère. Et il l'était encore moins aujourd'hui qu'elle était morte et qu'il avait dû ravaler son propre chagrin en public le jour de son enterrement, dans le Certando, quand Burnet di Corte avait fait chanter le rite funèbre à sa troupe par courtoisie envers Menico.

Mais, lorsqu'il croisa le regard provocant que l'héritier des Sandreni lui lançait du plus profond de ses yeux cernés de traînées noires, et celui presque aussi significatif du prêtre de Morian aux doigts boudinés (pourquoi, au nom de la Triade, les dieux étaient-ils si mal servis?), Devin se dit qu'il allait devoir être prudent dans ce palais le lendemain, même avec le contrat en poche. Il se promit d'apporter son couteau.

Car ils le tenaient, ce contrat. Le deuxième morceau était pratiquement sans importance, et c'est pourquoi Menico avait été assez malin pour les faire commencer par le *Lamento*. Puis il eut l'astuce de présenter Devin comme son associé quand l'héritier de Sandre demanda à le voir. Ce dernier leur expliqua qu'il était le second de trois fils et s'appelait Tomasso. Le seul, s'empressa-t-il d'ajouter en retenant les mains de Devin prisonnières entre les siennes, qui fût pourvu d'une oreille pour la musique et d'un œil pour la danse, et donc capable de choisir les meilleurs artistes pour une cérémonie aussi noble que les funérailles de son père.

Devin, habitué à ce genre de scène, retira poliment ses doigts en remerciant Menico de son tact, acquis au fil d'une longue expérience; car le fait d'avoir été présenté comme associé le protégeait un peu des prétendants trop téméraires, même issus de la noblesse. Il fut ensuite présenté au clergé et s'agenouilla aussitôt devant la prêtresse d'Adaon en robe rouge.

« Votre sanction, sœur du dieu, sur ce que j'ai fait aujourd'hui et ce qu'on attend de moi demain. »

Il jeta un coup d'œil au prêtre de Morian et vit qu'il se pinçait les flancs de ses doigts boudinés. Puis il reçut la bénédiction et la protection d'Adaon – la prêtresse traça le symbole du dieu sur son front de son index – et sut qu'il avait réussi à désamorcer le désir naissant du prêtre. Il se leva juste à temps pour apercevoir le clin d'œil qu'Alessan de Tregea, resté à l'arrière avec les autres, avait pris le risque de lui adresser en ce lieu et en cette compagnie. Il réprima un sourire mais ne parvint pas à contenir sa surprise : le berger était étonnamment perspicace. Menico suggéra un prix qui fut immédiatement accepté par Tomasso d'Astibar, fils de Sandre. Il confirma ainsi l'impression de Devin qui déplorait qu'un tel personnage fût l'héritier d'un nom et d'un lignage aussi prestigieux.

Il eût été intéressant et formateur pour lui d'apprendre que le duc Sandre en personne aurait accepté le prix et même deux fois plus sans faire d'histoires. Devin avait à peine vingt ans, et même Menico, trois fois plus âgé que lui, jura abondamment quand, de retour à l'auberge, ils furent attablés devant une bouteille de vin pour fêter l'événement ; il se rendait bien compte qu'il aurait pu demander davantage encore que la somme exorbitante qu'on venait de lui payer comptant.

Seul Eghano, que son grand âge avait rendu placide, déclara tout en battant doucement la mesure sur la table à tréteaux avec deux cuillers en bois : « C'est bien comme ça. À quoi bon nous montrer trop gourmands ? Il y aura d'autres contrats après celui-ci. La sagesse voudrait que tu laisses un dixième de cet argent dans chacun des temples dès demain. Nous le récupérerons, et avec un intérêt, quand ils choisiront leurs musiciens pour les Quatre-Temps. »

Menico, d'une humeur à toute épreuve, poussa un ou deux jurons encore plus fleuris que précédemment et déclara qu'il avait la ferme intention d'offrir le corps ridé d'Eghano au gros prêtre de Morian en guise de dîme. Eghano sourit de sa bouche édentée et continua de battre la mesure.

Peu après le dîner, Menico leur intima l'ordre d'aller se coucher. La journée du lendemain allait commencer tôt pour culminer avec la plus importante représentation de leur vie. Il eut un sourire bienveillant tandis qu'Aldine faisait sortir Nieri de la pièce. Les filles s'apprêtaient à partager le même lit, Devin en était sûr, et c'était sans doute la première fois. Il leur souhaita beaucoup de joie, sachant qu'elles avaient trouvé une union magique en tant que danseuses l'après-midi même, sachant également, car cela lui était arrivé une fois, qu'une telle harmonie pouvait tourner court au lit.

Il chercha Catriana du regard, mais elle était déjà montée. Elle lui avait donné un petit baiser sur la joue, juste après l'accolade ardente de Menico dans le palais Sandreni. C'était un début. En tout cas, il se plaisait à le croire.

Il prit congé de ses autres compagnons et se dirigea vers sa chambre, le seul luxe qu'il exigeât en tournée depuis la mort de Marra.

Il s'attendait à rêver d'elle – les rites funèbres, le désir non assouvi, sa présence récurrente dans son sommeil, tout l'y préparait. Mais cette nuit-là il eut une vision du dieu.

Adaon debout sur la colline de Tregea, imposant dans sa nudité ; Adaon baignant dans un flot de sang, déchiré par la frénésie de ses prêtresses, suborné par leur féminité pour un matin d'automne à chaque année qui se mourait, mis à l'entière disposition de leur sexe. Elles arrachaient la dépouille du dieu agonisant au service des deux déesses qui l'aimaient et qui, tour à tour mères, filles, sœurs, épouses, se partageaient son amour toute l'année, d'année en année, depuis qu'Eanna avait donné un nom aux constellations.

Se partageaient son amour et le chérissaient, sauf en ce matin de la saison crépusculaire. Ce matin qui faisait figure de présage, qui portait en germe le printemps à venir, la fin de l'hiver. Ce matin unique où le dieu qui était homme devait offrir son corps en sacrifice sur la montagne. Écorché, tué, puis placé dans sa demeure originelle qui n'était autre que la terre. Devenant ce sol lui-même, abreuvé de la pluie des larmes d'Eanna et des moites afflictions de Morian, lesquelles formaient

des courants souterrains serpentant au gré de ses chagrins. Sacrifié pour renaître ensuite, être aimé de nouveau, avec une passion qui grandissait d'année en
année, à chaque immolation sur ces collines habillées
de cyprès. Sacrifié pour être pleuré, pour se dresser
comme un dieu ou comme un homme ou comme le blé
dans les champs au cœur de l'été. Pour se dresser, puis
se coucher avec les déesses – sa mère et son épouse, sa
sœur et sa fille –, avec Eanna et Morian, sous le soleil
et les étoiles et les lunes qui tournent l'une autour de
l'autre, lune bleue et lune argentée.

Devin rêva, avec une acuité terrible, cette scène primale où les femmes courent au flanc de la montagne,
leurs longs cheveux flottant derrière elles, et poursuivent
le dieu-homme jusqu'à l'abîme au-dessus du torrent de
Casadel.

Leurs robes tombaient en lambeaux tandis qu'elles
s'exhortaient à poursuivre la chasse à grands cris. Des
branches, des arbustes épineux arrachaient leurs vêtements ; elles finirent par se déshabiller complètement
pour gagner de la vitesse, s'enivrant de baies de sonraï
pour se rendre aveugles à ce qu'elles allaient perpétrer
là-haut, en surplomb du torrent de Casadel.

Puis le dieu parut, ses grands yeux noirs terrifiés
par la connaissance de ce qui allait suivre ; au bord du
précipice, tel un cerf acculé sur le lieu désigné de toute
éternité comme celui de sa fin. Et les femmes furent
sur lui – cheveux au vent, corps ensanglantés – tandis
qu'Adaon penchait sa noble tête auréolée de gloire vers
son destin, et que leurs mains, leurs dents, leurs ongles
s'apprêtaient à l'écorcher.

Et, au terme de cette chasse, les femmes, la bouche
entrebâillée, se répondaient l'une à l'autre et poussaient
des cris d'extase ou d'angoisse, en proie à un désir
débridé ou à une crise de démence, ou encore à un amer
chagrin ; mais, dans le rêve de Devin, ces cris restèrent
muets. Seules quelques notes traversèrent cette scène
d'une extrême sauvagerie, sise parmi les cèdres et les

cyprès qui couvrent les flancs de la montagne, un son lointain mais cristallin : les flûtes des bergers trégéens interprétant l'air associé à la fièvre de son enfance.

Au dernier moment, alors que les femmes encerclaient le dieu, s'en emparaient et se refermaient sur lui au bord de l'abîme qui domine Casadel, il tourna enfin son visage vers ses tortionnaires, et Devin s'aperçut que ce visage était celui d'Alessan.

CHAPITRE 3

Même avant que le prudent Alberico vienne de Barbadior, le pays d'outremer, pour régner en Astibar, la ville qui aimait à se faire appeler « le Pouce qui dirige la Palme » était déjà réputée pour son ascétisme certain. Les rites funèbres ne s'y déroulaient jamais en présence des morts, comme c'était l'usage dans les huit autres provinces : on considérait qu'une telle pratique était excessive et favorisait des émotions indues.

La représentation était prévue dans la cour centrale du palais Sandreni ; les invités seraient placés sur des chaises et des bancs disposés tout autour ainsi que dans les loggias qui menaient aux deux étages supérieurs. Dans une chambre au premier, ornée des tentures appropriées – gris-bleu et noires –, reposait la dépouille de Sandre d'Astibar, une pièce de monnaie sur chaque paupière pour payer le portier sans nom qui gardait la dernière porte de Morian, des chaussures aux pieds et les mains chargées de vivres, car aucun vivant ne pouvait connaître la durée exacte du voyage qui conduisait à la déesse.

D'ici quelque temps, le corps du duc serait descendu dans la cour, afin de permettre à tous les citoyens de la ville et du district qui le souhaitaient et qui avaient le courage d'affronter le regard et la mémoire visuelle des mercenaires barbadiens postés à l'extérieur de passer un à un devant son cercueil, puis de déposer des feuilles d'olivier bleu argenté dans l'unique vase de cristal qui trônait déjà sur un socle dans la cour.

Les citoyens ordinaires – tisserands, artisans, marchands, fermiers, marins, serviteurs, boutiquiers – pénétreraient un peu plus tard. Ils avaient déjà commencé à se rassembler à l'extérieur, désireux qu'ils étaient d'entendre la musique prévue pour les funérailles du vieux duc. Pendant ce temps, les invités qui s'installaient dans la cour formaient la plus extraordinaire palette de nobles, des plus petits aux plus grands, et de riches commerçants que Devin ait jamais vue ainsi rassemblée en un même lieu.

En raison de la fête des Vignes, tous les seigneurs des environs avaient quitté leur domaine pour venir en ville. De ce fait, il leur était difficile de ne pas assister aux funérailles du duc, même si beaucoup d'entre eux, voire la plupart, l'avaient cordialement détesté quand il détenait le pouvoir. Trente ans auparavant, le père ou le grand-père de certains avaient même eu recours à l'usage du poison ou de couteaux savamment dissimulés dans l'espoir que ces mêmes rites aient lieu beaucoup plus tôt.

Les deux prêtres et la prêtresse d'Adaon avaient déjà pris place et affichaient une sérénité solennelle, à la manière de tous les membres du clergé d'ici et d'ailleurs, comme s'ils étaient tous chargés de garder un mystère inaccessible au commun des mortels.

La troupe de Menico attendait dans une petite pièce qui donnait sur la cour et que Tomasso avait mise à leur disposition. Ils y trouvèrent les commodités habituelles, et d'autres pour le moins inattendues : ainsi Devin ne se souvenait pas qu'on eût jamais offert du vin bleu à des artistes. Un geste extravagant. Pourtant, il n'en avait pas envie : il était trop tôt et il se sentait par trop nerveux. Pour se calmer, il s'approcha d'Eghano qui, à son habitude, battait paresseusement un rythme de son cru sur la table.

Eghano lui jeta un bref regard, puis sourit. « Ce n'est qu'une représentation de plus, dit-il de sa voix

calme et sifflante. Nous ferons la même chose que
d'habitude. De la musique. Puis nous poursuivrons
notre chemin. »

Devin acquiesça d'un hochement de tête et se força
à sourire en retour. Il avait la gorge sèche. Il s'approcha d'une console abondamment garnie, et l'un des deux
serviteurs présents se précipita pour lui verser de l'eau
dans un verre en cristal serti d'or qui valait plus que
toutes les possessions de Devin réunies.

Un instant plus tard, Menico leur faisait signe et ils
sortirent dans la cour.

Ce furent les danseuses qui entrèrent en scène les
premières, accompagnées par des cordes et des flûtes
encore invisibles. Les voix n'intervenaient que plus tard.

Rien dans les mouvements jumelés d'Aldine et de
Nieri n'indiquait qu'elles eussent brûlé des chandelles
d'amour jusqu'à une heure avancée de la nuit, sinon
l'extrême concentration et l'intensité dramatique dont
elles firent preuve ce matin-là.

À certains moments elles semblaient induire la
musique, à d'autres c'était la musique qui les portait ; à
voir leurs visages minces et poudrés de blanc, leurs
tuniques bleu-gris et les gants noirs de jais qui dissi-
mulaient leurs mains, on les aurait cru issues d'un autre
monde. Et c'est bien ainsi que Menico voulait ses danseuses, contrairement à d'autres directeurs de troupes
qui concevaient cette danse funèbre comme un ballet
esthétique et séduisant, ou n'y voyaient qu'un prélude
gracieux à ce qui allait suivre. Les danseuses de Menico
étaient des guides froids et irrésistibles qui conduisaient les morts à leur dernière demeure et invitaient les
vivants à se recueillir. Lentement mais inexorablement,
leurs longs mouvements austères, leurs visages dénués
d'expression, presque inhumains, imposèrent un silence
de bon ton à ce public agité et complaisant.

Et c'est dans ce silence que les trois chanteurs et les
quatre musiciens s'avancèrent et interprétèrent *l'Invo-
cation* à Eanna des Lumières, à qui l'on doit le monde,

le soleil, les deux lunes et les étoiles éparpillées comme
autant de diamants ornant son diadème.

Absorbés et attentifs à ce qu'ils faisaient, mettant à
profit toute l'étendue de leur expérience professionnelle pour créer l'impression d'un parfait naturel, les
artistes de la compagnie de Menico di Ferraut emme-
nèrent les seigneurs et leurs dames, ainsi que les grands
marchands d'Astibar, au faîte du chagrin avec une dis-
cipline impitoyable. En pleurant Sandre, duc d'Astibar,
ils pleuraient, comme l'exigeait le rite, le décès de tous
les enfants mortels de la Triade qui avaient franchi les
portes de Morian, pour effectuer un bref passage sur la
terre d'Adaon, éclairée par les lumières d'Eanna. Une
succession de saisons si douces et si amères, si riches
et si éphémères.

Devin entendit la voix de Catriana monter là où la
flûte d'Alessan semblait vouloir l'emmener, froide,
précise, austère. Il sentit plus encore qu'il n'entendit
Menico et Eghano les maintenir tous dans la voie
qu'ils s'étaient tracée. Il vit les deux danseuses, tantôt
pétrifiées comme des statues, tantôt virevoltantes et
comme prises au piège du temps, et, au moment qu'il
jugea opportun, il permit à sa propre voix, accompagnée
des deux luths, de se glisser dans l'espace qu'on leur
avait laissé le soin d'investir, cet espace intermédiaire
où les hommes vivent et meurent.

Il y avait déjà longtemps que Menico di Ferraut
avait donné forme à sa conception des grands rites funèbres, si rarement exécutés ; c'étaient quarante années
de spectacles, une vie bien remplie et ponctuée de nombreux voyages, qui culminaient dans l'émotion de cette
matinée. Au moment où il se mit à chanter, le cœur de
Devin s'emplit de fierté et d'une amitié authentique
pour le chef corpulent et modeste qui les avait conduits
jusqu'ici et préparés à cette prestation.

Ils s'arrêtèrent comme prévu à l'issue du sixième
rite, pour leur bien et celui de leurs auditeurs. Tomasso
en avait décidé ainsi avec Menico : la procession des
nobles devant le cercueil de Sandre allait se dérouler

au premier étage, et la compagnie clôturerait la cérémonie avec les trois derniers rites et notamment le
Lamento de Devin, puis le corps serait descendu et la
foule qui attendait dehors pourrait entrer et déposer des
rameaux dans le vase de cristal.

Sur un signe de Menico, ils se retirèrent dans un
silence si profond qu'il était leur plus belle récompense. Ils retournèrent à la pièce qui leur était réservée.
Pris dans l'atmosphère qu'ils avaient eux-mêmes créée,
ils demeurèrent silencieux. Devin s'avança pour aider
les deux danseuses à enfiler le peignoir qu'elles portaient entre deux apparitions, et les regarda faire le tour
de la pièce avec une grâce toute féline. Il accepta un
verre de vin vert que lui proposa un des serviteurs,
mais refusa de toucher aux aliments. Il échangea un
regard avec Alessan, sans sourire car ce n'était pas le
moment. Drenio et Pieve, les joueurs de luth, étaient
penchés sur leurs instruments pour les réaccorder.
Eghano, qui ne se départissait jamais de son pragma-
tisme, mangeait en tapotant doucement la table de sa
main libre. Menico passa à côté d'eux, nerveux et distrait.
Il lui pressa le bras sans un mot.

Devin cherchait Catriana du regard quand il la vit
sortir de la pièce par une arcade menant vers d'autres
salles du palais. Elle se retourna et leurs regards se
croisèrent un instant. Puis elle s'éloigna. Une lumière
étrange filtrait par une fenêtre dérobée, juste au-dessus
d'elle.

Devin ne savait comment expliquer son geste. Même
plus tard, après tous les événements qui suivirent et
jaillirent dans toutes les directions comme parfois les
vagues sur la mer, jamais il ne put dire précisément
pourquoi il l'avait suivie.

Simple curiosité ? Attirance ? Désir complexe né du
regard qu'elle lui avait lancé et de l'univers étrange où
ils se trouvaient alors, suspendu entre immobilité et
chagrin ? C'était tout cela à la fois, ou rien de tout cela,
ou une partie de tout cela. Il avait l'impression que le

monde n'était plus exactement le même depuis l'intervention des danseuses.

Il finit son verre d'un trait, se leva et emprunta la même arcade que Catriana. Au dernier moment, lui aussi se retourna. Alessan le regardait. Il ne semblait pas vouloir le juger, mais Devin ne comprenait pas pourquoi le Trégéen lui jetait un regard aussi intense. Pour la première fois, son rêve lui revint en mémoire.

Et, pour cette raison peut-être, il murmura une prière à Morian en passant sous l'arcade.

Il était au pied d'un escalier qui débouchait sur un palier du premier étage, éclairé par un vitrail haut et étroit. Dans l'éclairage aux multiples couleurs, il aperçut une robe bleu argenté qui virevoltait au sommet des escaliers. Il secoua la tête pour tenter de clarifier ses pensées et d'échapper à cet état d'esprit irréel et inquiétant. Ce faisant, une évidence s'imposa à lui, et il s'invectiva.

Elle était d'Astibar. Elle montait au premier étage pour dire personnellement un dernier adieu au duc, ce qui semblait parfaitement normal et indiqué étant donné les circonstances. Aucun noble, aucun marchand de la classe des nouveaux riches ne lui nierait ce droit. Pas après avoir chanté comme elle avait chanté ce matin. Mais, par contre, ce serait du dernier mauvais goût pour le fils d'un paysan d'Asoli, originaire de Basse-Corte, d'essayer d'entrer dans la chambre du défunt.

Il hésitait et aurait rebroussé chemin, mais c'est alors qu'intervint sa mémoire, cette mémoire qui depuis toujours le servait ou le desservait indifféremment. Il avait aperçu les bannières de la cour. La pièce où était exposée la dépouille de Sandre se trouvait à droite et non à gauche de l'escalier.

Devin gravit les marches. Il prit soin de ne pas faire de bruit, sans savoir très bien pourquoi. Sur le palier, il tourna à gauche, comme Catriana. Il arriva devant une porte qu'il ouvrit. Il pénétra dans une salle vide qu'on n'avait pas ouverte depuis longtemps ; les murs étaient couverts de tapisseries poussiéreuses représentant des scènes de chasse aux couleurs passablement fanées. Il y avait deux issues, mais la poussière lui rendit service : les empreintes des sandales de la jeune fille indiquaient clairement qu'elle avait emprunté celle de droite.

Silencieux, Devin la suivit à la trace dans le labyrinthe des salles abandonnées du premier étage. Il découvrit des statues et des objets en verre d'une finesse remarquable, disparaissant sous des couches et des couches de poussière. L'éclairage était insuffisant car la plupart des fenêtres étaient fermées par des volets. Sur les murs s'alignaient les portraits noircis de seigneurs et de dames qui lui jetaient des regards hostiles.

Il prit à droite, puis encore à droite ; il marchait dans les traces de Catriana tout en prenant soin de ne pas la suivre de trop près. Elle ne changea plus de direction ensuite et traversa une enfilade de salles dont les fenêtres donnaient toutes sur l'extérieur et non plus sur les balcons surplombant la cour où se pressaient les invités. Il y faisait plus clair. Il entendit des murmures sur sa droite et constata que Catriana allait pénétrer dans la salle où reposait Sandre par l'extrémité opposée.

Il ouvrit une dernière porte. Elle était debout près d'une immense cheminée. Il n'y avait personne d'autre. Il remarqua les trois chevaux de bronze sur la cheminée, ainsi que les trois portraits au mur. Le plafond était décoré à l'or fin, autant qu'il pût en juger. Le long du mur extérieur percé d'une rangée de fenêtres donnant sur la rue, on avait disposé deux longues tables chargées de vivres. Contrairement aux autres pièces, celle-ci avait été balayée ; les rideaux étaient tirés pour atténuer la lumière crue de cette fin de matinée et le bruit de la foule au-dehors.

S'habituant à la lumière chiche qui filtrait, Devin referma la porte en laissant délibérément retomber la clenche. Le bruit résonna dans le silence.

Catriana fit demi-tour, une main sur la bouche, et, malgré la pénombre, Devin constata que c'était la colère et non la peur qui illuminait ainsi son regard.

« Tu peux m'expliquer ce que tu fais ici ? » murmura-
t-elle d'un ton sec.

Il fit un pas en avant, peu sûr de lui. Il cherchait un
trait d'esprit, une remarque anodine, divertissante, qui
le débarrasserait du sortilège puissant qui pesait sur ses
épaules comme sur cette matinée en général. Il n'en
trouva pas.

Il secoua la tête. « Je n'en sais rien, répondit-il avec
honnêteté. Je t'ai vue partir et je t'ai suivie. Ce… ce
n'est pas pour la raison que tu penses, ajouta-t-il maladroitement.

— Et comment pourrais-tu savoir ce que je pense ? »
rétorqua-t-elle, cassante. Puis elle fit un effort sur elle-
même pour se calmer. « J'avais envie d'être seule un
moment, dit-elle en contrôlant sa voix. Le spectacle
m'a bouleversée, et j'ai éprouvé le besoin de me res-
sourcer. Je vois qu'il t'a ému, toi aussi, alors serais-tu
assez aimable pour m'accorder un moment de paix ? »

La requête était poliment formulée et il aurait pu
partir. C'est ce qu'il aurait fait n'importe quel autre jour.
Mais pas celui-là. Car Devin avait déjà franchi plus ou
moins consciemment une des portes de Morian.

Il désigna les mets alignés sur les tables et dit, avec
le plus grand sérieux car il s'agissait d'une observation
bénigne et non d'un défi ou d'une accusation : « Cette
salle n'a rien d'intime, Catriana. Pourquoi ne me dis-tu
pas la véritable raison de ta présence ici ? »

Il s'arc-bouta, certain qu'elle allait de nouveau se
fâcher, mais une fois encore elle le surprit. Elle demeura
silencieuse un long moment. « Nous ne partageons pas
une intimité telle que je te doive une réponse, dit-elle
enfin. Je pense qu'il vaut mieux que tu t'en ailles. Pour
notre bien à tous deux. »

Il continuait d'entendre des voix étouffées de l'autre
côté du mur, à droite de la cheminée et des chevaux de
bronze. Cette pièce insolite, les tables couvertes de mets
somptueux, les portraits sévères sur les murs sombres,
tout contribuait à créer une atmosphère irréelle. Il
n'avait pas oublié la manière dont elle avait chanté le

matin même, lorsque sa voix s'élevait où les flûtes de Tregea l'appelaient; ni le regard qu'elle lui avait lancé depuis l'arcade qu'ils avaient tous deux franchie. Il ne se sentait pas vraiment éveillé, et le monde alentour n'était pas celui qu'il connaissait.

Et c'est dans cet état d'esprit que Devin s'entendit demander, la gorge brusquement nouée: «Ne pourrions-nous commencer? À partager quelque chose, j'entends?»

Une fois encore, elle parut hésiter. Elle avait les yeux grands ouverts, mais il ne parvenait pas à y lire quoi que ce soit sous cet éclairage incertain. Elle secoua la tête et demeura là où elle était, à l'autre extrémité de la pièce, parfaitement droite et immobile.

«Je ne pense pas, Devin d'Asoli, dit-elle posément. Pas avec le but que je me suis fixé. Néanmoins je te remercie de m'avoir posé la question, car je ne te cacherai pas qu'une partie de moi-même souhaiterait qu'il en fût autrement. Mais le temps passe et il me reste une chose ou deux à faire ici. Pourrais-tu t'en aller maintenant, s'il te plaît?»

Il ne s'attendait pas à ressentir un tel désarroi, après toute la palette d'émotions qu'il avait déjà éprouvées ce matin-là. Il hocha la tête, faute de trouver autre chose à faire ou dire, et il s'apprêta effectivement à partir cette fois.

Mais il avait bel et bien été franchi une porte dans le palais Sandreni ce jour-là car, à l'instant précis où il se mit en marche, ils entendirent tous deux des voix qui, cette fois, venaient de derrière lui.

«Oh, Triade! s'exclama Catriana, rompant brusquement le charme. Tout ce que je touche est maudit!» Elle fit demi-tour et se mit à chercher frénétiquement quelque chose sous le manteau de la cheminée. «Pour l'amour des déesses, ne fais pas de bruit!» murmura-t-elle sèchement.

Le ton était suffisamment pressant pour que Devin s'immobilisât et obéît. «Il disait connaître ceux qui ont construit ce palais, l'entendit-il marmonner, et que je trouverais sans peine le...»

Elle s'interrompit. Devin entendit un déclic. Une partie du mur à droite de la cheminée pivota légèrement, révélant un petit cagibi. Il ouvrit de grands yeux.

« Ne reste pas là à bâiller aux corneilles, imbécile ! murmura-t-elle, furieuse. Dépêche-toi ! » Une autre voix s'était jointe aux précédentes ; elles étaient trois désormais.

Devin bondit vers la porte dérobée, rejoignit Catriana à l'intérieur du cagibi ; ils refermèrent derrière eux.

Un instant plus tard, la porte à l'autre bout de la pièce s'ouvrait.

« Oh, Morian ! gémit Catriana du plus profond du cœur. Oh, Devin ! que fais-tu ici ? »

Devin ne trouva pas l'ombre d'une réponse adéquate à cette interpellation. D'une part, il ne savait toujours pas très bien pourquoi il l'avait suivie ; d'autre part, le réduit qui leur servait de cachette était à peine suffisant pour deux, et il était évident que le parfum de Catriana, qui emplissait le cagibi d'une odeur entêtante, le troublait.

S'il avait eu l'impression de vivre une aventure irréelle quelques instants plus tôt, voilà qu'il se sentait brusquement plus éveillé que jamais, et dangereusement proche d'une femme qu'il désirait ardemment depuis deux semaines.

Catriana parut en venir aux mêmes conclusions, même s'il lui fallut un peu plus de temps ; il l'entendit faire un petit bruit d'une nature un peu différente que précédemment. Devin ferma les yeux bien que le cagibi fût plongé dans la plus totale obscurité. Il sentait son souffle lui chatouiller le front, et il savait qu'en avançant les mains de quelques centimètres il pourrait la prendre par la taille.

Par mesure de prudence, il demeura parfaitement immobile, s'écartant d'elle autant qu'il était possible, retenant son souffle. Il se sentait passablement ridicule de s'être mis dans une situation pareille, et ce n'était pas en en profitant indûment qu'il allait se faire pardonner une liste de péchés déjà assez longue.

La robe de Catriana bruit doucement tandis qu'elle changeait de position. Il sentit ses cuisses frôler les siennes. Devin prit une bouffée d'air et respira davantage encore son parfum, ce qui n'était pas une bonne idée, étant donné ses engagements vertueux.

« Pardon », murmura-t-il bien que ce fût elle qui ait bougé. Il sentait des gouttes de sueur perler sur son front. Pour tenter de penser à autre chose, il se concentra sur ce qui se passait à l'extérieur du cagibi. Des bruits de pas traînants ainsi qu'un murmure diffus mais régulier lui donnèrent à penser que les gens continuaient de défiler devant la dépouille de Sandre.

Sur sa gauche, dans la pièce qu'ils venaient de fuir, trois voix distinctes étaient audibles. Curieusement, il lui sembla qu'il connaissait l'une d'elles.

« J'ai placé des serviteurs près du corps en travers du passage, cela nous donne un peu de temps avant l'arrivée des autres.

—Tu as remarqué les pièces de monnaie sur ses yeux ? demanda quelqu'un à la voix beaucoup plus jeune, qui se dirigeait vers le buffet. C'est vraiment drôle.

—Bien sûr que j'ai remarqué », répondit son interlocuteur sur un ton acerbe. Où ai-je bien pu entendre cette voix, ce ton ? se demandait Devin. Et récemment, qui plus est. « Et qui, à ton avis, a passé toute la soirée à dénicher des astins datant de vingt ans ? Qui s'est chargé de tout ceci, hein ? »

Il entendit le troisième homme rire sous cape. « Et pour un beau buffet, c'en est un ! dit-il avec insouciance.

—Ce n'est pas à cela que je faisais allusion ! »

Un rire fusa. « Je le sais pertinemment, mais c'est néanmoins une jolie table, bien garnie.

—Taeri, l'heure n'est pas aux plaisanteries, et les tiennes ne sont pas franchement drôles. Il ne nous reste que très peu de temps avant l'arrivée de la famille. Alors écoutez-moi attentivement. Nous sommes les seuls dans le secret.

—Les seuls ? demanda la voix jeune. Il n'y a personne d'autre ? Pas même papa ?

—Non, Gianno n'est au courant de rien, et tu sais pourquoi. J'ai dit nous trois seulement. Alors arrête de poser des questions et écoute, petit ! »

À ce moment, Devin s'aperçut que son pouls battait de plus en plus vite, en partie à cause de ce qu'il venait d'entendre, mais surtout parce que Catriana venait de se déplacer à nouveau, avec un petit soupir tranquille, et que Devin, incrédule, fut obligé de constater que son corps se blottissait contre le sien et qu'elle lui avait glissé un de ses longs bras autour du cou.

« Sais-tu, murmura-t-elle d'une voix presque inaudible, la bouche collée à son oreille, que je trouve la situation plutôt plaisante tout à coup ? Tu me promets de ne pas faire de bruit ? » L'extrémité de sa langue lui frôla le lobe de l'oreille.

Devin avait la bouche complètement sèche et une formidable érection, au point que son sexe était douloureux à l'intérieur de son haut-de-chausses bleu ciel. Dans la chambre, la voix qu'il avait failli reconnaître se lançait dans une explication compliquée où il était question de porteurs de cercueil et d'un pavillon de chasse, mais cette voix et ce qu'elle disait lui semblaient parfaitement dérisoires tout à coup.

Ce qui ne l'était pas, par contre, mais constituait un événement de la plus haute importance, c'était le fait indéniable que les lèvres de Catriana allaient et venaient sur son cou et son oreille. Et, tandis que les mains de Devin se mettaient en mouvement, comme mues par une nécessité interne, lui effleurant les paupières et la gorge, puis glissant vers les rondeurs convoitées de ses seins, les doigts agiles de Catriana s'occupaient du cordon autour de sa taille et le défaisaient.

« Oh, Triade ! gémit-il tandis qu'elle le caressait de ses doigts frais, pourquoi ne m'as-tu pas dit plus tôt que tu aimais la jouer dangereuse ? » Il tourna brusquement la tête et trouva ses lèvres ; ils s'embrassèrent avec fougue, tandis qu'il remontait le peignoir de la jeune fille autour de ses hanches.

Le mur derrière elle formait une saillie et elle s'y assit pour lui faciliter la tâche ; elle aussi avait la respiration de plus en plus courte et saccadée.

« Nous serons six, fit une des voix dans la pièce à côté. Au second clair de lune, je veux que vous soyez... »

Catriana lui empoigna les cheveux, lui faisant presque mal, et à ce moment-là les derniers plis du peignoir s'envolèrent de ses hanches ; il put glisser les doigts dans ses dessous et atteindre la porte qu'il cherchait.

Elle poussa un petit cri inattendu et se raidit un instant avant de s'abandonner complètement dans les bras de Devin qui explorait les replis les plus secrets de son corps. Elle eut un drôle de soupir, puis changea très légèrement de position et le guida en elle. Elle haletait et lui mordait furieusement l'épaule. Devin, submergé par ce plaisir inattendu et une vive douleur, demeura un moment immobile ; il la tenait serrée contre lui et, ne sachant plus ce qu'il disait, lui murmurait des choses inintelligibles.

« Assez parlé ! voilà les autres, s'exclama le troisième personnage d'une voix rauque.

— Surtout, fit le premier, n'oubliez pas. Quand vous viendrez nous rejoindre ce soir, quittez la ville séparément et, quoi qu'il arrive, prenez garde à ne pas être suivis, car cela nous coûterait la vie. »

Il y eut un bref silence. Puis la porte à l'autre bout de la pièce s'ouvrit et Devin, qui faisait l'amour à Catriana en silence maintenant, fut enfin capable de dire à qui appartenait la voix qu'il avait cru reconnaître. Car le personnage continuait à s'exprimer, mais avec l'intonation précieuse de la veille cette fois, dont Devin se souvenait parfaitement.

« Enfin ! fit Tomasso d'Astibar, fils de Sandre. Nous avions terriblement peur que vous vous fussiez égarés dans ces recoins poussiéreux pour y disparaître à tout jamais !

— Je ne t'aurais pas fait ce plaisir, mon frère, répondit une voix chagrine. Encore qu'après dix-huit ans c'eût été tout à fait possible. Il me faut d'urgence deux verres de vin. Rester assis toute la matinée à écouter pareille musique m'a donné une soif digne de l'enfer ! »

Dans le cagibi, Devin et Catriana s'accrochaient l'un à l'autre et retenaient tous deux un fou rire. Puis Devin fut submergé par une nouvelle exigence qui, lui sembla-t-il, habitait aussi sa compagne, et soudain plus rien dans la péninsule ne compta, hormis le rythme accéléré de leurs mouvements conjugués.

Les ongles de Catriana s'enfoncèrent dans son dos. Sentant l'orgasme approcher, Devin mit les mains en coupe sous elle ; Catriana releva les jambes et les enroula autour de sa taille. Puis elle enfonça les dents plus avant encore dans son épaule et il explosa en elle, dans le plus profond silence.

Ils demeurèrent ainsi pendant un temps indéfinissable, épuisés, leurs vêtements humides là où ils s'étaient pressés l'un contre l'autre. Devin avait l'impression que les voix dans les deux pièces de part et d'autre du cagibi venaient de très loin. D'une autre planète. Il n'avait en fait aucune envie de bouger.

Catriana finit tout de même par reposer les jambes à terre ; elle se mit debout. De l'index, Devin suivit les contours de l'os de sa joue dans l'obscurité.

Derrière lui, les seigneurs et les marchands d'Astibar continuaient à piétiner pour offrir un dernier hommage à Sandre, que beaucoup d'entre eux avaient haï mais que certains avaient aimé. Sur sa gauche, la jeune génération des Sandreni buvait et mangeait, portant un toast à la fin de leur exil. Devin, blotti près de Catriana, encore tout enveloppé de sa chaleur, ne cherchait même pas à trouver les mots susceptibles de traduire ce qu'il éprouvait.

Tout à coup, elle s'empara de l'index explorateur du jeune homme et le mordit de toutes ses forces. Il tressaillit de douleur. Mais elle s'abstint de tout commentaire.

Après le départ des Sandreni, Catriana localisa la commande d'ouverture et ils sortirent du cagibi. Ils se hâtèrent de mettre de l'ordre dans leurs vêtements mais prirent tout de même le temps de déguster une aile de poulet chacun, puis ils traversèrent promptement les mêmes salles qu'à l'aller et parvinrent en haut de l'escalier. Ils croisèrent trois serviteurs en livrée, et Devin, qui se sentait particulièrement gai et pétulant maintenant, saisit la main de Catriana tout en adressant un clin d'œil aux serviteurs.

Elle s'empressa de retirer sa main.

Il la regarda de biais. «Qu'est-ce qui ne va pas?»

Elle haussa les épaules. «Je n'avais pas l'intention de le crier sur tous les toits», murmura-t-elle en regardant droit devant elle.

Devin haussa les sourcils. «Mais alors que vont-ils penser de notre promenade au premier étage, à ton avis? Je leur ai donné l'explication la plus évidente, la plus banale qui soit. Ils n'éprouveront même pas le besoin d'en parler. Ce genre de choses arrive tous les jours.

—Pas à moi, répondit-elle tranquillement.

—Tu sais bien que ce n'est pas ce que je voulais dire!» protesta Devin, désarçonné. Malheureusement, ils étaient déjà dans l'escalier et, quand il s'arrêta devant la porte pour la laisser entrer la première, il éprouva un sentiment de solitude auquel il n'était pas préparé.

Passablement dérouté, il alla se placer derrière Menico tandis que la troupe s'apprêtait à faire une nouvelle apparition dans la cour.

Il intervenait très peu dans les deux premiers hymnes, aussi laissa-t-il son esprit vagabonder et revoir la scène qui venait de se jouer au premier étage. Puis il revint au présent et, grâce à cette mémoire dont la Triade l'avait doté à sa naissance, il put se concentrer sur chaque détail et considérer les événements sous un éclairage nouveau, qui mettait en évidence ce qu'il n'avait pas saisi sur le moment.

Quand arriva l'instant crucial qui constituait à la fois l'apogée et la conclusion de ces rites funèbres, et qu'il vit les représentants des trois clergés se pencher en avant dans l'expectative, puis Tomasso prendre une attitude de profonde concentration, Devin sentit qu'il était à même de se donner tout entier à l'interprétation du *Lamento pour Adaon*. Et, cette fois, il sut clairement comment il allait s'y prendre.

Il attaqua doucement, dans une tessiture moyenne, accompagné des deux luths, façonnant peu à peu la légende du dieu. Ensuite, quand Alessan intervint à la flûte, Devin laissa sa voix grimper et lui répondre, comme s'il volait d'une gorge à une crevasse, puis à un abîme.

Il chanta la mort du dieu d'une voix que l'amour qui l'habitait rendait plus pure encore, et monta si sûrement dans le registre supérieur que les notes s'élevèrent au-dessus de la cour du palais et résonnèrent dans les rues et les places d'Astibar, la ville ceinte de hauts murs.

Des hauts murs qu'il avait l'intention de franchir cette nuit même, pour suivre une piste menant à un bois où se nichait un pavillon de chasse. Un pavillon de chasse dans lequel les porteurs de cercueil viendraient déposer la dépouille d'Astibar, et où un petit groupe d'hommes – six exactement, lui rappela sa mémoire d'une voix cristalline – devaient conduire une réunion. Or Catriana tenait tant à lui cacher cette information qu'elle s'était montrée prête à tout, sinon à le tuer. Il s'efforça de muer cette certitude au goût âcre en compassion pour Adaon, de la laisser guider et pénétrer la douleur du *Lamento*.

Cela vaut mieux pour nous deux, avait-elle dit, et il se rappelait le ton de regret et la douceur inattendue de sa voix. Mais, à l'âge de Devin plus encore qu'à tout autre, les hommes manifestent un orgueil certain, et il avait déjà décidé, avant même de se mettre à chanter dans cette cour où se pressaient tous les grands d'Astibar, que ce ne serait pas Catriana mais lui seul qui jugerait de ce qu'il convenait de faire.

Aussi Devin chanta-t-il la fin du dieu déchiré par les mains des femmes en exprimant de cette agonie sur les pentes du mont trégéen tout ce qu'il était possible d'en exprimer. Sa voix devint un arc tendu qui cherchait à atteindre le cœur de tous ceux qui écoutaient.

Il laissa Adaon tomber du haut de la falaise, il entendit le son de la flûte décroître et choir à son tour, et il accompagna la chute spiralée du dieu dans le Casadel d'une voix affligée, tandis que le chant touchait à sa fin.

Ainsi qu'un cycle de la vie de Devin ce matin-là. Car, lorsqu'on a franchi une des portes de Morian, il est impossible, comme chacun sait, de revenir en arrière.

CHAPITRE 4

Dans l'heure qui précède le coucher du soleil, Tomasso, fils de Sandre, sortit de la ville par la porte d'Orient aux côtés du cercueil de son père. Il fit prendre une allure confortable à son cheval et, pour la première fois après quarante-huit heures de tension extrême, laissa vagabonder son esprit.

La route était tranquille. En temps normal, elle était encombrée de gens des campagnes environnantes, qui rentraient chez eux avant le couvre-feu et la fermeture des portes. En temps normal, le crépuscule vidait les rues d'Astibar de tous leurs occupants, excepté les patrouilles de mercenaires barbadiens et quelques individus assez téméraires pour les défier et se mettre en quête de femmes, de vin ou d'autres plaisirs à la faveur de l'obscurité.

Mais cette semaine n'était pas normale. Car il n'y aurait de couvre-feu à Astibar ni ce soir ni les deux suivants. La vendange était terminée, les moissons avaient été excellentes, aussi la fête des Vignes allait-elle se traduire par trois nuits ininterrompues de chansons, de danses et de distractions bien plus folles encore. Pendant ces trois nuits, Astibar se prendrait pour la sensuelle, la décadente Senzio. Aucun des ducs d'autrefois, pas plus que le sévère Alberico qui gouvernait désormais, n'avait eu la bêtise de mécontenter inutilement le peuple en le privant de cette ancienne coutume qui voulait qu'on fît

ces jours-là une entorse à la sobriété prévalant le reste
de l'année.

Tomasso se retourna pour jeter un dernier regard à
sa ville. Le soleil couchant, cerné de petits nuages,
rougeoyait derrière les dômes des temples et les tours,
nimbant la ville d'une lumière à la beauté étrange. Une
brise s'était levée qui apportait une singulière fraîcheur.
Tomasso songea à enfiler ses gants, puis se ravisa : il
lui faudrait enlever certaines de ses bagues, or il aimait
les reflets que prennent les pierres dans cette lumière
insaisissable et furtive. L'automne était bien là, et les
Quatre-Temps approchaient à grands pas. Les premières
gelées ne tarderaient pas à toucher ces quelques grappes
si précieuses encore sur leurs ceps sélectionnés et qui,
si tout se passait bien, donneraient ce vin bleu et transparent comme la glace qui faisait la fierté d'Astibar.

Derrière lui cheminaient, imperturbables, les huit
serviteurs qui portaient les brancards et le cercueil
dépouillé : une simple caisse de bois nu, surmontée des
armoiries du duc, père de Tomasso. De part et d'autre
des serviteurs, les deux personnes chargées de le veiller
chevauchaient dans un silence absolu. Ce qui n'était
pas surprenant, étant donné la nature de leur mission et
les haines ancestrales et complexes qui pervertissaient
les rapports de ces deux hommes.

Ces trois hommes, se reprit Tomasso. Trois, car ne
convenait-il pas d'inclure le défunt qui avait préparé
tout cela avec une telle minutie, allant jusqu'à décider
qui chevaucherait de quel côté de la bière, qui se pla-
cerait devant et qui derrière ? Sans parler de détails plus
étonnants encore, comme le choix des deux seigneurs
de la province d'Astibar que l'on solliciterait pour l'escorter au pavillon de chasse où il serait veillé une nuit
durant, avant d'être enseveli dans la crypte des Sandreni
à l'aube. Ou, pour en venir à l'essentiel, le choix des
deux seigneurs dignes de se voir confier ce qui leur
serait révélé cette nuit-là, pendant la veillée funèbre.

Rien qu'à y penser, Tomasso sentit une pointe d'appréhension dans les côtes. Il l'étouffa, comme il avait

appris à le faire au terme d'années et d'années de discussions avec son père.

Mais Sandre était mort et il agissait seul désormais. Or ils approchaient du but que tous deux s'étaient fixé, tandis que la lumière pourpre déclinait peu à peu. Tomasso, dont le quarantième anniversaire remontait à deux ans déjà, savait que s'il relâchait sa vigilance il n'aurait aucun mal à redevenir enfant.

L'enfant de douze ans qu'il était, par exemple, lorsque Sandre, duc d'Astibar, l'avait découvert nu dans la paille d'une étable en compagnie du fils de seize ans du maître d'écurie.

Son amant avait été exécuté, bien sûr, mais dans la plus grande discrétion pour éviter que l'affaire ne s'ébruite. Tomasso, lui, avait été fouetté par son père trois jours de rang ; chaque matin les lanières du fouet rouvraient une à une les blessures qui s'étaient refermées. Sa mère avait reçu l'ordre de ne pas s'approcher de lui. Personne ne devait lui rendre visite.

Une des rares erreurs qu'avait commises son père, se disait Tomasso en se reportant trente ans en arrière, dans le crépuscule automnal. Car, depuis lors, il manifestait un goût particulier pour la flagellation quand il faisait l'amour : une de ses « félicités », comme il aimait à les appeler.

Pourtant Sandre ne lui avait plus jamais infligé pareil châtiment par la suite. Ni aucun autre, d'ailleurs. Quand il devint manifeste et de notoriété publique que les goûts de Tomasso étaient définitifs et exclusifs, le duc cessa simplement de reconnaître l'existence de son second fils.

Cet état de fait dura plus de dix ans. Sandre essayait patiemment de préparer Gianno à lui succéder et passait presque autant de temps avec Taeri, le benjamin qui, avait-il décrété, était désormais second dans l'ordre de la succession. Pendant plus d'une décennie, Tomasso cessa tout simplement d'exister dans le palais Sandreni.

Pourtant il existait bel et bien partout ailleurs en Astibar, ainsi que dans plusieurs provinces. Pour des raisons qui lui paraissaient douloureusement claires aujourd'hui, Tomasso avait mis à profit ces dix années pour surpasser les souvenirs laissés par tous les nobles dissolus, dont Astibar racontait encore les forfaits avec réprobation bien que certains de ces hommes eussent disparu depuis plus de cent ans.

Il avait l'impression d'avoir partiellement réussi.

Certes le fameux « raid » sur le temple de Morian, cette nuit des Quatre-Temps de printemps, il y avait de cela des lustres, demeurerait au zénith ou au nadir (une simple question de point de vue, se plaisait-il à dire) de la débauche sacrilège.

Ce raid n'avait pas eu de conséquence sur sa relation avec le duc, car celle-ci s'était tout simplement arrêtée ce fameux matin où le destin avait voulu que Sandre revînt de sa sortie à cheval une heure trop tôt. Son père et lui s'arrangeaient pour ne pas s'adresser la parole et se comportaient comme si l'autre n'existait pas, tant aux réunions de famille qu'aux réceptions officielles. Si Tomasso apprenait quelque chose dont il jugeait bon d'informer son père, ce qui était souvent le cas étant donné les milieux dans lesquels il naviguait et les dangers chroniques de l'époque, c'est à sa mère qu'il en parlait au cours de leur petit-déjeuner hebdomadaire, et elle se chargeait de faire passer le message. Tomasso savait qu'elle n'oubliait jamais de mentionner la provenance de l'information au duc. Même si cela ne changeait rien, en apparence du moins.

Elle était morte pour avoir bu un verre de vin empoisonné destiné à son mari, la dernière année du règne de Sandre, et s'était employée jusqu'au dernier jour de sa vie à tenter de réconcilier le père et le fils.

Des esprits plus romantiques que les leurs se seraient peut-être laissés aller à penser, tandis que les Sandreni se serraient les coudes et se préparaient à des représailles sanglantes pour punir cet empoisonnement, qu'elle avait concrétisé son rêve nostalgique en mourant.

Mais ni Sandre ni Tomasso n'étaient dupes.

En réalité, c'était l'arrivée d'Alberico de Barbadior, avec sa sorcellerie qui vous sapait la volonté et l'efficacité brutale de ses mercenaires conquérants, qui

avait été cause, certain soir, d'une discussion tardive.
Le duc en était alors à sa seconde année d'exil. Outre
l'invasion d'Alberico, un autre élément s'était révélé
déterminant : la bêtise monumentale, indécrottable et
incontournable de Gianno d'Astibar, l'aîné de Sandre,
héritier en titre des miettes de la fortune familiale.

Et à ces deux éléments était venu s'en ajouter au fil
des ans un troisième, une vérité particulièrement amère
pour l'orgueilleux duc en exil. Il était désormais manifeste, indéniable en vérité, que tout ce qu'il avait réussi
à léguer à la génération suivante de ses dons et de sa
personnalité, de sa subtilité et de son intuition, de sa
capacité à masquer ses idées et à voir clair dans celles
des autres, était allé intégralement au second de ses
trois fils. À Tomasso.

Qui aimait les garçons, ne laisserait pas d'héritier,
et dont le nom ne serait jamais proclamé, en tout cas
jamais avec fierté, ni en Astibar ni ailleurs dans la Palme.

Dans ce territoire secret de lui-même où il se livrait
à la gestion complexe de ses sentiments pour son père,
Tomasso avait toujours admis, même alors, et plus
encore maintenant que Sandre effectuait son dernier
périple sur cette route, que le duc avait donné toute la
mesure de ses talents d'homme d'État une certaine nuit
d'hiver : la nuit où il avait rompu dix ans de silence
pour parler à ce second fils et en faire son confident.

Son seul et unique confident pendant les dix-huit
années qu'avaient duré ses efforts pour chasser Alberico,
sa sorcellerie et ses mercenaires hors d'Astibar et de
l'est de la Palme. Des efforts devenus obsessionnels pour
l'un et l'autre, tandis qu'en public Tomasso adoptait
une attitude aussi décadente qu'excentrique et accentuait
sa voix zézayante et sa démarche maniérée de pédéraste
jusqu'à la parodie.

Tout avait été soigneusement étudié au cours des
discussions nocturnes que son père et lui tenaient dans
leur propriété hors les murs de la ville.

De son côté, Sandre jouait le rôle du seigneur en exil,
banni par la Triade, et qui, impuissant à agir, ressasse

des regrets et trouve une consolation dans des chasses animées et fanfaronnes, et la consommation excessive du vin de ses vignes.

En réalité, jamais Tomasso n'avait vu son père ivre, pas plus que lui-même n'usait de sa voix flûtée quand ils étaient seuls le soir.

Huit années plus tôt, ils s'étaient essayés à une tentative d'empoisonnement. Un cuisinier, parent de la famille Canziano, avait été placé dans une auberge de campagne du Ferraut, près des frontières de la province d'Astibar. Pendant six mois et plus, les uns et les autres avaient vanté les mérites de cette auberge distinguée. Par la suite, nul ne sut dire qui était à l'origine de ce discours : Tomasso, lui, savait l'utilité de répandre pareilles rumeurs parmi ceux de ses amis qui fréquentaient les temples. Les prêtres de Morian, en particulier, étaient connus pour leurs appétits légendaires. Dans tous les domaines.

Un an plus tard, Alberico de Barbadior s'était arrêté dans cette auberge en revenant des Jeux de la Triade, exactement comme l'avait prédit Sandre ; il souhaitait déjeuner dans cet établissement réputé du Ferraut, sis non loin des frontières d'Astibar.

Avant le coucher du soleil de cette belle journée de fin d'été, tous les gens de l'auberge sans distinction – serveurs, patrons, palefreniers, cuisiniers, enfants et clients, étaient morts. Ils avaient eu le dos, les jambes, les bras et les poignets brisés, les mains coupées, puis on les avait attachés, encore en vie, aux roues que les Barbadiens avaient promptement érigées.

L'auberge avait été rasée. Dans la province du Ferraut, les impôts avaient doublé deux ans de suite ; en Astibar, en Tregea et au Certando, la sanction n'avait été appliquée qu'un an. Dans les six mois qui avaient suivi, tous les membres de la famille Canziano sans exception avaient été arrêtés et torturés en public avant de brûler sur la grand-place d'Astibar ; comme leurs hurlements risquaient d'importuner Alberico et ses conseillers, dont les bureaux donnaient sur la place, on leur avait tranché les mains pour les en bâillonner.

C'est ainsi que Sandre et Tomasso avaient appris qu'il est impossible d'empoisonner un sorcier.

Les six années suivantes, ils s'en étaient tenus à discuter, la nuit venue, dans le manoir entouré de vignes et à collecter toutes les informations possibles sur la personne d'Alberico et l'actualité au Barbadior, où l'empereur, racontait-on, se faisait un peu plus sénile et un peu plus impotent à chaque année qui passait.

Tomasso se mit à commander et collectionner des cannes à pommeau en forme d'organes sexuels mâles. On racontait que certains de ses jeunes amis avaient servi de modèles aux sculpteurs. Sandre passait le plus clair de son temps à la chasse. Gianno, l'héritier, consolidait une réputation grandissante de coureur de jupons. D'une nature simple et bon enfant, il était père d'une nombreuse progéniture, légitime ou non. Les jeunes Sandreni furent autorisés à vivre modestement en ville, dans le cadre de la politique générale d'Alberico, qui consistait à intervenir aussi peu que possible, sauf quand un danger ou une rébellion le menaçait.

Auquel cas, même les enfants étaient livrés au supplice de la roue. Le palais Sandreni, désert et poussiéreux, resta notoirement clos, symbole puissant et efficace de la chute de ceux qui se piquaient de résister au tyran. Les superstitieux prétendaient voir des lumières fantomatiques vaciller aux fenêtres du palais la nuit, les nuits de lune bleue surtout, ou bien encore les nuits de Quatre-Temps, au cours desquelles les morts étaient censés revenir.

Puis, un beau soir d'été, Sandre fit part de ses intentions à Tomasso, sans préambule aucun. Il entendait mourir la veille de la fête des Vignes, à deux automnes de là. Il procéda ensuite à la nomination des deux seigneurs chargés de le veiller et justifia son choix. Ce même soir, Tomasso et lui décidèrent qu'il était temps d'avertir Taeri, le benjamin, de ce qui se tramait. Il était courageux et intelligent, il pouvait se révéler utile. Ils tombèrent également d'accord pour impliquer un des fils illégitimes de Gianno car, à la surprise générale, c'était un jeune homme prometteur qui montrait des signes encourageants d'intelligence et d'ambition : cet Herado, âgé de vingt et un ans tout juste, représentait sans doute le meilleur moyen d'impliquer la jeune génération dans l'agitation générale que Sandre entendait créer juste après sa mort.

La question n'était pas tant de décider en quels membres de la famille on pouvait avoir confiance, car la famille restait la famille quoi qu'il arrivât. Non, il s'agissait de déterminer qui serait le plus utile ; il faut croire que les Sandreni étaient tombés bien bas puisque seuls ces deux noms leur vinrent spontanément à l'esprit.

Le ton de leur conversation était resté parfaitement neutre, se rappelait Tomasso qui venait de prendre au sud-est et guidait le convoi mortuaire entre les arbres de plus en plus sombres qui bordaient le chemin. Il en avait été ainsi de toutes leurs conversations et celle-ci n'avait différé en rien. Ensuite, il n'était pas parvenu à s'endormir, car la date de cette fête à venir était comme inscrite au fer rouge dans son esprit. La date que son père, si judicieux dans ses résolutions, si précis dans sa gestion des événements, avait choisie pour mourir afin de fournir à Tomasso l'occasion d'oser une nouvelle tentative, d'une autre nature cette fois.

Ce jour était enfin arrivé, et il s'était écoulé, emportant l'âme de Sandre d'Astibar là où vont les âmes d'hommes tels que lui. Tomasso dessina un geste protecteur pour écarter les forces du mal. Derrière lui, il entendit le major-dome demander aux serviteurs d'allumer les torches. Le froid se faisait plus vif à mesure que la nuit tombait. Au-dessus d'eux, un ruban de nuages s'étirait très haut dans le ciel et se teintait d'un pourpre de plus en plus sombre, tandis que le soleil dardait sur lui ses derniers rais de lumière. L'astre lui-même avait disparu derrière les arbres. Tomasso eut une pensée pour les âmes, la sienne et celle de son père. Il frissonna.

Vidomni, la lune blanche, se leva ; Ilarion, la lune bleue, la suivait de près dans l'espoir insensé de la chasser du ciel. Toutes deux étaient presque pleines.

Le cortège aurait très bien pu se passer de torches, tant le double clair de lune irradiait, mais la présence de flambeaux seyait aux circonstances et à l'humeur de Tomasso, qui les laissa brûler alors même que le convoi quittait la grand-route pour emprunter l'allée familière qui serpentait entre les arbres du bois Sandreni et aboutissait à ce pavillon de chasse tout simple, que son père affectionnait tant.

Les serviteurs déposèrent la bière sur les tréteaux installés à cet effet au centre de la grande pièce en façade. On avait allumé les bougies ainsi qu'un feu dans chacune des deux cheminées aux extrémités de la salle. On avait aussi disposé sur le buffet, à côté du vin, des mets préparés dans la journée ; les serviteurs s'empressèrent de les découvrir. On ouvrit les fenêtres pour aérer le pavillon et laisser entrer la brise.

Tomasso fit signe au majordome d'éloigner les serviteurs. Il était prévu qu'ils aillent passer la nuit au manoir, un peu plus à l'est, et reviennent au lever du jour, quand la veillée funèbre serait terminée.

Ainsi ils étaient enfin seuls, Tomasso et les deux seigneurs, Nievole et Scalvaia, que son père avait choisis avec tant de soin deux ans plus tôt.

« Du vin, messeigneurs ? proposa Tomasso. J'attends trois autres personnes d'un moment à l'autre. »

Il avait délibérément renoncé à cette voix flûtée qu'on lui connaissait en Astibar et s'exprimait naturellement. Il observa avec satisfaction que ses deux interlocuteurs s'en étaient immédiatement aperçus et le regardaient d'un œil plus attentif que jamais.

« Ah oui, et qui cela ? » grogna ce grand barbu de Nievole qui avait toujours détesté Sandre. Il ne fit aucun commentaire sur la voix de Tomasso ; Scalvaia non plus. De telles remarques eussent été par trop révélatrices, et ces deux hommes maîtrisaient depuis longtemps l'art de révéler le moins possible.

« Mon frère Taeri et mon neveu Herado, un des bâtards de Gianno et de loin le plus intelligent. » Il s'était exprimé sans détours, tout en débouchant deux bouteilles de rouge de la réserve Sandreni. Il leur tendit un verre à chacun, curieux de voir lequel d'entre eux romprait le court silence qui, selon son père, suivrait alors. « C'est Scalvaia qui posera la question », avait prédit Sandre.

« Et ce troisième personnage ? » demanda tranquillement Scalvaia.

Tomasso rendit un hommage silencieux à son défunt père. Puis, faisant tourner le pied du verre entre ses doigts pour libérer le bouquet du vin, il déclara : « Je n'en sais rien. Il vous a désignés tous deux, ainsi que nous trois, et s'est contenté de mentionner la présence d'un sixième homme au conseil de ce soir. »

Ce terme aussi avait été judicieusement sélectionné.

« Conseil ? reprit l'élégant Scalvaia. Dans ce cas j'ai été mal informé. Je croyais naïvement qu'il s'agissait d'une veillée funèbre. » Le regard sombre de Nievole s'enflamma. Tous deux se tournèrent vers Tomasso.

« Un peu plus que cela », fit Taeri en pénétrant dans la pièce, suivi de Herado.

Tomasso constata avec satisfaction que tous deux portaient des vêtements sobres, comme l'exigeaient les circonstances. Taeri avait fait irruption avec une exactitude si parfaite qu'elle frôlait l'impertinence, néanmoins son expression restait parfaitement sérieuse.

« Vous connaissez mon frère, murmura Tomasso qui alla remplir deux autres verres pour les nouveaux arrivants. Mais vous n'aviez peut-être jamais rencontré Herado, le fils de Gianno. »

Le jeune homme s'inclina en silence, comme il convenait. Tomasso lui tendit un verre ainsi qu'à Taeri.

Le silence se prolongea quelques instants, puis Scalvaia s'affala sur une chaise, allongeant sa jambe malade devant lui. Il leva sa canne qu'il dirigea vers Tomasso. L'extrémité ne vacilla même pas.

« Je vous ai posé une question, dit-il sèchement de sa voix magnifique et réputée. Pourquoi parlez-vous de conseil, Tomasso, fils de Sandre ? Pourquoi avons-nous été conduits ici sous de faux prétextes ? »

Tomasso posa son verre. Le moment crucial était enfin arrivé. Il regarda Scalvaia, puis le grand Nievole.

« Vous êtes les deux seuls seigneurs d'Astibar à avoir préservé un réel pouvoir, du moins mon père le pensait-il. Il y a deux ans, il m'a informé qu'il avait l'intention de s'éteindre à la veille de la fête des Vignes de cette année. À une période où Alberico ne pourrait pas lui refuser les rites funèbres dans leur intégralité, à commencer par la veillée de ce soir. Et à une période où vous seriez tous deux en ville, donc susceptibles de le veiller. »

Il interrompit son discours mesuré et dûment préparé pour laisser son regard s'appesantir sur chacun d'eux. « L'idée de mon père était que nous puissions nous retrouver ici sans éveiller de soupçons et sans risquer d'être interrompus ou repérés, afin de mettre au point un plan pour renverser Alberico, le tyran d'Astibar. »

Il les surveillait attentivement, mais Sandre avait bien choisi en la personne de ces deux hommes. Aucun ne bougea d'un pouce ni ne laissa paraître le moindre étonnement, le plus petit désarroi.

Scalvaia baissa sa canne et la posa sur la table près de sa chaise. Le tube était en métal blanc incrusté d'onyx, remarqua Tomasso, surpris de constater qu'il avait encore la faculté de s'intéresser à de tels détails dans un moment pareil. L'esprit humain est vraiment imprévisible.

« Savez-vous, dit Nievole, toujours très direct, savez-vous que l'idée m'a effleuré quand j'ai essayé de comprendre pourquoi votre père, maudit par la Triade… Ah, excusez-moi, les vieilles habitudes ne se perdent pas du jour au lendemain… » Il eut un sourire vorace plus que contrit, et son regard ne vacilla pas. « … pourquoi votre père m'avait choisi pour le veiller. Il devait pourtant bien savoir que j'ai maintes fois essayé de précipiter ces rites funèbres quand il était au pouvoir. »

Tomasso sourit à son tour, sans plus de conviction. « Il était certain que vous vous poseriez cette question », dit-il poliment à l'homme qui, il l'aurait juré, avait payé l'individu chargé de mettre du poison dans certaine coupe de vin et donc tué sa mère. « Il était également persuadé que vous accepteriez de venir, étant les derniers représentants de deux grandes familles dont il ne reste pratiquement plus personne, ni en Astibar ni ailleurs dans la péninsule. »

Nievole le barbu leva son verre. « Quel flatteur vous faites, fils de Sandre ! Et je dois dire que je préfère votre voix de ce soir, débarrassée des fioritures que vous nous donnez d'ordinaire à entendre. »

Scalvaia eut l'air amusé. Taeri s'esclaffa. Prudent, Herado les observait en silence. Tomasso l'aimait beaucoup, mais pas à la manière dont il aimait les garçons en général, avait-il déclaré à son père alors qu'ils partageaient un moment de détente.

« Je préfère cette voix moi aussi, fit-il en s'adressant aux deux seigneurs. Vous aurez tous deux compris désormais, étant donné vos personnalités et vos rangs, pourquoi au cours de ma vie j'ai adopté certains comportements en public. Cela présente maints avantages que d'être considéré comme un dégénéré sans objectif.

—Certainement, répondit Scalvaia d'un ton neutre, si le but que vous poursuivez nécessite effectivement d'entretenir une telle méprise. Vous avez cité un nom tout à l'heure et laissé entendre que nous serions tous plus heureux si l'homme qui porte ce nom s'éloignait ou disparaissait. Nous n'envisagerons pas pour le moment ce qui pourrait se passer si cette éventualité dramatique se concrétisait. »

Il était impossible de déceler quoi que ce soit dans son regard, mais Tomasso avait été prévenu. Il ne répondit pas. Taeri changea de position, visiblement mal à l'aise ; cependant il eut le bon goût de rester muet comme on le lui avait recommandé. Il traversa la pièce et alla s'asseoir de l'autre côté du cercueil.

Scalvaia poursuivit: « Nous sommes bien conscients qu'en disant ce que vous venez de dire vous vous en remettez entièrement à nous, du moins c'est ce qu'on peut penser de prime abord. Dans le même temps, je devine sans peine que, si nous nous levions et reprenions la route d'Astibar avec l'intention de vous dénoncer, nous aurions rejoint votre père au royaume des morts avant d'être sortis de ces bois. » C'était dit sans passion ; il s'agissait simplement de confirmer un détail avant de passer à des questions plus importantes.

Tomasso secoua la tête. « Pas du tout, mentit-il. Votre présence ici est un honneur et vous êtes entièrement libres de partir si vous le souhaitez. Et nous vous escorterons, qui plus est, car la nuit le chemin est dangereux. Mon père m'a effectivement suggéré d'attirer votre attention sur un point : il suffirait d'un mot ou deux de votre part pour qu'on nous passe les menottes et qu'on nous fasse mourir sur la roue après nous avoir dûment torturés ; mais alors il est tout à fait probable, pour ne pas dire certain, qu'Alberico se sentirait obligé de vous infliger le même traitement à tous deux, pour complicité manifeste avec nous. Vous n'avez pas oublié ce qui est arrivé aux Canziano après ce regrettable incident au Ferraut, il y a quelques années de cela. »

Chacun d'eux resta parfaitement silencieux et reconnut le bien-fondé de cette mise en garde.

Ce fut Nievole qui rompit le silence. « C'était Sandre le responsable de ce carnage, grogna-t-il depuis la cheminée. Les Canziano n'y étaient pour rien.

— En effet, reconnut Tomasso d'une voix tranquille. Et nous en avons tiré des leçons, croyez-moi.

— Les Canziano aussi, marmonna Scalvaia sèchement. Votre père a toujours détesté Fabro, fils de Canzian.

— Certes, on ne peut pas dire qu'ils aient jamais été en très bons termes, fit Tomasso d'une voix neutre. Encore qu'à trop vous attarder à cet aspect des choses vous risquiez de passer à côté de l'essentiel.

— Ce que vous considérez comme essentiel », corrigea Nievole avec humeur.

À la surprise générale, c'est Scalvaia qui vint au secours de Tomasso. « Voilà qui est injuste, monseigneur, fit-il en s'adressant à Nievole. Car, s'il est bien une chose que nous pouvons affirmer en ces lieux et à cette heure, c'est que la haine de Sandre et son ambition dépassaient le cadre des querelles et des rivalités d'autrefois. Sa cible, c'était Alberico.»

Son regard, d'un bleu glacial, soutint celui de Nievole pendant un long moment, et finalement le géant hocha la tête. Scalvaia bougea un peu dans son fauteuil, car une douleur dans sa jambe malade l'élançait.

«Très bien, dit-il en se tournant vers Tomasso. Vous nous avez révélé les raisons de notre présence ici, et nous avez fait part des intentions de votre père et des vôtres. Pour ma part, je vais vous faire un aveu. Dans l'atmosphère de franchise qu'engendre une veillée funèbre, je reconnais qu'être gouverné par un petit seigneur de Barbadior mal dégrossi, vicieux et arrogant n'apporte pas beaucoup de joie à mon vieux cœur. Je suis de votre bord. Si vous avez un plan, j'aimerais le connaître. Sur ma parole et mon honneur, je jure fidélité aux Sandreni dans cette affaire.»

Tomasso frissonna en entendant cette ancienne formule. «Votre parole et votre honneur sont autant de garanties inestimables.» Il était parfaitement sincère.

«Cela ne fait pas l'ombre d'un doute, fils de Sandre, déclara Nievole en s'éloignant de la cheminée d'un pas lourd, et j'ajouterai que la parole des Nievolene a toujours été tenue pour telle. Mon souhait le plus cher, si la Triade le permet, est de faire mourir le Barbadien sous le fer de mon épée après l'avoir mis en pièces. Je suis de tout cœur avec vous, sur mon honneur.

— Quel éblouissant discours ! » fit une voix amusée près de la fenêtre en face de la porte.

Des cinq visages, quatre avaient pâli sous le choc et le cinquième, porteur d'une barbe, s'était empourpré. Tous se tournèrent brusquement. L'homme qui avait prononcé ces paroles était à l'extérieur de la fenêtre ouverte, les coudes sur le rebord, le menton dans les mains. Il les regardait avec une attention paisible, le visage caché par l'ombre du cadre de la fenêtre.

« Je n'ai encore jamais vu que des paroles chevaleresques, même prononcées par le représentant d'un aussi auguste lignage, suffisent à chasser un tyran. De la Palme ou d'ailleurs. » Avec une grande économie de mouvements, il se hissa sur les bras, balança les jambes à l'intérieur et s'assit confortablement sur le rebord de la fenêtre. « Toutefois, le fait de tomber d'accord sur le bien-fondé d'une cause est un point de départ, je l'admets volontiers.

— Vous êtes ce sixième homme dont mon père m'a parlé ? » demanda Tomasso avec précaution.

Il lui semblait le connaître, maintenant qu'il voyait son visage à la lumière. Il était habillé pour la chasse et non pour la ville : chemise de toile gris clair, gilet en peau de mouton, culotte gris foncé rentrée dans des bottes cavalières noires passablement usées. Un couteau sans fioriture aucune pendait à sa ceinture.

« Je vous ai entendus en parler, fit l'homme. J'espère que je ne suis pas celui-là car, si c'est moi, les conséquences sont pour le moins inquiétantes. La vérité est que je n'ai jamais adressé la parole à votre père de son vivant. S'il connaissait mes activités et s'attendait à me voir apparaître à cette réunion… eh bien, je suis quelque peu flatté d'avoir mérité sa confiance, mais aussi très troublé d'apprendre qu'il en savait autant sur moi. Toutefois, ajouta-t-il pour la seconde fois, c'est bien de Sandre d'Astibar dont il est question, et il semble que je sois effectivement le sixième homme ici présent, non ? » Il s'inclina vers le cercueil posé sur ses tréteaux, sans qu'on pût déceler la moindre ironie dans son geste.

« Ainsi vous êtes ligué contre Alberico, vous aussi ? » Nievole le surveillait attentivement.

« Non, répondit simplement l'homme. Alberico ne m'est rien. Tout au plus un outil. Un levier qui peut me permettre d'ouvrir une porte qu'il me tient à cœur d'ouvrir.

— Et qu'y a-t-il donc de l'autre côté de cette porte ? » demanda Scalvaia, du fond de son fauteuil.

Mais, à cet instant précis, Tomasso se souvint.

« Je vous reconnais, dit-il brusquement. Je vous ai vu pas plus tard que ce matin. C'est vous le berger trégéen qui jouiez de la flûte aux rites funèbres. » Taeri aussi claqua des doigts tandis qu'il le reconnaissait à son tour.

« Je jouais de la flûte, en effet, acquiesça l'homme perché sur le rebord de la fenêtre, sans se démonter. Mais je ne suis ni berger ni trégéen. Cela me convient de jouer ce rôle, et j'en ai joué bien d'autres d'ailleurs, au fil des années. Tomasso, fils de Sandre, n'ira pas me désapprouver. » Il eut un large sourire.

Tomasso ne lui rendit pas son sourire. « Peut-être, au vu des circonstances présentes, daignerez-vous nous révéler votre véritable identité cette fois ? » Il avait formulé sa demande aussi poliment que l'exigeaient les convenances. « Mon père la connaissait peut-être. Nous pas.

—Je crains que ce ne soit pas encore tout à fait le moment de vous la révéler », fit l'autre. Il marqua une pause. « Tout ce que je puis vous dire, c'est que, si je devais prêter serment sur l'honneur de ma famille, cet engagement aurait un poids tel qu'il éclipserait tous ceux pris ici ce soir. »

Le naturel de cette affirmation ne la rendait que plus arrogante.

Pour éviter que Nievole se mît en colère, Tomasso s'empressa d'ajouter : « Vous ne nous refuserez tout de même pas un minimum d'informations, même si vous avez décidé de ne pas dévoiler votre nom. Vous nous avez dit qu'Alberico était un outil entre vos mains. Un outil pour quoi faire, Alessan d'ailleurs-que-de-Tregea ? » Il était content de se souvenir du nom que Menico di Ferraut avait prononcé la veille. « Quel but poursuivez-vous ? Qu'est-ce qui vous amène ici ? »

Le visage de l'homme, aux joues étonnamment creuses, aux pommettes saillantes, se figea ; on aurait dit un masque. Et dans le silence qui suivit il déclara : « Je veux Brandin. Je veux la mort de Brandin d'Ygrath plus encore que l'immortalité de mon âme lorsque j'aurai franchi la dernière porte de Morian.»

Le silence retomba, interrompu seulement par le crépitement du feu dans les deux cheminées. Tomasso eut soudain l'impression que la froidure hivernale venait de pénétrer dans la pièce en même temps que ces mots.

Puis : «Quel éblouissant discours !» murmura paresseusement Scalvaia, cassant l'atmosphère. Il arracha des larmes de rire à Nievole et Taeri. Scalvaia, lui, restait de marbre.

L'homme sur le rebord de la fenêtre encaissa le coup d'un bref hochement de tête. «Monseigneur, fit-il, je ne plaisante jamais sur ce sujet ; jamais. Si nous devons travailler ensemble, il faudra vous en souvenir.

—En attendant, force est de constater que vous êtes un jeune homme excessivement orgueilleux, lui rétorqua Scalvaia d'un ton sec. Cela ne vous ferait peut-être pas de mal de vous rappeler à qui vous vous adressez.»

L'autre se mordit visiblement la lèvre avant de répondre. «L'excès d'orgueil est un travers familial, je crains. Mais je n'oublie pas à qui j'ai affaire. Je sais également qui sont les Sandreni et le seigneur Nievole. C'est d'ailleurs pour cette raison que je suis ici. Cela fait longtemps que j'observe les mille et une graines de dissidence dans la péninsule. Il m'est arrivé d'en encourager certaines. Le rassemblement de ce soir est le premier du genre auquel je participe en personne.

—Mais vous nous avez dit qu'Alberico n'était rien pour vous, reprit Tomasso tout en maudissant intérieurement son père de l'avoir aussi mal préparé à rencontrer ce sixième et étrange personnage.

—Rien en soi, le corrigea son interlocuteur. Puis-je me permettre ?» Sans attendre la réponse, il sauta du rebord de la fenêtre et se dirigea vers les pichets de vin.

«Je vous en prie», fit Tomasso avec une longueur de retard.

L'homme se versa un plein verre de vin rouge. Il le but d'un trait et s'en servit aussitôt un second. Il se tourna alors vers les cinq autres hommes. Herado le suivit du regard, les pupilles dilatées.

« Deux précisions, déclara Alessan d'une voix alerte. Tenez-en compte si vous désirez sérieusement libérer la Palme. Premièrement : si vous chassez ou tuez Alberico, vous serez sous la coupe de Brandin moins de trois mois plus tard. Deuxièmement : si c'est Brandin qui se fait chasser ou tuer, Alberico prendra le pouvoir dans la péninsule dans le même laps de temps. »

Il se tut. Ses yeux – de couleur grise, venait de remarquer Tomasso – allaient de l'un à l'autre comme s'ils leur lançaient un défi. Nul ne dit mot. Scalvaia tripotait le pommeau de sa canne.

« Ces deux points sont indissociables, poursuivit l'étranger sur le même ton. Ni vous ni moi ne pouvons nous permettre de les négliger, étant donné les buts que nous poursuivons. Ce sont des vérités premières dans la Palme en ce moment. Les deux sorciers d'outre-mer qui se partagent le pouvoir ont trouvé un équilibre à leur façon ; il n'en existe pas d'autre dans la Palme à l'heure actuelle, quel qu'ait été le paysage politique il y a dix-huit ans. Aujourd'hui, seul le pouvoir de l'un empêche que la magie de l'autre s'exerce comme ce fut le cas quand ils nous ont conquis. Si nous devons en prendre un, il nous faut également prendre l'autre, ou faire en sorte qu'ils s'annihilent l'un l'autre.

— Et comment ? » demanda Taeri avec un intérêt non feint.

Le jeune homme au visage mince surmonté d'une chevelure sombre qui blanchissait prématurément se tourna vers lui et lui sourit. « Patience, Taeri, fils de Sandre. Il me reste un certain nombre de choses à vous communiquer, notamment quelques règles de prudence élémentaires, avant de décider si nous sommes sur la même voie. Et je le dis avec un respect infini pour le défunt qui nous a réunis ce soir, dirait-on, et que je salue à ce titre. Mais vous allez devoir vous en remettre à moi, je le crains, si nous devons faire quelque chose tous ensemble.

— Jamais, de mémoire de vivant ni dans un passé consigné, un Scalvaia ne s'est volontairement soumis à qui ou à quoi que ce soit, répliqua le seigneur vulpin à la voix de velours. Je ne suis pas vraiment d'humeur à être le premier.

—Préféreriez-vous, répondit l'autre, voir vos plans, votre vie et la gloire séculaire de votre famille mouchés comme une bougie le jour des Quatre-Temps, uniquement parce que vos préparatifs manquent de sérieux et de rigueur ?

—Il est temps de vous expliquer, intervint Tomasso d'une voix glaciale.

—C'est bien mon intention. Qui a choisi une nuit où les deux lunes seraient pleines pour organiser cette rencontre, à l'heure précise où elles se lèvent, qui plus est ? lança Alessan d'une voix brusquement cinglante. Pourquoi n'avez-vous pas laissé le moindre garde posté le long de l'allée forestière pour vous avertir d'une intrusion telle que la mienne ? Ni même un serviteur pour surveiller ce pavillon pendant l'après-midi ? Avez-vous seulement songé que vous seriez déjà morts, les mains enfoncées dans la gorge, si je n'avais pas été là ?

—Mon père... Sandre... m'avait assuré qu'Alberico ne nous ferait pas suivre, dit Tomasso d'une voix bégayante où perçait la contrariété. Il paraissait parfaitement sûr de ce qu'il avançait.

—Et sans doute était-il dans le vrai. Mais vous ne pouvez pas vous fier à l'étroitesse d'un seul point de vue. Votre père, je regrette d'avoir à vous le dire, est demeuré trop longtemps seul avec son idée fixe. Il était bien trop obsédé par Alberico. Cela transparaît dans toutes vos décisions de ces deux derniers jours. Avez-vous tenu compte des simples curieux, des envieux, du petit indicateur susceptible de vous suivre uniquement pour voir ce qui va se passer ici ? Uniquement pour faire son intéressant à la taverne le lendemain ? Votre père et vous-même avez-vous seulement envisagé pareilles éventualités ? Vous êtes-vous dit que certains pouvaient avoir eu vent de l'endroit où vous aviez décidé de vous réunir, et y être arrivés avant vous ? »

Il y eut un silence hostile. Dans la plus petite des deux cheminées, une bûche se fendit avec un craquement et une gerbe d'étincelles. Herado sursauta malgré lui.

« Cela vous intéresserait-il de savoir, poursuivit Alessan d'une voix plus douce, que mes gens gardent les alentours du pavillon depuis votre arrivée ? Et que j'ai posté quelqu'un ici dès le milieu de l'après-midi pour regarder vos serviteurs vaquer aux préparatifs et décourager tous ceux qui auraient pu avoir envie de les suivre ?

— Quoi ? s'exclama Taeri. Ici ? Dans notre pavillon de chasse ?

— Pour votre sécurité et la mienne », répondit Alessan en vidant son second verre de vin. Il leva les yeux, le regard attiré par les ombres que jetait le faux grenier en surplomb où étaient rangées des paillasses de réserve.

« Je crois que c'est assez, mon ami, fit-il en haussant le ton pour se faire entendre. Tu mérites bien un verre de vin pour avoir séjourné aussi longtemps dans la poussière, la gorge sèche. Tu peux descendre maintenant, Devin. »

◆

Cela n'avait pas été bien difficile.

Menico, dont la bourse s'enflait de plus de pièces qu'il n'en avait jamais gagnées en une seule représentation, avait gracieusement cédé le concert qu'il devait donner chez le marchand de vin à Burnet di Corte. Burnet, qui avait besoin de travail, s'était montré ravi. Quant au marchand de vin, il avait commencé par se mettre en colère, puis s'était vite calmé en prenant connaissance des tarifs que Menico était désormais en droit de pratiquer depuis son succès du matin.

En conséquence, Devin et le reste de la troupe se virent octroyer un après-midi et une soirée de congé inespérés. Menico les gratifia sur-le-champ de cinq astins supplémentaires chacun et leur dit gentiment d'aller profiter des réjouissances qu'offrait la fête des Vignes. Il alla même jusqu'à les dispenser du sermon habituel.

Il n'était guère plus de midi, mais il y avait déjà une buvette à chaque coin de rue, voire deux ou trois aux carrefours importants. Chaque viticulteur de la province d'Astibar et un certain nombre du Ferraut et du Senzio présentaient leurs crus des années précédentes, pour que les gens puissent se faire une idée de ce qu'allait donner celui de l'année. Les marchands désireux d'acheter en grosses quantités goûtaient en obéissant à des critères d'exigence, tandis que les fêtards de la première heure se montraient un peu moins difficiles.

Les vendeurs de fruits étaient nombreux également et leurs étals regorgeaient de figues, de melons et de gros raisins mûrs à point ; juste à côté, les meules de fromage à pâte blanche en provenance de Tregea, ou les pavés de fromage rouge du nord de la province du Certando. Sur le marché, où les citadins et les campagnards des environs faisaient le tour des marchandises proposées par les vendeurs ambulants, il régnait un bruit assourdissant. Au-dessus, les bannières qui flottaient aux frontons des maisons des nobles et des gros viticulteurs claquaient joyeusement dans la brise d'automne. Devin, lui, marchait d'un pas alerte vers la taverne qu'on lui avait présentée comme la plus en vogue dans tout Astibar.

La célébrité offrait certains avantages. Dès qu'il parut sur le seuil, un client le reconnut et s'empressa d'annoncer son arrivée ; quelques instants plus tard, il était installé au comptoir de bois sombre du *Paelion* devant une chope de khav chaud corsé arrosé d'un alcool fort ; et finies les questions désagréables sur son âge.

Il ne lui fallut pas plus d'une demi-heure pour savoir ce qu'il avait envie de savoir sur Sandre d'Astibar. Ses questions paraissaient parfaitement naturelles parce que venant du ténor qui venait de chanter l'oraison funèbre pour le duc. Devin se fit raconter ses longues années de pouvoir, ses querelles, son exil amer et le triste déclin de ses dernières années, alors qu'il n'était plus qu'un chasseur de petit gibier, ivrogne et fanfaron, l'ombre de lui-même.

En dernier ressort, Devin demanda plus précisément où il aimait chasser. On le lui dit. On lui expliqua où se trouvait son pavillon de chasse préféré. Il changea alors de sujet de conversation et se mit à parler de vin.

Ce fut aisé. Il était le héros du jour, et le *Paelion* aimait les héros d'un jour. On finit par le laisser partir; il argua d'une sensibilité éprouvée par les efforts intenses qu'il avait dû fournir dès le matin. Avec du recul, la présence d'Alessan dans une loge pleine de peintres et de poètes lui paraissait moins fortuite à présent. Ils plaisantaient à propos d'un pari concernant certains vers de condoléances qui n'étaient pas encore arrivés de Chiara. Alessan et lui s'étaient salués à la manière élaborée et voyante des artistes, pour le plus grand régal de la salle, bondée à cette heure.

De retour à son auberge, Devin dut décourager les plus ardents parmi les admirateurs qui avaient tenu à le raccompagner et monta seul. Il attendit une heure dans sa chambre, piaffant d'impatience, afin d'être sûr que les derniers soient partis. Il enfila une tunique brun sombre et une culotte de cheval, et mit une casquette pour dissimuler sa chevelure ainsi qu'un sarrau de laine pour se protéger du froid le soir venu. Puis il se fraya un chemin dans la foule et atteignit la porte d'Orient sans se faire remarquer. Dehors, il se faufila au milieu des charrettes vides : leur contenu avait été intégralement vendu et leurs propriétaires, en fermiers sobres et avisés, préféraient les charger de nouveau et retourner en ville au petit matin plutôt que de passer la nuit à boire et à dépenser tous leurs gains de la journée.

Devin réussit à faire un bout de chemin dans l'une d'elles, compatissant avec le fermier sur les impôts et le cours ridiculement bas de la laine d'agneau. Il sauta de la charrette, feignant une exubérance juvénile, et courut le long de la route en direction de l'est pendant un mille.

À un moment donné, il remarqua un temple d'Adaon sur sa droite, dont il enregistra la présence dans un sourire. Et peu après il aperçut, comme il s'y attendait, la silhouette délicatement sculptée d'un bateau surmontant le portail d'une maison de campagne sans prétention. La demeure de Rovigo, du moins ce que Devin pouvait en voir, nettement à l'écart de la route et lovée comme elle l'était dans les cyprès et les oliviers, paraissait confortable et bien entretenue.

Vingt-quatre heures plus tôt, il se serait arrêté. Aujourd'hui, il était un autre homme. Quelque chose s'était produit ce matin-là dans les espaces poussiéreux du palais Sandreni. Il passa son chemin.

Moins d'un mille plus loin, il trouva ce qu'il cherchait. Il vérifia que personne ne l'avait suivi et coupa tout de suite à droite ; il prit alors au sud à travers bois, dans la direction opposée à celle de la route principale qui menait à la côte orientale et à la ville côtière d'Ardin.

Il régnait une atmosphère paisible dans ce bois ; là où les branches et les feuilles multicolores cachaient partiellement le soleil, il faisait presque frais. Une allée serpentait entre les arbres, et Devin entreprit de la suivre ; elle conduisait au pavillon de chasse des Sandreni. À partir de là, il redoubla de précautions. Sur la route, il n'était qu'un simple marcheur goûtant les joies de la campagne en automne ; ici, il était un intrus, sans raison valable d'errer dans les parages.

À moins qu'on ne considérât l'orgueil et les événements inattendus et presque irréels du matin comme un prétexte valable. Devin n'en était pas sûr du tout. En même temps restait à voir qui de lui ou d'une certaine créature aux cheveux roux, manipulatrice, allait modeler le cours de cette journée et de celles à venir. Si elle avait l'impression qu'il était si facile à berner – jeune homme sans défense, esclave de ses passions, incapable de voir ou d'entendre autre chose que l'offrande si gracieuse de son corps –, eh bien, cet après-midi et la soirée montreraient à quel point une jeune fille arrogante peut se leurrer.

Quelles autres révélations cette soirée allait-elle apporter, Devin n'en savait toujours rien. Il n'avait pas encore trouvé le temps de réfléchir à la question.

Il n'y avait personne quand il arriva au pavillon ; il avait suffisamment attendu au milieu des arbres, sans faire de bruit, pour en être sûr. La porte principale était fermée par une chaîne, mais Marra était très douée pour ces choses-là et lui avait transmis un peu de son savoir. Il fit jouer le cadenas avec la boucle de sa ceinture, entra, ouvrit une fenêtre et sauta par-dessus le rebord pour aller refermer le cadenas. Puis il rentra de nouveau par la fenêtre, la ferma et regarda autour de lui.

Il n'y avait guère le choix, en fait. Les deux chambres à coucher sur l'arrière seraient dangereuses et peu commodes s'il voulait écouter. Devin grimpa sur le bras d'un gros fauteuil de bois et, dès la seconde tentative, réussit à sauter sur la mezzanine qui servait de grenier.

Il se frotta la jambe car il s'était fait mal au tibia en sautant ; puis il prit un oreiller sur une des paillasses remisées là et entreprit de s'enfiler dans le coin le plus éloigné et le plus sombre qu'il trouva, derrière deux lits et la tête empaillée d'un cerf avec ses bois. En se couchant sur le côté gauche, l'œil collé à une fissure dans le plancher, il voyait presque entièrement la pièce en dessous.

Il essaya de retrouver son calme et de se montrer patient. Malheureusement, il aperçut tout à coup l'œil vitreux du cerf qui brillait, comme fixé sur lui, et, au vu des circonstances, cette découverte le mit mal à l'aise. Il se leva, tourna la tête du cervidé de l'autre côté et retourna à sa cachette.

C'est à ce moment-là, alors que ses agissements de la journée, qui obéissaient tous à un but précis, cédaient le pas à une période d'attente forcée, que Devin prit peur.

Il ne se faisait pas d'illusions : qu'on le surprenne ici et c'en était fini de lui. Le caractère à la fois secret

et tendu des paroles et du comportement de Tomasso,
fils de Sandre, ce matin-là, était suffisamment explicite.
Même en excluant ce que Catriana était allée jusqu'à
faire pour tenter d'entendre ce qui se disait et l'empêcher d'en faire autant. Pour la première fois, Devin
commença de se rendre compte où les excès de son
orgueil blessé l'avaient conduit.

Quand, une demi-heure plus tard, les serviteurs arrivèrent pour vaquer aux préparatifs, ils lui firent quelques
belles frayeurs. À tel point qu'il se surprit à souhaiter
qu'il fût de retour à la ferme d'Asoli, en train de guider
une charrue tirée par une solide paire de buffles, animaux exceptionnels s'il en est, patients et résignés, qui
labourent les champs à votre place et donnent du lait
dont on fait du fromage. Même les cieux gris et sans
surprise de l'Asoli en automne et les habitants, sans
surprise non plus, avaient du bon. Aucune des jeunes
filles de là-bas, par exemple, n'affichait la morgue
agaçante de Catriana d'Astibar, qui l'avait entraîné
dans ce guêpier. Et jamais un serviteur d'Asoli, Devin
en était sûr, n'aurait eu l'idée, comme un de ces imbéciles reniés par la Triade en dessous l'avait fait, de
descendre une paillasse du grenier au cas où l'un des
seigneurs chargés de veiller le corps se fatiguerait.

« Goch, ne te fais pas plus bête que tu n'es ! s'était
exclamé le majordome d'une voix cinglante. Ils viennent là pour le veiller toute la nuit ; installer une paillasse dans cette pièce serait les insulter tous deux.
Heureusement que tu n'as pas besoin de ta tête pour te
remplir le ventre, Goch ! »

Devin, qui partageait ardemment les sentiments
motivant cette invective, souhaita longue vie et bonne
fortune à l'intendant. Pour la dixième fois depuis l'arrivée des serviteurs dans la pièce en dessous, il maudit
Catriana, et pour la vingtième il se maudit lui-même.
La proportion lui semblait correcte.

Les serviteurs partirent enfin ; ils retournaient à
Astibar pour quérir la dépouille du duc et la porter
jusqu'ici. Le majordome répétait soigneusement des

instructions pourtant explicites. Avec des imbéciles tels que Goch, songea Devin avec dépit, mieux valait ne rien laisser au hasard.

De sa cachette, il voyait la lumière décliner et le crépuscule tomber. Il se surprit à fredonner sa chère berceuse et s'obligea à cesser.

Il se mit à penser aux événements du matin. À la longue marche à travers les salles vides et poussiéreuses du palais. Au placard secret. À Catriana. Au contact soyeux de sa peau quand le peignoir s'était envolé au-dessus de ses hanches. Là encore, il se força à arrêter.

Il faisait de plus en plus sombre. Il entendit une chouette pousser un premier cri, pas très loin de là. Un animal de la forêt fouillait les broussailles à l'orée de la clairière. De temps à autre, une bourrasque faisait bruire les feuilles.

Puis, brusquement, une traînée de lumière blanche resplendit derrière les rideaux de la fenêtre, et Devin sut que Vidomni brillait assez haut dans le ciel pour se frayer un passage entre les grands arbres jusqu'à la clairière ; cela signifiait qu'Ilarion, la lune bleue, se levait déjà ; cela signifiait aussi qu'ils ne tarderaient pas.

De fait, il perçut le vacillement d'une torche, puis des voix. Le cadenas fit un bruit de ferraille et la porte s'ouvrit brusquement. Le majordome fit entrer les huit hommes qui portaient la bière. L'œil collé à la fente, le souffle court, Devin les vit la poser. Puis Tomasso entra, accompagné des deux seigneurs dont Devin avait appris le nom et le lignage au *Paelion*.

Les serviteurs découvrirent le buffet et sortirent. Goch trouva le moyen de trébucher sur le seuil et de heurter légèrement un des montants de la porte du bras. Le majordome sortit en dernier ; il s'excusa discrètement, d'un haussement d'épaules, puis s'inclina et referma derrière lui.

« Du vin, messeigneurs ? demanda Tomasso de la voix que Devin avait entendue quand il était caché dans le placard. Nous attendons trois autres personnes d'ici peu. »

À partir de là, il avait suivi toute leur conversation et pris graduellement conscience de l'énormité de ce qu'il entendait et du mauvais pas dans lequel il s'était fourré.

C'est à ce moment qu'Alessan était apparu à la fenêtre en face de la porte.

Devin ne distinguait pas la fenêtre en vérité, mais il avait immédiatement reconnu la voix, et c'était avec un étonnement proche de la stupéfaction qu'il avait entendu l'artiste engagé par Menico quinze jours plus tôt nier qu'il fût originaire de Tregea, puis citer le nom de Brandin d'Ygrath comme la cible éternelle de sa haine.

Imprudent, Devin l'était indéniablement, et il reconnaissait volontiers qu'en obéissant à ses impulsions il avait commis plus que sa part de sottises, mais il avait toujours eu l'esprit vif. En Asoli, les garçons de petite taille en avaient bien besoin.

Aussi, lorsque Alessan l'appela par son nom et l'invita à descendre, les pièces du puzzle commencèrent-elles à s'ordonner dans sa tête, et il eut l'intelligence de choisir la voie qui s'offrait à lui.

« Rien à signaler depuis le milieu de l'après-midi », lança-t-il en s'extirpant de sa cachette ; il passa devant les bois du cerf et s'arrêta tout au bord de la mezzanine. « Il n'y avait personne d'autre que les serviteurs, mais je n'ai pas eu grand mal à faire sauter la chaîne et le cadenas n'était pas bien difficile à ouvrir. Deux voleurs et l'empereur de Barbadior auraient pu se trouver dans ce grenier sans s'apercevoir, et sans que personne en bas ne s'en rendît compte. »

Il avait prononcé ces paroles aussi calmement que possible. Puis il descendit de son poste d'observation en exécutant un saut délibérément tape-à-l'œil. Il enregistra les regards que lui lancèrent cinq des hommes présents, qui tous avaient dû le reconnaître, mais c'est du petit sourire d'approbation d'Alessan qu'il tira le plus de satisfaction.

Son appréhension avait momentanément disparu ; un sentiment tout autre l'habitait désormais. Alessan l'avait sollicité, il avait légitimé sa présence. Il était clairement lié à l'homme qui contrôlait les événements dans ce pavillon. Et ces événements étaient à l'échelle de la péninsule. Devin avait du mal à contrôler son excitation croissante.

Tomasso s'approcha du buffet et remplit délicatement un verre de vin à son intention. Devin était impressionné par la maîtrise de l'homme. Il devinait également à sa courtoisie excessive, à l'étincelle de désir dans ses yeux maquillés que, même si la voix flûtée était fabriquée de toutes pièces, Tomasso, de par ses manières et ses tendances naturelles, était fidèle à l'image qu'on se faisait de lui. Devin accepta le verre qu'il lui tendait en prenant garde que leurs doigts ne se frôlent pas.

« Dites-moi donc, fit nonchalamment le seigneur Scalvaia de sa voix magnifique, allez-vous nous gratifier d'un récital pendant que nous veillons le défunt ? Il y aura bientôt assez de musiciens ici pour cela. »

Devin ne répondit pas et, à l'instar d'Alessan, se garda de sourire.

« Souffririez-vous que je vous réduise au rang de simple viticulteur, monseigneur ? » Alessan était visiblement irrité. « Et Nievole à celui de paysan ? Ce que nous faisons en public n'a que peu de rapport avec ce qui nous a conduits ici ce soir, sauf dans deux domaines. »

Il leva un long doigt osseux. « Le premier, c'est qu'en tant que musiciens nous avons une raison valable de sillonner la Palme, ce qui présente des avantages qu'il me semble inutile d'énumérer. » Il leva un autre doigt. « Le second, c'est que la musique, au même titre que les mathématiques et la logique, entraîne le cerveau à la précision, au souci du détail. Et l'exercice de la précision, messeigneurs, aurait empêché les négligences qui ont marqué cette soirée. Si Sandre d'Astibar était en vie, je m'en serais entretenu avec lui et m'en serais peut-être remis à son expérience, à ses années d'efforts. »

Il s'interrompit pour les regarder chacun à leur tour, puis ajouta d'une voix beaucoup plus douce : « Mais je n'en ai pas la certitude et je ne l'aurai jamais. Dans l'état actuel des choses, je ne peux que répéter ce que j'ai déjà dit : si nous voulons travailler ensemble, je dois vous demander de me laisser prendre la direction des opérations. »

En disant cela, il s'adressait directement à Scalvaia qui se prélassait dans son fauteuil, élégant et impassible. Ce fut Nievole qui répondit cependant, d'une manière directe et brutale.

« J'ai pour habitude de jauger sans tarder les hommes à qui j'ai affaire. Vous me paraissez sincère, et je pense que vous avez davantage l'habitude de ces choses-là que nous. J'accepte donc. À une condition.

— Laquelle ?

— Que vous nous disiez votre nom. »

Devin, qui observait la scène avec la concentration d'un rapace, prenant garde à ne pas manquer un mot ou une nuance, vit Alessan fermer les yeux un instant, comme pour dissimuler quelque chose qui risquait de transparaître dans son regard. Dans le silence qui suivit, chacun attendait.

Puis Alessan secoua la tête. « C'est une condition légitime, monseigneur. Surtout dans les circonstances présentes. Pourtant, j'espère que vous ne vous entêterez pas lorsque je vous aurai répondu que je ne puis accéder à votre demande. Je ne saurais vous dire à quel point j'en suis peiné. »

Pour la première fois il lui sembla qu'Alessan cherchait ses mots, du moins veillait à les choisir avec soin. « Les noms représentent un pouvoir, comme vous le savez. Comme le savent aussi les deux sorciers-tyrans d'outremer. Et comme je l'ai appris moi-même, de la manière la plus douloureuse qui soit. Monseigneur, vous connaîtrez mon nom à l'heure de notre triomphe si nous triomphons, pas avant. Je dois vous dire que je ne puis faire autrement ; ce n'est pas un choix délibéré de ma part. Vous pouvez m'appeler Alessan, un patronyme assez répandu dans la Palme, et par le fait mon véritable nom. Aurez-vous l'obligeance d'en rester là, monseigneur, ou faut-il que nous nous disions adieu?»

Cette dernière question avait été posée sur un ton dépourvu de l'arrogance qui avait caractérisé le comportement et le discours du jeune homme depuis son arrivée.

Si la peur de Devin s'était muée en excitation, voilà que cette excitation se transformait en autre chose, une émotion indéfinissable. Il dévisagea Alessan. Curieusement, il paraissait plus jeune, incapable de dissimuler la nécessité qu'il ressentait.

Nievole se racla la gorge, comme pour chasser une aura, l'émanation d'un phénomène subtil qui s'était insinué dans la salle, semblable au fusionnement des deux clairs de lune au-dehors. Une autre chouette hulula dans la clairière. Nievole s'apprêtait à lui répondre.

Mais ils ne surent jamais ce qu'il allait dire, lui ou Scalvaia.

Plus tard, lorsque le sommeil lui ferait défaut et qu'il regarderait l'une ou l'autre lune balayer le ciel, ou qu'il compterait les étoiles du diadème d'Eanna dans l'obscurité d'un ciel sans lune, Devin laisserait souvent le souvenir précis de cet instant le ramener en arrière; pour des raisons qu'il aurait eu du mal à expliquer, il tenterait d'imaginer ce que les deux seigneurs auraient fait si leurs destins, qui s'étaient brièvement croisés dans ce pavillon, avaient été différents.

Il supputerait, analyserait, inventerait des scénarios dans sa tête, tout en sachant qu'il ne pourrait jamais acquérir la moindre certitude. Par la suite, cette vérité nocturne prendrait la forme d'un chagrin étrange, n'appartenant qu'à lui seul. Un symbole, un regret déplacé. Un rappel de sa condition de mortel, condamné à n'emprunter qu'un seul chemin, une seule fois, avant que Morian rappelle son âme et que les lumières d'Eanna s'éteignent. Nous ne pouvons jamais vraiment connaître d'autre chemin que celui que nous avons choisi.

Les chemins que les hommes présents dans le pavillon devaient emprunter et qui ouvraient des portes propres à chacun d'eux, les guidant vers une fin proche ou lointaine, furent définis par la chouette qui cria une seconde fois, très clairement, au moment où Nievole allait parler.

Alessan leva la main. « Gare ! cria-t-il vivement. Puis : Baerd ? »

La porte s'ouvrit brusquement. Devin aperçut un homme grand et fort, aux cheveux d'un blond très clair, si longs qu'il les retenait par un bandeau de cuir ; il portait également une fine lanière de cuir autour du cou, ainsi qu'un gilet et des culottes coupées à la mode des hautes terres du Sud. Ses yeux, même éclairés par la cheminée, étaient étonnamment bleus. Il tenait une épée à la main.

Si près d'Astibar, un tel délit pouvait vous coûter la peine de mort.

« Allons-y, fit l'homme d'une voix pressante. Toi et le petit. La présence des autres se justifie ; le plus jeune fils et le petit-fils n'auront pas de mal à se trouver de bonnes raisons. Débarrasse les verres en trop.

— De quoi s'agit-il ? demanda prestement Tomasso, les yeux écarquillés.

— Une vingtaine de cavaliers sur le chemin forestier. Poursuivez votre veillée et gardez votre calme, nous resterons à proximité. Nous repasserons plus tard. Alessan, dépêche-toi ! »

Rien qu'au ton de sa voix, Devin avança de plusieurs pas. Alessan tardait cependant, incapable de détacher son regard de celui de Tomasso, et cet échange de regards, tout ce que ces deux hommes se communiquèrent alors, fit bientôt partie des choses que Devin n'oublierait jamais sans toutefois les comprendre parfaitement.

Pendant un moment qui lui sembla une éternité, alors que vingt cavaliers traversaient la forêt et qu'ici même un homme avait tiré son épée, personne ne dit mot. Puis :

« Il semble qu'il nous faille remettre la suite de cette intéressante conversation à plus tard, murmura Tomasso, fils de Sandre, avec un sang-froid impressionnant. Accepterez-vous un dernier verre avant de partir, à la mémoire de mon père ? »

Alessan lui adressa un large sourire. Il secoua la tête. « J'espère bien avoir l'occasion de le faire un peu plus tard, dit-il. Je boirai volontiers à votre père, mais j'ai pris une habitude que même vous ne pourriez satisfaire dans le temps dont nous disposons. »

Tomasso eut un rictus désabusé. « J'ai souscrit à bon nombre d'habitudes dans ma vie. Parlez-moi de la vôtre. »

La réponse fut murmurée, si bien que Devin dut faire un gros effort pour entendre.

« Mon troisième verre de la soirée est bleu, dit Alessan. Je bois toujours du vin bleu au troisième verre. En mémoire de quelque chose que j'ai perdu. De crainte qu'une nuit j'oublie ce pour quoi j'existe.

— Que vous n'avez pas définitivement perdu, j'espère, fit Tomasso d'une voix tout aussi douce.

— Non, pas définitivement. J'ai juré sur mon âme et sur celle de mon père de le retrouver, où que ce soit.

— Alors il y aura du vin bleu la prochaine fois que nous boirons ensemble, dit Tomasso, si j'ai le pouvoir de m'en procurer. Et je boirai avec vous à la mémoire de nos pères.

— Alessan ! interrompit l'homme aux cheveux blonds, le nommé Baerd. Pour l'amour d'Adaon, Alessan, j'ai dit vingt cavaliers ! Alors, tu viens, oui ou non ?

— Je viens », fit Alessan. Il jeta son verre et celui de Devin dans l'obscurité par la fenêtre la plus proche.

« Que la Triade vous garde », dit-il en s'adressant aux cinq hommes dans la salle. Puis Devin et lui suivirent Baerd dans les ombres de la clairière illuminée par les deux lunes. Devin coincé entre eux deux, ils firent rapidement le tour du pavillon et s'éloignèrent du chemin qui rejoignait l'allée principale. Ils n'allèrent pas très loin. Le pouls de Devin battait à toute allure.

Quand il vit ses deux compagnons se coucher, il en fit autant. Bien que dissimulé derrière un bosquet d'arbustes vert sombre, il pouvait néanmoins apercevoir le pavillon en jetant des coups d'œil discrets. Il distinguait la lueur du feu par la fenêtre ouverte.

Un instant plus tard, le cœur de Devin fit un bond semblable à celui d'un bateau qui heurte une vague de plein fouet : il avait entendu une brindille craquer juste derrière lui.

« Vingt-deux cavaliers », annonça une voix. La personne qui s'était ainsi exprimée se laissa gracieusement choir à côté de Baerd. « Celui du milieu a le visage caché par une cagoule. »

Devin regarda de leur côté. Et, à la lumière confondue des deux lunes, il reconnut Catriana d'Astibar.

« Tu en es sûre ? demanda Alessan après une brève inspiration.

— Absolument, dit Catriana. Pourquoi ? Qu'est-ce que cela signifie ?

— Qu'Eanna nous bénisse, murmura Alessan sans répondre.

— Je ne compterais pas trop là-dessus, fit l'homme du nom de Baerd, l'air sévère. Je pense que nous ferions mieux de fuir cet endroit. Ils vont entreprendre une battue. »

Il crut un instant qu'Alessan allait se faire tirer l'oreille, mais ils entendirent alors le bruit de nombreux cavaliers sur le chemin de l'autre côté du pavillon.

Sans un mot de plus, ils se levèrent tous quatre et s'éloignèrent sans bruit.

◆

« Cette soirée est décidément pleine d'imprévu », murmura Scalvaia.

Tomasso appréciait le flegme de l'élégant seigneur. Il l'aidait à dominer sa propre nervosité. Il jeta un coup d'œil à son frère ; Taeri paraissait serein. Herado, quant à lui, était très pâle. Tomasso lui adressa un clin d'œil.

« Reprends un verre, mon neveu. Un peu de couleur aux joues te sied davantage. Tu n'as rien à craindre. Nous ne faisons rien que nous n'ayons la permission de faire. »

Ils entendirent les chevaux arriver. Herado s'approcha du buffet et se versa un verre qu'il but d'un trait. Comme il le reposait, la porte s'ouvrit brusquement et alla heurter le mur avec un grand fracas. Quatre soldats barbadiens, grands, massifs et armés jusqu'aux dents entrèrent, faisant aussitôt paraître le pavillon plus petit.

« Messieurs ! fit Tomasso de sa voix flûtée en se tordant les mains. De quoi s'agit-il ? Qu'est-ce qui vous amène ici, en pleine veillée funèbre ? » Il avait pris un ton enjoué, exempt d'irritation.

Les mercenaires ne lui jetèrent pas même un regard et ne prirent pas la peine de répondre. Deux d'entre eux s'empressèrent d'inspecter les chambres, tandis que le troisième grimpait à l'échelle pour examiner le grenier où s'était caché le chanteur. D'autres soldats, remarqua Tomasso avec appréhension, avaient pris place devant les fenêtres. Il y avait pas mal de remue-ménage au-dehors : piaffements de chevaux, lumière désordonnée de torches.

Tomasso manifesta sa frustration en tapant brusquement du pied. « Que signifie tout ceci ? cria-t-il aux soldats qui continuèrent de l'ignorer. Répondez-moi ! Ou j'en référerai à votre seigneur. Alberico nous a expressément autorisés à conduire cette veillée funèbre ainsi qu'à enterrer le défunt demain. J'ai une autorisation écrite marquée de son sceau ! » dit-il en s'adressant au capitaine barbadien debout près de la porte.

Il eut à nouveau l'impression de n'avoir pas même ouvert la bouche, tant on persistait à l'ignorer. Quatre autres soldats entrèrent, qui allèrent se poster aux extrémités de la pièce, le regard vide, l'allure menaçante.

« Tout ceci est intolérable, gémit Tomasso, fidèle à son personnage d'emprunt, tout en serrant les mains l'une contre l'autre. Je vais aller voir Alberico de suite et exiger que vous soyez renvoyés sur-le-champ à vos taudis de Barbadior !

—Ce ne sera pas nécessaire », fit un personnage à la silhouette imposante, au visage masqué, qui venait de franchir le seuil.

Il s'avança et ôta sa cagoule. « Vous pouvez formuler vos exigences puériles ici même », déclara Alberico de Barbadior, l'homme qui régnait en tyran sur l'Astibar, la Tregea, le Ferraut et le Certando.

Tomasso tomba à genoux tout en portant instinctivement ses mains à son cou. Les autres s'agenouillèrent également, même le vieux Scalvaia avec sa jambe malade. Tomasso eut l'impression qu'une chape de plomb lui tombait sur la tête, entravant sa faculté de raisonner et de s'exprimer.

« Monseigneur, bégaya-t-il, je ne voulais pas… je ne pouvais pas… nous ne pouvions pas savoir ! »

Alberico ne dit mot et se contenta de lui jeter un regard vide. Tomasso luttait contre sa peur et son ahurissement. « Je vous souhaite la bienvenue, mon seigneur bien-aimé, fit-il d'une voix chevrotante tout en se relevant prudemment. Vous nous faites trop d'honneur en assistant à la veillée funèbre de mon père.

—Certes », dit Alberico froidement. Tomasso encaissa tout le poids du regard insistant que lui lançait le sorcier de ses petits yeux enfouis dans les plis de son large visage, et qui ne sourcillaient pas. Son crâne chauve luisait à la clarté du feu. Il sortit les mains des plis de sa toge. « Je voudrais du vin, ordonna-t-il en agitant sa main charnue.

—Mais bien sûr, bien sûr. »

Tomasso s'empressa d'obéir, impressionné comme toujours par la seule puissance physique d'Alberico et des Barbadiens. Il savait qu'ils le haïssaient ainsi que tous ceux de sa lignée, d'une haine qui dépassait largement les sentiments hostiles que ces conquérants éprouvaient en général à l'égard de la population de la Palme sur laquelle ils régnaient désormais. Chaque fois qu'il rencontrait Alberico, Tomasso prenait de plus en plus clairement conscience que le tyran pourrait lui briser les os de ses mains nues et ne pas en éprouver le moindre remords.

Cette pensée n'avait rien de très réconfortant. Seules les dix-huit années d'entraînement régulier qu'il avait imposées à son corps lui permirent d'apporter un verre de vin à Alberico avec une certaine solennité et sans trembler. Les soldats épiaient chacun de ses mouvements. Nievole était retourné près de la grande cheminée, Taeri et Herado se tenaient à côté de la plus petite. Scalvaia était debout près du fauteuil où il était assis précédemment et s'appuyait sur sa canne.

Le moment est venu, se dit Tomasso, de paraître confiant et non pas coupable. « Vous me pardonnerez les propos injustes que j'ai pu tenir sur vos soldats, monseigneur. N'étant pas au courant de votre présence, je pensais qu'ils agissaient sans connaître la nature exacte de vos souhaits.

— Mes souhaits changent, fit Alberico de sa voix pesante et monocorde. Et ils sont au courant de ces changements avant vous, fils de Sandre.

— Bien sûr, monseigneur, bien sûr. Je…

— Je voulais jeter un coup d'œil au cercueil de votre père, dit Alberico de Barbadior, le regarder et rire. » Il ne donnait pourtant pas l'impression de quelqu'un qui a envie de s'amuser. Tomasso sentit son sang se glacer dans ses veines.

Alberico passa devant lui et se pencha au-dessus de la dépouille du duc de toute sa masse. « Voici, déclara-t-il tout net, le corps d'un misérable vieillard vaniteux et sot, qui décida de l'heure de sa mort pour rien. Pour rien du tout. N'est-ce pas amusant ? »

Et il émit un rire, ou plutôt poussa trois espèces d'aboiements discordants, les plus effrayants que Tomasso avait jamais entendus. *Mais comment l'avait-il appris ?*

« Vous n'avez pas envie de rire avec moi ? Vous là, les trois Sandreni ? Et vous, Nievole ? Et ce pauvre impotent de Scalvaia ? N'est-il pas divertissant de songer que vous avez tous été amenés ici par la sottise d'un vieillard ? Par un vieil homme qui vécut trop longtemps et ne comprit cependant jamais qu'aujourd'hui un seul coup de poing suffit à anéantir les intrigues alambiquées de son époque ? »

Il ferma le poing et tapa un grand coup sur le cercueil, fendant les armes des Sandreni. Scalvaia poussa un petit gémissement de détresse et se laissa retomber dans son fauteuil.

« Monseigneur, articula Tomasso en gesticulant, que voulez-vous dire ? Que… ? »

Il n'alla pas plus loin. Alberico se retourna brutalement et le frappa au visage. Tomasso recula en titubant ; le sang coulait de sa lèvre fendue.

« Parlez donc normalement, espèce d'imbécile », dit le sorcier. Ses paroles étaient d'autant plus terrifiantes qu'il s'exprimait toujours de la même voix atone. « Estce qu'au moins cela vous amusera d'apprendre à quel point ce fut facile ? Et de savoir depuis combien de temps Herado, fils de Gianno, me renseigne ? »

À ces mots, la nuit tomba : le long manteau noir de l'angoisse, de la terreur animale, que Tomasso essayait désespérément de repousser. Ô mon père, songea-t-il, accablé jusqu'au plus profond de lui-même par cette découverte. Ainsi, c'était un membre de la famille qui les trahissait. De leur propre famille !

À partir de ce moment, les choses allèrent très vite.

« Monseigneur ! s'exclama Herado d'une voix consternée. Vous m'aviez promis ! Vous m'aviez dit qu'ils ne sauraient jamais ! Vous aviez ajouté… »

Il n'en dit pas plus. Il n'est pas facile de présenter ses doléances avec un poignard dans la gorge.

« Les Sandreni ont pour habitude de laver leur linge sale en famille, expliqua son oncle Taeri, qui avait caché la lame dans sa botte. Tout en parlant, il avait arraché le poignard de la gorge de Herado pour se l'enfoncer dans le cœur d'un geste naturel et fluide.

« Un Sandreni de moins sur tes roues de la mort, Barbadien ! le nargua-t-il, haletant. Que la Triade t'envoie la peste et qu'elle te dévore jusqu'aux os ! » Il tomba à genoux, les mains sur le manche du poignard dégoulinant de sang. Il chercha Tomasso des yeux.

«Adieu, mon frère, murmura-t-il. Que Morian permette à nos ombres de se retrouver dans ses antichambres!»

Tomasso sentit son cœur se serrer de plus en plus tandis qu'il voyait mourir son frère. Deux des gardes, habitués à protéger leur seigneur d'agressions d'un autre genre, s'avancèrent et mirent Taeri sur le dos en le retournant du bout de leurs bottes.

«Imbéciles! cracha Alberico, visiblement fâché pour la première fois. Je le voulais vivant. Je les voulais vivants tous les deux.» Les soldats pâlirent en lisant la colère sur son visage.

Mais le centre d'intérêt s'était déplacé à l'autre bout de la pièce.

Poussant un rugissement de colère et de douleur, Nievole d'Astibar, doté d'un physique impressionnant, pressa ses mains l'une contre l'autre pour s'en servir comme d'un marteau ou d'une massue, et les balança à la tête du soldat le plus proche de lui. Sous la force du coup, les os se fendirent comme du petit bois. Le sang gicla tandis que l'homme hurlait et s'affaissait contre le cercueil.

Sans cesser de rugir, Nievole se mit à chercher l'épée de sa victime. Il avait réussi à l'extraire de son fourreau quand quatre flèches vinrent se loger dans sa gorge et sa poitrine. Son visage se ramollit un instant, puis il écarquilla les yeux et détendit la bouche qui dessina un sourire macabre et triomphant, alors qu'il glissait à terre.

À ce moment-là, tandis que tous les yeux étaient braqués sur Nievole, le seigneur Scalvaia fit ce que personne n'avait encore osé. Lové dans son fauteuil, si parfaitement immobile qu'il s'était presque fait oublier, le vieux patricien leva sa canne d'une main assurée et, visant la tête d'Alberico, pressa la gâchette dissimulée dans le pommeau.

Le poison est sans effet sur les sorciers; du moins la plupart d'entre eux apprennent-ils aisément à s'en protéger dès l'enfance. Par contre, il est tout à fait possible de les tuer avec une flèche, un poignard ou tout autre instrument de violence, ce qui explique pourquoi de telles armes étaient strictement interdites à proximité d'Alberico.

Il existe également une vérité répandue concernant les mortels et leurs dieux – qu'il s'agisse de la Triade vénérée dans la Palme ou du panthéon fluctuant du Barbadior, d'une déesse mère ou d'un dieu mort et ressuscité, d'un seigneur des étoiles ou d'une force unique et redoutable, plus puissante que toutes celles déjà nommées, régnant dans un monde originel et lointain au cœur de l'espace.

Une vérité toute simple : les mortels ne comprennent pas pourquoi leurs dieux donnent telle ou telle tournure aux événements. Pourquoi des hommes et des femmes sont fauchés en pleine fleur de l'âge tandis que d'autres vivent jusqu'à n'être plus que l'ombre d'eux-mêmes. Pourquoi dans ce jardin champêtre la vertu est parfois piétinée alors que le mal pousse en toute impunité. Pourquoi le hasard, le simple hasard, joue un rôle aussi primordial et gère les lignes de vie et de chance des humains.

Ce fut le hasard qui sauva Alberico de Barbadior à un moment où la mort avait commencé d'épeler son nom. Ses gardes se préoccupaient des hommes à terre et de Tomasso, le corps crispé et ensanglanté. Nul n'avait eu le moindre regard pour le seigneur estropié, affalé dans son fauteuil.

Il fallut que ce soir-là, par le plus impitoyable des hasards, le capitaine des gardes se soit déplacé vers l'extrémité de la pièce où se trouvait Scalvaia pour que le cours de l'histoire de la Palme et des pays au-delà soit changé. C'est à des incidents aussi mineurs que des gens sont parfois confrontés et que leur existence doit d'être ruinée.

Alberico, blanc de rage, se tourna pour donner un ordre au capitaine et vit la canne se lever, le doigt de Scalvaia sur le pommeau. S'il avait regardé droit devant lui ou de l'autre côté, un projectile pointu lui aurait fait éclater le cerveau.

Mais il tourna la tête vers Scalvaia, et à cette heure nul habitant de la Palme, à l'exception d'un seul, ne savait user de magie comme lui. Et pourtant, ce qu'il fit – la seule chose qu'il pût faire – requit tout son pouvoir, plus qu'il n'en pouvait véritablement contrôler. L'heure n'était plus aux formules magiques, aux gestes de protection. La cartouche destinée à le tuer était déjà en route.

Alberico laissa son corps se volatiliser.

Tomasso, qui observait la scène, incrédule et terrorisé, vit la cartouche meurtrière traverser une matière informe, en suspension, là où un instant plus tôt se trouvait la tête d'Alberico. La cartouche alla se ficher dans le mur au-dessus de la fenêtre sans blesser personne.

Et, au même moment, Alberico, conscient qu'une seconde de plus serait un seconde de trop, que son corps pouvait se désarticuler pour toujours, et son âme, ni morte ni vivante, hurler sans fin dans les zones inhospitalières où s'engluent ceux qui osent de telles pratiques, invita son corps à recouvrer sa forme originelle.

Il était grand temps.

Il perdit le contrôle de sa paupière droite, qui resterait partiellement fermée, et il ne devait jamais récupérer l'intégralité de sa force physique. La fatigue tendrait à faire tourner son pied droit en dehors, comme s'il devait retrouver l'étrange mobilité de cette brève expérience de magie. Alberico se mettrait alors à boiter, à la manière de Scalvaia.

Tandis que ses yeux faisaient un effort pour accommoder correctement, il vit la crinière argentée de Scalvaia s'envoler et rebondir sur le sol fraîchement paillé avec un bruit mat à soulever le cœur. Le capitaine des gardes venait de le décapiter de son épée, un peu tardivement il est vrai. La canne mortelle, incrustée de pierres et de métal précieux qu'Alberico ne reconnut pas, retomba au sol avec fracas. L'air épais et visqueux, excessivement dense, incommodait le sorcier. Il constata qu'il avait le souffle rauque et que ses genoux tremblaient sans qu'il pût les arrêter.

Il s'écoula un moment avant qu'il se risquât à rompre le silence opaque des survivants, abasourdis.

«Tu n'es qu'une merde, dit-il au capitaine livide, de sa voix rude et pesante. Tu es même moins que cela. Tu es une ordure, une vermine, le rebut de l'humanité. Tue-toi ! Sur-le-champ ! » On aurait dit qu'il avait la bouche pleine de vase et qu'il essayait de la recracher. Il avala sa salive avec peine.

Tout en faisant des efforts intenses pour tenter de maîtriser sa vision, il distingua la silhouette aux contours indécis du capitaine qui se penchait brutalement, tournait son épée vers lui-même et se sectionnait la veine jugulaire d'un mouvement brusque. Alberico bouillonnait, il écumait de rage. Il luttait pour maîtriser un tremblement ininterrompu dans sa main gauche – en vain.

Il y avait beaucoup de cadavres dans la pièce, et il s'en était fallu de peu qu'il en fît partie lui aussi. Il n'avait même pas l'impression d'être en vie, comme si les différentes parties de son corps ne s'étaient pas rassemblées selon le schéma d'origine. Il frotta sa paupière close de ses doigts sans vigueur. Il se sentait nauséeux tant l'air était irrespirable.

Il fallait qu'il sorte, qu'il s'éloigne de la demeure étouffante de ses ennemis.

Rien ne s'était passé comme il l'avait prévu. Des plans qu'il avait échafaudés pour la soirée, il ne restait qu'un élément, une chose encore susceptible de lui donner une espèce de plaisir, de racheter tout ce qui était allé désespérément de travers.

Il se tourna lentement vers le fils de Sandre. Celui qui aimait tant les garçons. Il força sa bouche à sourire, sans se rendre compte qu'il était atrocement laid.

« Emportez-le, dit-il à ses soldats d'une voix grasseyante. Attachez-lui les membres et emportez-le. Il y a encore de quoi s'amuser un peu avant de lui permettre de mourir. Nous tiendrons compte de ses goûts. »

Sa vue n'était toujours pas au point, mais il vit un de ses mercenaires sourire. Tomasso, fils de Sandre, ferma les yeux. Son visage et ses vêtements étaient maculés de sang. Ce serait pire encore quand ils en auraient fini avec lui.

Alberico enfila sa cagoule et sortit en boitant. Derrière lui, les soldats emportèrent la dépouille du capitaine et soutinrent l'homme que Nievole avait blessé au visage.

Ils durent aider le tyran à se remettre en selle, ce qu'il ressentit comme une humiliation, mais il commença de se sentir mieux à mesure qu'ils approchaient d'Astibar, à la lumière des torches. Il n'avait plus une once de pouvoir, cependant. Parmi les sensations diffuses que lui communiquait son corps reconstitué mais différent, il éprouvait un vide à l'endroit où se nichait son pouvoir. Il lui faudrait au moins deux semaines, peut-être plus, avant qu'il ne lui soit intégralement restitué. Si tant est qu'il le soit jamais. Ce qu'il avait fait dans le pavillon l'avait vidé de sa substance, plus que tout autre acte de magie.

Il était en vie cependant, et venait d'anéantir les trois familles les plus dangereuses qui subsistaient encore dans la Palme. Qui plus est, il tenait le second fils Sandreni, preuve vivante de la conspiration qui se tramait. Un pervers censé apprécier la douleur ; Alberico s'autorisa un sourire furtif derrière les plis de sa cagoule.

Tout serait fait légalement et en public – une règle qu'il s'était fixée depuis son accession au pouvoir. Il n'était pas question de prêter le flanc au mécontentement populaire en recourant à la force de manière trop arbitraire. Peut-être le haïrait-on, bien sûr qu'on le haïrait, mais aucun citoyen des quatre provinces qu'il contrôlait ne pourrait douter de son équité ou nier la légitimité de sa réponse au complot des Sandreni. Et nul ne manquerait de constater l'étendue de sa miséricorde.

Avec cette prudence qui était le véritable ressort de sa personnalité, Alberico de Barbadior se mit à songer à ce qu'il allait faire dans les heures et les jours suivants.

Les dieux de l'empire savaient que cette lointaine péninsule était le terrain de dangers permanents et nécessitait un gouvernement strict, mais les dieux, qui n'étaient pas aveugles, voyaient également qu'il savait se montrer généreux quand c'était nécessaire. Et on pouvait raisonnablement espérer que les conseillers de l'empereur, dont la clairvoyance valait bien celle des dieux, s'en apercevraient à leur tour.

Or l'empereur se faisait vieux.

Alberico s'arracha à ces pensées familières et si terriblement séduisantes. Il s'obligea à considérer de nouveau les détails car, dans une affaire telle que celle-ci, les détails étaient tout. Les prochaines étapes lui apparurent avec la précision des perles sur un boulier. Froidement, minutieusement, il passa en revue les ordres qu'il lui faudrait donner. Les seuls qui lui procurèrent la moindre émotion concernaient Tomasso. Ceux-là au moins n'auraient pas à être rendus publics et ne le seraient pas. Seuls les détails probants de sa confession franchiraient les murs du palais ; ce qui se passerait dans certaines salles du sous-sol resterait assurément tout à fait privé. Il fut lui-même un tantinet surpris de constater à quel point il attendait ce moment avec délice.

Il se souvint tout à coup qu'il avait eu l'intention de faire brûler le pavillon. En y repensant calmement, il se ravisa. Que les Sandreni subalternes et leurs serviteurs soient témoins du carnage lorsqu'ils se présenteraient au petit matin. Qu'ils se posent des questions, qu'ils tremblent ; ils ne tarderaient pas à comprendre.

Car il saurait leur présenter les faits avec la plus extrême clarté.

CHAPITRE 5

« Ô, Morian, murmura Alessan d'une voix nostalgique, dire que j'aurais pu le soumettre à ton jugement sur-le-champ ! Un enfant aurait pu lui loger une flèche dans l'œil depuis cet observatoire. »

Moi pas, songea Devin, l'air piteux, en évaluant la distance et la luminosité à l'endroit où ils se cachaient, dans les arbres au nord de la portion de route que les Barbadiens venaient d'emprunter. Il regarda Alessan avec davantage de respect encore ; il tenait un arc qu'il avait sorti d'une cachette, à quelques pas de l'itinéraire qu'ils avaient suivi pour venir ici.

« Elle saura le rappeler à elle le moment venu, répondit Baerd, prosaïque. Et tu ne cesses de proclamer que cela ne nous avancerait pas qu'ils meurent trop tôt l'un et l'autre. »

Alessan grogna. « Je n'ai pas tiré, si ? » fit-il remarquer.

Baerd sourit, découvrant ses dents blanches dans l'obscurité. « Je t'en aurais empêché de toute façon. »

Alessan poussa un juron. Puis, un instant plus tard, il se détendit et prit une expression gentiment amusée. Le comportement des deux hommes prouvait qu'ils se connaissaient depuis longtemps. Catriana, remarqua Devin, n'avait pas souri. En tout cas, pas à lui. D'un autre côté, se souvint-il, c'était lui qui était censé être fâché. Les circonstances présentes ne lui facilitaient pas la tâche cependant. Il se sentait anxieux, fier et impatient tour à tour.

Il était également le seul à ne pas avoir repéré Tomasso, attaché à son cheval par la cheville et le poignet.

« Nous ferions mieux de vérifier le pavillon, fit Baerd dont la bonne humeur passagère s'était déjà envolée. Ensuite, il nous faudra faire très vite, car le fils de Sandre ne tardera pas à leur donner ton nom et celui du petit.

— Nous ferions mieux de commencer par évoquer le cas du petit en question, fit Catriana sur un ton qui contribua largement à remettre Devin en colère.

— Le petit ? répéta-t-il en haussant les sourcils. Je crois t'avoir prouvé que je n'en étais plus vraiment un. » Il la dévisagea froidement puis éprouva une certaine satisfaction en la voyant rougir et détourner le regard.

Cette satisfaction fut de courte durée.

« Devin, c'est indigne de toi, fit Alessan. J'espère que c'est la seule et unique fois que je t'entends dire cela. Catriana a fait un énorme effort sur elle-même ce matin, je le sais. Toi qui t'es montré assez intelligent pour venir jusqu'ici, tu n'auras pas de mal à comprendre pourquoi elle a agi comme elle l'a fait. Pourrais-tu oublier ton orgueil quelques instants et imaginer un peu ce qu'elle ressent ? »

Ces paroles avaient été dites sans agressivité, mais Devin eut l'impression d'avoir reçu un coup de poing dans l'estomac. Avalant sa salive avec difficulté, il regarda Alessan puis de nouveau Catriana, mais elle avait les yeux résolument tournés vers les étoiles, à cent lieues de ses compagnons. Honteux, il se mit à fixer le sol de la forêt, tout noir à cette heure. Il avait l'impression d'avoir de nouveau quatorze ans.

« Je n'apprécie guère ta remarque, Alessan, intervint froidement Catriana. Je suis assez grande pour me défendre toute seule.

— Sans compter qu'il n'y a pas plus mal placé que toi pour faire des remontrances aux autres sur leur excès d'amour-propre », ajouta Baerd sur un ton désinvolte.

Alessan choisit d'ignorer cette dernière remarque. S'adressant à Catriana, il ajouta : « Belle étoile d'Eanna, crois-tu que j'ignore tes capacités à te défendre ? Il s'agit d'un cas différent cependant. Ce qui s'est passé ce matin ne doit pas prendre plus d'importance qu'il n'est strictement nécessaire, et ne peut en aucun cas devenir un sujet de dissension entre Devin et toi si ce garçon doit se joindre à nous.

— Si quoi ?... » Catriana se tourna brusquement vers lui. « Tu es fou ? C'est à cause de ses talents de musicien ? Parce qu'il sait chanter ? Comment un Asolien pourrait-il...

— Tais-toi ! » répondit sèchement Alessan. Catriana se tut brusquement. Devin, perplexe, continua de feindre un intérêt profond pour le terreau sous ses pieds, faute de savoir où poser le regard. Son esprit, tout comme son cœur, était plongé dans une extrême confusion.

Alessan poursuivit sur un ton un peu plus affectueux : « Catriana, ce qui s'est passé ce matin n'est pas de sa faute non plus. Il ne faut pas lui en vouloir. Tu as agi avec circonspection, mais les choses ne se sont pas passées comme tu le voulais. On ne peut lui reprocher de t'avoir suivie aussi innocemment. Si quelqu'un est à blâmer, c'est moi, car j'aurais dû l'arrêter au moment où je l'ai vu franchir le seuil. J'aurais pu le faire.

— Et pourquoi n'as-tu rien fait, alors ? » demanda Baerd.

Devin se souvenait du regard d'Alessan quand il s'était arrêté sous la voûte de la porte avant de pénétrer dans ce qui lui était apparu comme un monde de rêve.

« Oui, pourquoi ? demanda-t-il maladroitement en levant les yeux. Pourquoi m'avoir laissé la suivre ? »

Le clair de lune était d'un bleu limpide maintenant. Vidomni était passée à l'ouest derrière le sommet des arbres. Seule Ilarion demeurait au-dessus d'eux parmi les étoiles, baignant la nuit d'une lumière insolite. Les gens du peuple parlaient de lumière fantôme quand la lune bleue faisait cavalier seul.

Le visage d'Alessan était noyé dans l'obscurité et on ne distinguait pas ses yeux. Les seuls bruits étaient ceux de la forêt : bruissement des feuilles et de l'herbe balayées par la brise, craquement des brindilles au sol, brusque claquement d'ailes dans les branches voisines. Quelque part au nord, un petit animal poussa un cri et un autre lui fit écho.

Alessan répondit : « Parce que je connais l'air que son père lui chantait lorsqu'il était tout petit et que je sais qui est son père, et que je sais aussi qu'il n'est pas d'Asoli. Catriana, mon amie, ce n'est pas uniquement parce qu'il est musicien, quoi que tu puisses en penser. C'est un des nôtres. Baerd, tu veux bien lui faire passer le test ? »

Au niveau conscient et rationnel, Devin ne comprenait pratiquement rien à ce discours. Pourtant il sentit le froid le gagner tandis qu'Alessan parlait. Il avait l'impression de plonger à la manière d'un oiseau de proie ; il était arrivé au bout de la route que Morian avait tracée à son intention, parmi les zones d'ombre que dessinaient les arbres de ce bois à la clarté de la lune bleue.

Il ne se sentit pas plus à l'aise quand il se tourna vers Baerd et vit le regard accablé de l'homme. Même à la lumière trompeuse de la lune, il s'aperçut que son visage était devenu étrangement pâle.

« Alessan… fit Baerd d'une voix rude.

— Tu m'es plus cher que tout autre vivant, reprit Alessan d'un ton calme et grave à la fois. Tu es plus qu'un frère pour moi. Pour rien au monde je ne voudrais te blesser, et surtout pas en ce domaine. Jamais en ce domaine. Je ne te le demanderais pas si je n'étais pas sûr. Fais-lui passer le test, Baerd. »

Baerd hésitait, ce qui eut pour effet d'accroître encore l'angoisse de Devin : il comprenait de moins en moins ce qui se passait, sauf que l'événement revêtait une importance capitale aux yeux des autres.

Pendant un long moment personne ne bougea. Puis Baerd s'avança prudemment, comme s'il faisait de gros efforts pour se contrôler, prit Devin par le bras et l'entraîna plus avant dans le bois. Ils firent une douzaine de pas et s'arrêtèrent dans une petite clairière circulaire entourée d'arbres.

Baerd s'accroupit souplement et s'assit en tailleur à même le sol. Devin hésita un instant, puis l'imita. Il ne pouvait rien faire d'autre que suivre les invites de ses compagnons ; il ne savait pas où ils allaient. « Pas avec le but que je me suis fixé », lui avait dit Catriana le matin même. Il croisa les doigts pour les empêcher de trembler ; il avait froid, mais ce n'était pas à cause de la fraîcheur nocturne.

Il entendit Alessan et Catriana arriver mais ne se retourna pas. Tout ce qui importait présentement, c'était cette chose énorme, qui n'avait pas de nom, qu'il voyait monter dans le regard de Baerd. Jusqu'à présent l'homme aux cheveux blonds lui avait paru naturellement compétent, et voilà que, de manière absurde, il lui semblait étonnamment fragile. Un homme qu'on pouvait briser avec une facilité déroutante. Pour la deuxième fois de la journée, Devin eut soudain l'impression qu'il pénétrait dans un monde de rêve et laissait derrière lui les frontières simples et bien définies du monde diurne.

Et c'est dans cet état d'esprit, sous la lumière bleutée d'Ilarion, qu'il entendit Baerd commencer le récit, de sorte que, pour cette première fois, il lui fut livré tel un charme quelque chose dans la trame des mots qui surgissait des espaces oubliés de son enfance. Et qui, finalement, n'était rien d'autre que cela.

« C'était l'année où Alberico prit Astibar, dit Baerd ; les provinces de Tregea et du Certando se préparaient chacune à l'affronter seule, et le Ferraut n'était pas encore tombé. Brandin, roi d'Ygrath, arriva dans la péninsule par l'ouest. Il pénétra dans le port principal de Chiara et envahit l'île. Il n'eut aucun mal, car le grand-duc se suicida en découvrant l'immense flotte venue d'Ygrath. Mais je suppose que tu sais tout cela. »

Il s'exprimait à voix basse, et Devin était obligé de se pencher en avant pour l'entendre. Derrière eux, un

trialla leur fit don de son chant mélodieux et triste.
Alessan et Catriana demeurèrent parfaitement silencieux. Baerd poursuivit:

« Cette année-là, la péninsule de la Palme fut transformée en un immense champ de bataille dans le cadre
d'un important jeu de pouvoir entre l'Ygrath et l'empire
de Barbadior. Il s'agissait de trouver un équilibre politique. Aucun d'eux ne voulait se permettre de laisser à
l'autre le contrôle d'un territoire situé à mi-chemin entre
leurs deux empires. Ce qui explique en partie pourquoi
Brandin débarqua. L'autre raison, comme nous l'avons
appris ensuite, concernait Stevan, le plus jeune de ses
fils et de loin son préféré. Brandin était à la recherche
d'un second royaume, que son fils dirigerait. Mais ce
n'est pas ce qu'il trouva. »

Le trialla chantait toujours. Baerd s'interrompit pour
l'écouter, comme s'il trouvait dans la voix fluide de
l'oiseau, plus douce encore que celle du rossignol, un
écho à quelque chose dans la sienne.

« Les résistants de Chiara tentèrent de se rassembler
dans la montagne. Ils furent tous massacrés sur les
pentes du mont Sangarios. Brandin s'empara de l'Asoli
peu de temps après, et la rumeur de son pouvoir le de-
vança. Il était très fort comme sorcier, plus encore
qu'Alberico, et, bien que ses soldats ne fussent pas
aussi nombreux que ceux des Barbadiens à l'est, ils
étaient mieux entraînés et d'une loyauté sans faille. Car
Alberico n'était qu'un petit seigneur de l'empire, riche
et ambitieux, qui s'était entouré de mercenaires, tandis
que Brandin était le maître d'Ygrath, et ses soldats
avaient été soigneusement choisis dans son royaume.
Ils poussèrent au sud, traversant la Corte presque sans
effort, conquérant les provinces une à une, car elles se
révélèrent incapables de s'unir, ni cette année-là ni par
la suite d'ailleurs. » Baerd n'était pas assez détaché
pour manier l'ironie avec succès.

« Une fois à Corte, Brandin en personne prit à l'est
avec une armée restreinte et s'apprêta à rencontrer
Alberico au Ferraut et à lui infliger une raclée. Il envoya

Stevan au sud pour prendre la dernière province encore libre dans tout l'Ouest ; son fils devait ensuite le rejoindre au Ferraut pour affronter les Barbadiens dans une bataille dont tous espéraient qu'elle déciderait du sort de la Palme.

» Ce fut une erreur, mais il ne pouvait pas le savoir alors, il y a dix-huit ans. Cela faisait trop peu de temps qu'il était sur la péninsule pour connaître le caractère propre à chacune des provinces. Et je suppose qu'il voulait donner à Stevan l'occasion d'exercer seul le commandement, tout en comptant sur sa maîtrise de la sorcellerie pour contenir Alberico jusqu'à ce que son fils l'eût rejoint. »

Baerd observa une pause, le regard comme tourné en lui-même. Quand il reprit, sa voix sonnait différemment : c'était comme si elle portait le souvenir d'une myriade d'événements anciens et tragiques, songea Devin.

« Le long de la Deisa, poursuivit Baerd, à mi-chemin environ entre Certando et Corte, au bord de la mer, Stevan dut affronter la résistance la plus farouche que les envahisseurs avaient jamais rencontrée dans la Palme. Dirigés par leur prince – leur fierté était telle qu'ils avaient toujours appelé leur seigneur ainsi –, les habitants de la province occidentale se mesurèrent aux Ygrathiens et les tinrent en échec, les obligeant à battre en retraite après de lourdes pertes de part et d'autre.

» Et, au coucher du soleil, le prince Valentin, qui gouvernait cette province que tu connais sous le nom de Basse-Corte, tua Stevan d'Ygrath, le fils bien-aimé de Brandin, au bord du fleuve, à l'issue d'une journée où la mort avait lourdement frappé. »

Devin sentait percer l'acuité d'un immense chagrin dans chacune de ces paroles. Pour la première fois, il vit Baerd se tourner vers Alessan. Aucun ne dit mot. Devin ne parvenait pas à détacher son regard de celui de Baerd. Il était aussi concentré que si sa vie en dépendait et traitait chaque mot comme une pièce de mosaïque, un joyau qu'il voulait incruster dans cette incroyable mémoire qui constituait sa propre fierté.

Et, à ce moment-là, Devin eut le sentiment qu'un carillon lointain commençait à sonner au fin fond de sa mémoire. Et lui adressait un avertissement ; comme une cloche de village dans un temple d'Adaon, rappelant les fermiers à leurs champs de toute urgence. Une cloche dont les vibrations lointaines sonnaient clair dans le petit matin, par-delà les champs de céréales ondulants et mordorés.

« Grâce à ses talents de sorcier, Brandin sut immédiatement ce qui s'était passé, fit Baerd, la voix grinçante comme une lime. Il se rabattit vers l'ouest aussitôt, abandonnant le Ferraut et le Certando à Alberico. Il arriva avec tout le poids de sa sorcellerie, son armée et la rage d'un père dont le fils vient de se faire massacrer, et il monta à l'assaut de ses derniers ennemis encore en vie, là où ils l'attendaient, au bord de la Deisa. »

Baerd se tourna de nouveau vers Alessan. Son visage ainsi éclairé par la lune paraissait sinistre, fantomatique presque.

« Brandin les écrasa. Il les annihila, ne leur laissant aucun répit, ne faisant preuve d'aucune pitié. Il les repoussa irrésistiblement vers leur pays au sud du fleuve et brûla chaque champ, chaque village qu'il traversa. Il ne fit pas de prisonniers. Il massacra tous les habitants, y compris les femmes et les enfants, ce qu'il n'avait fait nulle part ailleurs. Mais aucune autre province ne lui avait enlevé son fils. Tant d'âmes furent rendues à Morian pour racheter celle de Stevan d'Ygrath ! Son père mit la province à feu et à sang. Avant la fin de l'été, il avait fait raser toutes les glorieuses tours de la cité au pied des montagnes qu'on appelle aujourd'hui Stévanie. Sur la côte, les remparts furent réduits en poussière ainsi que les aménagements portuaires de la cité royale au bord de la mer. Et, lors de l'ultime bataille sur les rives de la Deisa, il s'empara du prince qui avait tué son fils puis, un peu plus tard, le fit torturer, mutiler et achever dans la ville de Chiara. »

La voix de Baerd n'était plus qu'un murmure sec sous le ciel étoilé où ne brillait qu'une seule lune. Elle s'accompagnait toujours de ce glas annonciateur de chagrin qui sonnait dans la tête de Devin, de plus en plus fort.

« Brandin d'Ygrath fit quelque chose de pire encore, ajouta Baerd. Il rassembla tous ses pouvoirs de sorcier et jeta à cette province un sort comme jamais encore personne n'en avait conçu. Par ce sort, il effaça son nom. Il l'ôta de la mémoire de tous les vivants nés ailleurs que dans la province. Ce fut la pire de toutes ses malédictions, son ultime revanche. C'était comme si nous n'avions jamais existé. Nos réalisations, notre histoire, notre nom lui-même s'envolaient d'un coup de baguette magique. Et il choisit de nous appeler Basse-Corte, du nom des plus fervents de nos anciens ennemis parmi les autres provinces. »

Devin entendit un bruit derrière lui et constata que Catriana pleurait. Baerd poursuivit : « Brandin s'arrangea pour qu'aucun vivant ne pût se souvenir du nom de cette province, ni de celui de la cité royale en bord de mer, ni même des grandes tours dorées sur l'ancienne route qui descendait des montagnes. Il nous brisa et nous anéantit. Il supprima une génération ; et il alla jusqu'à oblitérer notre nom. »

Et ce n'est ni d'une voix chuchotée ni d'une voix grinçante qu'il prononça ces derniers mots, dans l'obscurité des premières nuits d'automne en Astibar. Il les lança violemment, comme une accusation, une dénonciation, à l'intention des arbres, de la nuit et des étoiles, des étoiles surtout, qui avaient été témoins de cette abomination.

Et le chagrin contenu dans cette accusation serra le cœur de Devin d'une poigne de fer, l'étreignit au-delà de tout ce que Baerd pouvait imaginer. Car personne depuis la mort de Marra ne savait l'importance qu'avait prise la mémoire pour Devin d'Asoli, et comment elle était devenue la pierre de touche de son âme.

Sa mémoire était tour à tour talisman et ange gardien, passage et refuge ; elle était source de fierté et d'amour. Elle palliait les pertes, car ce qu'il gardait en mémoire n'était pas complètement perdu ; ne mourait pas, ne disparaissait pas irrémédiablement. Grâce à elle, Marra restait en vie, et l'homme dur et sévère qu'était devenu son père continuait de lui fredonner sa berceuse préférée. Et, parce que cette mémoire était tout cela, parce qu'elle caractérisait l'essentiel de son être, l'ancienne vengeance de Brandin d'Ygrath le heurta de plein fouet, comme si elle venait juste de se produire, le martelant jusqu'au plus profond de lui-même, jusqu'au centre vulnérable de sa personne, qui voyait et appréhendait le monde, et lui infligea une blessure mortelle.

En faisant un gros effort sur lui-même, il parvint à garder son aplomb et à se concentrer suffisamment pour mémoriser chaque détail de ce récit. Ce qui semblait terriblement important désormais, au moment où les terribles paroles de Baerd s'envolaient dans la nuit. Devin regarda l'homme aux cheveux blonds, le front barré d'un bandeau de cuir, et attendit. L'adolescent vif d'esprit était devenu un adulte intelligent. Il devina ce qui se préparait ; tout devenait d'une clarté limpide.

Devin, qui avait beaucoup mûri ces dernières heures, entendit Alessan murmurer : « La berceuse que je t'ai entendu fredonner vient de cette province, Devin, de la ville aux hautes tours. Une personne originaire d'une autre province n'aurait pas pu apprendre cet air dans les circonstances où tu l'as appris. C'est ainsi que j'ai su que tu étais un des nôtres. C'est pourquoi je ne t'ai pas arrêté quand tu t'es mis à suivre Catriana. J'ai laissé à Morian le soin de décider ce qu'il y aurait au-delà de cette porte. »

Devin hochait la tête à mesure qu'il buvait ses paroles. Puis il dit, avec une extrême prudence : « S'il en est ainsi, si je t'ai bien compris, alors je devrais faire partie de ceux qui ont gardé la faculté d'entendre et de retenir ce nom qui par ailleurs nous a été… dérobé.

— Il en est bien ainsi », acquiesça Alessan.

Devin vit que ses mains tremblaient. Il les regarda avec la plus extrême concentration, mais ne put les arrêter.

« Cette faculté m'a donc été dérobée à moi aussi depuis mon plus jeune âge, reprit-il. Acceptez-vous de me la rendre ? Acceptez-vous de me révéler le nom de la terre où je suis né ? »

Il regarda le visage de Baerd éclairé par les seules étoiles, car Ilarion avait disparu à son tour derrière les arbres, à l'ouest. Alessan avait dit que c'était à Baerd de le lui révéler, sans que Devin sût pourquoi. Il entendit le trialla chanter une fois encore, une longue note de plus en plus grave, et alors Baerd parla, et pour la première fois de sa vie Devin entendit quelqu'un prononcer le nom de :

« Tigane. »

Le carillon qui résonnait en son for intérieur, comme dans ce rêve qui mettait en scène des champs en été, se tut. Et, dans le silence brutal et absolu qui suivit, il se sentit emporté par un sentiment de perte tel qu'il le submergea comme une vague sur l'océan. Cette vague fut suivie d'une seconde, puis d'une troisième, l'une porteuse d'amour, l'autre d'une immense fierté. Il se sentait léger, un peu étourdi même, par le caractère pressant de la sommation qui courait dans ses veines.

Puis il prit conscience du regard de Baerd posé sur lui. Son visage pâle et crispé exsudait la peur, même à la lumière des étoiles, et quelque chose d'autre aussi : la pire des soifs, celle d'une âme dépossédée, et qui souffre. Puis Devin comprit et entreprit de le libérer de ses craintes.

« Merci », dit-il. Il ne tremblait plus. Il avait la gorge nouée, mais il décida de poursuivre car c'était à lui d'intervenir désormais, de passer le test :

« Tigane. La Tigane. Je suis né dans la province de Tigane. Mon nom, mon vrai nom, c'est Devin de Tigane, fils de Garin. »

Tandis qu'il parlait, il vit qu'une sorte de félicité illuminait le visage de Baerd. L'homme aux cheveux blonds plissait les yeux pour les garder fermés, comme s'il voulait conserver cette félicité à tout prix, l'empêcher de fuir dans l'obscurité évanescente, en nourrir ses

désirs inassouvis. Devin entendait la respiration irré-
gulière d'Alessan et, tout à coup, alors qu'il ne s'y
attendait pas, il sentit Catriana lui toucher l'épaule, puis
retirer sa main.

Baerd errait dans des sphères où le langage n'avait
plus cours. Ce fut Alessan qui expliqua : « C'est un des
deux noms dérobés et le plus significatif. Notre province
s'appelait Tigane et la cité royale en bord de mer aussi.
La plus belle des cités éclairées par Eanna, l'appelait-on
encore. Mais peut-être n'était-elle que la deuxième
plus jolie ville. »

Devin crut déceler dans sa voix quelque chose qui
ressemblait très fort à une envie de rire. Une ironie
tendre. Pour la première fois, il leva les yeux vers lui.

« Si tu t'étais adressé aux gens du Sud, continuait
Alessan, à l'intérieur des terres, dans la ville où le
Sperion, après avoir pris sa source dans le massif en surplomb, vire à l'ouest pour rejoindre la mer, on t'aurait
dit la deuxième. Car nous fûmes toujours un peuple
fier et la rivalité entre ces deux villes était grande. »

Il avait beau faire tout son possible, sa voix ne
reflétait plus que la perte qu'ils avaient subie.

« Tu es né dans la cité à l'intérieur des terres, Devin,
tout comme moi. Nous sommes les enfants de cette
haute vallée et des remous argentés de ce fleuve de
montagne. Nous sommes nés en Avalle. Avalle, la cité
des tours. »

En entendant ce nom, Devin sentit la musique l'envahir à nouveau, mais elle n'avait rien de comparable
avec le carillon de tout à l'heure. Cette fois, il s'agissait
d'une musique qui le ramenait très loin en arrière, à
son père et à son enfance.

« Tu connais les paroles alors, n'est-ce pas ?

— Évidemment, répondit obligeamment Alessan.

— Je t'en prie », fit Devin.

Mais ce fut Catriana qui lui répondit, d'une voix
semblable à celle que prenait certaine jeune mère autrefois, lorsque, le soir venu, elle berçait son enfant
pour l'endormir :

« Par ce matin de printemps en Avalle,
Je me moque de ce que le prêtre dira :
Je vais à la rivière de ce pas,
Par ce beau matin de printemps en Avalle.

» Quand je serai grand, advienne que pourra,
Je construirai un bateau qui m'emportera.
La rivière jusqu'à la baie de Tigane le poussera,
Puis la mer l'entraînera, plus loin encore d'Avalle.

» Mais où que me mènent mes pas, de nuit comme
de jour,
Dans les eaux des torrents, sous les hautes futaies,
Toujours mon cœur me ramènera
Le rêve des tours d'Avalle.

» Le rêve de la maison qui est mienne en Avalle. »

Les paroles douces-amères qui accompagnaient l'air qu'il connaissait depuis toujours glissèrent jusqu'à lui, non sans lui apporter autre chose : un sentiment de dépossession tel qu'il faillit éclipser la grâce, la légèreté de l'interprétation qu'en avait donnée Catriana. Plus de vagues déferlantes désormais, ni de trompettes dans les veines : il ne restait que les eaux de la nostalgie. La nostalgie d'une chose qui lui avait été ôtée avant même qu'il sût qu'elle lui appartenait ; et qui lui avait été ôtée d'une façon si méticuleuse, si exhaustive, qu'il aurait pu passer le restant de ses jours sans savoir qu'elle avait disparu.

Et, tandis que Catriana chantait, Devin pleura. Au nord de l'Asoli, les garçons de petite taille à l'allure enfantine savent ce qu'ils risquent lorsqu'ils sont surpris en train de pleurer. Mais ce qui lui arrivait dans la forêt ce soir le dépassait, et il ne se retenait plus.

S'il avait bien compris les explications d'Alessan, sa mère avait dû lui chanter cette berceuse autrefois.

Sa mère dont la vie avait été brutalement réduite à néant par Brandin d'Ygrath. Il pencha la tête, sans

chercher à cacher ses larmes, et écouta la fin de la
berceuse douce-amère chantée par Catriana : un chant
où il était question d'un enfant qui défiait les ordres et
l'autorité dès son plus jeune âge, assez indépendant
d'esprit pour avoir envie de construire un bateau tout
seul, assez courageux pour vouloir naviguer dans l'immensité du monde sans jamais rebrousser chemin. Et
sans pour autant oublier la terre où tout avait commencé.

Un enfant somme toute assez proche de l'idée que
Devin se faisait de lui-même.

Ce qui expliquait en partie pourquoi il pleurait. Car
on lui avait délibérément ôté le souvenir de ces tours,
on lui avait dérobé le droit de rêver d'Avalle. Ou de
Tigane et de sa baie.

Et les larmes coulaient sans discontinuer dans l'obscurité, tandis qu'il pleurait et sa mère et sa terre natale.
Alors, dans les ombres de cette forêt proche d'Astibar,
ces deux chagrins fusionnèrent. Pour Devin, ils étaient
devenus indissociables, intimement mêlés à la valeur
toute particulière qu'avaient pour lui la mémoire et la
perte de mémoire ; et de ce feu intérieur naquit quelque
chose qui devait changer le cours de sa vie.

Il s'essuya les yeux sur sa manche et releva la tête.
Tous étaient silencieux. Il vit que Baerd le regardait.
Alors, d'un geste délibéré, Devin leva la main gauche,
la main du cœur. Il replia soigneusement les troisième
et quatrième doigts, dessinant ainsi une forme proche
de celle de la Palme.

Le geste qui prélude au serment.

Baerd leva la main droite en un geste identique. Leurs
doigts se touchèrent, la petite main de Devin venant se
coller à la paume large et calleuse de Baerd.

« Si tu veux m'accepter, déclara Devin, je serai des
tiens. Sur la mémoire de ma mère qui mourut dans cet
affrontement, je jure de te rester fidèle envers et contre
tout.

—Et moi de même, répondit Baerd. Sur la mémoire
de la Tigane disparue. »

On entendit un léger bruissement : c'était Alessan qui s'agenouillait à côté d'eux. « Devin, il est de mon devoir de te mettre en garde, dit-il simplement. Il ne faut pas t'engager trop vite. Tu peux soutenir notre cause sans pour autant changer de vie et nous suivre.

—Il n'a pas le choix, intervint Catriana en venant se placer de l'autre côté de Devin. Tomasso, fils de Sandre, donnera son nom aux bourreaux ce soir ou demain. Je crains que la carrière de chanteur de Devin d'Asoli s'achève au moment même où elle prenait son essor. » Elle se tourna vers les trois hommes, son propre regard indéchiffrable dans l'obscurité.

« Elle est terminée, déclara Devin d'une voix sereine. Elle s'est arrêtée au moment précis où je prenais connaissance de mon nom. » Catriana demeura impassible. Devin se demanda ce qu'elle pouvait bien penser.

« Très bien », fit Alessan. Lui aussi leva la main gauche en repliant deux doigts. Devin vint y appliquer sa main droite. Alessan hésitait. « Un serment sur la mémoire de ta mère a plus de poids que tu ne l'imagines, dit-il.

—Tu la connaissais ?

—Nous la connaissions l'un et l'autre, intervint Baerd d'une voix douce. Elle avait dix ans de plus que nous, mais tous les adolescents de Tigane étaient un peu amoureux de Micaela. Et la plupart des hommes adultes également, je crois bien. »

Encore un nom nouveau, et toute la douleur allant de pair. Son père ne le lui avait jamais révélé. Ses fils ignoraient jusqu'au nom de leur mère. Devin allait de chagrin en chagrin ; jamais il n'aurait soupçonné qu'autant de chemins pussent y mener.

« Nous envions et admirions ton père bien plus que je ne saurais le dire, ajouta Alessan. Et j'étais heureux que ce soit un homme d'Avalle qui ait finalement réussi à la séduire. Je me souviens de ta naissance, Devin. Mon père a envoyé un présent le jour où tu as reçu ton nom, mais je ne me rappelle pas ce que c'était.

— Tu admirais mon père ? » répéta Devin, éberlué.

En l'entendant, Alessan changea de ton. « Ne le juge pas à ce qu'il est devenu. Quand tu as appris à le connaître, Brandin avait déjà détruit sa génération et son univers, gâché sa vie, brisé son âme. Ta mère était morte, Avalle tombée, Tigane disparue. Ton père a participé aux deux batailles de la Deisa et il a survécu. »

Non loin d'eux, Catriana poussa un petit gémissement.

« Je l'ignorais, fit Devin, sur la défensive. Il ne nous a jamais rien dit de tout cela. » Une nouvelle douleur l'assaillait. Tant de sources de chagrin.

« Bien peu de survivants ont parlé de cette époque, dit Baerd.

— Mes parents aussi se sont toujours tus, fit Catriana timidement. Ils nous ont emmenés aussi loin que possible, dans un petit village de pêcheurs, ici en Astibar, sur la côte près d'Ardin, et n'ont jamais soufflé mot de tout cela.

— Pour vous protéger », expliqua Alessan affectueusement. Sa paume de main était toujours contre celle de Devin. Elle était moins large que celle de Baerd. « La plupart des parents qui ont survécu se sont enfuis, afin que leurs enfants puissent vivre libres, loin des stigmates qui ont marqué et continuent de marquer la Tigane. Ou la Basse-Corte, comme on nous oblige à l'appeler désormais.

— Ils se sont sauvés », s'obstina Devin. Il se sentait trompé, dépossédé, bafoué.

Alessan secoua la tête. « Devin, réfléchis un peu. Ne juge pas trop vite. Réfléchis d'abord. Crois-tu vraiment que tu aies appris cet air par hasard ? Ton père a choisi de ne pas vous desservir, tes frères et toi, en vous léguant un héritage dangereux, néanmoins il vous a dotés d'un signe distinctif avec cette mélodie. Par souci de sécurité, il a omis de vous enseigner les paroles, mais il vous a expédiés de par le monde avec une marque aisément reconnaissable de tous les Tiganais, indéchiffrable pour les autres. Je ne pense pas que ce soit le fruit du hasard. La mère de Catriana, elle, lui a donné une bague qui indique sans conteste ses origines pour quiconque est né là où elle est née. »

Devin regarda derrière lui. Catriana tendit la main pour la lui montrer. Il faisait nuit noire, mais il s'était habitué à l'obscurité et il distingua une forme bizarre, enroulée sur elle-même, à mi-chemin entre l'homme et la créature marine. Il déglutit.

« Voudrais-tu me parler de lui ? demanda-t-il en se tournant de nouveau vers Alessan. De mon père ? »

De l'imperturbable Garin, du fermier dur et sévère sur sa terre grise et humide. Qui, il le savait maintenant, était venu de la belle Avalle, la cité aux tours dans les montagnes au sud de la Tigane, et qui avait, dans sa jeunesse, courtisé et conquis une jeune femme appréciée de tous ceux qui l'approchaient. Qui, plus tard, avait pris part et survécu à deux terribles batailles sur la Deisa. Qui, si les suppositions d'Alessan étaient exactes, avait délibérément envoyé de par le monde le plus intelligent et le plus doué de ses fils, le seul capable de découvrir ce que Devin venait de découvrir.

Qui, enfin, Devin le comprit brusquement, mentait certainement lorsqu'il affirmait avoir oublié les paroles de la berceuse. Comme c'était dur tout à coup !

« Je ne serai que trop heureux de te dire ce que je sais de lui, mais pas ce soir, fit Alessan, car Catriana a raison, nous devons décamper avant l'aube. Nous allons nous jurer fidélité comme tu l'as fait avec Baerd. J'accepte ton serment. Je t'offre le mien. Tu es comme un frère désormais, et ce jusqu'à la fin de mes jours. »

Devin se tourna alors vers Catriana. « M'acceptes-tu ? »

Elle secoua sa crinière rousse. « Je n'ai pas vraiment le choix, fit-elle avec insouciance. Il me semble que tu t'es déjà passablement engagé, non ? »

Mais tout en parlant elle avait replié deux doigts et elle effleura ceux de Devin de sa main légère et fraîche.

« Sois le bienvenu, dit-elle. Je jure de tenir mes engagements envers toi, Devin de Tigane.

—Et moi les miens. Je suis désolé pour ce matin »,
risqua Devin.

Elle retira sa main et lui décocha un regard furieux,
décelable même à la lumière des étoiles. « Ah oui, dit-
elle, sardonique, je suis sûre que tu l'es ! Tout au long
de cette expérience, j'ai pu constater à quel point tu
étais désolé. »

Alessan s'étranglait de rire. « Catriana, ma chérie,
dit-il, je viens de lui interdire d'évoquer les détails de
ce qui s'est passé. Comment veux-tu qu'il m'obéisse si
toi-même tu en parles ? »

Sans sourire le moins du monde, Catriana répliqua :
« C'est moi la victime dans cette affaire, Alessan, et je
n'ai donc pas à t'obéir. Dans le cas présent, les règles
sont différentes. »

Baerd se mit à glousser. « Les règles ne sont de toute
façon plus les mêmes depuis que tu t'es jointe à nous.
Qu'y a-t-il là de si différent ? »

Catriana secoua de nouveau la tête mais ne daigna
pas répondre.

Les trois hommes se levèrent. Devin fit quelques
flexions car il se sentait engourdi pour être resté trop
longtemps assis dans la même position.

« Le Ferraut ou la Tregea ? demanda Baerd. Vers
quelle frontière nous dirigeons-nous ?

—Le Ferraut, dit Alessan. Dès que Tomasso, le pauvre, se mettra à parler, ils penseront que je suis trégéen.
Si j'avais eu les idées claires, je l'aurais tué d'une flèche
quand ils sont passés sur la route.

—Tu parles d'une idée claire ! rétorqua Baerd. Avec
vingt soldats alentour ! Nous serions tous enchaînés à
l'heure qu'il est.

—Tu aurais dévié la flèche, ironisa Alessan.

—Y a-t-il une chance pour qu'il ne parle pas ? demanda timidement Devin. Je pense à Menico, voyez-
vous. Si mon nom est prononcé…

—Tout le monde parle sous la torture, fit Alessan en
secouant la tête, surtout quand elle s'accompagne de
sorcellerie. Moi aussi, je pense à Menico, Devin, mais

nous n'y pouvons rien. C'est une des réalités de la vie que nous menons. Toutes nos activités ou presque font courir des risques aux autres. Ceci dit, j'aimerais tout de même bien savoir ce qui s'est passé dans ce pavillon.

—Tu voulais jeter un coup d'œil, lui rappela Catriana. Tu crois que nous avons le temps?

—Oui, je crois que oui, fit Alessan, allègre. Il me manque encore un indice. Je ne comprends toujours pas comment Sandre d'Astibar pouvait savoir que je… »

Il s'arrêta là. Hormis le chant des cigales et le bruissement des feuilles, le bois était parfaitement silencieux. Le trialla était parti. Alessan leva brusquement la main et se la passa vivement dans les cheveux. Il secoua la tête.

« Baerd, dit-il d'un ton quasiment badin, comment se fait-il que je sois aussi bête? C'était pourtant facile à deviner! » Il changea de ton. «Pourvu que nous n'arrivions pas trop tard! »

◆

Dans le pavillon de chasse des Sandreni, les deux feux s'étaient consumés. Seules les étoiles brillaient au-dessus de la clairière. Le diadème d'Eanna penchait nettement à l'ouest, sur la trace des deux lunes. Tandis que les quatre compagnons approchaient, un rossignol se mit à chanter comme pour répondre au trialla de tout à l'heure. Sur le seuil de la demeure, Alessan hésita un instant, puis eut un haussement d'épaules qui, déjà, parut familier à Devin. Il poussa alors la porte et entra.

Leurs yeux s'étaient accoutumés à l'obscurité, et d'ailleurs le rougeoiement des tisons était suffisant pour leur permettre de constater le carnage à l'intérieur.

Le cercueil reposait encore sur ses tréteaux, bien que de guingois, et le bois était fendu par endroits. Autour d'eux gisaient les cadavres d'hommes qui tous étaient vivants lorsqu'ils s'étaient éclipsés : les deux jeunes Sandreni ; Nievole, une volée de flèches dans la gorge et la poitrine ; Scalvaia d'Astibar, décapité.

Devin aperçut soudain la tête, très loin, au milieu d'une mare de sang noir, et il eut du mal à réprimer les nausées qui lui montaient à la gorge.

« Ô Morian ! chuchota Alessan. Ô déesse des morts, épargne-les lorsqu'ils arriveront devant toi. Ils sont morts avant l'heure en rêvant de liberté.

— C'est vrai de trois d'entre eux, fit une voix rauque et desséchée du fond d'un fauteuil. Le quatrième aurait dû être étranglé à la naissance. »

Devin fit un bond, le cœur battant.

L'auteur de ces paroles était debout à côté de son fauteuil maintenant, et il les regardait, entièrement dissimulé dans l'ombre. « Je savais que vous reviendriez », dit-il.

Le sixième homme, songea Devin qui essayait de comprendre et scrutait l'obscurité pour tenter de reconnaître la haute silhouette décharnée à la lueur de plus en plus faible des tisons.

Alessan ne semblait pas perturbé outre mesure. « Désolé de vous avoir fait attendre, dit-il. J'ai mis un moment à résoudre cette énigme. Me permettez-vous de vous exprimer mes condoléances pour ce qui s'est passé ? » Il s'interrompit un instant avant d'ajouter : « Et de vous présenter mes respects, monseigneur Sandre. »

Devin ouvrit la bouche si grand qu'on aurait dit qu'il s'était décroché la mâchoire ; et la referma si brutalement qu'il se fit mal aux dents. Il espérait que nul ne l'avait vu. Les événements se succédaient à une cadence telle qu'il se sentait un peu dépassé.

« J'accepte vos condoléances, répondit la silhouette émaciée. Par contre, je ne mérite ni votre respect ni celui de quiconque. Autrefois peut-être ; mais plus maintenant. Vous vous adressez à un vieil imbécile imbu de lui-même, comme l'a dit si justement le Barbadien. Un homme seul depuis beaucoup trop longtemps, prisonnier de ses propres pièges. Toutes les remarques que vous avez faites relatives à des négligences coupables sont exactes. Cela m'a coûté trois fils, ce soir. D'ici un mois tout au plus, les Sandreni ne seront plus. »

Il parlait sur un ton neutre, sans passion, accablant mais objectif, sans compromission. Le ton d'un juge qui annonce le verdict final dans une salle mal éclairée.

« Que s'est-il passé ? demanda calmement Alessan.

— Le jeune homme nous a trahis. » Un constat laconique et sans appel.

« Oh, monseigneur ! s'exclama Baerd. Votre propre famille ?

— Mon petit-fils. Le fils de Gianno.

— Que son âme soit maudite, fit Baerd, calme mais sans pitié. Il est entre les mains de Morian maintenant, et elle saura ce qu'il convient d'en faire. Qu'il demeure dans l'obscurité jusqu'à la fin du monde. »

Le vieil homme ne semblait pas avoir entendu. « Taeri l'a tué, murmura-t-il, presque incrédule. Je ne le croyais pas aussi courageux ni aussi rapide. Puis il s'est poignardé, pour leur refuser le plaisir d'apprendre ce qu'ils n'auraient pas manqué de lui soutirer. Je ne le croyais pas si courageux », répéta-t-il d'un air absent.

Devin scruta l'obscurité pour mieux voir les deux corps près de la plus petite des deux cheminées. L'oncle et le neveu gisaient de l'autre côté du cercueil, si proches l'un de l'autre qu'on les aurait dit enlacés. Le cercueil, bien sûr, était vide.

« Vous nous attendiez, avez-vous dit, murmura Alessan. Voulez-vous m'apprendre pourquoi ?

— Pour les mêmes raisons qui vous ont poussé à revenir. » Sandre se décida enfin à bouger et s'approcha de la grande cheminée d'un pas raide. Il saisit une petite bûche et la jeta sur la flamme vacillante, soulevant une gerbe d'étincelles. Il prit un tisonnier et fourgonna jusqu'à ce qu'une flamme surgisse du lit de cendres.

Le duc se retourna, et Devin découvrit sa barbe et ses cheveux blancs, son visage osseux aux joues creuses. Les yeux brillaient au fond des orbites, le regard était froid et provocateur.

« Je suis ici, vous êtes ici, parce que tout continue, déclara Sandre. Quoi qu'il arrive, quel que soit le prix à payer. Tant qu'il nous sera donné de respirer, notre

cœur continuera de haïr. Ma quête et la vôtre se pour-
suivront jusqu'à ce que nous mourions.

— Vous nous écoutiez, alors, fit Alessan. De l'intérieur du cercueil. Vous avez entendu ce que je disais ?

— L'effet de la drogue s'est dissipé au coucher du
soleil, et avant que nous arrivions au pavillon j'étais
réveillé. J'ai tout entendu, y compris bon nombre de
choses que vous n'avez pas dites, répliqua le duc sur un
ton froid et hautain, tout en se redressant. J'ai entendu
le nom que vous avez revendiqué, et ce que vous avez
choisi de ne pas révéler. Mais je sais qui vous êtes. »

Il fit un pas en direction d'Alessan et pointa un
doigt noueux sur lui.

« Je sais parfaitement qui vous êtes, Alessan, fils de
Valentin, prince de Tigane ! »

C'en était trop. Devin renonça tout simplement à
essayer de comprendre. Il était assailli par une myriade
d'informations qui fusaient de toutes les directions et
se contredisaient violemment. Il était comme étourdi,
submergé. Il se tenait dans une pièce où, à peine quelques heures plus tôt, conversait un groupe d'hommes.
Quatre d'entre eux avaient été victimes d'une violence
telle qu'il n'en avait jamais connue. Et voilà que le seul
individu qu'il croyait effectivement mort, celui dont il
avait chanté les rites funèbres le matin même, était le
seul Astibarien encore en vie dans tout le pavillon.

Si tant est qu'il fût effectivement d'Astibar !

Car, s'il l'était, comment expliquer qu'il avait prononcé le nom de Tigane après ce que Devin s'était
entendu confier dans la forêt ? Comment pouvait-il
savoir qu'Alessan était prince, ce que Devin, d'ailleurs,
avait également du mal à accepter ? Était-il vraiment le
fils de ce Valentin qui avait tué Stevan d'Ygrath et
déchaîné les foudres de Brandin, puis sa terrible vengeance ?

Devin renonça provisoirement à essayer de mettre
tous ces renseignements bout à bout. Il décida d'écouter et de regarder, d'engranger tout ce qu'il pourrait
dans cette mémoire qui ne l'avait encore jamais trahi

et de laisser décanter toutes ces informations. Il finirait
bien par comprendre lorsqu'il aurait enfin le temps de
réfléchir.

Ayant pris cette décision, il entendit Alessan déclarer, après un silence pesant qui en disait long sur son
étonnement : « Je comprends enfin ! Monseigneur, j'ai
toujours su que vous étiez un géant, depuis le jour où
je vous ai aperçu pour la première fois, aux Jeux de la
Triade, il y a vingt-trois ans. Mais vous êtes plus encore.
Comment avez-vous fait pour rester en vie ? Comment
vous y êtes-vous pris pour le leur cacher à tous deux
pendant tant d'années ?

—Et qu'a-t-il caché ?» demanda Catriana d'une voix
si fâchée et si perplexe que Devin se sentit tout de suite
mieux : il n'était pas le seul à tenter désespérément de
sortir la tête de l'eau.

« C'est un magicien », déclara Baerd tout net.

Il y eut un autre silence. Puis Alessan ajouta : « Les
magiciens de la Palme ne sont pas concernés par les
sorts qui ne s'adressent pas directement à eux. C'est
vrai de tous ceux qui pratiquent la magie, d'où qu'ils
viennent et quelle que soit l'origine de leur pouvoir.
C'est pour cette raison, entre autres, que Brandin et
Alberico traquent et éliminent tous les magiciens depuis
leur arrivée dans la péninsule.

—Et ils y parviennent parce que la pratique de la
magie n'a malheureusement rien à voir avec la sagesse
ni même le simple bon sens », fit Sandre d'Astibar
d'une voix corrosive. Il se retourna et donna de furieux
coups de tisonnier dans le feu. La braise réagit sans
attendre et les bûches s'enflammèrent, dardant une
lumière rouge.

« C'est uniquement parce que nul n'est au courant
que j'ai survécu, fit le duc. C'est la seule raison. Je n'ai
utilisé mon pouvoir que cinq ou six fois pendant mes
années de règne, et toujours sous le couvert d'un autre
magicien. Et je n'ai pas eu recours à la magie une
seule fois depuis l'arrivée des sorciers. Je ne m'en suis
même pas servi pour feindre la mort. Ces sorciers ont

plus de pouvoir que nous. Beaucoup plus. Je m'en suis
tout de suite aperçu. La pratique de la magie n'est pas
une tradition fortement ancrée dans la Palme comme
elle l'est ailleurs. Nous le savions. Tous les magiciens
le savaient. On aurait pu penser qu'ils en tiendraient
compte. À quoi bon tenter un sortilège pour trouver ce
que l'on cherche ou empenner mentalement une flèche
si cela doit vous mener tout droit à la roue d'Alberico,
sur une place ensoleillée ? » Une amertume désabusée
perçait dans la voix du vieux duc.

« Ou de Brandin, murmura Alessan.

—Ou de Brandin, acquiesça Sandre. S'il existe un
terrain d'entente pour ces deux oiseaux de malheur,
hormis la ligne verticale qui coupe la péninsule en deux,
c'est bien celui-ci : ils veulent éliminer toute autre
forme de magie que la leur de cette terre.

—Et ils y sont parvenus, fit Alessan, ou c'est tout
comme. Cela fait plus de douze ans que je suis à la
recherche d'un magicien.

—Alessan ! s'exclama Baerd.

—Et pourquoi ? demanda le duc au même moment.

—Alessan ! » répéta Baerd avec plus d'insistance.

L'homme qui n'était autre que le prince de Tigane,
comme venait de le découvrir Devin, regarda son ami
en secouant la tête. « Pas lui, Baerd, dit-il d'un ton
mystérieux. Pas Sandre d'Astibar. »

Il se tourna vers Sandre, un peu hésitant, et prit soin
de bien choisir ses mots. Puis, avec une fierté manifeste, il déclara : « Vous connaissez sûrement la légende.
Il se trouve qu'elle énonce une vérité. Tous ceux qui
descendent en droite ligne des princes de Tigane peuvent s'attacher les services d'un magicien jusqu'à leur
mort. »

Pour la première fois, une lueur de curiosité et d'intérêt véritable passa dans le regard de Sandre. « J'ai déjà
entendu cette histoire, en effet. Le seul magicien qui ait
jamais deviné qui j'étais après mon initiation m'a recommandé de me méfier des princes de Tigane. C'était

un vieil homme, un peu gâteux. Je me rappelle avoir ri.
Et vous prétendez que ses propos étaient exacts ?

—Ils l'étaient et le sont toujours, j'en suis certain.
Je n'ai pas eu l'occasion de le vérifier, cependant. C'est
lié à l'histoire ancienne de notre province : la Tigane
est la province de prédilection d'Adaon des Vagues. Le
premier de nos princes, Rahal, est né du dieu et de
cette Micaela que nous appelons notre mère mortelle à
tous. Et la lignée des princes n'a jamais été interrompue
depuis. »

Devin se sentait assailli par un ensemble d'émotions
complexes. Il n'essaya même pas d'énumérer tous les
sentiments qui se bousculaient dans son cœur. Micaela.
Il s'appliquait à retenir ce qu'il entendait, ce qu'il voyait.

À cet instant, il entendit rire Sandre d'Astibar.

« Je connais cette histoire moi aussi, fit le duc avec
dérision. Une excuse vénérable mais usée pour justifier
l'arrogance des Tiganais. Princes de Tigane. Pas simples ducs, non, princes ! Descendants du dieu ! » Il
brandit le tisonnier en direction d'Alessan. « Vous voici
ce soir parmi la réalité puante des tyrans et de ces
cadavres, et, en dépit de ce qu'est devenue la Palme,
vous osez me servir ce vieux boniment ?

—C'est la stricte vérité, répondit doucement Alessan
sans bouger. C'est ce qui fait de nous des princes. C'eût
été une offense au dieu si ses descendants avaient
revendiqué un titre moindre. Adaon ne put faire don de
l'immortalité à un fils né d'une mortelle, Eanna et
Morian le lui interdirent. Mais il lui octroya le pouvoir
de contraindre les magiciens de la Palme, ainsi qu'aux
fils et filles de ce prince tant qu'il demeurerait un prince
ou une princesse de Tigane en ligne directe. Si vous en
doutez et souhaitez vérifier par vous-même, je ferai ce
que Baerd voulait que je fasse et je vous soumettrai en
apposant ma main sur votre front, monseigneur. On ne
se débarrasse pas de vieilles légendes aussi facilement,
Sandre d'Astibar. Si nous sommes si fiers, c'est que
nous avons des raisons de l'être.

—Non, plus maintenant, ironisa le duc. Plus depuis l'arrivée de Brandin.»

Le visage d'Alessan se crispa. Il ouvrit la bouche, puis la referma aussitôt.

« Comment osez-vous ? » demanda Catriana sur un ton cinglant ; et courageux, songea Devin.

Le prince et le duc l'ignorèrent et continuèrent à s'observer. Le sourire sardonique de Sandre disparut peu à peu dans les rides profondes gravées sur son visage. Seule l'amertume subsista, dans le regard, la posture, les lèvres pincées.

« Je ne m'attendais pas à cela de vous dans de telles circonstances, fit Alessan.

—Et vous n'êtes pas à même de savoir ce qu'on peut attendre de moi dans de telles circonstances, répliqua le duc à voix basse.

—Il ne nous reste donc plus qu'à nous dire adieu, alors ? »

Pendant un long moment, quelque chose resta en suspension entre eux. Chacun pesait le pour et le contre ; autour de la décision à prendre gravitaient des éléments terriblement complexes tels que la mort, le chagrin, la fierté rigide et instinctive des deux hommes. Devin, réagissant avec ses propres nerfs à la tension générale, constata qu'il retenait son souffle.

« Non, cela ne me paraît pas souhaitable, dit enfin Sandre. Pas de cette façon. Acceptez-vous les excuses d'un homme tombé plus bas que jamais ?

—Je les accepte, dit Alessan avec simplicité. Et je tiens à vous demander conseil, avant que nous soyons effectivement contraints de nous séparer pour quelque temps. Votre second fils a été capturé vivant. Il aura donné mon nom et celui de Devin avant demain matin, si ce n'est déjà fait.

—Non, pas ce soir, répondit le duc, l'air absent. Alberico est persuadé de ne plus rien avoir à craindre. De plus, il doit être passablement débilité par ce qui s'est passé ici. Je ne pense pas qu'il s'occupe de Tomasso avant de se sentir assez bien pour jouir pleinement du spectacle. Il attendra d'être d'humeur à… jouer.

—Ce soir, demain… intervint Baerd avec une brusquerie qui détonait dans cette ambiance. Peu importe. Il va parler. Et nous devons être partis avant.

—Peut-être pas», murmura Sandre de la même voix étonnamment détachée. Il regarda les quatre morts allongés par terre. «J'aimerais bien savoir ce qui s'est passé exactement, dit-il. De l'intérieur du cercueil, je n'ai rien pu voir, mais je peux vous affirmer qu'Alberico a mis en œuvre tout le pouvoir dont il dispose ; je le sens qui vibre encore. Et il s'en est servi pour échapper à la mort. Scalvaia a tenté quelque chose, je ne sais pas quoi exactement, mais il a bien failli réussir.» Il regarda Alessan. «Et donner à Brandin d'Ygrath le contrôle de la péninsule tout entière.

—Vous avez entendu ma remarque ? Vous êtes du même avis ?

—J'ai toujours su que c'était vrai, tout en réussissant à me persuader du contraire. J'étais tellement obnubilé par mon ennemi direct, ici en Astibar ! J'avais besoin de l'entendre de la bouche de quelqu'un d'autre, mais je crois qu'une fois suffira. Oui, je partage votre opinion. Il faut se débarrasser des deux en même temps.»

Alessan hocha la tête, et une partie de sa tension, fermement contrôlée, sembla retomber. Il ajouta : «J'apprécie d'autant plus votre soutien qu'il reste des gens pour penser le contraire.»

Il jeta un coup d'œil à Baerd, qui souriait, légèrement ironique, puis se tourna de nouveau vers le duc. «Vous avez évoqué le fait qu'Alberico avait eu recours à la magie ce soir, comme si cela nous concernait. Pouvez-vous nous expliquer en quoi, car nous sommes complètement ignares dans ce domaine.

—Vous n'avez pas à en rougir. C'est parfaitement normal pour qui n'est pas magicien : il y a un tel débordement de forces magiques dans cette pièce qu'elles font écran à tout ce que je pourrais essayer. Je crois néanmoins pouvoir faire en sorte que vos noms ne soient pas dévoilés aux tortionnaires demain.

— Je vois », fit Alessan en hochant doucement la tête. Devin, lui, ne voyait rien ; il se sentait ballotté d'une information à l'autre. « Vous pouvez vous transporter là-bas et le faire sortir ? » Alessan avait les yeux brillants.

Mais Sandre secoua la tête. Il leva la main gauche en écartant chaque doigt. « Je ne me suis jamais résolu à me couper deux doigts lors de la cérémonie où les magiciens jurent allégeance à la Palme. Mon pouvoir s'en trouve grandement limité. Vous ne m'en voyez pas vraiment désolé, car je n'aurais jamais pu devenir duc d'Astibar s'il en avait été autrement – les préjugés et les règles qui gouvernent les magiciens sont ainsi faites –, mais cela me limite dans mes interventions. Je peux aller là-bas moi-même, certes, mais je n'ai pas le pouvoir de ramener qui que ce soit. Il m'est possible toutefois de lui apporter quelque chose.

— Je vois », répéta Alessan, mais sur un autre ton. Il y eut un silence. Il passa la main dans ses cheveux ébouriffés. « J'en suis navré », dit-il enfin d'une voix douce.

Le visage du duc n'exprimait rien. Ses yeux ne trahissaient rien non plus. Derrière lui le feu crépitait, et de temps à autre des étincelles s'échappaient qui retombaient dans la pièce.

« J'y mettrai une condition, dit Sandre.

— Laquelle ?

— Que vous m'autorisiez à me joindre à vous. Je suis censé avoir été rendu à Morian désormais, et ici, en Astibar, je ne peux plus parler à quiconque ni entreprendre quoi que ce soit. Si je dois donner un peu de sens à cette mise en scène bâclée, il faut que je vous accompagne. Prince de Tigane, acceptes-tu de prendre un magicien de petite envergure à ton service ? Un magicien qui ne soit pas lié par quelque vieille légende, mais venu de son propre chef ? »

Alessan ne répondit pas tout de suite. Il regardait son vis-à-vis, les bras en repos le long du corps. Puis, tout à coup, il exhiba un large sourire. Ce fut comme un faisceau de lumière, une source de chaleur qui dégela l'atmosphère glaciale du pavillon.

«Vous tenez beaucoup à votre barbe et à vos cheveux blancs?» demanda-t-il sur un ton inattendu.

Un instant plus tard, Devin entendit un bruit étrange. Il lui fallut un moment avant de comprendre que c'était le duc d'Astibar qui riait de bon cœur, d'un rire tour à tour aigu et sifflant.

«Faites de moi ce qu'il vous plaira, déclara Sandre en cessant de rire. Qu'envisagez-vous? De teindre mes boucles du même roux que celles de la jeune fille?»

Alessan secoua la tête. «J'espère que non. Une crinière comme la sienne suffit amplement. Mais, dans ce domaine, je fais entièrement confiance à Baerd. Comme dans beaucoup d'autres, d'ailleurs.

— Alors je m'en remets à lui moi aussi», fit Sandre. Il s'inclina solennellement devant l'homme aux cheveux blonds. Baerd, remarqua Devin, n'avait pas l'air très content. Sandre s'en aperçut également.

«Je ne prêterai pas serment, lui dit le duc. J'ai fait un serment quand Alberico a débarqué, et je n'en ferai pas d'autre. Cependant, je tiens à vous dire que jusqu'à la fin de mes jours je veillerai à ce que vous ne regrettiez jamais votre décision. Cela vous sied-il?»

Baerd hocha lentement la tête. «Cela me sied», dit-il.

À les écouter, Devin comprit intuitivement que cet échange aussi importait, qu'aucun des deux hommes n'avait parlé à la légère ou autrement qu'en écoutant son cœur. Il jeta un coup d'œil à Catriana et remarqua qu'elle le regardait. Mais, voyant qu'il s'en était aperçu, elle tourna vivement la tête.

«Il est temps, reprit Sandre, que j'entreprenne ce que je me suis engagé à faire. Si je veux déjouer les maléfices d'Alberico, je dois quitter ce pavillon pour y revenir ensuite, mais, si je puis me permettre, vous n'avez nul besoin quant à vous de passer la nuit parmi tous ces morts, aussi illustres soient-ils. Vous avez dressé un campement dans la forêt ? Puis-je vous y retrouver ? »

La notion même de magie continuait de perturber Devin, mais les paroles de Sandre l'avaient aidé à se faire une idée, sa première idée claire depuis leur arrivée au pavillon.

« Êtes-vous sûr de parvenir à empêcher votre fils de parler ? demanda-t-il avec un certain embarras.

— Tout à fait sûr », répondit brièvement le duc.

Devin plissa le front. « Alors aucun d'entre nous n'est en danger pour l'instant. Sauf vous, monseigneur. Il ne faut pas qu'on vous voie.

— Avant que Baerd se soit occupé de lui, fit Alessan. Mais continue. »

Devin se tourna vers lui. « J'aimerais dire adieu à Menico et m'efforcer de trouver un prétexte pour justifier mon départ. Je lui dois beaucoup. Je ne veux pas qu'il me haïsse. »

Alessan était songeur. « Il t'en voudra un peu, Devin, bien que ce ne soit pas dans sa nature. Mais tous les directeurs de troupe rêvent d'une opportunité comme celle qui s'est présentée ce matin. Et tes explications ne changeront rien au fait qu'il a besoin de toi pour concrétiser ce rêve, maintenant. »

Devin avala sa salive. Ce qu'il venait d'entendre ne lui faisait pas plaisir du tout, mais il savait pourtant que c'était la stricte vérité. Avec les cachets qu'il pouvait maintenant se permettre de demander, Menico gagnerait assez en deux saisons pour acheter l'auberge du Ferraut dont il parlait depuis si longtemps. Là où il avait toujours dit qu'il souhaitait s'installer quand la route serait devenue trop dure pour ses jambes. Où il pourrait servir de la bière et du vin, et offrir un lit et un repas à tous ses amis, anciens ou nouveaux, lorsqu'ils passeraient par là durant leurs longs voyages. Où il pourrait entendre et propager toutes les nouvelles locales, et partager les vieilles histoires qu'il adorait. Et, pendant les longues soirées d'hiver, il pourrait prendre place devant la cheminée et faire chanter à ses hôtes toutes les chansons qu'il connaissait.

Devin enfonça les mains dans les poches de son haut-de-chausses. Il se sentait triste et mal à l'aise. « Je n'aime pas la perspective de l'abandonner ainsi. Tous les trois à la fois. Alors que nous avons des concerts demain. »

Alessan fit une moue bizarre. « Deux, si mes souvenirs sont exacts.

— Trois, corrigea Catriana.

— Trois, convint Alessan, tout joyeux. Et un autre le jour suivant, devant la guilde des tisserands. Je viens juste de me rappeler que je dois également encaisser une somme substantielle, un pari que j'ai fait au *Paelion* et que j'entends bien gagner. »

Ces propos firent grincer Baerd, comme on pouvait s'y attendre.

« Vous croyez vraiment, après ce qui s'est passé ici ce soir, que la fête des Vignes va se dérouler dans l'insouciance et la gaieté ? Et que vous allez jouer de la musique comme s'il ne s'était rien produit ? Ah ! la musique, je sais où cela peut nous conduire, Alessan, et l'idée ne me plaît guère.

— À vrai dire, je suis certain que la fête va se poursuivre, intervint Sandre. Alberico est avant tout un timoré. Je pense qu'il se montrera plus prudent que jamais après ce qui s'est passé ce soir. Il laissera le peuple faire la fête et, dès que les gens des alentours seront rentrés chez eux, il frappera un grand coup. Mais il ne s'en prendra qu'aux trois familles représentées ici, je crois. Franchement, c'est ce que je ferais à sa place.

— Et il lèvera un impôt supplémentaire ? demanda Alessan.

— Peut-être bien. Il en a levé après la tentative d'empoisonnement des Canziano, mais c'était autre chose. Une véritable tentative d'assassinat dans un lieu public. Il n'avait guère le choix. Je pense qu'il sera moins gourmand cette fois : il y aura assez de corps pour ses roues parmi les trois familles impliquées. »

Devin était déconcerté par les commentaires impassibles du duc sur un tel sujet. C'était de sa propre famille dont il était question. Son fils aîné, ses petits-enfants, ses neveux, nièces, cousins, tous livrés aux roues de la mort des Barbadiens. Devin se demanda s'il atteindrait un jour pareil cynisme. Si ce qui avait débuté ce soir l'endurcirait à ce point. Il essaya d'imaginer ses frères arrimés sur une roue au centre d'Asoli, et dut admettre qu'il ne parvenait même pas à l'envisager. Discrètement, il fit le signe de protection contre les forces du mal.

La vérité, c'est qu'il était malheureux de mettre Menico dans l'embarras, même s'il ne s'agissait que d'une simple question d'argent, rien de plus. Les artistes changeaient souvent de troupe. Ou décidaient de fonder la leur. Ou renonçaient à cette vie de nomade pour une activité offrant plus de sécurité. Plus d'un artiste trouverait normal qu'il fasse cavalier seul après son succès du matin. Cette pensée aurait dû le réconforter, mais non ; Devin n'avait pas envie de donner raison à ceux qui pensaient de la sorte.

Une autre pensée l'assaillit : « Cela ne paraîtra-t-il pas louche que nous disparaissions aussitôt après les rites funèbres ? Et juste alors qu'Alberico a découvert un complot en rapport avec ces rites ? Nous sommes liés aux Sandreni en quelque sorte, désormais. Est-il vraiment judicieux d'attirer ainsi l'attention sur nous ? Ce n'est pas comme si notre disparition avait des chances de passer inaperçue. »

Sans savoir très bien pourquoi, il avait fait part de ses réflexions à Baerd. Et fut gratifié, un instant plus tard, d'une réponse sobre : un hochement de tête marquant l'approbation de son interlocuteur.

« Je dois avouer, un peu malgré moi, que ce discours me paraît sensé.

—Tout à fait sensé », approuva Sandre ; Devin se sentit un peu nerveux tandis que le duc le fixait de ses yeux sombres et profonds. « Peut-être ces deux-là vont-ils racheter leur génération à mes yeux », fit-il en désignant Devin et Catriana.

Cette fois, Devin s'abstint de se tourner vers la jeune fille. Son regard se porta vers l'angle de la pièce où gisait le corps du petit-fils de Sandre, la gorge tranchée par un autre membre de la famille ; tout près, le feu se mourait dans la petite cheminée.

Alessan se mit à tousser pour briser le silence. « Il existe un argument d'une tout autre nature, dit-il sur un drôle de ton. Seuls ceux qui ont passé autant de nuits dehors que moi peuvent apprécier à sa juste valeur, si je puis dire, ma préférence pour un lit moelleux. En bref, conclut-il en souriant, ton éloquence m'a séduit, Devin. Conduis-moi à l'auberge où loge Menico. Même un lit partagé avec deux joueurs de luth ronflant à l'unisson vaut mieux que la terre froide à côté d'un Baerd à peu près silencieux. »

Baerd lui lança un regard des plus menaçants, mais Alessan ne parut pas affecté outre mesure. « Je ne vais pas me lancer dans une description de tes habitudes nocturnes, répliqua Baerd, l'œil sombre. J'attendrai seul ici le retour du duc Sandre. Il faut impérativement que nous mettions le feu au pavillon dès cette nuit, sinon les serviteurs ne manqueront pas de remarquer l'absence d'un corps quand ils se présenteront aux aurores. Rendez-vous à la cachette dans trois jours à l'aube ; enfin... dès que vous trouverez le courage de vous arracher à vos oreillers. En espérant, dit-il sans chercher à dissimuler le sarcasme, qu'après avoir goûté à la facilité de la vie citadine trois jours de rang vous soyez encore capables de retrouver notre cachette.

—Je la retrouverai, moi, s'il se perd », dit Catriana.

Alessan les regarda l'un après l'autre ; il paraissait blessé. « Ce n'est pas juste, protesta-t-il. Aucun de vous deux n'ignore que c'est la musique et rien que la musique qui m'attire. »

Devin, lui, l'ignorait. Alessan continuait de fixer Baerd. « Tu sais bien que j'y retourne uniquement pour la musique.

— Bien sûr que je le sais », fit Baerd, radouci. Il prit une expression différente. « Je crains simplement que la musique ne cause notre perte à tous un de ces jours. »

Devin intercepta le regard qu'ils échangèrent alors, et apprit quelque chose de nouveau, de soudain et d'inattendu sur la nature des liens affectifs et de l'amour en général, lui qui en avait déjà appris plus qu'il n'en pouvait assimiler depuis le début de la soirée.

« Partez maintenant », fit Baerd, la mine renfrognée, sentant qu'Alessan hésitait encore. Catriana était déjà à la porte. « On se retrouvera après la fête. À la cachette. N'espérez pas nous reconnaître », ajouta-t-il.

Et tout à coup Alessan sourit ; un instant plus tard, Baerd fit de même. Son visage était métamorphosé. Devin ne put s'empêcher de remarquer qu'il ne souriait pas très souvent.

Il y pensait encore tout en emboîtant le pas à Catriana et Alessan. Ils franchirent le seuil et ne tardèrent pas à renouer avec l'obscurité de la forêt.

CHAPITRE 6

Or il advint que le long chemin parcouru cette journée et cette nuit-là les conduisit ailleurs qu'à l'auberge.

Tous trois traversèrent la forêt en sens inverse et débouchèrent sur la route d'Astibar à Ardin. Ils avançaient en silence sous la voûte céleste de ce début d'automne ; dans les bois de part et d'autre de la route, les cigales chantaient à tue-tête. Devin appréciait sa chemise de laine, car il faisait un froid vif maintenant ; il allait sûrement geler pendant la nuit.

Il trouvait étrange de marcher sur la route aussi tard. Quand Menico se déplaçait, il prenait soin de trouver un toit pour sa troupe avant l'heure du dîner. En dépit des mesures strictes que chacun des deux tyrans avait prises contre les voleurs et les brigands, les routes de la Palme n'étaient pas très fréquentables la nuit, et les honnêtes gens ne s'y aventuraient pas.

Les gens à l'image de ce qu'il était encore ce matin même : un jeune homme qui avait trouvé sa voie, s'y sentait en sécurité et venait même de connaître un triomphe inespéré. Un jeune homme en passe de devenir célèbre. Et maintenant voilà qu'il marchait sur cette route obscure, après avoir renoncé à toute forme de sécurité et prêté un serment susceptible de le mener à la roue à Chiara, sinon en Astibar. Dans l'une et l'autre province si Tomasso, fils de Sandre, parlait.

Il se sentit brusquement mal à l'aise et très seul.
Certes, il faisait confiance aux hommes à qui il avait
juré fidélité, et à la jeune fille aussi, après tout, mais il
les connaissait si peu ! Beaucoup moins en tout cas que
Menico ou Eghano, qu'il fréquentait depuis tant et tant
d'années.

Il en allait de même, se dit-il soudain, pour la cause
qu'il avait juré d'épouser : il ne connaissait pas non
plus la Tigane, conformément au but recherché par
Brandin d'Ygrath lorsqu'il avait lancé son maléfice.
Devin était sur le point de changer de vie pour une histoire narrée au clair de lune, pour une berceuse, une
évocation de sa mère et ce qui n'était encore qu'une
complète abstraction : un nom.

Pour être parfaitement honnête, il n'aurait su dire ce
qui le guidait : l'esprit d'aventure, la splendeur qu'incar-
naient Alessan, Baerd et le vieux duc, l'étendue de la
douleur et du chagrin dont il venait de prendre connaissance dans la forêt. D'autres éléments avaient dû
jouer – Catriana, son père, son orgueil, la voix de
Baerd criant son désespoir dans la nuit – mais, dans
quelles proportions exactes, il l'ignorait.

D'ailleurs, si, comme il l'avait promis, Sandre
d'Astibar avait effectivement le pouvoir d'empêcher
son fils de parler, il n'y avait aucune raison pour que
Devin ne continue pas à mener l'existence qui était la
sienne depuis six ans. Et jouisse du triomphe et des
récompenses qui se profilaient à l'horizon. Il secoua la
tête. C'était ahurissant, d'une certaine manière, mais ce
chemin qui semblait encore tout tracé quelques heures
plus tôt – la vie de musicien ambulant sous l'égide de
Menico, les représentations aux quatre coins de la Palme
– lui paraissait inconcevable désormais, comme s'il
venait de franchir un gouffre. Devin se demanda s'il était
fréquent que des hommes agissent ou fassent des choix
importants pour des raisons limpides, dont l'évidence
s'imposait immédiatement à eux.

Il fut brusquement tiré de sa rêverie lorsque Alessan
leva la main pour les avertir d'un danger. Sans échanger

un mot, ils se glissèrent tous trois entre les arbres qui bordaient la route. Ils aperçurent bientôt la lumière vacillante d'une lanterne à l'ouest, et Devin entendit une voiture à cheval approcher, puis un bruit de voix, un homme et des femmes ; sans doute revenaient-ils de la fête, car c'était la fête après tout. Cela aussi commençait à lui paraître de moindre importance. Ils attendirent que la charrette passe son chemin.

Mais le sort en décida autrement, car le conducteur fit doucement claquer les guides et le cheval s'arrêta à hauteur du fourré où ils se cachaient. Quelqu'un sauta, et ils l'entendirent décadenasser la chaîne d'un portail.

«Ma bonté me perdra, se plaignait l'homme. Chaque fois que je regarde ce qui tient lieu de faîte à ce portail je me dis que j'aurais dû faire appel à un artisan. Il y a des limites à la bonté paternelle ; enfin, il devrait y en avoir ! »

Devin reconnut simultanément le lieu et la voix. Obéissant à une impulsion, à une tentative pour retrouver l'ordinaire et le familier après ce qui s'était passé dans la soirée, il se leva. « Ne crains rien, murmura-t-il à Alessan qui lui jetait un regard de biais, c'est un ami. »

Il s'engagea sur la route. «Je le trouve plutôt réussi, dit-il distinctement. Mieux que ce que font la plupart des artisans. Et, si mes souvenirs sont exacts, Rovigo, vous en avez vous-même convenu pas plus tard qu'hier après-midi, à *l'Oiseau Marin*.

—Mais je connais cette voix, répondit Rovigo sur-le-champ, et c'est un vrai plaisir que de l'entendre à nouveau, bien que tu viennes de me discréditer aux yeux d'une femme acariâtre et d'une fille qui a décidé de longue date d'empoisonner l'existence de son pauvre père ! Tu es Devin d'Asoli, si je ne me trompe ! »

Il s'avança sur la route ; la lanterne de la voiture était encore sur son socle et il s'en empara. Devin entendit les deux femmes à l'intérieur rire de soulagement, tandis qu'Alessan et Catriana émergeaient sur la route à leur tour.

« Vous ne vous trompez pas, fit Devin. Puis-je vous présenter deux membres de notre troupe : Catriana d'Astibar et Alessan de Tregea. Voici Rovigo, un marchand de mes amis ; nous avons partagé une bouteille de vin dans un endroit élégant dont Catriana a réussi à me faire violemment éjecter.

— Ah ! s'exclama Rovigo en levant sa lanterne un peu plus haut, ta prétendue sœur ! »

Catriana, éclairée par le rayonnement désormais plus large de la lanterne, esquissa un sourire modeste. « Il fallait impérativement que je lui parle, expliqua-t-elle, et je n'avais pas très envie de pénétrer dans cet établissement.

— Que voilà une femme sage et providentielle ! approuva Rovigo en souriant. Si seulement mon troupeau de filles avait le quart de votre intelligence ! Personne à vrai dire ne devrait pénétrer dans l'*Oiseau Marin* à moins d'avoir le nez bouché au point d'être totalement privé d'odorat. »

Alessan éclata de rire. « Heureux de vous rencontrer sur cette route sombre, maître Rovigo ; ne seriez-vous pas le patron d'un vaisseau qu'on nomme la *Sirène* ? »

Devin n'en croyait pas ses oreilles.

« À mon grand regret, je suis effectivement propriétaire et capitaine de ce négligeable esquif, reconnut-il gaiement. Et comment le savez-vous, mon ami ? »

Alessan avait l'air de trouver la scène très drôle. « Parce qu'on m'a demandé de chercher à vous joindre. J'ai des nouvelles pour vous en provenance de Ferraut-Ville, qui émanent d'un personnage quelque peu corpulent, au visage rougeaud, du nom de Taccio.

— Mon facteur bien-aimé à Ferraut ! s'exclama Rovigo. Quelle chance de vous rencontrer, en effet ! Et où donc avez-vous fait sa connaissance ?

— Dans une taverne, je dois vous l'avouer. Une taverne où j'avais joué de la musique, et où lui-même était venu pour… échapper à un châtiment, c'est l'expression qu'il a employée. Le hasard a voulu que nous soyons les deux derniers clients ce soir-là. Il n'était apparemment pas pressé de rentrer chez lui, ce qui m'a paru prudent, et nous nous sommes mis à parler.

—Il n'est jamais difficile d'engager la conversation avec Taccio», acquiesça Rovigo. Un rire fusa de la voiture, qui ne ressemblait pas à celui d'une jeune fille sentencieuse au point de ne pas trouver à se marier. Devin commençait à faire la part des choses dans l'attitude de Rovigo envers les femmes. Il se surprit à sourire.

« Ce brave Taccio m'a exposé son dilemme, reprit Alessan, et, quand je lui ai appris que je venais d'entrer dans la troupe de Menico di Ferraut et me dirigeais vers Astibar à l'occasion de la fête des Vignes, il m'a chargé d'aller vous trouver et de vous apporter une confirmation verbale d'une lettre qu'il m'a dit vous avoir fait parvenir.

—D'une demi-douzaine de lettres, grommela Rovigo. Mais venons-en au fait : votre confirmation verbale, Alessan, mon ami.

—Le bon Taccio m'a chargé de vous dire, reprit Alessan sur le ton sentencieux d'un messager d'État, que si le nouveau lit n'arrivait pas d'Astibar avant les gelées hivernales le dragon qui dort d'un sommeil agité près de lui se réveillerait dans une colère telle qu'il mettrait violemment fin aux jours de votre estimé serviteur. Il a juré que c'était la stricte vérité, par la grâce de la Triade et les trois doigts de la Palme. »

Un grand éclat de rire, suivi d'un tonnerre d'applaudissements, retentit dans la voiture. La mère, constata Devin qui suivait le fil de sa pensée, n'avait vraiment rien d'une mégère.

«Eanna et Adaon, vous qui veillez tous deux sur les couples mariés, faites en sorte qu'un tel malheur n'arrive jamais, dit pieusement Rovigo. Le lit commandé est prêt à être livré dès que la fête des Vignes sera terminée.

—Alors le dragon pourra dormir à son aise et Taccio sera sauvé », entonna Alessan en prenant cette fois le ton qu'on utilise pour énoncer la morale de l'histoire à la fin d'une séance de marionnettes.

« Je ne comprendrai jamais pourquoi cette pauvre Ingonida vous fait si peur à tous, fit une des femmes dans la voiture, d'une voix douce et amusée. Rovigo, avons-nous donc perdu tout savoir-vivre pour laisser ces gens debout dans le froid et l'obscurité ?

— Absolument pas, ma bien-aimée ! s'exclama aussitôt son époux. Alix, c'est seulement la vision d'Ingonida en colère qui a semé la confusion dans mon esprit. » Devin ne put s'empêcher de rire ; même Catriana, remarqua-t-il, avait perdu de sa superbe habituelle.

« Vous retourniez en ville ? » s'enquit Rovigo.

C'était la première difficulté, et Alessan la lui laissait régler.

« En effet, répondit Devin. Nous avons fait une longue promenade pour retrouver nos esprits et échapper au bruit, et nous nous sentions prêts à affronter de nouveau la ville.

— Je suppose que vous auriez tous trois été pris d'assaut par une foule d'admirateurs, dit Rovigo.

— Il semble en effet que nous ayons acquis une certaine notoriété, convint Alessan.

— Eh bien, fit Rovigo avec conviction, toute plaisanterie mise à part, je comprendrais fort bien que vous ayez envie de participer aux réjouissances qui ne faisaient que commencer quand nous sommes partis. Elles vont durer toute la nuit, à n'en pas douter, mais j'avoue que je n'aime guère voir les très jeunes filles dehors aussi tard, et mon aînée, la pauvrette, est prise de tremblements et de malaises dès qu'il y a un peu trop d'excitation dans l'air.

— Quel dommage ! s'écria Alessan en gardant tout son sérieux.

— Papa ! protesta une voix calme mais insistante dans la voiture.

— Rovigo, arrête ça tout de suite si tu ne veux pas recevoir une cuvette sur la tête cette nuit ! déclara la mère, sans se mettre véritablement en colère pourtant, jugea Devin.

—Je vous prends à témoin, fit le marchand avec un geste expressif de sa main libre. Je suis traqué sans relâche jusque dans mon sommeil. Mais, si ces deux vilaines piaillardes ne vous ont pas découragés, ni la perspective d'en subir trois autres à l'intérieur, presque aussi désagréables, je le crains, alors je vous convie humblement à partager un souper et un verre dans une atmosphère plus calme que celle d'Astibar ce soir.

—Ainsi que trois lits, si vous daignez nous faire l'honneur de rester parmi nous, ajouta Alix, l'épouse de Rovigo. Nous vous avons entendus jouer de la musique et chanter ce matin, à l'occasion des rites funèbres du duc, et franchement vous nous honoreriez beaucoup en acceptant.

—Vous étiez au palais? demanda Devin, surpris.

—Pas exactement, murmura Rovigo, la tête basse. Nous étions dans la rue avec le reste de la foule. » Il hésita. « J'ai toujours eu beaucoup d'estime et d'admiration pour Sandre d'Astibar. Les terres des Sandreni sont à l'est de ma modeste propriété; d'ailleurs, vous venez juste de longer des bois qui leur appartiennent. Sandre fut un bon voisin jusqu'à la fin. Je voulais entendre la cérémonie préparée à son intention… et, quand j'ai appris que la troupe choisie pour chanter les rites était celle de mon nouvel ami, j'ai… Allez-vous vous joindre à nous? »

Cette fois, Devin laissa à Alessan le soin de répondre.

Ce dernier, dont les dents blanches brillaient dans l'obscurité, déclara sur un ton amusé : « Qui pourrait songer à refuser une aussi gracieuse invitation? Nous pourrons boire au nouveau lit de Taccio et au repos paisible du dragon!

—Oh, pauvre Ingonida! s'écria Alix en faisant un effort pour ne pas pouffer, vous êtes tous si injustes! »

Dans la maison, chaleureuse et bien éclairée, les rires fusaient à tout bout de champ. Devin aperçut trois jeunes filles au charme indéniable, dont il ne réussit pas à saisir le nom, car tantôt elles s'esclaffaient, tantôt elles piquaient un fard. La plus âgée des trois, qui devait avoir dans les dix-sept ans, estima-t-il, avait la voix mélodieuse et le regard aguicheur.

Alaïs était différente.

Lorsqu'il la découvrit à la faveur de la lampe qui brûlait dans l'entrée, il s'aperçut que c'était une jeune fille petite et menue au visage grave. Elle avait de longs cheveux noirs, très raides, et des yeux d'un bleu étonnamment doux ; Devin n'en avait jamais vu de pareils. En comparaison, le bleu des yeux de Catriana était plus provocateur que jamais, et sa chevelure rousse qui tombait en cascade ressemblait à la crinière d'une lionne.

Les femmes les prièrent instamment d'entrer et les invitèrent à s'asseoir dans des fauteuils confortables au centre d'une pièce meublée dans des tons or et vert. Un bon feu brûlait dans la cheminée, qui compensait la fraîcheur automnale. Un grand tapis de Quileia, reconnaissable à ses motifs, même pour un œil aussi peu exercé que celui de Devin, couvrait le plancher. La jeune fille de dix-sept ans, qui répondait au nom de Selvena, finit-il par comprendre, se laissa gracieusement choir sur le tapis, aux pieds de Devin. Elle leva les yeux vers lui et lui sourit. Il perçut le regard bref et sardonique que lui lança alors Catriana tandis qu'elle s'asseyait près du feu, mais choisit de l'ignorer. Alaïs n'était pas là ; sans doute aidait-elle sa mère.

Rovigo revint alors du cellier, les joues rouges de triomphe et les bras chargés de trois bouteilles.

« J'espère, dit-il, la mine radieuse, que vous appréciez tous le vin bleu d'Astibar ? »

En entendant cette simple question, Devin eut le sentiment que l'impulsion qui l'avait poussé vers Rovigo était une bénédiction du sort. Il jeta un bref coup d'œil à Alessan, qui le gratifia d'un étrange sourire qu'on pouvait interpréter de multiples façons.

Rovigo s'empressa de déboucher les bouteilles et entreprit de servir le vin.

« Si l'une ou l'autre de mes satanées femmes vous importune, dit-il par-dessus son épaule, sentez-vous libres de la repousser. » Une volute de fumée bleue monta de chacun des verres.

Selvena arrangea les plis de sa robe de façon plus seyante, tout en ignorant les railleries de son père avec un naturel qui traduisait une longue habitude de ce genre de remarques. Sa mère, une femme soignée, coquette et efficace, strictement à l'opposé de la description qu'en avait faite Rovigo à *l'Oiseau Marin*, entra, suivie d'Alaïs et d'une servante âgée. En moins de temps qu'il n'en faut pour le dire, la desserte fut couverte d'un choix remarquable de plats.

Devin accepta le verre que lui tendait Rovigo et goûta le bouquet frais et unique du vin. Il s'enfonça davantage dans son fauteuil pour mieux savourer la plénitude de ce moment. La mère jeta un regard à Selvena, qui se leva et remplit une assiette pour Devin. Elle la lui apporta avec un sourire et retourna s'asseoir sur le tapis, légèrement plus près que précédemment. Alaïs servit Alessan et Catriana, tandis que les deux plus jeunes sœurs s'installaient aux pieds de leur père, qui fit mine de vouloir leur mettre une calotte à chacune.

Devin ne se rappelait pas avoir jamais vu un homme si manifestement heureux de son état. Il lança un regard à la fois ironique et tendre à Rovigo, et celui-ci dut en comprendre le sens car il haussa les épaules.

« Que des filles ! se lamenta-t-il en secouant la tête d'un air désolé.

— De grosses roues de charrette », cita Devin pour lui rafraîchir la mémoire, tout en regardant ostensiblement sa femme. Rovigo fit la grimace. Alix avait entendu leur conversation et des plis d'amusement apparaissaient sur ses tempes.

« Il vous a tenu son discours habituel, n'est-ce pas ? dit-elle en penchant la tête de côté. Laissez-moi deviner : j'ai la taille d'un éléphant, un tempérament foncièrement mauvais, tandis que nos filles auraient bien du

mal à faire une seule créature présentable à elles quatre.
C'est cela?»

Riant de bon cœur, Devin se tourna à temps pour
apercevoir Rovigo, pas gêné le moins du monde, qui
regardait sa femme, fier et rayonnant. «C'est exactement
cela, répondit Devin, mais je dois dire à sa défense que
je n'avais jamais entendu qui que ce soit se livrer à une
telle description avec autant de bonheur dans la voix.»

Alix rit à son tour, tandis qu'Alaïs, qui s'affairait
près de la desserte, lui adressait un merveilleux sourire
tout empreint de gravité.

Rovigo leva son verre et lui fit décrire de petits cercles afin de dessiner un motif dans l'air avec la vapeur
bleutée. «Boirez-vous avec moi à la mémoire de notre
duc et à la gloire de la musique? Je pense que le vin
bleu mérite qu'on porte un toast d'envergure.

— Je suis de votre avis», dit tranquillement Alessan.
Il leva son verre lui aussi. «À la mémoire de Sandre
d'Astibar, dit-il avec conviction. Et à la musique.» Puis
il ajouta autre chose sous cape avant de déguster son
vin.

«À vous tous, dit brusquement Catriana. À l'amitié
sur une route sombre.» Elle sourit d'un sourire totalement dépourvu d'ironie. Devin fut surpris, mais il se dit
que sa réaction ne faisait pas justice à Catriana.

«Pas avec le but que je me suis fixé», avait-elle
déclaré dans le palais Sandreni. Et il comprenait ce
qu'elle avait voulu dire maintenant. Car il venait de se
fixer le même, malgré tous les efforts qu'elle avait
faits pour l'en dissuader. Il essaya d'attirer son attention, mais en vain. Elle bavardait avec Alix qui était
allée s'asseoir à côté d'elle. L'air songeur, Devin décida
de s'intéresser au contenu de son assiette.

Quelques instants plus tard, Selvena lui effleura le
pied. «Est-ce que vous voulez bien nous chanter quelque chose?» demanda-t-elle avec un sourire délicieux.
Elle ne bougea pas la main. «Alaïs vous a entendu,
ainsi que mes parents, mais nous autres avons passé
toute la journée ici.

— Selvena ! » s'exclamèrent la mère et la fille aînée de concert. Selvena sursauta comme si elle avait reçu un coup mais, constata Devin, c'est vers son père qu'elle se tourna en se mordant la lèvre. Il la regardait calmement.

« Ma chérie, dit-il sur un ton exempt de toute raillerie, laisse-moi t'expliquer ceci : nos amis jouent de la musique pour gagner leur vie. Ce soir, ils sont nos invités. On ne demande pas à des invités de travailler, ma chère enfant. » Les yeux de Selvena étaient pleins de larmes. Elle baissa la tête.

Du même ton sérieux, Rovigo dit à Devin : «Acceptez-vous nos excuses ? Elle n'avait aucune mauvaise intention, j'en suis sûr.

— Moi aussi, protesta Devin, tandis qu'à ses pieds Selvena reniflait doucement. Nulle excuse n'est nécessaire.

— Absolument aucune, ajouta Alessan en disposant de son assiette. Nous jouons pour vivre, certes, mais aussi parce que jouer de la musique, c'est vivre. Ce n'est pas travailler que de jouer pour ses amis, Rovigo. »

Selvena s'essuya les yeux et le regarda avec reconnaissance.

« Et moi, je serais heureuse de chanter », fit Catriana. Elle jeta un bref coup d'œil à Selvena. « À moins, bien sûr, que votre choix se limite à Devin. »

Devin tressaillit, bien que cette pique ne lui fût pas vraiment destinée. Selvena sursauta de nouveau, visiblement troublée pour la seconde fois en peu de temps. Devin, qui l'observait du coin de l'œil, vit passer une expression mystérieuse sur le visage d'Alaïs.

Selvena se défendit avec conviction et jura qu'elle voulait parler d'eux tous, bien entendu. Alessan semblait beaucoup s'amuser. Devin sentit intuitivement que le prince de Tigane était avant tout un homme sociable et détendu, pas seulement le personnage arrogant et méticuleux qu'il avait découvert dans le pavillon Sandreni.

C'est sa manière de fuir, pensa-t-il brusquement, et il sut immédiatement qu'il était dans le vrai. Il l'avait entendu jouer le *Lamento pour Adaon*.

« Eh bien, fit Rovigo en souriant à Catriana, si vous êtes assez bons pour céder à cette enfant effrontée, dont j'avoue en rougissant qu'elle est mienne, il se trouve que je possède un jeu de flûtes de Tregea – la Triade seule sait pourquoi. Je crois me rappeler qu'à une époque j'étais suffisamment aveugle pour croire que l'une de ces créatures manifesterait un quelconque talent. »

À quelques pas de là, Alix brandit une cuillère et fit mine de vouloir frapper son mari. Nullement décontenancé, Rovigo, dont la bonne humeur n'avait pas tardé à revenir, envoya sa plus jeune enfant quérir les flûtes tandis qu'il remplissait de nouveau les verres.

Devin croisa le regard doux et sérieux d'Alaïs, assise près de la cheminée. Il lui sourit instinctivement. Elle ne lui rendit pas son sourire mais ne détourna pas le regard non plus. Il sentit son cœur battre un peu plus vite.

Quand le repas fut terminé, Catriana et lui chantèrent pendant plus d'une heure, accompagnés par Alessan. Au milieu de ce récital, tandis qu'ils entonnaient une ballade des montagnes du Certando, Rovigo sortit quelques instants et revint avec un tambour double du Senzio. Timidement, il se mit à battre doucement la mesure, se révélant aussi compétent dans ce domaine que dans beaucoup d'autres. Catriana lui adressa un sourire absolument éblouissant. Il n'en fallait pas davantage pour que Rovigo continuât de les accompagner aux chants suivants.

Un regard de ces yeux-là devrait suffire à encourager n'importe quel homme à accomplir quelque chose en ce bas monde, songea Devin. Non pas que Catriana l'eût jamais gratifié, lui, d'un pareil sourire ou de quoi que ce soit d'approchant. Il se sentit confus tout à coup.

Quelqu'un, qui ne pouvait être autre qu'Alaïs, lui avait versé un troisième verre de vin. Il but un peu plus vite qu'il n'aurait dû, sachant à quelle allure le vin bleu peut vous monter à la tête, puis il indiqua aux trois autres le morceau suivant, qui serait aussi le dernier pour les deux plus jeunes, ordonna Alix, malgré les protestations des intéressées.

Il ne pouvait pas chanter à la gloire de la Tigane, et il n'allait certainement pas choisir une chanson d'amour, aussi entonna-t-il un très vieux chant qui raconte comment Eanna fit les étoiles et consigna le nom de chacune dans sa mémoire, afin que rien ne pût se perdre ni s'oublier dans les abîmes du temps et de l'espace.

Aucun autre chant ne traduisait mieux le sens que cette nuit avait revêtu pour lui, et pourquoi il avait finalement pris la décision qu'il avait prise.

Dès les premières notes, Alessan le regarda pour lui signifier qu'il savait et comprenait, tandis que Catriana lui décochait un regard bref et énigmatique avant de se joindre à eux. Rovigo abandonna ses tambours pour mieux les écouter. Devin vit qu'Alaïs l'observait, grave et concentrée, la chevelure éclairée par le feu qui brûlait derrière elle. Il chanta tout un couplet à son intention, puis, par respect pour le chant, tourna son regard vers lui-même, là où il était sûr de trouver les sons les plus purs, et cessa de voir les autres tandis qu'il chantait pour Eanna cet hymne sur les noms, sur la nécessité de donner un nom à chaque chose.

Au milieu du chant, il eut soudain une vision : une étoile d'un blanc bleuté, une certaine Micaela, planant au-dessus de la nuit noire ; il laissa l'acuité de cette image le porter toujours plus haut, en harmonie avec Catriana, avant de redescendre doucement et de mener le chant à sa conclusion.

Dans l'atmosphère sereine ainsi créée, Selvena et les deux plus jeunes allèrent se coucher dans un calme étonnant. Peu après, Alix se leva également et, au grand regret de Devin, Alaïs fit de même.

Sur le pas de la porte, elle se tourna vers Catriana.

« Vous devez être très fatiguée, dit la fille de Rovigo. Si vous le souhaitez, je peux vous montrer votre lit. J'espère que vous ne verrez pas d'objection à partager ma chambre. En règle générale, c'est Selvena qui dort dans l'autre lit, mais ce soir elle s'est installée dans la chambre des petites. »

Devin craignait que Catriana ne fît des difficultés devant cette séparation manifeste des sexes. Mais elle l'étonna de nouveau car elle n'hésita pas plus d'une seconde avant de se lever. « Je suis effectivement très fatiguée, et cela ne me dérange pas du tout de partager, dit-elle. Au contraire, cela me rappellera mon enfance. »

Devin, qui avait pris le parti de sourire de l'ironie de la situation, s'aperçut qu'il aurait peut-être mieux fait de s'abstenir, car Catriana l'avait vu. Il se surprit à le déplorer : il était certain qu'elle allait l'interpréter de travers. Il ne parvenait pas à croire qu'ils aient pu faire l'amour le matin même.

Après le départ des femmes, chacun des trois hommes observa un moment de silence, comme perdu dans ses pensées. Rovigo se leva et alla remplir leurs verres avec ce qu'il restait de vin. Il mit une bûche sur le feu et demeura auprès jusqu'à ce qu'elle se fût enflammée. Il retourna s'asseoir avec un soupir. Tout en tripotant son verre, il regarda l'un et l'autre de ses invités.

Ce fut Alessan qui rompit le silence cependant. « Devin est un ami, dit-il posément. Nous pouvons parler en sa présence, Rovigo, même si je crains qu'il ne soit extrêmement fâché contre nous. »

Devin se redressa brusquement et posa son verre. Rovigo esquissa une grimace et le regarda brièvement ; puis il se tourna de nouveau vers Alessan, l'air serein.

« Je me suis posé la question, dit-il. Et pourtant je me doutais qu'il était peut-être des nôtres maintenant, étant donné les circonstances. » Alessan souriait. Tous deux se tournèrent vers Devin.

Celui-ci sentit qu'il rougissait, tandis que son cerveau énumérait en hâte les événements de la journée précédente. Il foudroya Rovigo du regard. « Ce n'est pas par accident que vous m'avez abordé à *l'Oiseau Marin*, c'est Alessan qui vous a envoyé. Tu lui as demandé de me suivre, n'est-ce pas ? » lança-t-il en se tournant vers le prince.

Les deux hommes échangèrent encore un regard, avant qu'Alessan se décidât à répondre.

« C'est vrai, reconnut-il. Je me doutais que Sandre d'Astibar aurait droit à des rites funèbres et qu'on nous demanderait de participer à une audition. Je ne pouvais pas me permettre de perdre ta trace, Devin.

— Je t'ai suivi tout au long de la rue des Temples », ajouta Rovigo, qui eut le bon goût de paraître gêné, comme le remarqua Devin.

Il n'en demeurait pas moins que le jeune homme se sentait furieux et troublé. « Vous avez menti alors, quand vous m'avez soutenu que vous veniez toujours à *l'Oiseau Marin* après avoir mis pied à terre.

— Non, c'est vrai, fit Rovigo. Tout ce que j'ai pu te dire est vrai, Devin. Les circonstances t'ont contraint à te diriger vers le port et, par chance, tu as atterri dans un établissement que je connais bien.

— Et Catriana ? poursuivit Devin, furieux. Comment est-ce qu'elle…

— J'ai payé un garçon pour qu'il coure porter un message à votre auberge quand je me suis aperçu que le vieux Goro t'autorisait à rester. Devin, ne sois pas fâché. Il y avait une raison à tout cela.

— Certainement, confirma Alessan. Je suis sûr que tu t'en rends compte maintenant. La raison pour laquelle Catriana et moi sommes venus à Astibar avec la troupe de Menico est que j'attendais beaucoup du décès de Sandre.

— Que dis-tu là ? s'écria Devin. Tu attendais beaucoup de ce décès ? Mais comment savais-tu qu'il allait mourir ?

— C'est Rovigo qui me l'a dit », répondit Alessan en toute simplicité. Il observa un court silence. « Cela

fait neuf ans qu'il me renseigne sur ce qui se passe en
Astibar. À l'époque, j'ai eu la même opinion de lui que
toi hier, et presque aussi vite.»

Devin, décontenancé par la nouvelle, regarda le
marchand, ce nouvel ami qu'il avait rencontré par
hasard la veille. Or il s'avérait que le hasard n'y était
pas vraiment pour grand-chose. Rovigo posa son verre.

«Je partage votre opinion sur les tyrans, dit-il tranquillement, qu'il s'agisse d'Alberico ici, ou de Brandin
d'Ygrath à Chiara, en Corte et en Asoli ainsi que dans
la province d'Alessan, dont je ne parviens pas à retenir
le nom, quoi que je fasse.

— Et le duc Sandre, demanda Devin, comment avez-
vous su que… ?

— En épiant les Sandreni, dit calmement Rovigo.
Ça n'a pas été bien difficile. J'ai toujours surveillé les
allées et venues de Tomasso. Ils étaient tellement préoc-
cupés par Alberico que je n'ai pas eu grand mal à
pénétrer sur leurs terres, d'autant plus que nous sommes
voisins. Cela fait des années que je suis au courant de
la supercherie de Tomasso et, bien que je ne sois pas
très fier d'être allé jusque-là, je dois confesser que j'ai
passé plus d'une nuit sous les fenêtres de leur demeure,
à les écouter mettre au point les détails de la mort de
Sandre.»

Devin jeta un coup d'œil à Alessan. Il ouvrit la bouche comme pour faire une remarque, puis se ravisa.

Alessan hocha la tête. «Merci», dit-il. Il se tourna
alors vers Rovigo. «Il y a une ou deux choses qu'il est
préférable que tu ignores, pour ta propre sécurité et
celle de ta famille. Je crois que tu sais désormais que je
n'agis pas de la sorte par manque de confiance en toi.

— Au terme de ces neuf années, il ne me viendrait
pas à l'idée d'en douter, murmura Rovigo. Que dois-je
savoir des événements de ce soir?

— Alberico a fait irruption peu après que j'eus rejoint
Tomasso et les deux seigneurs chargés de veiller le
corps du duc. Baerd et Catriana ont donné l'alerte, et

j'ai eu le temps d'aller me cacher en emmenant Devin, qui était venu là de sa propre initiative.

— Vraiment ? Comment est-ce possible ? » demanda Rovigo d'un ton sec.

Devin releva la tête. « J'ai mes propres sources d'information », déclara-t-il dignement. En observant Alessan du coin de l'œil, il vit qu'il riait et se sentit brusquement ridicule. L'air penaud, il ajouta : « J'ai surpris la conversation des Sandreni pendant la pause entre la première et la seconde partie des rites. »

Rovigo semblait sur le point de poser une ou deux autres questions mais, après avoir échangé un regard avec Alessan, il décida de s'abstenir. Devin lui en fut reconnaissant.

« Quand nous sommes retournés au pavillon, poursuivit le prince, les deux seigneurs étaient morts et Tomasso avait été fait prisonnier. Baerd est resté dans les parages pour régler un certain nombre de choses. Puis il mettra le feu au pavillon.

— Nous avons croisé les Barbadiens en quittant la ville. J'ai vu Tomasso parmi eux, et j'ai eu peur pour toi, Alessan.

— Avec raison, répondit sèchement Alessan. Il y avait un indicateur parmi eux. Herado, le fils de Gianno, était au service d'Alberico. »

Rovigo ne put cacher son émoi. « Un membre de la famille ? Que Morian le condamne aux ténèbres perpétuelles pour une pareille ignominie ! s'écria-t-il sans ménagements. Comment a-t-il pu faire une chose pareille ? »

Alessan eut ce petit haussement d'épaules qui lui était propre. « Beaucoup de valeurs ont été bafouées depuis l'arrivée des tyrans, tu ne crois pas ? »

Il y eut une pause pendant laquelle Rovigo s'efforça de contenir son indignation et sa colère. Mais Devin fut pris d'une toux nerveuse et rompit le silence. « Est-ce que votre famille est au courant de…

— Elles ne savent rien du tout, fit le marchand en recouvrant son calme. Ni Alix ni les filles n'avaient vu

Alessan et Catriana avant ce soir. J'ai rencontré Alessan et Baerd dans la ville de Tregea, il y a neuf ans, et nous avons découvert, au cours d'une longue nuit ensemble, que nous avions certains rêves et certains ennemis en commun. Ils m'ont fait part de leurs intentions, et je me suis déclaré prêt à faire tout ce que je pourrais pour les aider dans leur quête, à condition de ne pas mettre en péril la sécurité de ma femme et de mes filles. Je me suis tenu à cette résolution et continuerai de m'y tenir. J'espère vivre assez vieux pour entendre le serment qu'Alessan murmure quand il boit du vin bleu.»

Il s'était exprimé d'une voix calme mais réellement émue. Devin regarda le prince et se souvint qu'il avait prononcé des paroles inaudibles avant de boire.

Alessan dévisagea longuement Rovigo. «Il y a une autre chose que tu devrais savoir: outre des raisons évidentes, Devin est des nôtres pour un motif que j'ai découvert accidentellement hier après-midi: lui aussi est né dans ma province avant qu'elle ne tombe. Et c'est pourquoi il est ici ce soir.»

Rovigo ne répondit pas.

«Quel est ce serment?» demanda Devin. Puis il ajouta d'une voix hésitante: «S'agit-il de quelque chose que je devrais savoir?

—Oui, mais pas pour des raisons stratégiques; il s'agit seulement d'une prière de mon invention.» Alessan se mit à parler d'une voix prudente mais distincte:

«Je la répète encore et encore. Je dis: *Tigane, que le souvenir que j'ai de toi soit comme une épée dans mon âme.*»

Devin ferma les yeux. Les paroles et la voix. Nul ne dit mot. Il rouvrit les yeux et regarda Rovigo, dont le front était plissé par la colère et la consternation.

«Devin, lui, devrait être en mesure de comprendre, lui dit Alessan d'une voix douce. Cela fait partie de l'héritage qu'il a accepté. Que m'as-tu entendu dire?»

Rovigo eut un geste de frustration. «La même chose que la première fois où la situation s'est présentée. Cette fameuse nuit, il y a neuf ans, au moment où nous nous

sommes mis à boire du vin bleu, je t'ai entendu demander que le souvenir de quelque chose soit comme une
épée en toi. Dans ton âme. Mais je n'ai pas entendu…
Je n'ai toujours pas saisi le début. Le quelque chose.

—Tigane », répéta Alessan d'une voix tendre et
cristalline.

Mais Devin vit que Rovigo semblait de plus en plus
perplexe et accablé. Le marchand prit son verre et le
vida d'un trait. « Tu veux bien… répéter encore une
fois ?

—Tigane », fit Devin avant qu'Alessan ait eu le
temps d'ouvrir la bouche. Pour faire véritablement sien
ce patrimoine et le chagrin indissociable qui déjà lui
appartenaient bel et bien. Car ce pays était son pays,
ou l'avait été, ce nom faisait partie de son nom, et tous
deux étaient perdus, lui avaient été dérobés.

« Que le souvenir que j'ai de toi soit comme une
épée dans mon âme », dit-il d'une voix chancelante
bien qu'il ait essayé jusqu'au bout de garder le même
ton assuré qu'Alessan.

Dérouté et visiblement malheureux, Rovigo secoua
la tête.

« C'est le pouvoir magique de Brandin d'Ygrath qui
est cause de ceci ?

—En effet », fit Alessan, catégorique.

Rovigo soupira et se carra dans son fauteuil. « Pardonnez-moi, dit-il, pardonnez-moi tous deux. Je n'aurais
pas dû soulever cette question. J'ai rouvert une blessure.

—Mais c'est moi qui en ai parlé le premier, s'empressa de rectifier Devin.

—La blessure ne s'est jamais refermée », déclara
Alessan quelques instants plus tard.

Il émanait une telle compassion du visage de Rovigo
qu'il était difficile de voir en lui cet homme badin qui,
la veille encore, se disait prêt à accepter des pâtres du
Senzio comme époux pour ses filles. Le marchand se
leva brusquement pour aller s'occuper du feu qui, pourtant, brûlait admirablement. Pendant ce temps, Devin

se tourna vers Alessan et leurs regards se croisèrent. Ils n'échangèrent aucune parole mais Alessan leva légèrement les sourcils et eut ce haussement d'épaules que Devin connaissait bien maintenant.

« Qu'allons-nous faire à présent ? » demanda Rovigo d'Astibar, debout près de son fauteuil. Il avait le teint un peu rouge, peut-être à cause du feu. « Cette affaire m'affecte autant que lorsque nous nous sommes rencontrés la première fois. Je n'aime pas la magie, surtout ce genre de magie. C'est d'une importance… primordiale pour moi : je veux être un jour capable d'entendre ce qu'on m'empêche d'entendre. »

Devin sentit un frisson d'exaltation le parcourir : l'autre facette des sentiments qui l'animaient ce soir-là. La petite vexation qu'il avait ressentie à s'être fait berner de la sorte à l'*Oiseau Marin* avait entièrement disparu. Ces deux hommes, ainsi que Baerd et le duc, étaient des hommes de poids, avec qui il fallait compter, car ils formaient des plans susceptibles de modifier la carte de la Palme et du reste du monde. Et il se tenait auprès d'eux ; comme eux, il poursuivait un rêve de liberté. Il but une grande gorgée de vin bleu.

Alessan avait l'air soucieux, cependant. Il donnait l'impression d'être en proie à un nouveau dilemme. Il s'installa plus profondément dans son fauteuil et passa la main dans ses cheveux emmêlés ; pendant un long moment, il se contenta de regarder Rovigo.

Devin épiait tantôt l'un tantôt l'autre ; l'exaltation de tout à l'heure était retombée presque aussi vite qu'elle était venue.

« Rovigo, ne t'avons-nous pas déjà suffisamment impliqué ? demanda Alessan. Je dois avouer que je me sens plus responsable encore maintenant que j'ai fait la connaissance de ta femme et de tes filles. L'année à venir risque d'être décisive et ô combien dangereuse. Quatre hommes sont morts dans le pavillon ce soir, et tu sais aussi bien que moi qu'un grand nombre vont périr sur les roues d'Astibar dès la semaine prochaine.

Jusqu'à présent, tu as eu l'obligeance de toujours prêter une oreille attentive, aussi bien ici qu'en voyage, et tu as accepté de surveiller les faits et gestes d'Alberico et de Sandre. Baerd, toi et moi nous sommes retrouvés à intervalles réguliers pour échanger un salut, paume contre paume, et bavarder en amis. Mais les règles du jeu sont en train de changer, et j'ai grand-peur de t'exposer à de réels dangers. »

Rovigo hocha la tête. « Je m'attendais à ce que tu t'exprimes de la sorte, et je te suis reconnaissant de t'inquiéter ainsi pour ma famille et moi-même. Mais, Alessan, il y a longtemps que ma décision est prise. Je n'ai jamais pensé que nous pourrions recouvrer la liberté et gagner ce combat sans qu'il y ait un prix à payer. Il y a trois jours de cela, tu nous as dit que le printemps prochain marquerait un tournant pour nous tous. Si je peux t'être utile dans les jours à venir, il faut me le dire. » Il hésita avant d'ajouter : « Une des raisons pour lesquelles j'aime Alix, ma femme, est qu'elle m'approuverait si elle savait. »

Alessan n'avait toujours pas recouvré sa sérénité. « Mais elle n'est pas là et elle ne sait pas, fit-il ; il y a des raisons à cela, et il y en aura davantage encore après cette nuit. Et tes filles ? Comment pourrais-je te demander de les mettre en danger ?

— Mais comment peux-tu décider à notre place ? rétorqua Rovigo d'une voix douce mais ferme. Où sont notre faculté de choisir, notre liberté, si tu agis ainsi ? Je préférerais bien évidemment ne rien entreprendre qui puisse leur faire du tort ; je ne peux pas pour autant renoncer à toute activité professionnelle. Mais, à l'intérieur de ces limites, n'y a-t-il pas quelque chose que je puisse faire pour aider ? »

Devin, qui comprenait les hésitations d'Alessan, opta pour un silence grave. Cet aspect des choses lui avait totalement échappé, tandis qu'Alessan, lui, y songeait depuis toujours. Il était dégrisé, assagi et rempli d'appréhension ; mais ce n'était pas pour sa propre vie qu'il craignait.

« Toutes nos activités ou presque font courir des risques aux autres », avait déclaré le prince dans la forêt,
quand Devin faisait allusion au sort de Menico. Et maintenant il prenait conscience de la douloureuse réalité
qui se cachait derrière ces paroles.

Il refusait que ces gens dussent souffrir d'aucune
manière. Son exaltation dissipée, il venait de toucher
du doigt l'un des nombreux soucis qui découlaient de
la voie qu'il avait choisie. Il était confronté à la distance
que cette voie mettait entre leur petit groupe et, semblait-
il, tous ceux qu'ils étaient susceptibles de rencontrer.
Même leurs amis. Même ceux qui, à des degrés divers,
partageaient leur rêve. Il se remémora l'attitude de
Catriana dans le palais et se dit qu'il la comprenait
encore mieux maintenant qu'il y avait une heure.

Tout en laissant cette nouvelle sagesse faire son
chemin en silence, Devin observait Alessan, qui ne
prenait pas garde à dissimuler ses émotions, et il fut
témoin de la difficulté qu'il avait à assumer pareille
décision. Il le vit prendre une longue et profonde inspiration avant d'endosser ce nouveau fardeau, la rançon
de son lignage.

Alessan sourit d'un sourire étrange et triste. « Si, en
fait, dit-il à Rovigo, il y a quelque chose que tu peux
faire pour nous aider. » Il hésita, puis son sourire s'élargit de façon inattendue et illumina tout son visage
jusqu'aux yeux. « As-tu déjà songé, demanda-t-il d'une
voix faussement neutre, à prendre un associé ? »

Rovigo le regarda d'abord d'un air perplexe, puis
lui adressa à son tour un sourire entendu et rayonnant
en guise de réponse. « Je vois, dit-il, tu as besoin de
pouvoir accéder à certains endroits. »

Alessan hocha la tête. « Et ce n'est pas la seule raison. Nous sommes plus nombreux désormais. Devin
nous a rejoints, d'autres en feront peut-être autant avant
le printemps. Les données ont changé depuis l'époque où
Baerd et moi étions seuls. J'y réfléchis depuis l'arrivée
de Catriana. »

Il se mit à parler sur un ton vif et cassant, que Devin l'avait déjà entendu prendre au pavillon de chasse : un ton seyant à l'homme qu'il avait découvert là-bas. « En tant qu'associés, poursuivit Alessan, nous pourrons avoir recours à des moyens de communication plus légitimes, et je vais avoir régulièrement besoin d'informations pendant l'hiver. Il est normal que des associés échangent des lettres concernant les affaires susceptibles d'affecter leur commerce. Et, bien entendu, toutes les affaires affectent le commerce.

—Et comment ! fit Rovigo tout en fixant Alessan du regard.

—Nous communiquerons directement quand ce sera possible ; sinon, par l'intermédiaire de Taccio à Ferraut. » Il jeta un coup d'œil à Devin. « Je connais Taccio de longue date, tu sais, et ce n'était pas une coïncidence non plus. Je présume que tu l'avais deviné ? » Devin ne s'était même pas posé la question, à vrai dire, mais, avant même qu'il ait eu le temps de répondre, Alessan avait repris sa conversation avec Rovigo. « Je suppose que tu as un réseau de courriers dignes de confiance ? » Rovigo hocha la tête.

« Nous sommes confrontés à un nouveau problème, vois-tu, ajouta Alessan, c'est qu'après notre succès de ce matin nous ne pouvons plus continuer à voyager comme musiciens : nous allons être victimes de notre notoriété. Si j'y avais pensé à temps, j'aurais sorti quelques fausses notes et demandé à Devin d'être un peu moins convaincant.

—Ce n'est pas vrai, fit Devin sans lever le ton. Tu aurais inventé je ne sais quel stratagème, mais je te crois incapable de gâcher un morceau de musique. »

Alessan encaissa le coup en faisant la grimace. Rovigo sourit.

« Tu as peut-être raison, murmura le prince. Ce fut un moment unique, n'est-ce pas ? »

Tous trois demeurèrent silencieux. Rovigo se leva et mit une autre bûche sur le feu.

« Tout ceci est cohérent, reprit Alessan. Il y a des endroits et des secteurs d'activités où il serait étrange de rencontrer des artistes, surtout des artistes connus ; en tant que marchands, par contre, notre présence se justifiera.

— Tu penses à certaines îles, peut-être ? demanda Rovigo, debout près de la cheminée.

— Peut-être serons-nous obligés d'en arriver là, répondit Alessan. Ce qui me fait dire que les deux statuts peuvent nous être utiles, parce qu'à la cour de Brandin, sur l'île de Chiara, les artistes sont toujours les bienvenus. Cela nous laisse le choix, et j'aime bien avoir plusieurs cordes à mon arc. Il est déjà arrivé qu'un personnage que j'incarnais doive disparaître ou mourir. » Il s'exprimait d'une voix tranquille, terre à terre. Il prit une gorgée de vin.

Puis il se tourna de nouveau vers Rovigo, lequel se frottait le menton à la manière d'un homme d'affaires cupide et malin.

« Eh bien, dit-il en prenant une voix rapace et enjôleuse à la fois, il semble que vous veniez de faire une proposition des plus… alléchantes, messieurs. Néanmoins, je dois vous poser une ou deux questions préliminaires. Cela fait un moment que je connais Alessan, mais nous n'avions jamais évoqué pareille association, vous comprenez. » Pour accentuer encore sa prétendue fourberie, il réduisit ses yeux à l'état de fentes. « Si vous vous y connaissez un tant soit peu en affaires, jeune homme, le moment est venu d'en faire la preuve. »

Alessan éclata de rire, mais retrouva vite son sérieux. « Tu as des fonds disponibles ? demanda-t-il.

— Je viens de rentrer au port, répondit Rovigo, avec l'argent des transactions de ces deux derniers jours et la possibilité d'emprunter une avance sur les profits que je vais réaliser dans les semaines à venir. Pourquoi ?

— Je suggère que tu achètes du grain – une quantité raisonnable mais discrète – dans les prochaines quarante-huit heures. Ou même vingt-quatre heures, si c'est possible. »

Rovigo réfléchit. «Je pense que oui. Et, comme mes moyens sont assez limités, mes achats ne devraient pas éveiller l'attention. J'ai un contact, le gérant des fermes des Nievolene, près de la frontière du Ferraut.

—Non, oublie les Nievolene», l'interrompit Alessan.

Nouveau silence. Rovigo hocha lentement la tête. «Je vois, fit le marchand dont la vivacité d'esprit étonna Devin une fois de plus. Tu penses qu'il faut s'attendre à des confiscations une fois la fête terminée?

—J'en suis sûr. Parmi d'autres représailles plus terribles encore. Tu as un autre moyen d'acheter du grain?

—Peut-être.» Rovigo regarda Alessan, puis Devin, et de nouveau Alessan. «Ainsi donc j'ai quatre associés: Catriana, vous deux et Baerd. C'est bien cela?»

Alessan hocha la tête. «C'est presque cela. Cinq en vérité, car j'envisage d'associer une autre personne à nos bénéfices, si tu n'y vois pas d'inconvénient.

—Et pourquoi en verrais-je? dit Rovigo en haussant les épaules. Cela ne modifie en rien ma quote-part. Est-il prévu que je la rencontre?

—Je l'espère, à plus ou moins brève échéance. Je pense que vous vous entendrez.

—Très bien, fit Rovigo. Les termes habituels d'un tel partenariat sont de deux tiers à celui qui investit les fonds et un tiers à celui qui se déplace et donne de son temps. Suite à ce que tu viens de dire, il me semble normal de prendre en compte les informations essentielles que tu es susceptible de fournir à notre entreprise. Je propose donc moitié-moitié pour toutes les affaires que nous gérerons conjointement. Cela vous paraît-il acceptable?»

Il regarda Devin. Celui-ci prit un air compassé et répondit: «Je pense que oui.

—C'est plus qu'honnête», reconnut Alessan. Il avait retrouvé une expression préoccupée et Devin crut qu'il allait ajouter quelque chose.

« Marché conclu, se hâta de déclarer Rovigo. Rien de plus à ajouter, Alessan. Nous irons en ville demain pour faire rédiger et sceller un contrat en bonne et due forme. Quelle direction envisagez-vous de prendre une fois la fête terminée ?

— Celle du Ferraut, je pense. Nous pouvons discuter de ce que nous ferons ensuite, mais il faut d'abord que je règle une affaire là-bas. J'ai aussi une idée de commerce avec le Senzio à te soumettre.

— La direction du Ferraut ? » fit Rovigo en ignorant ces dernières paroles. Un large sourire éclaira bientôt son visage. « Le Ferraut ! Mais c'est magnifique, tout bonnement magnifique ! Vous allez déjà nous faire réaliser une sérieuse économie. Je vais vous donner une charrette, et vous allez me livrer le lit d'Ingonida ! »

◆

En montant l'escalier, Alaïs ne se rappelait pas s'être jamais sentie aussi heureuse. Elle n'était pourtant pas sujette à des accès de morosité comme Selvena, mais la vie domestique ne réservait guère de surprises, surtout quand son père était absent.

Et voilà qu'il se produisait une foule d'événements en même temps.

Rovigo venait de rentrer d'un voyage plus long que d'habitude le long de la côte. Alix et Alaïs n'étaient jamais très rassurées lorsqu'il franchissait les montagnes pour s'aventurer en Quileia, même après qu'il leur eut juré d'être prudent. De plus, il avait entrepris ce voyage tard dans la saison, au risque de se faire surprendre par les vents d'automne. Mais il était de retour, juste à temps pour la fête des Vignes. C'était la deuxième fois qu'elle s'y rendait, et elle avait goûté chaque minute de la journée comme de la soirée, ouvrant de grands yeux vifs et observateurs, absorbant les moindres détails.

Le matin, elle était restée parfaitement immobile au milieu de la foule qui s'était rassemblée sur la place devant le palais Sandreni, et elle avait entendu une voix pure s'élever de la cour intérieure au milieu d'un auditoire remarquablement silencieux. Une voix qui se lamentait sur la mort d'Adaon parmi les cèdres de Tregea, une voix dont l'amertume et la douceur avaient bien failli la faire pleurer. Elle avait alors choisi de fermer les yeux.

Quel n'avait pas été son étonnement, puis sa fierté, lorsque Rovigo leur avait appris incidemment qu'il avait partagé une bouteille de vin avec l'un des chanteurs de la troupe choisie pour interpréter les rites funèbres du duc ! Il avait même invité le jeune homme à venir faire la connaissance de sa disgracieuse progéniture. Ces incessantes taquineries ne la dérangeaient pas le moins du monde. Elle aurait eu l'impression que quelque chose n'allait pas si Rovigo avait parlé de ses filles autrement. D'ailleurs, aucune d'entre elles n'avait jamais douté de l'affection de leur père ; il leur suffisait de regarder ses yeux.

Sur le chemin du retour, déjà passablement perturbée par le tintamarre des soldats barbadiens qu'ils avaient croisés près des remparts de la ville, elle avait eu une vraie frayeur lorsqu'une voix les avait hélés dans l'obscurité, à la porte de chez eux.

Puis, quand son père avait répondu et qu'elle avait commencé à comprendre de qui il s'agissait, Alaïs s'était mise à craindre que son cœur ne s'arrêtât tant son exaltation était grande. Elle avait alors senti ses joues s'empourprer de façon éloquente.

Quand il devint manifeste que les chanteurs allaient accepter leur invitation, il lui fallut faire un énorme effort pour se ressaisir et retrouver la contenance et le maintien dignes d'une aînée en qui ses parents avaient toute confiance.

Une fois dans la maison, la tâche lui parut plus facile car, dès que les invités eurent franchi le seuil, Selvena, comme Alaïs s'y attendait, manifesta clairement son désir de séduire. Les intentions derrière sa conduite étaient si évidentes et si embarrassantes qu'Alaïs se réfugia aussitôt dans son rôle habituel, celui d'une observatrice détachée. Depuis plusieurs mois, Selvena pleurait à tout bout de champ à la seule perspective d'être encore célibataire au printemps prochain, quand on fêterait le dix-huitième anniversaire de sa nomination.

Devin, le chanteur, était plus petit et paraissait plus jeune qu'elle se l'était imaginé. Mais il était souple et bien proportionné, souriait sans affectation et possédait des yeux vifs et intelligents sous des cheveux châtain clair qui retombaient en boucles sur ses oreilles. En dépit des affirmations de son père, elle craignait qu'il ne fût arrogant, prétentieux, mais il n'en était rien.

Son compagnon, Alessan, paraissait quinze années de plus au moins. Ses cheveux noirs et touffus grisonnaient prématurément sur les tempes. Il avait le visage osseux, remarquablement expressif, avec des yeux d'un gris très pâle et une grande bouche. Il l'intimidait un peu, bien que d'emblée il se fût mis à plaisanter naturellement avec son père, dans le registre préféré de Rovigo.

C'est en cela qu'il lui en imposait, se dit Alaïs, car elle avait rarement rencontré de gens capables de rivaliser avec son père, en humour comme dans d'autres domaines. Et cet homme aux traits anguleux, au regard ironique, n'avait visiblement aucun mal à se placer sur un pied d'égalité avec lui. Elle se demandait comment c'était possible chez un musicien trégéen, tout en reconnaissant que c'était assez méprisant de sa part, d'autant plus qu'elle connaissait mal le milieu des musiciens.

Ce qui l'amenait à se poser davantage de questions encore sur la jeune femme. Alaïs trouvait Catriana terriblement séduisante. À contempler son imposante stature, ses yeux étonnamment bleus et sa crinière rousse qui flamboyait autant que le feu dans la cheminée, Alaïs se sentait fluette, pâle et quelconque. Curieusement, cette constatation, ajoutée à la façon indécente qu'avait Selvena de flirter, contribuait à la détendre plutôt qu'à la perturber : ce type d'exercice, hautement compétitif, n'était pas pour elle ; elle n'entendait pas s'y impliquer. En l'observant attentivement, elle vit Catriana prendre note des effets de jupons de Selvena, assise aux pieds de Devin, et intercepta le regard sardonique que la chanteuse aux cheveux de feu lançait à son compagnon.

Alaïs décida de se rendre à la cuisine. Menka et sa mère avaient sans doute besoin d'aide. Quand elle entra, Alix lui adressa un petit regard songeur mais ne fit pas de commentaire.

Elles s'empressèrent de préparer le repas. Alaïs retourna au salon pour aider à disposer les plats ; puis elle s'assit dans son fauteuil préféré près du feu, et elle écouta. Plus tard, elle se félicita de l'audace de Selvena : personne d'autre n'aurait jamais osé demander à leur invité de chanter.

Comme elle pouvait voir les artistes cette fois, elle garda les yeux ouverts. Un peu avant la fin, Devin chanta en s'adressant directement à elle, et Alaïs, qui se sentait rougir jusqu'aux oreilles, s'obligea à ne pas détourner le regard. Tandis qu'il chantait les dernières mesures du chant d'Eanna nommant les étoiles, ses pensées prirent une direction inhabituelle, proche des spéculations auxquelles Selvena se livrait chaque nuit, avec force détails. Alaïs se mit à espérer que les autres attribueraient la couleur de ses joues à la chaleur que dégageait le feu.

Une chose l'intriguait cependant, elle qui avait depuis toujours l'habitude d'observer les gens. Il y avait quelque chose entre Devin et Catriana, mais ce n'était certainement pas de l'amour ni même de la tendresse tels qu'elle concevait l'un et l'autre sentiment. Ils se regardaient de temps à autre, de préférence à la dérobade, et se lançaient des coups d'œil de défi. Elle se fit de nouveau la réflexion que l'univers de ces gens était plus éloigné du sien qu'elle ne pouvait l'imaginer.

Les trois plus jeunes prirent congé. Selvena obtempéra avec une bonne volonté plus que louche et toucha la paume de main des deux hommes du bout des doigts en guise d'adieu ; Alaïs en fut choquée. Elle surprit le regard de son père et, quand sa mère se leva quelques instants plus tard, elle la suivit.

En invitant Catriana à monter avec elle, elle avait obéi à une impulsion, rien de plus. Après avoir prononcé ces paroles, elle comprit ce qu'elles pouvaient avoir d'incongru pour cette femme si indépendante et si manifestement à l'aise en la compagnie des hommes. Alaïs tressaillit intérieurement à sa maladresse de petite provinciale et se prépara à une rebuffade. Mais Catriana se leva et lui adressa un sourire tout à fait gracieux.

« Cela me rappellera mon enfance », dit-elle.

Elles gravirent les marches de l'escalier de concert et passèrent devant les appliques et les tapisseries que son grand-père avait rapportées d'un périple au Khardhun des années auparavant. Alaïs essayait de comprendre ce qui pouvait bien conduire une jeune fille de son âge à rechercher la vie mouvementée des routes et les gîtes incertains, les nuits tardives et les avances d'hommes pour qui sa présence parmi eux en faisait une femme facile. Alaïs essayait vraiment de comprendre, sans y parvenir le moins du monde. En dépit de cela, ou peut-être grâce à cela, quelque chose de généreux en elle devint réceptif à cette femme.

« Merci pour la musique, dit-elle timidement.

— Ce n'est pas grand-chose en regard de votre hospitalité, fit Catriana d'un ton dégagé.

— C'est beaucoup plus que vous ne le pensez, répondit Alaïs. Mais voici notre chambre. Je suis heureuse qu'elle vous rappelle votre propre maison. J'espère que c'est un bon souvenir… » La remarque était un peu indiscrète, et Alaïs se mit à espérer que Catriana ne la trouverait pas franchement impolie. Elle avait envie de parler à cette femme, d'établir une relation amicale, d'apprendre ce qu'elle pourrait sur un mode de vie si éloigné du sien.

Elles entrèrent dans la grande chambre. Menka avait fait du feu et préparé les lits. Les édredons bien rembourrés étaient neufs : des marchandises de contrebande que Rovigo avait rapportées de Quileia, où les hivers étaient bien plus rudes qu'ici.

Catriana rit sous cape et haussa les sourcils tandis qu'elle examinait la chambre du regard. « Le fait de partager ma chambre me rappelle effectivement mon enfance. Mais cette pièce n'a rien à voir avec ce que j'ai connu dans la maison de pêcheur de mes parents. »

Alaïs rougit par crainte d'avoir offensé son invitée mais, avant qu'elle ait pu dire un mot, Catriana se tourna vers elle et, la regardant de ses grands yeux, ajouta d'un ton détaché :

« Dites-moi, allons-nous devoir ligoter votre sœur dans son lit ? On dirait une femelle en chaleur et je crains que les deux hommes n'y survivent pas. »

Alaïs, qui, une seconde plus tôt, se faisait l'effet d'une petite fille gâtée et égoïste, rougit de honte. Puis elle aperçut le sourire furtif sur le visage de Catriana et éclata de rire pour évacuer son malaise et sa culpabilité.

« Elle est incorrigible, n'est-ce pas ? Elle a juré de recourir à quelque moyen tragique pour mettre fin à ses jours si elle n'est pas mariée d'ici la prochaine fête des Vignes. »

Catriana secoua la tête. « J'ai connu des filles comme elle dans mon village. J'en ai aussi rencontré quelques-unes sur la route. Je n'ai jamais pu les comprendre.

— Moi non plus », s'empressa de répondre Alaïs. Catriana la dévisagea, et Alaïs se risqua à sourire. « Eh bien, nous avons au moins un point commun, dit-elle.

— Je suppose », répondit l'autre avec indifférence en s'éloignant. Elle s'approcha d'une tapisserie accrochée au mur. « C'est drôlement joli, dit-elle en la tâtant. Où votre père l'a-t-il achetée ?

— C'est moi qui l'ai faite », répondit Alaïs sèchement. Elle avait brusquement l'impression d'être traitée avec condescendance, et le supportait mal.

Son irritation dut s'entendre à sa voix, car Catriana jeta un coup d'œil par-dessus son épaule. Les deux femmes se regardèrent en silence. Catriana soupira. « Je ne suis pas quelqu'un qui se lie facilement, finit-elle par dire. Je ne crois pas que cela vaille la peine de faire tous ces efforts.

—Je n'ai pas l'impression de faire un effort, répondit calmement Alaïs. D'ailleurs, ajouta-t-elle, j'aurai peut-être besoin de votre aide pour ligoter Selvena. »

D'abord surprise, Catriana éclata de rire. «Elle n'a rien à craindre, dit-elle en s'asseyant sur un des deux lits. Aucun d'eux ne la touchera tant qu'ils seront les invités de votre père. Même si elle se glisse dans leur chambre avec pour tout vêtement un gant rouge. »

Alaïs se sentit choquée pour la deuxième fois de la soirée, mais bizarrement elle y trouva un certain plaisir. Elle rit à son tour et s'assit sur son lit en laissant pendre ses jambes sur le côté. Les pieds de Catriana, remarqua-t-elle avec consternation, étaient posés bien à plat sur la descente de lit.

« Elle en est capable, murmura-t-elle en souriant à l'idée. D'ailleurs, je crois bien qu'elle garde un gant rouge caché quelque part. »

Catriana secoua la tête. «Alors il faut lui passer une corde comme aux génisses, ou faire confiance aux hommes, j'imagine. Mais, comme je l'ai dit, ils ne la toucheront pas.

—Je présume que vous les connaissez bien», lança Alaïs qui ne savait jamais si elle allait essuyer une rebuffade ou faire naître un sourire. Son invitée n'était certes pas une interlocutrice facile.

«C'est Alessan que je connais le mieux, fit Catriana. Mais cela fait longtemps que Devin est sur la route, et je suis sûre qu'il connaît le code. » À ces mots, elle détourna le regard, le visage légèrement empourpré.

Craignant toujours que sa remarque soit mal interprétée, Alaïs demanda prudemment: «C'est un monde qui m'est parfaitement étranger. Y a-t-il vraiment des règles? Est-ce que certains d'entre eux... Vous avez parfois des problèmes quand vous voyagez?»

Catriana haussa les épaules. « Le genre de problèmes dont rêve votre sœur? Non, pas dans le milieu des musiciens. Il y a un code tacite, sinon les troupes ne pourraient engager qu'un certain type de femmes, ce qui serait préjudiciable à la musique. Et la musique est vraiment la priorité de la plupart des troupes. De celles qui souhaitent durer, en tout cas. Les hommes qui importunent les filles peuvent le payer très cher. Si cela se produit trop souvent, ils finissent par ne plus trouver de travail.

— Je vois, dit Alaïs qui essayait de se représenter la situation.

— Il est normal d'avoir un partenaire cependant, ajouta Catriana. C'est quasiment une obligation pour une fille : elle cesse d'apparaître comme un objet de tentation. Alors vous choisissez un homme qui vous plaît, ou une femme, selon votre goût. Bon nombre préfèrent les femmes, à vrai dire.

— Oh », fit Alaïs en joignant les mains sur les genoux.

Catriana, qui était vraiment trop délurée pour elle, lui lança un regard mi-amusé mi-malicieux. « Ne vous inquiétez pas, dit-elle en regardant fixement l'endroit où Alaïs avait posé les mains comme pour former un rempart, ce gant-là ne me sied pas du tout. »

Alaïs ôta promptement ses mains et les posa de part et d'autre de ses hanches, tout en piquant un fard.

« Je ne me sentais pas vraiment inquiétée », dit-elle en s'efforçant de paraître désinvolte. Puis, aiguillonnée par l'expression moqueuse de Catriana, elle lui répliqua : « Et quel gant vous sied, alors ? »

Le sourire ironique de son interlocutrice disparut sur-le-champ. Il y eut un bref silence. Puis : « Vous avez du répondant, fut le commentaire entendu de Catriana. Je n'en étais pas sûre.

— Et vous de la condescendance, rétorqua Alaïs, dans un rare accès de colère. Comment pouvez-vous être sûre de quoi que ce soit à mon sujet ? Et pourquoi vous laisserais-je voir ce que je suis ? »

Il y eut un autre silence, et une fois encore Catriana la surprit. « Je vous demande pardon. Sincèrement. Je ne suis vraiment pas très douée pour établir des rapports amicaux. Je vous avais prévenue. » Elle détourna le regard. « Pour tout vous dire, vous avez touché une corde sensible et, en pareil cas, j'ai tendance à faire des remarques blessantes. »

La colère d'Alaïs retomba aussi vite qu'elle était montée et avait même disparu après que son inter-locutrice se fut expliquée. Et elle est mon invitée, se dit-elle en s'adressant une réprimande intérieure.

Mais elle ne put ni lui répondre ni essayer de renouer avec elle, car à ce moment-là Menka fit une entrée peu discrète dans la chambre ; elle tenait une bassine d'eau chauffée dans la cheminée de la cuisine et, derrière elle, le plus jeune apprenti de Rovigo portait une se-conde bassine et une serviette sur chaque épaule. Le garçon, tout en gardant les yeux rivés au tapis dans une chambre occupée par deux jeunes femmes, déposa consciencieusement la bassine et les serviettes sur la table près de la fenêtre.

Le remue-ménage créé par Menka avec ses bavar-dages brisa l'atmosphère dans ce qu'elle avait d'agréable et de négatif à la fois. Après le départ des serviteurs, les jeunes filles se lavèrent en silence. Alaïs regarda les longues jambes de sa compagne à la dérobée et, songeant à son petit corps blanc et tendre et à la vie douillette qu'elle menait, elle se sentit encore plus démunie. Elle se glissa dans son lit en se disant qu'elle aurait aimé reprendre la conversation à zéro.

« Bonne nuit, dit-elle.

—Bonne nuit », répondit Catriana au bout d'un moment. Alaïs essaya de percevoir une invitation à poursuivre la conversation dans le ton de sa voix, mais en vain. Si Catriana avait envie de parler, conclut-elle, elle ne manquerait pas de le lui faire savoir.

Elles éteignirent les bougies sur les tables de chevet et demeurèrent silencieuses dans la pénombre. Dans la cheminée, le feu rougeoyait encore ; Alaïs posa les orteils sur la brique bien chaude que Menka avait déposée sous les couvertures, et pensa tristement que jamais la distance qui séparait son lit de celui de Selvena ne lui avait semblé aussi grande.

Un peu plus tard, alors qu'il ne restait plus que des braises dans la cheminée, Alaïs, qui ne dormait toujours pas, entendit les trois hommes au rez-de-chaussée éclater de rire. Le rire chaleureux et communicatif de son père fit son chemin en elle et la réconforta. Il était de retour. Elle se sentit en sécurité, protégée. Elle esquissa un sourire dans l'obscurité. Peu après, elle entendit les hommes monter l'escalier et pénétrer dans leurs chambres respectives.

Elle resta éveillée encore un moment, guettant les pas de sa sœur dans le couloir, bien qu'elle ne crût pas sérieusement que Selvena en fût capable. Mais tout était silencieux, et elle s'endormit à son tour.

Elle rêva qu'elle était allongée au sommet d'une colline dans un endroit inconnu. En compagnie d'un homme. Qui se penchait sur elle. Par une nuit douce et étoilée, sans clair de lune. Et le rêve culmina lorsque ainsi couchée aux côtés de cet homme, sur ce sommet battu des vents, au milieu d'une profusion de fleurs estivales mouillées de rosée, elle sentit monter en elle une bouffée de désirs complexes qu'elle n'aurait jamais osé nommer à voix haute.

◆

Il faisait un froid glacial dans le cachot où ils avaient fini par le jeter. Les pierres humides et verglacées sentaient l'urine et les excréments. Ils ne l'avaient pas autorisé à remettre autre chose que son linge de corps et son haut-de-chausses. Des rats couraient dans la cellule. Il ne pouvait pas les voir dans l'obscurité, mais il les avait tout de suite entendus ; à deux reprises déjà, ils l'avaient mordu pendant qu'il somnolait.

Les gardes l'avaient obligé à se dévêtir entièrement. Leur nouveau capitaine, qui remplaçait le suicidé, avait permis à ses hommes de s'amuser avec le prisonnier avant de l'enfermer pour la nuit. Ils connaissaient la réputation de Tomasso. Tout le monde la connaissait. Il avait fait ce qu'il fallait dans ce but, car cela faisait partie de son plan.

Les gardes l'avaient alors déshabillé dans la lumière crue de leur salle et s'étaient livrés à des jeux grossiers : ils l'asticotaient avec la pointe de leur épée ou avec un tisonnier dont ils chauffaient l'extrémité, puis soulevaient son sexe flasque ou lui donnaient des coups dans le ventre et les fesses. Ligoté et impuissant, Tomasso cherchait seulement à fermer les yeux et à prétendre qu'il s'agissait d'un mauvais rêve.

Mais, curieusement, c'était le souvenir de Taeri qui l'en empêchait. Il n'arrivait pas à croire que son jeune frère soit mort. Ou plutôt qu'il se soit montré si courageux, si intransigeant au dernier moment. Cette seule pensée lui donnait envie de pleurer, mais il n'allait tout de même pas faire ce plaisir aux Barbadiens. Il était un Sandreni, après tout. Maintenant qu'il était nu et sans défense et que sa fin approchait, ce nom revêtait une signification plus grande que jamais.

Il garda donc les yeux ouverts et fixa le nouveau capitaine de son regard sombre. Il faisait de son mieux pour ignorer leurs gestes brutaux et les allusions crues, suivies de ricanements, sur ce qui allait lui arriver. Ils n'avaient pas grande imagination finalement. Mais il savait que la journée du lendemain allait être pire. Intolérable même.

Ils le blessèrent de leurs épées et firent couler le sang une fois ou deux, mais sans gravité. Tomasso savait qu'ils avaient ordre de le livrer entier aux professionnels qui se chargeraient de lui le lendemain. En présence d'Alberico.

Pour l'instant, ce n'étaient qu'enfantillages.

Le capitaine finit par se lasser du regard fixe de Tomasso ; ou alors il jugea que le prisonnier avait perdu suffisamment de sang, car une petite flaque commençait à se former à ses pieds. Il ordonna à ses hommes de cesser. Ils le détachèrent et lui rendirent ses sous-vêtements, avec une couverture crasseuse infestée de parasites, puis le poussèrent dans l'escalier obscur qui descendait aux cachots d'Astibar. Ils le jetèrent dans l'un d'eux.

L'ouverture était si basse que, même à genoux, il s'écorcha le sommet du crâne quand ils le poussèrent dedans. Encore du sang, se dit-il en constatant que sa main était gluante. Cela n'avait d'ailleurs que peu d'importance.

Les rats par contre lui faisaient horreur. Il en avait toujours eu peur. Il roula la couverture aussi serrée qu'il put et essaya de s'en servir comme d'un gourdin. Ce n'était pas facile dans l'obscurité.

Tomasso aurait aimé avoir davantage de courage physique. Il se mit à penser à ce qu'ils allaient lui faire le lendemain, et cette perspective, maintenant qu'il était seul, lui noua les intestins.

Il entendit un bruit et mit un moment à comprendre qu'il gémissait. Il s'efforça de se contrôler. Mais il était seul dans l'obscurité glaciale et totalement à la merci de ses ennemis. Sans oublier les rats. Il n'arrivait pas à empêcher complètement les gémissements. Il avait l'impression qu'on lui avait brisé le cœur : les morceaux déchiquetés formaient des aspérités dans sa poitrine. Il essaya néanmoins d'en recoller un certain nombre, de quoi maudire Herado et sa traîtrise, mais rien ne semblait à la hauteur de la faute qu'avait commise son neveu. Rien n'était assez vaste pour la circonscrire.

Il entendit un autre rat et frappa à l'aveuglette avec la couverture roulée qui lui servait d'arme. Il heurta quelque chose et entendit un cri perçant. Il se mit à marteler l'endroit d'où provenait le couinement. Il crut l'avoir tué. En avoir tué un. Il tremblait, mais cette frénésie semblait l'aider à combattre ses faiblesses. Il ne pleurait plus. Il s'appuya contre le mur de pierre humide et visqueux, et ses plaies à vif le firent grimacer de douleur. Il ferma les yeux, bien qu'il ne pût de toute façon rien voir, et pensa à la lumière du soleil.

Il dut s'endormir quelques instants et se réveilla en poussant un cri de douleur : un rat lui avait fait une vilaine morsure à la cuisse. Il battit l'air un moment avec sa couverture, mais il tremblait et ne se sentait pas bien du tout. Il avait les lèvres enflées, pulpeuses, suite au coup que lui avait assené Alberico dans le pavillon de chasse, et éprouvait des difficultés à avaler. Il se tâta le front et en conclut qu'il avait de la fièvre.

Aussi, quand il aperçut la lumière blême d'une bougie, se persuada-t-il qu'il s'agissait d'une hallucination. Son rayonnement lui permit néanmoins de regarder autour de lui. La cellule était toute petite. Près de sa jambe droite gisait un rat mort ; il y en avait deux autres, vivants cette fois, près de la porte. Presque aussi gros que des chats. Sur le mur, il distingua une image du soleil grattée à la surface de la pierre, avec une encoche pour chaque jour sur le pourtour. Tomasso n'avait jamais vu d'image aussi triste. Il la contempla un long moment.

Puis il regarda à nouveau la source de lumière et se dit qu'il s'agissait bel et bien d'une hallucination ou d'un rêve.

C'était son propre père qui tenait la bougie ; il était vêtu de la toge bleu argenté dont on l'avait habillé pour son enterrement et le regardait avec une expression que Tomasso ne lui avait encore jamais vue.

Je dois être en proie à une forte fièvre, se dit-il ; car, du fond de l'abîme où il était plongé, son esprit faisait apparaître une image de ce que son cœur brisé souhaitait si désespérément : une expression de tendresse, d'amour même, en osant le mot, dans le regard de celui qui l'avait battu dans son enfance, puis s'était servi de lui pendant deux décennies pour ourdir un complot contre le tyran.

Le complot avait tourné court. Mais, pour Tomasso, il ne s'achèverait véritablement que le lendemain matin, et de la manière la plus horrible qui soit, dans des douleurs qu'il n'était même pas capable d'imaginer.

Ce rêve lui plaisait cependant, ce fantasme qu'il devait à la fièvre. Il était lumineux. Il tenait les rats à l'écart. Il l'aidait même à supporter le froid engourdissant des pierres humides sous ses pieds et dans son dos.

Il leva une main mal assurée vers la flamme. La gorge sèche, les lèvres déchirées et enflées, il ne parvint qu'à émettre un son rauque. Ce qu'il voulait dire à cette image de son père, c'était « Je te demande pardon » ; or il n'arrivait pas à former ses mots.

Mais, comme il s'agissait d'un rêve, de son rêve, l'image de Sandre parut comprendre.

« Tu n'as pas à me demander pardon », répondit ce père de rêve. Avec tant de douceur. « Tout est de ma faute. Depuis toujours. Je me suis tout de suite rendu compte à quel point Gianno était limité. Alors j'ai reporté tous mes espoirs sur toi dès ton enfance. Par la suite, j'ai pris les choses… trop à cœur. »

La bougie sembla vaciller un peu. Une partie de Tomasso, un morceau de son cœur, parut se reconstituer lentement, même s'il ne s'agissait que d'un rêve, que de son propre désir. Un dernier petit fantasme avant qu'ils ne l'écorchent vif : être aimé de quelqu'un.

« Me laisseras-tu te dire combien je regrette la folie qui t'a condamné à cette infamie ? M'entendras-tu si je te dis que je me suis souvent senti fier de toi à ma manière ? »

Tomasso laissa les larmes couler. Ces paroles étaient comme un baume sur la douleur la plus aiguë qu'il eût jamais éprouvée. À travers les larmes, la lumière oscillait, s'estompait, et il porta ses mains tremblantes à ses yeux pour tâcher de les essuyer. Il voulait parler, mais sa bouche blessée ne parvenait plus à prononcer les mots. Alors il hocha la tête, encore et encore. Puis il pensa à quelque chose et leva la main gauche, la main du cœur, celle qui jure et promet fidélité, vers ce rêve mettant en scène le fantôme de son père mort.

Et lentement la main de Sandre s'approcha de la sienne, comme si elle venait de très, très loin, après des années et des années, au terme de tant de printemps perdus et oubliés dans le tourbillon du temps qui passe et la folie orgueilleuse. La main du père toucha celle du fils, doigts contre doigts.

C'était un contact plus tangible que ne l'aurait pensé Tomasso. Il ferma les yeux un instant, s'abandonnant à l'intensité du moment. Quand il les rouvrit, le fantôme de son père semblait lui tendre quelque chose. Une fiole. Tomasso le regarda sans comprendre.

« C'est tout ce que je peux faire pour toi, dit le fantôme d'une voix étrange aux accents singulièrement mélancoliques. Je ne suis pas assez fort pour accomplir davantage, mais au moins ne pourront-ils plus te faire souffrir maintenant. Ils ne te feront plus mal, mon fils. Bois, Tomasso, bois, et tout sera terminé. Terminé, je te le promets. Alors attends-moi, Tomasso, tâche de m'attendre dans l'antichambre de Morian. J'aimerais que nous entrions ensemble. »

Tomasso ne comprenait toujours pas, mais la voix était si douce, si rassurante. Il prit la fiole que son père lui tendait dans son rêve. Une fois encore, il fut surpris par sa matérialité.

Son père hocha la tête pour l'encourager. De ses mains tremblantes, Tomasso se débattit avec le bouchon et l'enleva. Puis, dans un geste final, une ultime parodie de lui-même, il leva la fiole en décrivant une large courbe en hommage à sa puissante imagination, et but jusqu'à la dernière goutte le liquide amer.

Comme le sourire de son père était triste ! Tomasso avait envie de lui dire que les sourires ne doivent pas exprimer tant de tristesse. C'est ce qu'il avait dit à un jeune garçon un jour, au temple de Morian, la nuit, dans une chambre où il n'aurait pas dû se trouver. Il avait la tête lourde. Il avait l'impression qu'il allait s'endormir, alors qu'il dormait déjà et que la fièvre le faisait délirer. Il ne comprenait vraiment rien, et encore moins pourquoi son père qui était mort lui demandait de l'attendre dans l'antichambre de Morian.

Il leva les yeux pour lui poser la question. Mais voilà que sa vue lui jouait des tours maintenant.

Il en était certain parce que dans son rêve son père était penché sur lui et paraissait pleurer. Son père avait les larmes aux yeux.

Ce qui était impossible, même dans un rêve.

«Adieu», entendit-il.

Adieu, essaya-t-il de dire à son tour.

Il ne savait plus s'il avait effectivement prononcé ce mot ou s'il s'était contenté de le penser, mais à ce moment une obscurité totale, telle qu'il n'en avait encore jamais expérimentée, l'enveloppa comme une cape ou une couverture, et la différence entre le dit et le non-dit cessa de lui importer.

DEUXIÈME PARTIE

DIANORA

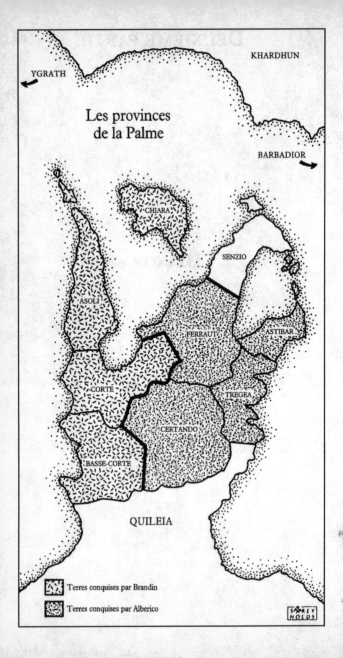

Les provinces de la Palme

KHARDHUN

YGRATH

BARBADIOR

CHIARA

SENZIO

ASOLI

FERRAUT

ASTIBAR

CORTE

TREGEA

CERTANDO

BASSE-CORTE

QUILEIA

Terres conquises par Brandin

Terres conquises par Alberico

CHAPITRE 7

Dianora se souvenait fort bien du jour où elle était arrivée sur l'île.

L'atmosphère de ce matin d'automne-là n'était pas sans rappeler celle d'aujourd'hui, bien qu'on fût au début du printemps. Les nuages blancs filaient dans le haut ciel bleu tandis que, fouetté par le vent, le bateau collecteur du tribut fendait les moutons d'écume et pénétrait dans le port de Chiara. Au-delà du port et de la ville, les chemins qui grimpaient au flanc des collines explosaient de couleurs. Les feuilles se paraient des teintes d'automne, le rouge et l'or, tandis que certaines retenaient encore le vert.

Les voiles du bateau étaient rouge et or également : les couleurs festives d'Ygrath. Elle l'avait appris depuis, mais à l'époque elle l'ignorait encore. Debout sur le gaillard d'avant, elle avait contemplé la beauté du port de Chiara, la longue jetée d'où les ducs lançaient un anneau à la mer ; c'était Letizia qui, la première, avait sauté à l'eau afin de récupérer cet anneau et d'épouser son duc, inaugurant une longue série de plongeons dits « plongeons pour l'anneau ». Ceux-ci étaient alors devenus le symbole de la bonne fortune et de la fierté de Chiara, jusqu'à ce que la belle Onestra changeât la fin de l'histoire et mît un terme aux plongeons, quelques centaines d'années plus tôt. Néanmoins, tous les enfants de la Palme connaissaient la légende. Dans chaque province, les petites filles s'amusaient à plonger dans l'eau pour retrouver l'anneau et ressortaient la mine triomphante, les cheveux mouillés et brillants, prêtes à épouser un duc puissant et glorieux.

Dianora s'était risquée à l'avant du bateau et, portant le regard au-delà du port et du palais, avait admiré la majesté du mont Sangarios, couronné de neige, qui s'élevait à l'arrière-plan. Les marins ygrathiens n'avaient pas troublé son silence. Ils l'avaient laissée s'avancer et regarder l'île se rapprocher. Une fois le bateau en mer et la jeune fille en sécurité à bord, ils s'étaient montrés plutôt gentils ; les femmes dont on pensait qu'elles avaient une chance d'être choisies pour le saishan étaient toujours bien traitées sur les bateaux collecteurs du tribut : lorsque l'une d'elles devenait la favorite de Brandin, la fortune du capitaine était faite.

Assise sur un balcon au sud de l'aile réservée au saishan, derrière l'écran savamment ouvragé qui protégeait les femmes du regard des badauds déambulant sur la place en contrebas, Dianora regardait les bannières de Chiara et d'Ygrath claquer sous la brise printanière et rafraîchissante ; elle se souvint alors du vent qui lui rabattait les cheveux sur le visage, douze ans plus tôt. Elle se rappelait avoir contemplé les voiles colorées, les collines pentues et boisées au pied du Sangarios, le bleu et le blanc de la mer, les nuages dans le ciel d'azur. Son regard allait de la vie foisonnante et tumultueuse du port à la majesté sereine du palais juste derrière. Des oiseaux tournoyaient en criant autour des trois grands mâts du bateau. Le soleil levant éclaboussait l'océan d'une lumière aveuglante. Un monde si plein de promesses, un nouveau jour si beau, si riche, si éclatant, et par-dessus tout la joie d'être en vie.

Douze années et plus s'étaient écoulées. Elle avait vingt et un ans alors, et choyait sa haine et son secret ; on aurait dit que deux des trois serpents de Morian s'étaient enroulés autour de son cœur.

Elle avait été choisie pour entrer au saishan.

Ce n'était pas vraiment une surprise, étant donné les circonstances de sa capture, et les célèbres yeux gris de Brandin avaient manifesté leur approbation quand on la lui avait amenée deux jours plus tard. Elle portait une robe de soie claire qui mettait en valeur ses cheveux bruns et ses yeux sombres.

Elle savait qu'elle serait retenue. Aussi n'en avait-elle conçu aucun sentiment de triomphe ni de crainte, bien que les cinq années précédentes eussent été consacrées à la préparation de ce moment, bien qu'à l'instant où Brandin avait fait son choix les murs, les écrans, les corridors se fussent refermés sur elle, décidant du reste de son existence. Si elle voulait entretenir sa haine et son secret, il n'y avait pas de place pour autre chose.

Du moins le pensait-elle à vingt et un ans.

Elle avait eu beau voir et vivre bien des événements, elle n'avait pas appris grand-chose sur nombre de sujets d'importance au terme de ces douze années, ce qui représentait un danger en soi.

Il faisait frais sur ce balcon, même à l'abri du vent. Les Quatre-Temps étaient imminents mais les fleurs commençaient tout juste à éclore dans les vallées de l'intérieur comme au flanc des collines, et l'arrivée du printemps proprement dit était encore assez loin, même dans cette région du Nord. Il n'en était pas de même dans son pays, se rappelait Dianora ; il arrivait que la neige n'eût pas complètement fondu dans les hautes terres méridionales longtemps après les Quatre-Temps de printemps.

Sans même se retourner, Dianora leva le bras. Un instant plus tard, l'eunuque lui apportait une chope fumante contenant du khav de Tregea. Il fallait faire quelques entorses aux restrictions sur le commerce et aux taxes douanières, se plaisait à dire Brandin en privé, sinon la vie deviendrait vite insupportable. Le khav faisait partie de ces exceptions, mais sa consommation était limitée au seul palais. De l'autre côté des murs, on se contentait des produits de moindre qualité en provenance de Corte ou du Senzio, territoire neutre.

Un jour, des marchands de khav senzians étaient venus en ambassadeurs pour essayer de persuader Brandin que les cultures et le brassage avaient grandement progressé. Après avoir goûté le breuvage, Brandin avait déclaré, fort à propos : « Pour être neutre, il l'est. Il est si neutre qu'on s'aperçoit à peine qu'il est là. »

Les marchands s'étaient retirés, pâles et déconfits, tout en s'évertuant désespérément à décrypter le message caché derrière les paroles du tyran ygrathien. C'était d'ailleurs à cela que les Senzians consacraient le plus clair de leur temps, lui avait fait remarquer Dianora par la suite. Il avait ri. Elle avait toujours eu le don de le faire rire, même à l'époque où elle était trop jeune et inexpérimentée pour chercher délibérément à l'amuser.

Cette pensée lui rappela le jeune eunuque à son service ce matin-là. Scelto était en ville pour prendre livraison de la robe qu'elle porterait à la réception de cet après-midi ; elle avait à son service un nouvel eunuque, fraîchement arrivé d'Ygrath pour servir au saishan en expansion.

Il avait déjà une solide formation. Les méthodes de Vencel étaient impitoyables mais elles portaient incontestablement leurs fruits. Elle résolut de ne pas dire au jeune homme que le khav n'était pas assez fort : il risquait de perdre ses moyens et elle n'aurait rien à y gagner. Elle en parlerait à Scelto et le laisserait régler le problème. Vencel n'avait pas besoin de le savoir : plus encore que de la crainte, c'était de la reconnaissance qu'elle souhaitait inspirer aux eunuques. La peur leur venait d'elle-même : sa seule présence y suffisait. La gratitude et l'affection demandaient beaucoup d'efforts.

Plus de douze ans ce printemps, songea-t-elle de nouveau en se penchant pour observer à travers l'écran les nombreux préparatifs dont la place faisait l'objet avant l'arrivée d'Isolla d'Ygrath dans la journée.

À vingt et un ans, elle devait être à l'apogée de la beauté dont la Triade l'avait dotée, si beauté il y avait. À quinze ou seize ans, se souvint Dianora, elle était si totalement dépourvue de charme qu'on n'avait même pas jugé utile de la mettre à l'abri du regard des soldats ygrathiens dans son pays.

À dix-neuf, elle avait déjà bien changé, certes, mais elle avait quitté son pays et Ygrath ne représentait aucun danger pour les habitants du Certando, désormais sous la férule du Barbadien. En tout cas pas en temps ordinaire, se reprit-elle pour se forcer à ne pas oublier, si besoin était, qu'ici, au saishan, elle était Dianora di Certando. Ainsi que dans l'aile occidentale, là où se trouvait le lit de Brandin.

Elle avait trente-trois ans à présent; les années avaient passé à une vitesse absurde et elle était devenue une figure importante du palais. Autrement dit, de la Palme. Au saishan, seule Solores di Corte était aussi souvent sollicitée par Brandin, mais elle avait six ans de plus. Solores avait été conduite ici dans l'un des tout premiers bateaux collecteurs du tribut.

Même aujourd'hui, ce pouvoir lui paraissait un peu excessif, presque irréel. Il suffisait qu'elle leur jetât un regard de travers pour que les jeunes eunuques se missent à trembler ; les courtisans, eux, qu'ils fussent originaires d'Ygrath ou de l'une des quatre provinces occidentales de la Palme, demandaient ses conseils et son appui avant de formuler leurs requêtes à Brandin ; les musiciens composaient des chansons à son intention ; les poètes déclamaient des vers où ils se déclaraient transportés jusqu'au vertige par sa beauté et sa sagesse. Les Ygrathiens la comparaient aux sœurs de leur dieu, les Chiarans lui prêtaient la beauté légendaire d'Onestra juste avant le dernier plongeon pour l'anneau au profit du grand duc Cazal. Les poètes, eux, arrêtaient toujours l'analogie longtemps avant le plongeon et les tragédies qui s'ensuivirent.

Après une tentative particulièrement fertile en adjectifs du poète Doarde, Dianora profita d'un souper en tête-à-tête pour faire part à Brandin de ses réflexions sur les différences entre hommes et femmes : le pouvoir rend les hommes attirants en soi, lui dit-elle, mais lorsqu'une femme en possède les artistes se croient obligés de louer sa beauté.

Il s'était calé dans son fauteuil pour réfléchir à la question, tout en caressant sa barbe bien taillée. Elle avait conscience de prendre un risque, mais elle savait à qui elle avait affaire.

« J'ai deux questions à te poser, avait dit Brandin d'Ygrath, qui régnait en tyran sur la moitié de la Palme, tout en s'emparant de sa main posée sur la table. Tu penses exercer un pouvoir, ma Dianora ? »

Elle s'attendait à cette question. « Seulement à travers vous, et pour les quelques années qui me restent avant que je sois trop vieille pour que vous daigniez m'accorder vos faveurs. » Une pique à l'intention de Solores, quoique discrète, jugea-t-elle. « Mais tant que vous réclamerez ma présence à vos côtés, on considérera que j'ai du pouvoir à la cour et les poètes écriront que je suis plus belle que jamais. Plus belle que le diadème d'étoiles qui couronne le croissant de l'univers... Bref, j'ai oublié les termes exacts du vers.

— Le diadème incurvé, si mes souvenirs sont exacts. » Il sourit. Elle s'attendait à un de ces compliments dont il était prodigue. Mais ses yeux gris étaient restés graves et directs. « J'ai une autre question, reprit-il : est-ce que je te plairais encore si je n'avais pas autant de pouvoir ? »

Et cette question avait bien failli la prendre au dépourvu. Elle était trop inattendue et trop proche de l'endroit où étaient lovés ses deux serpents jumeaux, même en état d'hibernation.

Baissant les yeux, elle s'était mise à regarder leurs doigts enlacés. Comme les serpents. Elle avait vite chassé cette pensée et, relevant la tête, lui avait jeté un de ces regards obliques et rusés qu'il affectionnait particulièrement, croyait-elle savoir. Puis, feignant la surprise, elle avait demandé : « Parce que vous avez du pouvoir ? Je ne m'en étais pas aperçue. »

Un instant plus tard, il éclatait d'un rire sonore et vivifiant. Les gardes à l'extérieur ne manqueraient pas de l'entendre, elle le savait. Et ils parleraient. Tout le monde parlait, à Chiara ; l'île se nourrissait de rumeurs et de commérages. L'anecdote circulerait dès le lendemain matin. Il n'y avait là rien de très nouveau, certes, mais ce rire confirmait que Brandin d'Ygrath prenait toujours autant de plaisir à la compagnie de Dianora la brune.

Riant toujours, il l'avait portée jusqu'au lit et lui avait arraché un sourire, un fou rire même, tant il était d'humeur joyeuse. Il avait pris son plaisir, lentement, explorant les mille et une facettes de la jouissance, telles qu'il les lui avait enseignées au fil des années, car les Ygrathiens étaient très doués dans ce domaine. Or n'était-il pas roi d'Ygrath avant tout et par-dessus tout ? À cette époque comme aujourd'hui.

Et elle ? Assise à son balcon dans la lumière matinale de ce début de printemps, Dianora ferma les yeux sur la manière dont cette nuit-là comme pendant des années avant et après, jusqu'à aujourd'hui même, son corps, son cœur et son esprit rebelles, trahissant tous trois son âme, avaient assouvi le désir si profond, si totalement désespéré, qu'elle avait de cet homme.

De Brandin d'Ygrath. Elle qui, porteuse de deux serpents enroulés autour de son cœur naufragé, était venue ici douze ans auparavant dans l'intention de le tuer, pour le punir d'avoir fait ce qu'il avait fait à la Tigane, son pays.

Ce qui était son pays avant qu'il ne l'écrase et ne le brûle, avant qu'il ne massacre toute une génération et éradique son nom ; son propre nom en vérité.

Car elle s'appelait Dianora de Tigane, fille de Saevar ; son père était mort à la seconde bataille de la Deisa en tenant maladroitement une épée au lieu de ses ciseaux de sculpteur. Sa mère avait perdu la tête ; elle s'était cassée tout net, comme un roseau, pendant l'occupation qui avait suivi, et son frère, dont les yeux et les cheveux étaient identiques aux siens et qu'elle aimait plus que sa propre vie, avait été contraint de s'exiler quelque part dans l'immensité du monde. Il avait quinze ans alors.

Elle ne savait toujours pas, à ce jour, ce qu'il était devenu. Vivait-il encore ? Avait-il choisi de fuir une péninsule où des tyrans gouvernaient des provinces exsangues, vidées de leur fierté d'antan, où le nom de la plus fière d'entre elles avait disparu de la mémoire des hommes ?

Par la faute de Brandin dont les bras l'avaient enlacée tant et tant de nuits, tandis que renaissait le même besoin douloureux, le même désir ardent chaque fois qu'il la faisait venir. Brandin dont la voix était synonyme de savoir, d'esprit, de charme, un oasis dans le désert de son existence. Dont le rire, quand il renonçait à le contrôler ou qu'elle-même le faisait jaillir, était comme un soleil bienfaisant au milieu des nuages. Dont les yeux gris avaient la couleur indéfinissable et troublante de l'océan dans la clarté naissante d'un matin de printemps ou d'automne.

Dans les plus anciennes légendes ayant cours à Tigane, il était dit qu'Adaon, le dieu, avait surgi de l'océan gris à l'aube pour rejoindre Micaela et s'était allongé avec elle sur la vaste courbe sombre et prédestinée du sable. Dianora connaissait cette histoire aussi bien que son nom. Son vrai nom.

Elle savait au moins deux autres choses : que son père ou son frère la tueraient de leurs mains s'il leur était donné de voir ce qu'elle était devenue. Et qu'elle accepterait cette fin, sachant qu'elle était méritée.

Son père était mort. L'idée que son frère le fût aussi la torturait, même si la mort le mettait à l'abri du terrible chagrin qu'il ne manquerait pas d'éprouver s'il venait à apprendre sa présence ici. Alors, chaque matin elle priait la Triade, et tout particulièrement Adaon des Vagues, pour qu'il demeurât très loin et jamais n'apprît qu'une certaine Dianora, aux yeux aussi sombres que les siens, demeurait au saishan du tyran.

À moins, murmurait une voix tranquille dans son cœur, à moins qu'un beau matin elle parvînt à accomplir un geste, sur cette île, un geste qui, en dépit de tout ce qui s'était passé, en dépit des membres enlacés et des cris qu'elle poussait quand son désir était assouvi, pourrait faire revivre un nom dans la bouche des hommes et des femmes de la Palme, et plus au sud, de l'autre côté des montagnes de la Quileia, comme au nord, à l'ouest et à l'est, par-delà les océans.

Le nom de Tigane, effacé. Effacé, mais pas complètement oublié ni perdu, si les déesses et le dieu étaient assez bons, s'il leur restait un tant soit peu d'amour et de pitié.

Les nuits où elle dormait seule, après que Scelto l'eut enduite d'huile et massée puis fut sorti, une bougie à la main, pour dormir à sa porte, Dianora rêvait qu'un jour peut-être, lorsqu'elle aurait effectivement trouvé le moyen d'accomplir ce geste, son frère, à l'autre bout du monde, entendrait par miracle le nom de Tigane prononcé par un étranger dans un monde d'étrangers, dans une lointaine cour royale ou dans un souk, et qu'il saurait, dans un élan d'émerveillement et de joie, au plus profond d'un cœur qu'elle connaissait si bien, que c'était grâce à elle que le nom leur était rendu.

Elle-même serait déjà morte. Elle n'en doutait pas. La haine de Brandin pesait tout entière dans cette malédiction destinée à venger la mort de Stevan – une haine figée, inaltérable. Elle était l'étoile fixe au firmament de toutes les contrées qu'il gouvernait.

Elle mourrait, mais cela n'avait pas d'importance car le nom de Tigane revivrait, son frère saurait que c'était grâce à elle, et Brandin… Brandin comprendrait qu'elle avait trouvé moyen de faire ce geste, mais l'avait néanmoins épargné pendant toutes ces nuits, ces innombrables nuits où elle aurait pu le tuer pendant qu'il dormait à ses côtés après l'amour.

Voilà de quoi rêvait Dianora. Elle était arrachée à son sommeil par l'intensité des sentiments que générait ce rêve et sentait ses joues humides et froides. Nul n'avait jamais vu ces larmes hormis Scelto, et elle avait plus confiance en lui qu'en quiconque.

Elle l'entendit franchir le seuil de son pas rapide et léger, et se diriger vivement vers le balcon. Personne au saishan ne se déplaçait comme Scelto. Les eunuques avaient une propension notoire à se prélasser et à abuser de la bonne chère pour compenser les plaisirs qui leur étaient interdits. Mais pas Scelto. Il était aussi mince qu'à l'époque où elle avait fait sa connaissance et s'acquittait volontiers de missions que les autres eunuques faisaient tout pour éviter: des sorties dans les rues escarpées de la vieille ville, ou même plus au nord, dans les collines qui menaient au Sangarios, à la recherche de plantes médicinales ou tout simplement de fleurs de prairie pour décorer sa chambre.

Il était difficile de lui donner un âge, mais il n'était déjà plus tout jeune lorsque Vencel l'avait placé au service de Dianora et devait donc avoir dans les soixante ans. Si Vencel venait à mourir, chose difficile à concevoir en vérité, Scelto se verrait certainement offrir la direction du saishan.

Ils n'en avaient jamais parlé, mais Dianora était intimement convaincue qu'il refuserait pour rester à son service. Elle savait également, et c'était là ce qui la touchait le plus, qu'il n'agirait pas différemment si Brandin cessait de la réclamer et que, vieillissante et délaissée, elle n'était plus qu'une figure de l'histoire de cette aile du palais.

Car c'était là un second sujet d'étonnement: quand, poussée par la haine, elle avait bravé les vents d'automne pour venir à Chiara sur un bateau collecteur, elle ne s'attendait pas à trouver la tendresse et la générosité, encore moins pareille amitié, derrière les hauts murs et les écrans ouvragés de l'aile où les femmes attendaient, entourées d'hommes qui avaient perdu leur virilité.

Les pas rapides de Scelto, même après la longue ascension du grand escalier jusqu'au second étage où se trouvait le saishan, résonnèrent derrière elle sur le pavement de mosaïque du balcon. Elle l'entendit congédier le jeune homme d'un mot gentil.

Il fit un pas de plus et toussa pour l'avertir de sa présence.

« Est-elle si laide que cela ? demanda-t-elle sans se retourner.

— Non, elle fera l'affaire », répondit Scelto en s'approchant d'elle. Dianora regarda dans sa direction et sourit en apercevant ses cheveux gris, coupés en brosse, sa bouche bien dessinée, aux lèvres minces, et la terrible bosse de son nez. Une si vieille histoire, avait-il répondu quand elle l'avait interrogé. Il s'était battu pour une femme en Ygrath et avait tué son adversaire, un noble. Cette malchance lui avait coûté sa liberté et sa virilité, avant de le conduire à Chiara. À l'issue de ce récit, Dianora était plus perturbée que lui. Elle s'était alors dit qu'elle venait juste d'en prendre connaissance alors que, pour lui, il s'agissait d'un événement lointain qui, certes, avait modelé son existence mais n'avait plus grande importance en soi.

Il lui présenta la robe pourpre confectionnée par un artisan de la vieille ville. Ils se sourirent d'un air entendu, et Dianora comprit qu'il n'avait pas soutiré des fonds à Vencel en vain : le résultat en valait la peine. Vencel ne manquerait pas de leur réclamer une faveur en retour, mais de telles tractations étaient monnaie courante au saishan et, en examinant la robe, Dianora n'eut pas de regrets.

« Et que porte Solores ? demanda-t-elle.

— Hala n'a pas voulu me le dire », murmura Scelto d'un air dépité.

Dianora éclata de rire en voyant qu'il avait réussi à garder tout son sérieux. « Cela ne m'étonne nullement. Alors, que porte-t-elle ?

— Une robe verte, s'empressa-t-il de répondre ; taille haute, col montant, jupe plissée, dans deux tons de vert. Des parements d'or partout où c'est possible. Des sandales d'or. Elle portera un chignon, bien sûr. Et de nouvelles boucles d'oreille. »

Dianora rit cette fois encore et Scelto esquissa un sourire de satisfaction. « J'ai profité de ce que j'étais en ville pour acheter autre chose », ajouta-t-il.

Il enfouit une main dans les plis de sa tunique et lui tendit une petite boîte. Elle l'ouvrit et, sans un mot, tint le joyau qu'elle contenait à bout de bras. Dans la lumière vive de cette fin de matinée, il scintillait de tous ses feux ; on aurait dit une troisième lune, rouge celle-ci, prête à rejoindre Vidomni et Ilarion la bleue.

« J'ai pensé qu'il irait mieux avec cette robe que n'importe quel bijou du saishan. »

Elle secoua la tête, intriguée. « Il est magnifique, Scelto. Mais avons-nous les moyens de nous l'offrir ? Ou faudra-t-il que je me passe de chocolat jusqu'à l'automne ?

—Ça ne serait pas une mauvaise idée, dit-il sans répondre à sa question initiale. Vous en avez encore mangé deux morceaux en mon absence ce matin.

—Scelto ! s'exclama-t-elle. Tais-toi ! Va donc espionner Solores, qu'on sache ce qu'elle fait de ses chiaros. J'ai mes habitudes et mes petits plaisirs, et aucun d'eux, me semble-t-il, n'est vraiment coupable. Tu me trouves grosse ? »

Il secoua la tête comme à contrecœur. « Je ne sais pas comment vous faites, dit-il d'un air piteux.

—Eh bien, réfléchis-y et trouve la réponse toi-même, fit-elle en rejetant la tête en arrière. À ce propos, le garçon de ce matin était très bien, mais le khav qu'il m'a servi était coupé d'eau. Peux-tu lui expliquer comment je l'aime ?

—C'est ce que j'ai fait. Je lui ai dit de le servir léger.

—Tu lui as dit ça ! Scelto, je ne suis absolument pas…

—Vous vous mettez toujours à boire trop de khav à la fin de l'hiver, quand le temps commence à changer, et vous avez des insomnies pendant tout le printemps. Vous savez que c'est vrai, madame. Alors buvez-en moins ou buvez-le dilué. C'est mon devoir que de veiller à ce que vous soyez reposée et sereine. »

Pendant quelques secondes, Dianora ne sut que répondre. Puis elle s'écria :

« Sereine ! Et dire que j'aurais pu faire une peur bleue à ce pauvre garçon ! Je ne me le serais pas pardonné.

—Je lui avais indiqué ce qu'il fallait répondre, fit Scelto sur un ton placide. Il aurait reporté la faute sur moi.

—Ah oui ! Et en admettant que je sois allée me plaindre à Vencel ? rétorqua Dianora. Scelto, il l'aurait fait corriger, il l'aurait puni par le jeûne ! »

Scelto renifla dignement pour lui montrer qu'il ne la croyait guère capable de faire une chose pareille.

Son regard était si malicieux, son sourire si ironique, que Dianora ne put garder son sérieux. « Très bien, fit-elle en riant, je me rends. Mais je préfère en prendre moins souvent, parce que je l'aime corsé, Scelto. Sinon, ce n'est pas la peine d'en boire. D'ailleurs, ce n'est pas le khav qui m'empêche de dormir, c'est le printemps, je crois.

—Vous avez été choisie comme tribut au printemps, murmura-t-il. Les femmes du saishan sont toutes instables quand vient la saison où elles ont été choisies. » Il eut une minute d'hésitation, puis ajouta : « Je ne peux y remédier, madame. Mais je me suis dit que le khav n'arrangeait certainement pas les choses. » Ses yeux bruns, presque aussi sombres que ceux de Dianora, trahissaient le souci et la tendresse qu'elle lui inspirait.

« Tu t'inquiètes beaucoup trop pour moi », dit-elle au bout d'un moment.

Il lui sourit. « Et pour qui d'autre voulez-vous que je m'inquiète ? » Il y eut un silence ; Dianora entendait les bruits de la place, en contrebas.

« À ce propos, reprit Scelto en faisant un effort évident pour changer de registre, nous nous préoccupons peut-être un peu trop de Solores. Nous ferions bien de garder un œil ouvert sur cette jeunette aux yeux verts.

—Iassica ? fit Dianora, surprise. Pourquoi donc ? Cela fait un mois jour pour jour qu'elle est là et Brandin ne l'a même pas encore fait venir une seule fois.

—Précisément. » Scelto eut la maladresse de s'interrompre, ce qui eut pour effet de piquer sa curiosité.

« Que veux-tu dire exactement, Scelto ?

—Je… euh… j'ai appris de la bouche de Tesios, qui est attaché à son service, qu'il n'avait encore jamais vu ni entendu une femme posséder une telle… maîtrise de son corps et une telle aptitude à l'extase amoureuse. »

Scelto avait les joues écarlates, et brusquement Dianora se sentit gênée à son tour. Il était fréquent que des femmes utilisent l'eunuque à leur service pour assouvir leurs appétits entre deux visites au seigneur des lieux ; c'était une pratique courante au saishan, avec parfois des variantes qui l'étaient un peu moins.

Dianora n'avait jamais exigé pareil service de Scelto. Quelque chose dans l'idée même lui déplaisait : cela ressemblait trop à une injure, sans qu'elle sût précisément dire pourquoi. Cet homme en avait tué un autre pour l'amour d'une femme, se répétait-elle souvent. Scelto et elle avaient beau être très proches, leur relation n'avait jamais pris cette dimension. C'était étrange, amusant même, de constater à quel point ils étaient empruntés dès que l'on abordait ce sujet, et, la Triade en était témoin, c'était fréquemment le cas dans l'atmosphère confinée du saishan.

Elle se tourna vers la balustrade et fit mine de regarder à travers l'écran pour lui donner le temps de retrouver son calme. En repensant à ce qu'il venait de lui dire, elle finit par percevoir le côté amusant de la situation. Elle se demandait déjà quand et comment elle en parlerait à Brandin.

« Mon ami, dit-elle enfin, tu me connais bien, certes, mais, de la même manière et pour un certain nombre de raisons identiques, je connais très bien Brandin. »

Elle se retourna pour jeter un regard à son eunuque. « Il est plus vieux que toi, Scelto, il va sur ses soixante-cinq ans et, pour des raisons que je ne saisis pas parfaitement, il estime qu'il doit rester encore soixante ans ici, dans la Palme, pour achever ce qu'il a entrepris. Or il n'existe pas de sorcellerie suffisamment puissante pour prolonger sa vie d'autant, si Iassica est aussi exceptionnelle que Tesios le dit. Elle l'épuisera, de la plus agréable manière qui soit, certes, mais il ne tiendra pas plus d'un an ou deux. »

Scelto rougit de nouveau et regarda brièvement pardessus son épaule. Mais ils étaient tout à fait seuls. Dianora se mit à rire, d'abord parce que la situation était drôle, mais aussi pour masquer le malaise qu'elle éprouvait chaque fois qu'elle lui racontait ce mensonge, le même depuis toujours, le seul secret qu'elle eût pour Scelto, le seul qui importât vraiment.

Comme si elle ne savait pas pourquoi Brandin devait rester dans la Palme, pourquoi il usait de tous ses pouvoirs pour prolonger son existence dans ce qui n'était certainement pour lui qu'une terre d'exil, un pays de malheur !

Il lui fallait attendre que tous les natifs de Tigane fussent morts pour mourir à son tour.

Alors, et seulement alors, pourrait-il quitter la péninsule où son fils avait été tué. Alors la vengeance qu'il avait conçue aurait-elle complètement abouti sur cette terre ensanglantée. Car il ne resterait plus personne pour se souvenir précisément de ce qu'était la Tigane avant sa chute : les tours d'Avalle, les chansons, les récits et les légendes, toute la longue et glorieuse histoire de cette province.

La Tigane aurait enfin disparu. Rayée de la carte à tout jamais. Soixante-dix ou quatre-vingts ans auraient suffi à effacer définitivement une culture, là où il avait fallu des millénaires pour oblitérer d'anciennes sociétés, complètement oubliées aujourd'hui. Des pans entiers de civilisations réduits à un nom mal prononcé, à un titre pompeux, péniblement déchiffré – empereur du monde –, sur un tesson de poterie en mauvais état.

Au bout de ces soixante années, Brandin pourrait rentrer chez lui et faire ce qu'il voudrait. Elle-même serait morte depuis longtemps ; les plus jeunes auraient disparu à leur tour, ceux qui étaient nés l'année même de la conquête ou juste avant – les derniers héritiers de Tigane.

Les derniers enfants capables d'entendre et de lire le nom de la terre qui était la leur. Quatre-vingts ans, voilà le laps de temps que s'était donné Brandin. Et c'était plus qu'assez, étant donné l'espérance de vie dans la péninsule.

Quatre-vingts années pour sombrer dans l'oubli. Pour être réduit à ce tesson de poterie dénué de signification. Déjà les livres avaient disparu, ainsi que les peintures, les tapisseries, les sculptures, la musique : déchirés, brisés, brûlés l'année qui avait suivi la chute de Valentin, quand Brandin s'était abattu sur eux avec au cœur la douleur d'un père spolié, prêt à déverser toute sa haine de conquérant pour leur causer une douleur égale.

L'année la plus dure qu'avait connue Dianora, où elle avait vu tant de splendeur s'effondrer et retourner à l'état de poussière, ou bien se trouver réduite à un petit tas de cendres avant de sombrer dans l'oubli. Elle avait eu quinze ans. Puis seize. Encore trop jeune pour mesurer toute l'ampleur de ce qui disparaissait. Elle pleurait amèrement la mort de son père et la destruction de son œuvre – le travail de toute une vie ; elle pleurait également la mort de certains amis et redoutait les angoisses jusque-là inconnues d'une cité appauvrie et occupée. Mais elle n'avait pas clairement conscience du vaste démantèlement qui s'opérait sous ses yeux ni de ses conséquences pour l'avenir.

Beaucoup d'habitants de la ville avaient perdu la raison cette année-là.

D'autres avaient fui avec leurs enfants pour leur offrir une nouvelle vie, loin des incendies ou du souvenir qu'ils laissaient, loin du bruit des marteaux qui s'acharnaient sur les statues des princes, dans la loggia couverte du palais de la Mer. Certains, victimes d'une autre sorte de folie, s'étaient retirés au plus profond d'eux-mêmes, de sorte qu'il ne leur restait plus qu'une minuscule étincelle de vie pour les inciter à se nourrir et à dormir, et à marcher dans les espaces dévastés de leur existence.

Sa mère en faisait partie.

Et voici que, vingt ans plus tard ou presque, Dianora, debout sur son balcon de Chiara, leva les yeux vers Scelto et comprit à l'expression curieusement inquiète de son visage qu'elle était restée trop longtemps silencieuse.

Elle se força à sourire. Cela faisait si longtemps qu'elle vivait ici ! L'art de la dissimulation n'avait plus aucun secret pour elle, et elle savait sourire quand il le fallait ; même à Scelto, bien qu'elle eût horreur de lui mentir ; et surtout à Brandin, avec qui elle n'avait pas le choix. C'était une question de vie ou de mort.

« Iassica n'est pas un problème », dit-elle gentiment en reprenant la conversation comme s'il ne s'était rien passé. Et, de fait, il ne s'était pas passé grand-chose, rien que l'émergence d'une poignée de vieux souvenirs. Rien qui ait du poids ou de la consistance, rien d'important ou susceptible de l'être. Rien qu'une perte.

Elle continua de feindre le rire avec la même habileté en ajoutant : « Elle est bien trop sotte pour le divertir et bien trop jeune pour le détendre comme Solores. Je te remercie de cette information néanmoins, et je pense pouvoir en faire bon usage. Mais dis-moi, Tesios en aurait-il assez de la servir ? Devrais-je suggérer à Vencel de lui envoyer un eunuque plus jeune, voire deux ? »

Elle réussit à lui arracher un sourire tandis qu'il rougissait de nouveau. Il en était toujours ainsi. Quand elle parvenait à les faire sourire ou rire, les nuages étaient balayés, comme par la brise de printemps ou le vent d'automne, et cédaient la place à un beau ciel d'un bleu transparent.

Dianora regrettait de n'avoir pas su en faire autant dix-huit ans plus tôt. Elle souffrait de n'avoir pas réussi à arracher un seul sourire, ni à sa mère ni à son frère. Le rire avait cessé d'être. Plus un seul rire, nulle part, plus rien que ce ciel d'un bleu dur, comme un sarcasme au-dessus des ruines.

Vencel, qui lui semblait plus gros et plus laid chaque fois qu'elle le voyait, passa en revue les toilettes de Solores, Nesaia, Chylmoene, et enfin la sienne. Elles seules se rendraient à la salle d'audience, les autres jeunes femmes n'ayant pas l'expérience nécessaire pour souscrire aux exigences d'une réception officielle. Il soufflait un tel vent de jalousie au saishan depuis une semaine qu'on pouvait presque en respirer le parfum, avait déclaré Scelto non sans ironie. Dianora n'avait rien remarqué, tant elle s'y était habituée.

Vencel écarquilla ses yeux perçants cachés dans les nombreux plis de son visage à la peau sombre. Elle portait le joyau sur le front, maintenu par un ruban d'or blanc qui retenait sa chevelure. Étalé au milieu de ses oreillers, le responsable du saishan tripotait les vastes plis de la toge blanche recouvrant son corps éléphantesque. Le soleil qui filtrait à travers la fenêtre cintrée derrière lui jouait distraitement sur son crâne chauve.

« Je ne me rappelle pas avoir vu cette pierre parmi nos joyaux », murmura-t-il de sa voix aiguë et déconcertante ; une voix si totalement dépourvue de profondeur qu'elle pouvait conduire à sous-estimer l'homme. Ce qui, comme l'avaient appris un certain nombre de gens au fil des années, était une erreur grave, parfois mortelle.

« En effet, répondit Dianora d'un air joyeux. Mais, à notre retour cet après-midi, je ne manquerai pas de vous la confier pour que vous la placiez dans notre malle aux trésors. »

C'était Scelto qui avait eu cette idée. Vencel était vénal et se laissait corrompre dans bien des circonstances, mais il restait intraitable sur les aspects formels de sa charge. Il était trop intelligent pour y contrevenir. Là encore, certains avaient payé cette découverte de leur vie.

Il hocha la tête avec bienveillance. « Même à cette distance, il me semble qu'il s'agit d'une fort belle pierre. » Obéissante, Dianora s'avança vers lui et inclina gracieusement la tête pour lui présenter le joyau. Le parfum qu'il portait toujours à la fin de l'hiver l'enveloppa. C'était une odeur excessivement sucrée, mais pas franchement désagréable.

Elle craignait Vencel à une époque : son obésité lui répugnait, ainsi que toutes les rumeurs qui couraient sur ce qu'il se permettait avec les jeunes eunuques, de même qu'avec certaines femmes entrées au saishan pour des raisons purement politiques et qui n'avaient pas le moindre espoir de revoir le monde extérieur ou de pénétrer dans l'aile occidentale du palais où se trouvaient les appartements de Brandin. Mais il y avait longtemps que le responsable du saishan et elle-même étaient parvenus à un accord tacite. Solores avait fait de même, et tous trois s'appuyaient sur cet équilibre délicat pour contrôler autant que faire se pouvait cet univers clos, surchauffé, chargé d'encens, que se partageaient des femmes désœuvrées, insatisfaites, et des hommes qui n'en étaient pas.

D'un doigt étonnamment délicat, Vencel effleura la pierre précieuse sur son front. Il lui sourit. « Une belle pierre », répéta-t-il après l'avoir dûment examinée. Il s'était parfumé l'haleine. « J'en parlerai à Scelto. Car je m'y connais en pierres, vois-tu. Ces pierres viennent du Nord, vois-tu. De mon pays. Des mines du Khardhun. Pendant des années on m'en a donné pour jouer, des jouets de monarque. À l'époque où j'étais plus que je ne suis aujourd'hui. Car tu n'es pas sans savoir que j'étais roi au Khardhun. »

Dianora hocha la tête d'un air grave. Car cela faisait partie des termes implicites de sa relation à Vencel. Chaque fois qu'il lui donnait de ce mensonge fabriqué de toutes pièces, avec toute la gamme des variantes – ce qui pouvait se produire jusqu'à dix fois par jour –, elle devait hocher la tête d'un air entendu et faire mine de réfléchir, comme si elle cherchait à comprendre le message caché derrière ce déclin grandiose.

Et ce n'était qu'une fois rentrée dans sa chambre, en la seule compagnie de Scelto, qu'elle pouvait se livrer à des fous rires de gamine rien qu'en imaginant l'obèse en monarque puissant, ou bien en regardant Scelto singer le discours et les gestes de Vencel avec un talent subversif et irrésistible.

« Tu t'y prends si bien », disait-elle innocemment tandis que Scelto la coiffait ou qu'il cirait ses mules pour les faire briller.

« C'est un domaine que je connais bien, vois-tu », répliquait-il quand il était certain d'être seul avec elle, en prenant une voix nettement plus aiguë que la normale. Et, tout en faisant de grands gestes lents, il ajoutait : « Car tu n'es pas sans savoir que j'étais roi en Kardhun. »

Elle riait comme une petite fille qui a pleinement conscience de faire quelque chose de défendu, ce qui ne faisait que renforcer son hilarité.

Elle s'était permis de poser la question à Brandin. La campagne de Khardhun n'avait pas été un franc succès, lui avait-il avoué. Il était très ouvert avec elle dans ce domaine désormais. Une fois qu'on avait dépassé les villages côtiers et les zones désertiques, la magie était toute-puissante au Khardhun, dans ce chaud pays nordique au-delà des mers. Une magie bien plus puissante que celle qu'on pratiquait dans la Palme, et qui valait largement la sorcellerie d'Ygrath.

Brandin avait pris une ville ou deux, et il exerçait un contrôle lâche sur certaines régions aux confins du grand désert qui s'étendait au nord. Il avait eu des pertes cependant, de lourdes pertes même, avait-elle cru comprendre. Les Khardhus avaient toujours été connus pour leur habileté au combat, et cette réputation s'étendait jusque dans la Palme : beaucoup d'entre eux gagnaient bien leur vie comme mercenaires au service des provinces en guerre, avant que les tyrans arrivent et rendent de telles querelles superflues.

Vencel avait été capturé à la fin de la campagne, lui avait révélé Brandin. Ce messager avait déjà été privé de sa virilité car, pour une raison que Brandin ne saisissait pas, c'était le sort qu'on réservait aux hérauts dans le Nord. Lorsqu'on l'avait ramené à Ygrath, il leur avait semblé prédestiné pour le saishan. Il était déjà obèse, comme l'avait confirmé Brandin.

Dianora se redressa tandis que Vencel retirait le doigt de la pierre aux reflets rougeoyants.

« Allez-vous nous escorter au rez-de-chaussée ? » demanda-t-elle. Une question de pure formalité.

« Je ne pense pas, répondit-il avec circonspection, comme s'il avait effectivement réfléchi à la question. Hala et Scelto pourront sans doute s'acquitter de cette tâche. Car des affaires importantes me retiennent ici, vois-tu.

— Je comprends », fit Dianora en adressant un coup d'œil à Solores ; toutes deux levèrent une main largement ouverte pour le saluer avec respect. À vrai dire, cela faisait au moins cinq ans que Vencel n'avait pas quitté cette aile du palais. Même lorsqu'il inspectait les chambres de son étage, il utilisait une plate-forme à roulettes garnie de coussins – un modèle d'ingéniosité. Dianora ne se rappelait même pas à quelle occasion elle l'avait vu debout pour la dernière fois. Scelto et Hala, le serviteur de Solores, se chargeaient de toutes les manifestations de caractère officiel en dehors du saishan. Vencel déléguait volontiers.

Elles descendirent l'escalier qui menait au monde extérieur. Parvenues à l'étage inférieur, elles se livrèrent de bonne grâce à l'inspection respectueuse mais méticuleuse des deux gardes postés devant la porte, qui empêchaient quiconque d'entrer ou de sortir de l'aile où logeaient les femmes. Dianora répondit à leur regard prudent par un sourire. L'un d'eux sourit timidement à son tour. Les gardes changeaient souvent et elle ne connaissait aucun de ces deux-là, mais un sourire était le début d'un lien d'attachement, et cela ne nuisait jamais d'avoir un ami de plus.

Scelto et Hala, tous deux vêtus d'un costume de couleur neutre, devancèrent les quatre femmes le long du couloir principal jusqu'au grand escalier au centre du palais. Puis ils s'arrêtèrent pour les laisser passer. Avec une certaine fierté mais sans arrogance, car elles étaient les prisonnières et les concubines d'un conquérant, Dianora et Solores descendirent l'escalier majestueux les premières.

Elles ne passèrent pas inaperçues, bien sûr. Les femmes du saishan attiraient toujours des regards quand elles se montraient. Le hall de marbre grouillait d'hommes qui attendaient de pouvoir entrer dans la salle d'audience ; ils s'écartèrent pour les laisser passer. Ceux qui les voyaient pour la première fois avaient une manière de sourire que Dianora supportait difficilement.

D'autres, qui la connaissaient mieux, arboraient une expression différente. Sur le seuil de la porte cintrée qui s'ouvrait sur la plus grande des salles de réception, Solores et elle s'arrêtèrent de nouveau côte à côte, uniquement pour produire leur effet cette fois – l'une en rouge et l'autre en vert –, puis s'avancèrent dans la grande salle bondée.

Et, comme les fois précédentes, Dianora remercia mentalement Brandin d'avoir obéi à un coup de tête et changé le règlement du saishan dans la colonie qu'il gouvernait.

En Ygrath, elle le savait, cela n'aurait pas été possible. Car tout homme, hormis le roi et les eunuques, surpris en train de regarder une femme du saishan ou, pire encore, de converser avec elle était passible de la peine de mort ; la femme subissait le même sort, ainsi, lui avait révélé Vencel, que le responsable du saishan.

Ici, à Chiara, ce règlement ne s'était jamais appliqué. Au fil des ans, Dianora en avait appris suffisamment pour comprendre que c'était en partie grâce à Dorotea, reine d'Ygrath, qui avait pris la décision de rester dans son pays en compagnie de Girald, son fils aîné, et de ne pas suivre son mari dans la terre d'exil qu'il s'était choisie. D'aucuns prétendaient que c'était surtout Brandin qui avait décidé de se passer de la compagnie de la reine.

Instinctivement, Dianora préférait cette seconde version ; mais elle était assez lucide pour savoir pourquoi, et c'était un point qu'elle n'avait jamais abordé avec le roi. Non pas que le sujet fût tabou, non, Brandin n'aurait éprouvé aucune gêne à en parler. La vérité, c'est qu'elle ne savait pas comment elle réagirait à la réponse qu'il risquait de lui faire si elle venait à lui poser la question.

En tout cas, Dorotea était restée en Ygrath, et bien peu nombreuses étaient les dames de la cour qui se risquaient à traverser l'océan et à offenser la reine pour faire le voyage jusqu'à la colonie de la Palme ; ce qui avait entraîné une absence quasi totale de femmes à la nouvelle cour de Brandin. Du même coup, le rôle du saishan s'en était trouvé modifié. D'autant que, les premières années, Brandin avait ordonné aux capitaines des navires collecteurs du tribut de recruter des jeunes filles issues de grandes familles, en Corte ou en Asoli. À Chiara, il choisissait lui-même. De Basse-Corte, une province qui portait un autre nom autrefois, il n'avait pas pris la moindre femme et n'était jamais revenu sur sa décision. Brandin et les gens de ce pays se vouaient une haine sans bornes, et le saishan n'était guère l'endroit où permettre à de telles passions de s'affronter.

Il n'avait fait venir que très peu de femmes du saishan d'Ygrath, qu'il avait laissé presque intact. Sa politique en l'occurrence était claire : en abandonnant le contrôle du saishan à Girald, il confirmait de manière symbolique le statut et l'autorité de son fils comme régent d'Ygrath.

Avec tous les changements survenus ici, dans la colonie, le nouveau saishan n'avait pas grand-chose à voir avec l'ancien ; Vencel et Scelto ne le lui avaient pas caché. Il y régnait une atmosphère différente, et ce saishan avait une tout autre personnalité.

On y trouvait également, parmi toutes les femmes de Corte, de Chiara et d'Asoli, avec la poignée d'Ygrathiennes, une femme du nom de Dianora, originaire du Certando, province sous la férule du Barbadien.

C'est du moins ce que chacun ici, au palais, croyait. Cela avait d'ailleurs bien failli déclencher une guerre.

À l'époque où son frère avait quitté la demeure familiale, Dianora, alors âgée de seize ans, fille d'un sculpteur mort à la guerre et d'une mère qui n'avait guère prononcé plus d'un mot ou deux depuis, avait résolu de passer le restant de ses jours à poursuivre le tyran installé à Chiara dans le but de le tuer.

Durcissant son cœur comme les hommes au champ de bataille, comme son père, sans doute, sur les rives de la Deisa, elle s'était préparée à abandonner sa mère dans la maison déserte et sonore qui, autrefois, résonnait des cris de joie de ses occupants ; où le prince de Tigane avait arpenté le patio, un bras autour des épaules de son père, analysant et louant les œuvres en cours.

Dianora s'en souvenait parfaitement.

En pénétrant dans la salle d'audience, elle put juger de son apparence par le reflet des miroirs plaqués d'or sur le mur, puis, presque instinctivement, elle chercha des yeux d'Eymon d'Ygrath, le chancelier. L'homme le plus puissant de la cour après Brandin.

Comme elle s'y attendait, il les dévisageait déjà, Solores et elle, le regard plus sinistre que jamais. À son arrivée, ce regard l'avait profondément perturbée. Elle s'était imaginée que d'Eymon ne l'aimait pas ou, pire encore, qu'il soupçonnait quelque chose. Elle ne mit pas longtemps à s'apercevoir qu'il désapprouvait et soupçonnait quiconque pénétrait au palais. Nul n'échappait à ce regard glacial qui vous jaugeait. Elle comprit aussi qu'il se comportait de la même manière en Ygrath. D'Eymon vouait une fidélité quasi fanatique et inébranlable à Brandin, qui n'avait d'égal que son zèle à le protéger.

Avec le temps, Dianora avait appris à respecter cet Ygrathien austère, de mauvaise grâce au début, plus volontiers par la suite. Elle considérait comme une victoire qu'il parût lui faire confiance désormais. En réalité, cela faisait plusieurs années qu'elle avait reçu son approbation, sinon jamais il ne l'aurait autorisée à passer une nuit entière avec Brandin et à partager son sommeil.

La victoire du mensonge, se dit-elle avec une ironie dont le mordant était dirigé contre elle-même.

D'Eymon lui adressa un hochement de tête imperceptible et fit de même à l'intention de Solores. C'était ce que toutes deux attendaient : elle devaient se mêler à la foule et bavarder. Aucune ne devait occuper le siège près du trône insulaire. Il arrivait qu'elles s'y installassent, et c'était ce qu'avait fait la belle Chloese avant sa mort prématurée et inattendue, mais Brandin était plutôt pointilleux quand il y avait des invités en provenance d'Ygrath dans l'assemblée. Dans ce cas, le siège restait délibérément inoccupé. Car c'était celui de Dorotea, la reine.

Brandin n'était pas encore arrivé, bien sûr, mais Dianora vit Rhun, le fou aux jambes torses et au crâne dégarni, se diriger en traînant les pieds vers l'un des serveurs qui apportait du vin. Rhun, maladroit, gravement attardé, était affublé d'un vêtement somptueux, blanc et or, et Dianora sut alors que Brandin porterait ces mêmes couleurs. Cela faisait partie intégrante de la relation complexe entre les rois sorciers d'Ygrath et leurs fous.

Pendant des siècles, le fou avait été l'ombre, la projection du roi. Il était habillé comme le monarque, mangeait à côté de lui lors des réceptions officielles, était présent dès qu'il s'agissait de rendre honneur à quelqu'un ou de prononcer un jugement. Le fou du roi était toujours affligé d'une malformation ou d'un handicap évident, qui le faisait parfois cruellement souffrir. Rhun se traînait plus qu'il ne marchait, il avait les traits du visage déformés, les mains qui pendaient en formant un angle insolite avec les bras, et de la difficulté à articuler. Le plus souvent, il reconnaissait les courtisans, mais pas toujours ; il lui arrivait également de s'adresser à eux d'une manière tout à fait inattendue, ce qui, en soi, constituait un message. Un message du roi.

Dianora avait du mal à appréhender cet aspect de la relation entre Brandin et son fou, et elle craignait de ne jamais y parvenir. Elle savait que Rhun contrôlait à peu près son esprit, aussi obscur et limité fût-il, mais pas entièrement. Car il y avait une part de sorcellerie derrière tout cela : la magie subtile d'Ygrath.

Tout ce qu'elle savait restait schématique : le fou d'Ygrath avait pour mission première de rappeler à son seigneur ses limites et sa condition de mortel ; habillé exactement comme lui, il faisait parfois office de porte-parole, de conduit externe aux pensées intimes et aux émotions du roi.

Cela signifiait qu'on ne pouvait jamais vraiment savoir si le discours et les actes de Rhun, bien qu'inarticulés et maladroits, étaient vraiment les siens ou une émanation révélatrice de l'humeur de Brandin ; ce qui pouvait s'avérer franchement dangereux si l'on n'y prenait garde.

Rhun avait la mine souriante et satisfaite ; il faisait des courbettes ou saluait d'un mouvement de tête saccadé tous ceux qu'il rencontrait ou presque, tandis que son couvre-chef brodé d'or glissait. Tout en se penchant pour le ramasser, il riait et le reposait sur ses cheveux clairsemés. De temps à autre, un courtisan exagérément anxieux, ou prêt à tout pour s'attirer la faveur du souverain, se baissait en hâte pour ramasser le couvre-chef et le rendre au fou. Rhun riait encore.

Dianora devait reconnaître qu'il la mettait mal à l'aise ; elle faisait néanmoins des efforts pour cacher ce malaise derrière la pitié sincère que lui inspiraient ses tourments et son âge, qui commençait sérieusement à paraître. Mais la vérité première, c'était que Rhun était intimement lié aux pouvoirs occultes de Brandin, qu'il en était un prolongement, un outil, et que ces pouvoirs étaient la cause de tous ses maux et de toutes ses craintes. Et de sa culpabilité.

Aussi, au fil des années, était-elle devenue experte dans l'art d'éviter les situations où elle risquait de se retrouver seule avec le fou ; ses yeux francs, exaspérément semblables à ceux de Brandin, lui causaient un réel malaise. Quand elle les fixait trop longtemps, ils lui semblaient totalement dépourvus de profondeur, simple surface réfléchissante qui lui renvoyait une certaine image d'elle-même, mais pas à la manière des miroirs plaqués d'or, car ce qu'elle était alors forcée de voir ne lui plaisait pas.

Solores, avec la grâce raffinée d'une longue expérience, se glissa sur sa droite tandis que Dianora prenait à gauche et souriait à tous les visages connus. Nesaïa, cheveux châtains, et Chylmoene, cheveux d'or, traversèrent la salle côte à côte, soulevant un enthousiasme palpable sur leur passage.

Dianora aperçut le poète Doarde en compagnie de sa femme et de sa fille. Celle-ci, âgée d'environ dix-sept ans, avait les yeux brillants d'excitation. C'est sans doute sa première sortie dans le monde, se dit Dianora. Doarde lui adressa un sourire onctueux depuis l'autre extrémité de la salle, ainsi qu'un salut recherché. Même à cette distance cependant, elle lisait sa déconfiture dans ses yeux : une réception de cette ampleur en l'honneur d'un musicien d'Ygrath ressemblait fort à une grande claque pour le plus ancien des poètes de la colonie. Lui qui avait passé l'hiver à s'enorgueillir des vers que Brandin avait envoyés à l'annonce de la mort du duc Sandre d'Astibar, rien que pour taquiner le Barbadien. Doarde avait affiché une suffisance insupportable pendant plusieurs mois. Aujourd'hui pourtant, Dianora compatissait un peu à sa déconvenue, même s'il n'était qu'un monumental imposteur à ses yeux.

Elle n'avait pas caché son opinion à Brandin, mais celui-ci lui avait répondu qu'il trouvait l'emphase du poète amusante. Lorsqu'il était à la recherche d'une authentique œuvre d'art, avait-il murmuré, il s'adressait ailleurs.

Mais tu as détruit l'art, avait-elle eu envie de lui dire. De lui crier plutôt.

En se remémorant, avec une douleur presque physique, la tête brisée et le torse en morceaux du dernier

Adaon qu'avait sculpté son père sur les marches du palais de la Mer. Son frère, assez âgé désormais, avait servi de modèle pour le jeune dieu. Elle se souvenait d'avoir regardé ce qui restait de cette forme sculptée d'un œil sec ; elle avait pourtant envie de pleurer, mais elle avait épuisé sa réserve de larmes.

Elle jeta un coup d'œil à la fille de Doarde qui avait du mal à contenir sa joie. Dix-sept ans.

Juste après le dix-septième anniversaire du jour de sa dénomination, elle s'était emparée de la cassette secrète de son père et avait volé la moitié des pièces d'argent, tout en implorant son pardon et la bénédiction de sa mère, ainsi que la compassion d'Eanna, déesse des Lumières et témoin de toutes choses.

Elle était partie sans dire au revoir, non sans avoir profité des dernières lueurs de la chandelle pour jeter un ultime regard à la silhouette décharnée et usée de sa mère, qui dormait d'un sommeil agité dans un lit trop grand pour elle. Mais Dianora s'était endurcie, comme un soldat qui s'apprête à livrer bataille ; elle ne pleura donc pas.

Quatre jours plus tard, elle passait la frontière du Certando après avoir traversé le fleuve à gué, dans un endroit désert au nord d'Avalle. Elle avait dû prendre des précautions pour arriver jusque-là, car les soldats ygrathiens patrouillaient toujours dans la région, et dans la ville d'Avalle ils avaient commencé à s'attaquer aux tours dans le but de les abattre. Certaines étaient encore debout, elle les distinguait du gué où elle s'apprêtait à traverser, mais la plupart étaient déjà tombées et elle ne percevait plus Avalle qu'au travers d'un écran de fumée.

Qui ne s'appelait déjà plus Avalle, d'ailleurs. Le sortilège était en place. La magie de Brandin. La ville nimbée de fumée et de l'épaisse poussière qui sévissait en été s'appelait Stévanie désormais. Dianora avait eu du mal à comprendre qu'un homme pût donner le nom de son enfant bien-aimé à une ville réduite à un vilain amas de décombres. Plus tard, elle avait entrevu ses raisons : le nom n'avait rien à voir avec le souvenir que Brandin gardait de Stevan. Il s'agissait uniquement de punir les habitants de la ville et du reste de la province autrefois nommée Tigane : qu'ils n'oublient jamais comment la mort d'un jeune homme était à l'origine de leur déclin. Les Tiganais vivaient maintenant sur une terre rebaptisée Basse-Corte ; or les habitants de Corte avaient été leurs pires ennemis pendant des siècles. La ville de Tigane s'appelait Basse-Corte maintenant.

Et Avalle des Tours, Stévanie. L'occupation, les incendies, les décombres, la mort ne suffisaient pas à assouvir le désir de vengeance du roi d'Ygrath, qui éprouvait le besoin d'annihiler jusqu'aux noms, jusqu'au souvenir, jusqu'à la trame même de leur identité : un désir subtil et impitoyable.

Il y avait bon nombre de réfugiés l'été où Dianora se dirigea vers l'est, mais aucun d'eux n'avait de but aussi précis que le sien, et la plupart allaient beaucoup plus loin : ils traversaient les plaines céréalières du Certando et passaient au Ferraut, en Tregea et même en Astibar. Tous acceptaient de vivre sous la tyrannie en expansion du Barbadien, ils le souhaitaient même, afin de mettre la plus grande distance possible entre eux et les images de leur pays anéanti par Brandin.

Mais Dianora, elle, s'accrochait à ces images : tantôt elle les entretenait de la haine qu'elle portait en son sein, tantôt elle évoquait ses souvenirs pour donner forme à sa haine. Les serpents jumeaux accomplissaient leur œuvre.

Elle ne parcourut que quelques milles de l'autre côté de la frontière. On était à la fin de l'été, et les épis de blé se dressaient hauts et blonds, mais tous les hommes étaient partis au nord ou à l'est, car Alberico de Barbadior, après avoir assis son pouvoir au Ferraut et en Astibar, se dirigeait maintenant vers le sud.

À la fin de l'automne, il avait conquis le Certando ; au printemps suivant, Borifort en Tregea, la dernière place forte qui résistait encore, était tombée à son tour, à l'issue d'un siège qui avait duré tout l'hiver.

Il y avait déjà longtemps que Dianora avait trouvé ce qu'elle cherchait dans les hauteurs à l'ouest du Certando. Un hameau – vingt maisons et une taverne – au sud de Sinave et de Forese, les deux grands forts qui se regardaient de part et d'autre de la frontière entre le Certando et la province qu'elle avait appris à nommer Basse-Corte.

Près des montagnes méridionales, la terre était loin d'être aussi fertile que plus au nord. La bonne saison y était beaucoup plus courte. Des vents froids venus de la chaîne des monts Braccio et Sfaroni balayaient la région dès le début de l'automne ; la neige ne tardait pas à tomber et c'était le début d'un long hiver. La nuit, les loups hurlaient, et quelquefois on découvrait au petit matin des empreintes inconnues qui venaient de la montagne puis y retournaient.

À une lointaine époque, le village était tout proche d'une des routes au nord-est de l'axe principal qui descendait du col de Sfaroni et permettait de commercer avec la Quileia par voie terrestre. Cela expliquait qu'un aussi petit village possédât une taverne de cette importance, avec quatre chambres destinées à loger des voyageurs qui avaient cessé de venir depuis belle lurette.

Dianora cacha l'argent de son père au sud du village, sur une pente couverte d'arbres serrés à l'écart des troupeaux de chèvres, et alla se faire engager comme servante à l'auberge. Elle ne gagnait rien, bien sûr. Elle travaillait juste pour payer sa chambre et la maigre pitance qu'on lui servit cet été-là et l'automne suivant ; elle aidait les femmes du village et les jeunes garçons aux champs, tandis qu'ils tentaient de rapporter ce qu'ils pouvaient de la récolte au village.

Elle prétendit qu'elle était du Nord, près du Ferraut. Que sa mère était morte, son père et son frère partis à la guerre. Et que, son oncle commençant à lui manquer de respect, elle avait dû fuir. Elle avait une bonne oreille pour les accents, et elle adopta le parler du Nord, suffisamment bien pour être crédible. D'ailleurs, on lui posa peu de questions. Les migrants étaient trop nombreux dans la Palme pour qu'on poussât la curiosité trop loin. Dianora mangeait peu et travaillait aussi dur que n'importe qui. Il n'y avait pas grand-chose à faire à l'auberge, les hommes étant tous partis à la guerre. Elle dormait dans une des chambres du premier; elle n'était même pas obligée de la partager. Ces villageois étaient tous généreux à leur manière, surtout au vu des circonstances.

Depuis certains sites et sous certains éclairages – le matin surtout, dans les champs les plus en hauteur –, elle apercevait la frontière à l'ouest et, au-delà, les dernières tours encore debout, et la fumée au-dessus de ce qui avait été Avalle. Un matin, vers la fin de l'année, elle constata soudain qu'elle ne voyait plus rien. Qu'il n'y avait plus rien à voir. La dernière tour était tombée.

C'est à cette époque que les hommes se mirent à rentrer au village, las et vaincus. Il y eut de nouveau du travail à la cuisine et dans la salle, et elle servit les clients au bar ou à la table. Il était également entendu, et elle avait fait de son mieux pour s'habituer à l'idée pendant l'automne, qu'elle devait emmener dans sa chambre tout homme prêt à payer le tarif en usage.

Chaque village avait besoin d'une femme pour faire ce métier, et elle semblait désignée d'office. Elle essayait de ne pas y attacher trop d'importance, mais c'était loin d'être facile. Pourtant, elle n'était pas venue ici sans raison, mais porteuse d'une mission, d'une vengeance à accomplir, et ceci, oui, ceci aussi, en faisait partie. Elle durcissait son cœur, mais pas toujours, et pas assez.

Peut-être cela se remarquait-il. Plusieurs de ses clients offrirent de l'épouser. Un jour, elle se surprit à penser à l'un d'eux tandis qu'elle essuyait les tables après le déjeuner. Il parlait peu et la traitait avec douceur; il se montrait timide quand il lui demandait de monter avec elle, mais dans la taverne ses yeux suivaient chacun de ses mouvements avec une concentration farouche.

Ce jour-là, elle sut que l'heure était venue de partir. On était au printemps.

Elle s'éclipsa la nuit suivante, de nouveau sans un adieu, revivant son arrivée à mesure qu'elle s'éloignait. Le long de la sente qui grimpait dans la montagne, les prairies étaient en fleurs, l'air pur et doux. À la clarté confondue des deux lunes, elle déterra son sac de pièces d'argent et s'éloigna sans se retourner. À Sinave, elle prit la route du nord, celle qui menait au fort. Elle avait dix-neuf ans.

Dix-neuf ans et une beauté certaine, qui avait vu le jour au cours des deux années précédentes. Ses traits anguleux s'étaient adoucis à mesure que son visage perdait ses attributs juvéniles – un visage ovale aux pommettes saillantes, avec un rien d'austérité. Mais, quand elle riait, ce que, curieusement, elle savait encore faire, il s'animait et devenait chaleureux, et la flamme inattendue qui brillait dans son regard semblait promettre bien autre chose qu'une gaieté passagère. Les hommes qui la voyaient rire ou la faisaient sourire emportaient ce regard jusque dans leurs songes, ainsi que dans les souvenirs tapis à la lisière du sommeil et des rêves, bien après que Dianora eut disparu de leur vie.

À Sinave, les Barbadiens lui déplurent profondément : leur carrure massive l'oppressait, tout comme leur maladresse, leur brutalité inconsidérée. Elle se força à rester sereine et à séjourner quelque temps. Elle se dit que deux semaines suffiraient. Il lui fallait faire une forte impression et laisser un souvenir.

Le souvenir soigneusement élaboré d'une jolie fille ambitieuse venue de quelque hameau près des montagnes. Une jeune fille le plus souvent silencieuse au milieu des conversations qui animaient la taverne le soir, mais qui, lorsqu'elle se mettait à parler, racontait des histoires colorées et inoubliables de son village natal dans le Sud ; avec cette diction remarquablement laconique et ces voyelles arrondies qui, n'importe où dans la Palme, trahissaient ses origines des montagnes du Certando.

Ces contes étaient souvent tristes, comme la plupart des histoires qui circulaient ces années-là, mais, de temps à autre, Dianora gratifiait son auditoire d'une merveilleuse imitation de quelque rustaud de montagnard exprimant une opinion mûrement réfléchie sur les affaires agitant ce bas monde, et ses compagnons avaient du mal à s'arrêter de rire.

Elle leur donnait l'impression d'avoir quelque argent, gagné à la manière dont s'y prennent les jolies filles qui ont envie de s'enrichir. Mais elle partageait une chambre avec une autre femme à la meilleure des deux auberges du fort, et jamais personne ne vit l'une d'elles faire monter un homme. Ni accepter une invitation ailleurs. Les soldats barbadiens auraient certes pu se montrer plus entreprenants, comme l'hiver précédent, mais des ordres étaient venus d'Astibar et les mercenaires faisaient l'objet d'une surveillance plus stricte depuis le début du printemps.

Ce dont elle avait envie, confia un soir Dianora à un groupe informel de jeunes gens auquel elle s'était mêlée à la taverne, c'était de travailler dans une auberge ou un restaurant accueillant une clientèle d'un rang plus élevé. Elle en avait plus qu'assez des tavernes ordinaires, avait-elle déclaré.

Quelqu'un mentionna alors l'auberge de *la Reine*, de l'autre côté de la frontière, en Basse-Corte.

Dianora poussa un authentique soupir de soulagement et se mit à poser des questions sur l'établissement.

Des questions dont elle connaissait les réponses depuis trois jours, car cela faisait trois jours qu'elle s'asseyait à la table de ces jeunes tous les soirs et faisait des allusions discrètes dans l'espoir qu'ils lui livreraient le nom de cette auberge. Elle en avait conclu qu'il ne servait à rien d'user de subtilité avec ces jeunes Certandans de la zone frontalière, et elle avait dû carrément amener le sujet sur le tapis.

À présent elle les écoutait, l'air faussement émerveillé, les yeux écarquillés, tandis que deux de ses nouveaux camarades décrivaient, volubiles, le plus récent et le plus élégant établissement ygrathien de Basse-Corte. Un restaurant qui se targuait d'un chef venu tout droit d'Ygrath, sur ordre du gouverneur de Stévanie et des environs. Ce gouverneur, s'avérait-il, était notoirement friand de bonne chère et de bon vin, ainsi que de bonne musique, et ne dédaignait pas un cadre agréable. Il s'était lui-même occupé de trouver un ensemble de salles au rez-de-chaussée d'une ancienne banque et se vantait d'avoir donné naissance à l'établissement le plus sophistiqué et le plus luxueux de toute la Palme, où lui-même dînait plusieurs fois par semaine désormais.

C'était la seconde fois que Dianora avait droit à ce récit.

Elle avait déjà entendu tous ces détails dans les boutiques où elle s'était enquise du prix et du style des vêtements disponibles à Fort-Sinave. Elle avait besoin de tenues convenables pour se rendre en ville, elle le savait. Elles contribueraient peut-être à la faire remarquer.

Dès qu'elle avait entendu prononcer ce nom, elle avait compris que *la Reine* s'insérerait parfaitement dans la prochaine étape du plan qu'elle avait conçu pour changer son passé.

Les boutiquiers lui avaient révélé que les autochtones n'étaient pas autorisés à pénétrer dans ce restaurant. Les commerçants de Corte, eux, étaient chaleureusement accueillis, ainsi que ceux d'Asoli ou de Chiara bien sûr. Et tous les Ygrathiens, fussent-ils soldats, marchands ou autres, venus chercher fortune dans la nouvelle colonie, étaient gracieusement invités à pénétrer et à s'incliner devant le portrait de la reine Dorotea, accroché au mur juste en face de la porte d'entrée. Même les commerçants qui franchissaient la ligne de démarcation entre l'est et l'ouest de la Palme étaient chaudement conviés à dépenser une partie de leur argent à *la Reine*. Toutes les devises étaient acceptées.

Seuls les véritables ennemis du roi, à savoir les habitants de la Basse-Corte, y compris ceux de Stévanie, étaient indésirables à *la Reine* ; pas question de laisser ces assassins abjects, coupables du meurtre de l'héritier du roi, polluer l'atmosphère.

Le risque était pourtant inexistant, comme l'apprit Dianora de la bouche d'un marchand du Ferraut en route vers le nord avec un chargement de cuir de Stévanie, sur lequel il espérait réaliser un profit, même au cours en vigueur cette année-là. Car, en réponse à cet interdit, les habitants de Stévanie avaient tout simplement refusé de travailler dans le nouvel établissement. Ni comme serveurs, ni comme cuisiniers, ni comme garçons d'écurie, ni comme musiciens. Les artisans eux-mêmes avaient renoncé à restaurer et entretenir les magnifiques salles.

À l'annonce de cette réaction, le gouverneur était entré dans une colère noire et avait juré qu'il obligerait ces misérables à se plier à toutes les exigences de leurs maîtres ygrathiens. Quitte à recourir au cachot, au fouet, même à une roue de la mort ou deux si nécessaire.

Le cuisinier en chef, Arduini, hésitait.

On ne bâtissait ni ne maintenait un établissement de qualité avec une main-d'œuvre travaillant contre son gré, avait déclaré Arduini, faisant ainsi preuve d'un sens artistique qu'on citait à tout bout de champ. C'était incompatible avec le standing qu'il revendiquait. Dans un restaurant comme le sien, avait déclaré Arduini d'Ygrath, tout le personnel jusqu'aux garçons d'écurie devait être consentant et dûment formé afin d'acquérir un style propre.

Cette dernière remarque avait déclenché l'hilarité générale : des garçons d'écurie stylés ? quoi encore ! Mais, avait appris Dianora, l'ironie avait bientôt fait place au respect parce que Arduini, prétentieux ou non, savait ce qu'il faisait. *La Reine*, lui avait dit le commerçant de Ferraut, ressemblait à un oasis au milieu des déserts de Khardhun. Dans une ville brisée et découragée comme l'était Stévanie, le restaurant donnait un aperçu de la civilité et de la délicatesse des Ygrathiens propre à vous réchauffer le cœur. Le marchand regrettait amèrement, quoique discrètement, vu le territoire où il se trouvait, l'absence totale de traits semblables chez les Barbadiens qui occupaient sa propre province.

Mais, avait-il répondu à la question d'apparence anodine que lui avait posée Dianora, Arduini n'avait toujours pas résolu ses problèmes de personnel. Stévanie se dressait sur un site isolé, dans la province la plus lourdement taxée, placée sous le joug d'une armée d'occupation. Il était pratiquement impossible d'inciter les gens à s'y rendre, encore moins à y rester ; pas un aventurier ygrathien ne s'était encore résolu à s'exiler aussi loin de chez lui avec pour seul objectif de laver la vaisselle, débarrasser les tables ou nettoyer des écuries, même stylées ; il y avait donc un déficit chronique de personnel, et Arduini était contraint de recruter dans les autres provinces de la Palme.

Dianora renonça à tous ses autres plans sur-le-champ. Elle décida de miser entièrement sur cette découverte accidentelle, tout en adressant une prière silencieuse à Adaon. Elle s'était mis en tête d'aller au nord-ouest et de pousser jusqu'à Corte. Cette ville devait être son avant-dernière destination avant l'aboutissement de son plan. Elle se demandait sérieusement, presque chaque nuit en fait, tandis qu'elle cherchait le sommeil, si les trois années passées au Certando suffiraient à leurrer quiconque chercherait à connaître la véritable histoire de sa vie. Elle ne savait pas très bien que faire d'autre cependant.

Mais voilà qu'elle avait trouvé.

Et c'est ainsi que, quelques jours plus tard, dans la plus importante taverne de Fort-Sinave, un groupe de jeunes gens joyeux regardèrent leur nouvelle amie boire plus que de raison pour la première fois depuis son arrivée. Plus d'un homme vit là une raison de se montrer relativement optimiste quant à la possibilité de tirer parti de la situation plus tard dans la soirée.

« Je suis décidée ! » s'écria Dianora de sa jolie voix méridionale. Elle prit appui sur l'épaule d'un charron médusé pour garder l'équilibre. « C'est une nouvelle vie qui commence! Je passe la frontière dès que possible pour me rendre à *la Reine* d'Ygrath. Que la Triade la bénisse!»

Que la Triade protège mon âme, se disait-elle tout en parlant, parfaitement sobre et tremblant jusqu'aux os en pensant aux paroles désinvoltes qu'elle venait de prononcer.

Ils la firent taire et rirent aux éclats, en partie pour couvrir ses paroles. Dans un Certando aux mains des Barbadiens, il n'était pas sage du tout de saluer de la sorte la reine d'Ygrath. Dianora se mit à rire de cette façon attachante qui lui était propre, puis elle se calma. Le charron et un autre tentèrent de l'accompagner jusqu'à sa chambre, mais furent gentiment repoussés et passèrent le reste de la soirée à boire avec des mercenaires en permission, dans la seule taverne de Fort-Sinave ouverte toute la nuit.

Ces deux sages tombèrent d'accord pour dire qu'elle n'était pas encore tout à fait assez dégrossie pour réussir dans l'entreprise ambitieuse qu'elle s'était fixée. Quelques verres plus tard, ils tombèrent également d'accord pour dire qu'elle avait une façon terriblement séduisante de sourire. Quelque chose en rapport avec ses yeux et l'expression qu'ils prenaient lorsqu'elle paraissait heureuse.

Le lendemain matin, Dianora se prépara de bonne heure, fit ses bagages et se présenta à la porte du fort. Elle conclut un arrangement avec un marchand entre deux âges, d'un abord agréable, qui accepta de l'emmener à Stévanie. Lui-même venait du Senzio et transportait des épices barbadiennes, un produit de luxe. Et, s'il se rendait dans cette ville sinistre et en ruine, c'était uniquement pour le nouveau restaurant, *la Reine*. Cette coïncidence lui parut augurer favorablement de la suite, et elle replia trois fois les doigts de sa main gauche sur son pouce pour que son souhait se réalisât.

Les routes étaient meilleures que le souvenir qu'elle en avait; en tout cas, les marchands qui les empruntaient paraissaient-ils plus rassurés. Tout en roulant, elle demanda au Senzian ce qu'il en pensait. Il eut un rire sardonique.

« Les tyrans ont éliminé la plupart des bandits de grand chemin. Uniquement pour protéger leurs propres intérêts. Ils veulent être sûrs que personne ne nous vole afin qu'eux-mêmes puissent s'y consacrer en toute impunité avec leurs taxes douanières et leurs impôts. » Il cracha discrètement sur la chaussée poussiéreuse. « Mais, personnellement, j'aimais mieux les brigands. Il y avait toujours moyen de s'entendre avec eux. »

Peu de temps après, elle eut la preuve concrète qu'il disait vrai : ils passèrent devant deux roues de la mort en bordure de la route ; sur chacune le corps d'un prétendu brigand tournait paresseusement au soleil, bras et jambes écartés ; on leur avait sectionné les mains, qui pourrissaient dans leur bouche. L'odeur était insupportable.

Le Senzian s'arrêta juste après la frontière pour effectuer une ou deux transactions au fort de Forese. Il paya également les droits de douane, après avoir fait la queue sans protester, laissé les gardes examiner sa charrette et prélever leur dû ou ce qu'ils considéraient comme tel. Le supplice de la roue, précisa-t-il ensuite à Dianora de ce ton acerbe propre aux Senzians, n'était pas réservé aux seuls bandits de grand chemin et aux magiciens.

Ces formalités les avaient retardés et ils passèrent la nuit dans un relais de poste au bord d'une route fréquentée ; là, ils se joignirent à un groupe de commerçants venus du Ferraut pour dîner. Dianora ne tarda pas à prendre congé. Elle avait opté pour une chambre seule et, par précaution, poussa la coiffeuse en chêne devant sa porte. Mais elle ne fut pas dérangée, si ce n'est par ses rêves. Elle était de retour à Tigane sans l'être vraiment, puisqu'il n'y avait plus de Tigane. Elle murmura ce nom comme un talisman ou une prière, avant de sombrer dans un sommeil agité traversé d'images de destruction datant de l'année où la province avait été incendiée.

Ils passèrent la deuxième nuit dans une autre auberge près du fleuve, hors les murs de Stévanie, car l'heure du couvre-feu était passée et il n'était plus question de franchir les portes de la ville. Ils dînèrent seuls cette fois, et bavardèrent tard dans la nuit. Le Senzian était un homme honnête et sobre qui démentait les clichés sur les mœurs décadentes de sa province ; il était clair qu'elle lui plaisait. Dianora appréciait sa compagnie elle aussi ; elle se sentait même attirée par son langage incisif, son sens de l'humour. Elle alla se coucher seule cependant. Elle n'était plus dans son village du Certando et n'avait donc aucune obligation.

En tout cas pas de cette sorte. Quant au plaisir ou aux besoins normaux du genre humain… elle n'aurait sincèrement pas su de quoi il s'agissait si quelqu'un les avait évoqués devant elle.

Elle était dans sa vingtième année, et de retour en Tigane-qui-n'était-plus.

Le lendemain matin, elle prit congé du Senzian aussitôt après avoir pénétré dans l'enceinte de la ville ; elle se contenta de lui effleurer la paume. Il semblait ému de la conversation qu'ils avaient eue la veille au soir, mais elle fit demi-tour et s'éloigna avant qu'il ait pu trouver les mots qu'il cherchait.

Elle choisit un hôtel non loin de là, dans lequel sa famille n'avait jamais mis les pieds. Elle ne craignait pas d'être reconnue, pourtant. Elle savait à quel point elle avait changé ces dernières années ; quant à son prénom, il était plus que commun dans la péninsule. Elle paya trois nuits d'avance et déposa ses bagages.

Puis elle s'engagea dans les rues de la ville qui s'appelait encore Avalle des Tours peu de temps auparavant. Avalle, bâtie sur les rives verdoyantes du Sperion, juste avant que le fleuve prenne à l'ouest pour rejoindre la mer. Elle sentait la douleur monter à mesure qu'elle avançait, mais ce qui lui faisait encore le plus mal c'était de constater à quel point une ville pouvait rester la même quand tout avait changé.

Elle traversa le quartier des tanneurs et celui des marchands de laine. Elle se revoyait gambadant aux côtés de sa mère, un jour qu'ils étaient venus en Avalle en famille pour assister à l'inauguration d'une œuvre de son père sur quelque place ou sur une loggia. Elle reconnut même la petite boutique où elle avait acheté sa première paire de gants de cuir gris, payée avec des pièces qu'elle avait mises de côté après le jour anniversaire de sa dénomination, l'été précédent, et qu'elle destinait précisément à cet usage.

« Le gris n'est pas une couleur de petite fille, l'avait taquinée le marchand ; c'est bon pour les jeunes femmes.

—Je sais », avait fièrement répondu Dianora du haut de ses six ans. Sa mère avait ri. À cette époque-là, sa mère riait souvent.

Dans le quartier des marchands de laine, elle vit des femmes et des jeunes filles travailler sans répit, comme leurs mères et leurs grands-mères avant elles. Elles cardaient et filaient sur le seuil de leur porte ouverte, qui laissait filtrer la lumière des premières heures de ces premiers matins d'été. Elle renifla l'odeur des ateliers de teinturiers installés aux abords immédiats du fleuve.

Lorsque la Quileia, de l'autre côté des montagnes au sud, s'était repliée sur elle-même et son matriarcat plusieurs centaines d'années auparavant, Avalle avait été durement touchée. Plus peut-être que toute autre ville de la Palme. Placée sur l'un des deux principaux axes commerciaux traversant les montagnes, elle risquait de perdre toute raison d'exister. Mais les habitants avaient fait montre d'une ingéniosité proche du génie, et la ville avait complètement changé d'orientation et de vocation.

En moins d'une génération, cette cité de banquiers et de commerçants était devenue le principal centre de la Palme pour le travail du cuir et la teinture de la laine : les artisans avaient élaboré une somptueuse palette de couleurs.

Ne manquant jamais une opportunité de se développer, Avalle s'enorgueillissait d'une prospérité croissante. Et les tours continuaient de grimper.

Le cœur serré, Dianora finit par admettre qu'elle s'était soigneusement cantonnée à la périphérie de Stévanie, déambulant dans les quartiers excentrés des artisans. Et qu'elle ne regardait jamais ailleurs que loin devant elle ou à ses pieds. Surtout pas en direction du centre et de la colline d'où les tours avaient disparu.

Tandis qu'elle en prenait conscience, elle fit halte au milieu d'une vaste place, au pied de la rue où se tenait la guilde des marchands de laine, et se força à ouvrir les yeux. Devant elle s'élevait un temple de Morian, petit, certes, mais de facture exquise, tout en marbre d'un rose délicat. Elle le contempla un moment, puis porta le regard au-delà.

Et à cet instant Dianora perçut une vérité irrévocable : elle comprit qu'une chose peut vous donner l'illusion de n'avoir pas changé tant il est vrai que, les humains étant ce qu'ils sont, les détails superficiels de l'existence ne changent jamais vraiment, même si le cœur, le noyau, la substance de tout ce qui l'entoure n'ont plus rien à voir avec ce qu'ils étaient précédemment.

Les belles et larges avenues semblaient plus larges encore qu'autrefois. Mais c'était parce qu'elles étaient pratiquement vides. Elle percevait un brouhaha sur sa gauche, venant du marché le long du fleuve, mais ce bruit n'avait pas le dixième de l'ampleur qu'il atteignait jadis.

Il restait si peu de monde ! Tant de gens avaient fui ou péri ! La présence des soldats ygrathiens était d'autant plus manifeste que les rues étaient désertes. Dianora laissa son regard déambuler au-delà du temple et suivre le grand boulevard qui menait au cœur de la ville.

Nous pouvons bâtir des avenues larges et droites et nous le ferons, avaient dit les habitants d'Avalle ; même au tout début, quand toutes les autres villes n'étaient qu'un dédale complexe d'allées pleines d'angles et de tournants, de ruelles tortueuses donc faciles à défendre.

Aucune autre ville au monde n'atteindra la perfection de la nôtre et, s'il était besoin de nous défendre, nous le ferions du haut de nos tours.

Mais les tours n'étaient plus. La ligne d'horizon, laide, tassée, irritait Dianora de sa douloureuse rectitude. C'était comme si son œil était ensorcelé et cherchait sans défaillir quelque chose qu'il savait être là.

Les tours avaient été associées à l'image d'Avalle dès les premiers temps de cette grande ville majestueuse arrosée par le Sperion. Affirmation de la fierté des Tiganais, fruit de leur arrogance, disait-on dans les provinces de Corte, Chiara et Astibar. Les tours étaient aussi le symbole de rivalités internes ; chaque famille noble, chaque guilde riche et puissante y allait de sa tour, qu'elle construisait aussi haute que ses moyens le lui permettaient, et plus haute parfois. D'allure gracieuse ou belliqueuse, construites en pierre rouge, blonde ou grise, les tours d'Avalle grimpaient vers le paradis d'Eanna ; on aurait dit une forêt à l'intérieur des murs de la cité.

Les conflits domestiques avaient pris mauvaise tournure à une époque : les sabotages, les meurtres même, se multipliaient tandis que les maçons et architectes talentueux s'étaient mis à exiger des honoraires exorbitants. C'était le troisième prince du nom d'Alessan à Tigane, la cité côtière, qui, voilà plus de deux cents ans, avait mis fin à cette folie de la manière la plus simple qui fût.

Il avait demandé à Orsaria, le plus célèbre architecte, de lui construire un palais en Avalle. Et ce palais comporterait une tour qu'aucune autre ne devrait dépasser.

Et, de ce fait, la flèche qui surmontait la tour du palais, élancée et gracieuse, ornée de stries vertes et blanches pour rappeler l'océan dans une ville si profondément à l'intérieur des terres, avait mis fin au désir insensé de construire toujours plus haut. À partir de là, grâce à l'exemple donné par le prince Alessan, qui devint bientôt une coutume puis une tradition, les princes et princesses de Tigane naquirent tous en Avalle, dans le palais surmonté de cette flèche, pour signifier qu'ils appartenaient aux deux cités : à Tigane des Vagues et Avalle des Tours.

Il y avait eu jusqu'à soixante-dix tours autrefois, dominées par la prééminence de la flèche verte et blanche. Autrefois ? Quatre années seulement s'étaient écoulées depuis.

Que dire, se demanda alors Dianora, le regard heurté par l'absence de tours, d'une personne qui n'a rien changé à son mode de vie, qui parle, marche et travaille, mange, fait l'amour, dort et parvient même à rire parfois, mais à qui on a arraché le cœur ? Sans laisser la moindre cicatrice visible. Sans aucune blessure susceptible d'évoquer le passage d'un objet tranchant.

Les décombres avaient été soigneusement enlevés. Il n'y avait plus de fumée pour gâter le bleu du ciel, excepté près des teintureries. C'était une belle journée, l'air était pur et doux, les oiseaux chantaient pour accueillir les premières chaleurs. Rien, absolument rien ne donnait à entendre qu'il y eût jamais eu des tours ici, dans cette ville basse, cette Stévanie qui végétait dans un des territoires les plus reculés de la péninsule de la Palme, et dans la plus opprimée de toutes les provinces.

Que dire d'une telle personne ? songea de nouveau Dianora. D'une personne dont le cœur a disparu ? Elle n'avait pas de réponse, comment aurait-ce été possible ? L'horreur lui collait à la peau, suivie de près par la haine, comme si l'une et l'autre venaient de naître, plus froides et plus aiguës que jamais.

Elle remonta le large boulevard qui menait au centre de Stévanie et passa devant la caserne et le palais du gouverneur. Non loin de là, elle aperçut *la Reine*. On l'engagea sur-le-champ. Elle pouvait commencer le soir même. Ils avaient grand besoin de personnel et il était difficile d'en trouver. Arduini d'Ygrath, qui recrutait lui-même ses employés, jugea que cette jolie fille du Certando avait du chien. Il la réprimanda pour son

accent montagnard cependant, qu'il trouvait si terriblement vulgaire, et lui dit qu'elle devrait le corriger. Elle
promit d'essayer.

En moins de six mois, elle parlait presque comme
les autochtones. Il y avait déjà quelque temps qu'il
l'avait enlevée à la cuisine et placée comme serveuse
dans la salle principale ; elle portait une tenue dans des
tons crème et brun foncé, en accord avec l'harmonie
dominante du restaurant et qui lui seyait fort bien au
demeurant.

Elle était discrète, habile, modeste et polie. Elle
n'oubliait jamais le nom d'un client ni ses goûts. Elle
apprenait vite. Quatre mois plus tard, au printemps qui
précéda son vingt et unième anniversaire, Arduini lui
offrit une place convoitée : celle d'hôtesse d'accueil
chargée de superviser le personnel des trois salles à
manger.

Son refus le laissa pantois. Lui et bien d'autres. Mais,
Dianora le savait, c'était une place bien trop en vue
pour servir ses desseins, lesquels n'avaient pas changé.
Si elle devait se rendre à Corte d'ici peu et passer
définitivement pour une Certandane, il fallait que son
séjour à *la Reine* soit reconnu, mais pas à un poste
aussi important. Les gens importants éveillaient trop
souvent la curiosité des autres, elle le savait.

Elle joua les jeunes campagnardes en proie à une
crise d'angoisse devant l'ampleur d'une pareille
responsabilité et, le soir où Arduini lui offrit le poste,
elle cassa deux verres et fit tomber un plat. Elle alla
jusqu'à renverser du vin vert de Senzio sur la personne
du gouverneur.

En larmes, elle supplia Arduini de lui laisser le temps
d'acquérir un peu plus de maîtrise et de confiance en
elle. Il accepta d'autant plus facilement qu'il était
tombé amoureux d'elle. Et c'est avec beaucoup d'élé-
gance qu'il l'invita à devenir sa maîtresse. Mais, cette
fois encore, elle fit des difficultés et lui objecta qu'une
telle liaison créerait inévitablement des tensions au
sein du personnel et porterait préjudice à *la Reine*. Il

trouva l'argument convaincant et comprit que sa seule
vraie maîtresse, c'était son établissement.

En vérité, Dianora avait décidé de ne plus laisser
aucun homme la toucher. Elle était en territoire ygrathien et poursuivait un but précis. Les règles avaient
changé. Elle avait plus ou moins décidé de s'en aller à
l'automne suivant et de se diriger vers Corte. Elle pesait
le pour et le contre, cherchant des occasions ainsi que de
bonnes raisons de partir, mais les événements allèrent
bien plus vite qu'elle ne s'y attendait.

◆

Dianora fit posément le tour de la salle d'audience
et s'arrêta pour saluer la femme de Doarde, qu'elle
aimait bien. Le poète en profita pour lui présenter sa
fille. Celle-ci rougit mais se conduisit honorablement
en baissant la tête, les mains pressées l'une contre
l'autre. Dianora lui sourit et s'éloigna.

Un des serveurs s'approcha d'elle et lui tendit un
gobelet incrusté de pierres précieuses rempli de khav.
Brandin le lui avait offert des années auparavant. C'était
une caractéristique de Dianora : elle ne buvait jamais
rien de plus fort que du khav lors des réceptions officielles. En jetant un regard coupable en direction du
mur près de la porte, car elle savait que Scelto y était
adossé, elle but avec soulagement une gorgée du liquide
chaud. Elle adressa un remerciement muet à la Triade
et aux producteurs de Tregea, car le khav, épais, de
couleur sombre, était bon et fort.

« Dianora, ma chère, vous êtes plus resplendissante
que jamais. »

Elle se retourna en réprimant habilement une expression de dégoût. Elle avait reconnu la voix : c'était
celle de Neso d'Ygrath, un nobliau qui venait d'arriver
du royaume sur le premier bateau de la saison, dans le
seul but d'acquérir du crédit et du prestige aux colonies.
Autant que Dianora ait pu en juger, c'était un personnage minable et vénal.

Elle lui décocha un sourire radieux et l'autorisa à lui toucher la main. « Mon cher Neso, comme c'est gentil à vous de mentir de la sorte à une femme vieillissante. »

Elle aimait bien tenir ce genre de propos car, comme le lui avait fait remarquer Scelto, si elle-même était vieille, que dire alors de Solores ?

Neso jura qu'il disait vrai avec l'insistance et l'excès qu'on peut attendre d'un individu de son espèce. Il la complimenta sur sa robe et sur le bijou qu'elle portait, et usa de son bagout de courtisan pour lui faire remarquer que les couleurs du gobelet s'harmonisaient à la perfection avec celles qu'elle portait ce jour-là. Puis, baissant le ton pour lui parler dans une prétendue intimité, il lui demanda pour la huitième fois au moins si elle avait eu quelques nouvelles des dispositions prises pour pourvoir le poste mineur de percepteur en Asoli du Nord.

C'était en fait une position tout à fait lucrative. Le titulaire actuel avait gagné beaucoup d'argent, suffisamment du moins pour avoir envie de retourner en Ygrath d'ici quelques semaines. Dianora détestait ce genre de corruption et avait même eu l'audace de s'en ouvrir à Brandin. Celui-ci avait souri, ce qui l'avait agacée, et, très prosaïque, lui avait seulement fait remarquer qu'il serait singulièrement difficile de trouver des hommes pour accepter de servir dans des endroits aussi dépourvus d'attrait que le nord de l'Asoli, si on ne leur offrait pas l'opportunité de s'enrichir un peu.

Brandin l'avait fixée de ses yeux gris sous ses sourcils broussailleux, tandis qu'elle luttait, puis finissait par accepter l'évidence peu glorieuse de cette vérité. Elle avait levé les yeux vers lui, puis hoché la tête pour lui signifier qu'elle se rendait à ses arguments, quoique à contrecœur. Il avait éclaté de rire.

« Je suis si profondément soulagé de constater que mes raisonnements primaires et mon mode d'administration simpliste rencontrent ton approbation ! » Elle avait rougi jusqu'à la racine des cheveux, puis, se plaçant sur le même registre que lui, avait ri à son tour de ses présomptions absurdes. Cela s'était passé il y avait plusieurs années.

Tout ce qu'elle essayait discrètement de faire désormais, c'était d'empêcher que pareil poste fût confié au plus vorace de cette bande disparate de courtisans ygrathiens parmi lesquels Brandin devait choisir. Et elle était résolue à user de tout son pouvoir pour empêcher que Neso obtînt ce poste. Le problème était que, pour des raisons incompréhensibles, d'Eymon soutenait sa candidature. Elle avait déjà demandé à Scelto d'essayer de savoir pourquoi.

Elle cessa de sourire et s'efforça de paraître sincèrement intéressée et compatissante, tout en jetant des regards de biais au courtisan replet et mielleux. Baissant la voix sans pour autant se pencher vers lui, elle murmura : « Je fais tout mon possible. Mais vous n'êtes pas sans savoir que je rencontre quelques résistances. »

Neso porta le regard au-delà de la volute de fumée qui montait de son gobelet plein de khav. Avec une adresse étudiée, il jeta un coup d'œil par-dessus son épaule vers la porte du roi où, Dianora le savait, se tenait d'Eymon. Puis Neso la regarda de nouveau en haussant légèrement les sourcils.

Dianora eut un petit mouvement d'épaules, comme pour s'excuser.

« Que me suggérez-vous ? demanda-t-il, le front plissé par l'angoisse.

— Je commencerais par me montrer un peu plus souriant », dit-elle d'un ton résolument caustique. Inutile d'intriguer au vu et au su de toute la cour.

Neso se força immédiatement à rire, puis applaudit théâtralement comme si elle venait d'avoir un trait d'esprit remarquable.

« Pardonnez-moi, dit-il en souriant comme elle le lui avait ordonné. Mais cette affaire est de la plus haute importance pour moi. »

Elle l'est encore plus pour les gens d'Asoli, espèce de sangsue, se dit Dianora. Elle posa une main légère sur la manche bouffante de Neso.

« Je sais, dit-elle gentiment. Je ferai mon possible. Si les conditions me le permettent. »

Neso était ce qu'il était, mais il comprenait très bien ce genre d'allusion. Une fois encore il accueillit sa remarque, qui n'avait pourtant rien d'une plaisanterie, de son rire hypocrite. « J'espère pouvoir faire en sorte qu'elles soient favorables », murmura-t-il.

Elle sourit à nouveau et retira la main. C'en était assez. Scelto se verrait offrir une somme coquette avant la fin de l'après-midi. Elle espérait qu'elle paierait une bonne partie du bijou. Quant à d'Eymon, elle s'adresserait directement à lui avant la fin de la semaine, encore que les discussions avec un homme comme lui ne fussent jamais vraiment directes.

Tout en buvant son khav à petites gorgées, elle se déplaçait dans la salle. Dès qu'ils l'apercevaient, les gens s'approchaient d'elle. Il était de bon ton à la cour de Brandin d'entretenir des rapports cordiaux avec Dianora di Certando. Tandis qu'elle échangeait des propos sans importance d'un air absent, elle gardait une oreille attentive aux quelques coups discrets que frapperaient les assistants du héraut pour annoncer l'arrivée de Brandin. Rhun, remarqua-t-elle, faisait des grimaces devant le miroir et riait du résultat. Il était d'excellente humeur, ce qui était bon signe. Elle regarda dans la direction opposée et aperçut soudain un visage qu'elle aimait bien. Un visage qui faisait indéniablement partie de son histoire.

◆

Il est vrai qu'à bien des égards la faute incombait au gouverneur. Il avait tant à cœur d'atténuer les frustrations évidentes de Rhamanus, capitaine du bateau collecteur du tribut cette année-là, qu'il ordonna à la serveuse certandane qui lui avait présenté de si charmantes excuses le jour où elle avait renversé du vin en sa présence de leur apporter quelques autres bouteilles des meilleurs crus que possédât *la Reine*. C'est ainsi que ses invités et lui-même furent conduits à boire plus que de raison.

Dans l'après-midi, Rhamanus, encore en âge d'avoir de l'ambition mais sentant la chance lui échapper, avait fait quelques remarques délibérément acerbes, à bord de la galère, sur l'état des affaires à Stévanie et dans la région. Une ville si reculée, si désorganisée, croulant sous une avalanche d'impôts et de taxes valait-elle la peine qu'on s'y arrêtât ? Lui-même n'était pas certain d'amener son bateau jusque-là au printemps si les conditions administratives n'avaient pas changé, murmurait-il avec un peu trop de désinvolture.

Le gouverneur, qui, lui, avait largement dépassé l'âge des ambitions mais avait encore besoin de quelques années pour prélever sa part de taxes douanières et d'impôts locaux, sans compter les amendes et les confiscations, avait tressailli et maudit les astres. Pourquoi, alors qu'il faisait tout son possible pour se montrer correct et conciliant en toutes circonstances et qu'il évitait tout remue-ménage inutile, pourquoi était-il si malchanceux ?

Sauf peut-être sous la pression de l'armée, il était hors de question d'arracher davantage en nature ou en argent à une région déjà si appauvrie. Si Brandin voulait sérieusement profiter des richesses de Stévanie, il aurait mieux fait d'y penser avant de raser la ville et ses environs.

Non pas que le gouverneur eût été assez fou pour laisser échapper de telles remarques, mais la vérité était qu'il faisait déjà de son mieux pour presser le citron. S'il se montrait plus exigeant encore à l'égard des tanneurs ou des marchands de laine, ceux-ci n'auraient plus qu'à fermer boutique. Il ne restait déjà plus grand monde dans la ville, et surtout très peu d'hommes dans la force de l'âge, et Stévanie ne tarderait pas à ressembler à une ville de fantômes et de rues désertes. Or il avait reçu ordre du roi d'éviter d'en arriver là.

Alors, si les ordres et les exigences du roi se contredisaient si violemment, que pouvait-on décemment attendre d'un administrateur sans grands pouvoirs ?

Il était certes impossible de se plaindre à cet insatisfait de Rhamanus, dont le poil se hérissait de jour en jour. Ne se moquait-il pas éperdument du dilemme du gouverneur ? Les capitaines de bateaux collecteurs étaient jugés sur ce qu'ils rapportaient à Chiara. Leur travail consistait à faire le plus possible pression sur les administrateurs locaux, voire même à les obliger à abandonner une partie de leur butin pour alourdir les cales du bateau. À contrecœur, le gouverneur avait déjà pris la décision de céder aux exigences de Rhamanus si l'ultime razzia qu'il avait ordonnée sur la campagne environnante ne rapportait pas de quoi satisfaire le capitaine. Mais il n'avait aucune illusion. Il avait affaire à un homme ambitieux, et la récolte n'avait pas été fameuse en Corte l'automne dernier. Corte serait son prochain arrêt.

La propriété de l'est de l'Ygrath où il entendait se retirer, juchée sur un promontoire qu'il avait déjà choisi dans sa tête, lui paraissait singulièrement loin ce soir. Il fit signe à la jeune femme de remplir à nouveau tous les verres, pleurant en silence l'océan bleu-vert et les superbes giboyeuses à proximité de la demeure qu'il n'aurait probablement jamais les moyens de construire.

D'un autre point de vue (comme on disait volontiers dans la région), ses efforts pour apaiser la colère de Rhamanus furent couronnés d'un succès inattendu. Le gouverneur avait demandé à son merveilleux Arduini – son seul réconfort, sa seule joie dans ce pays inculte – de préparer un dîner inoubliable.

Bien entendu, Arduini s'était rebiffé en répondant : « Tous les repas que je prépare sont inoubliables. » Le gouverneur avait eu raison de lui par un dosage subtil de flatteries, d'ygras d'or et d'allusions claires au fait que leur invité de ce soir-là avait ses entrées chez le roi à Chiara (ce qui était probablement un mensonge, mais le gouverneur n'en conçut aucun repentir).

Le dîner avait tenu ses promesses : les mets étaient tous plus étonnants les uns que les autres, le service prompt et discret ; quant aux vins, ils faisaient certes honneur au talent indéniable d'Arduini. Rhamanus, qui avait visiblement du mal à lutter contre l'embonpoint, s'était d'abord tenu sur ses gardes, puis avait lancé quelques compliments réservés, avant de manifester clairement son plaisir et de terminer la soirée d'excellente humeur et la langue déliée.

Lorsque fut servie l'avant-dernière bouteille de vin, un cru importé d'Ygrath pour accompagner le dessert, il était déjà passablement ivre.

Ce qui était la seule explication, la seule explication possible au fait qu'après la fermeture du restaurant il fit officiellement saisir la serveuse aux cheveux bruns dans le but de l'emmener à Chiara, comme tribut à Brandin, et l'embarqua directement à bord de la galère ancrée sur le fleuve.

La serveuse. La serveuse du Certando.

Le Certando, de l'autre côté de la frontière, une province contrôlée par Alberico et non, hélas, par Brandin.

À l'aube, le gouverneur fut tiré d'un sommeil agité, embrumé par le vin, par un secrétaire du conseil, terrifié et suppliant. En habit de nuit, sans même une gorgée de khav, il entendit la nouvelle à travers le martèlement sinistre d'une terrible migraine.

« Arrêtez-moi cette galère ! » hurla-t-il tandis que les terribles conséquences de cet acte atteignaient avec difficulté sa conscience mal réveillée. Ou plutôt voulut-il hurler. Car il ne sortit de sa bouche qu'un petit cri minable, suffisamment explicite néanmoins pour que le secrétaire s'enfuît à toutes jambes, la robe au vent, tant il avait à cœur d'obéir au plus vite.

On bloqua le fleuve Sperion et on arrêta Rhamanus au moment où il levait l'ancre.

Malheureusement, le capitaine du bateau collecteur fit preuve d'un entêtement si contraire à la plus élémentaire prudence politique que c'en était presque incroyable. Il refusa de rendre la jeune fille. Le temps d'une hallucination proche de la folie, le gouverneur envisagea sérieusement de prendre la galère d'assaut.

La galère fluviale de Brandin, roi d'Ygrath, seigneur de Burrakh, au Khardhun, qui régnait en tyran sur les provinces occidentales de la péninsule de la Palme. La galère qui arborait avec beaucoup d'à-propos l'emblème propre à Brandin outre la bannière royale d'Ygrath.

Après tout, se dit le gouverneur, certaines roues de la mort n'ont-elles pas été amoureusement érigées pour les petits fonctionnaires qui se permettaient de telles initiatives ?

Le gouverneur, dont le cerveau fonctionnait au ralenti tandis que le soleil matinal éclaboussait le fleuve d'une lumière insolente, tenta désespérément de trouver un moyen de ramener à la raison un capitaine manifestement en proie à un accès de démence estivale.

« Vous voulez une guerre ou quoi ? » cria-t-il depuis le quai. Car il dut se contenter de crier depuis le quai, l'accès à la galère lui ayant été refusé. La malheureuse fille demeurait invisible : elle était vraisemblablement cachée dans la cabine du capitaine. Le gouverneur se mit à souhaiter qu'elle fût morte, et lui de même. Plus sacrilège encore, il se mit à regretter qu'Arduini, le chef cuisinier, se fût établi à Stévanie.

« Et pourquoi, demanda aimablement le capitaine depuis le milieu du fleuve, pourquoi le seul fait d'accomplir mon devoir envers mon roi causerait-il pareil émoi ?

—L'air marin vous aurait-il rouillé le cerveau à ce point ? » hurla le gouverneur sans réfléchir. Rhamanus fronça les sourcils. Le gouverneur poursuivit, le visage dégoulinant de sueur :

« C'est une Certandane, par les sept sœurs du dieu ! Ne vous rendez-vous donc pas compte à quel point il deviendra facile d'inciter Alberico à provoquer un incident de frontière avec un pareil motif ? » Il s'épongea le front avec le carré d'étoffe rouge que lui tendit un peu tardivement un valet.

Rhamanus, parfaitement maître de lui bien qu'ayant bu au moins autant que le gouverneur la veille au soir, resta de marbre.

« Pour autant que je sache, annonça-t-il d'un air dégagé, et ses paroles glissèrent au-dessus de l'eau, elle habite à Stévanie, elle travaille à Stévanie, et elle a été capturée à Stévanie. J'en conclus que c'est une candidate parfaitement acceptable pour le saishan ou pour tout autre rôle que notre roi, dans sa sagesse, décidera de lui attribuer. » Il leva brusquement l'index en direction du gouverneur. « Maintenant, faites dégager ces embarcations, ou je vais emboutir et couler chacune d'elles au nom du roi d'Ygrath et des sept sœurs du dieu. À moins, ajouta-t-il, que vous souhaitiez entrer en communication avec Chiara et laisser le roi décider lui-même ? »

On connaissait une expression imagée dans la colonie, « nu entre l'un et l'autre poing », pour décrire la situation où le plaçait cette suggestion insidieuse, savamment calculée et redoutable ; une formule qui décrivait en termes simples mais précis la position dans laquelle le gouverneur de Stévanie se sentit immédiatement relégué. Il se tamponnait sans relâche le front et le cou avec le morceau d'étoffe rouge, mais sans grand succès. On n'entrait pas en communication avec le roi sans raison urgente, avait-on signifié aux administrateurs de la Palme. Brandin devait déployer une énergie considérable pour maintenir une telle communication avec des subalternes eux-mêmes dépourvus de pouvoir.

Et on entreprenait d'autant moins volontiers une telle opération aux premières heures du jour, quand le roi risquait d'être encore endormi. Plus grave encore, on ne sollicitait pas la présence mentale de son souverain lorsqu'on avait soi-même l'esprit embrumé, pour ne pas dire paralysé par des relents vineux, à propos d'une affaire qui, fondamentalement, se résumait à la capture d'une simple fille de ferme.

C'était là le premier poing.

Le second impliquait une escarmouche à la frontière et la possibilité hallucinante qu'elle dégénérât en une véritable guerre. Car qui pouvait prévoir la réaction d'un esprit aussi tordu et païen que celui d'Alberico de Barbadior? Que penserait-il d'un tel incident? En dépit de l'analyse désinvolte de Rhamanus, le fait même que la fille eût un emploi à *la Reine* prouvait qu'elle n'était pas de Basse-Corte. Par les saintes sœurs, il était formellement interdit de prendre des filles de Basse-Corte comme tribut! Par ordre du roi! Pour s'emparer de cette fille, il fallait qu'elle fût certandane. Et, si Rhamanus soutenait que c'était une résidente de Stévanie, alors ne devenait-elle pas automatiquement une Basse-Cortéenne et de ce fait *persona non grata* sur Chiara? Ce qui signifiait que… que quoi, au juste? Le gouverneur n'en savait plus rien. Il leva un lambeau de tissu trempé et l'échangea contre un mouchoir sec. Il avait l'impression que son cerveau cuisait au soleil.

Tout ce qu'il attendait de ses dernières années de service, c'était de conserver le poste tranquille et moyennement lucratif que lui avait valu le soutien de peu de poids mais assidu que sa famille avait apporté à Brandin quand il avait manifesté l'intention de succéder au précédent roi d'Ygrath. C'était là toute l'étendue de ses ambitions. Ainsi qu'une jolie maison sur ce promontoire, dans l'est de l'Ygrath, d'où il pourrait admirer l'aurore sur la mer et chasser avec sa meute dans les bois avoisinants. Ses exigences n'étaient-elles pas tout à fait raisonnables?

Or voilà qu'il était pris entre l'un et l'autre poing.

Il envisagea un instant la possibilité de se «laver les mains de toute cette affaire» – une expression sur laquelle les habitants de cette fichue péninsule feraient bien de méditer un peu pour changer – et de laisser ce capitaine inepte descendre le fleuve à sa guise. En fait, il prit tardivement conscience de l'erreur monumentale qu'il avait commise en se levant : s'il était resté au lit pour ensuite prétendre ne pas avoir pris connaissance du message à temps, il n'aurait été en rien concerné par la bourde de cet ivrogne de collecteur.

Mais il était trop tard. Il était là, au bord du fleuve, dans la lumière aveuglante et la chaleur du soleil, et la moitié des habitants de Stévanie avaient entendu l'échange verbal entre le capitaine et lui-même.

Après une petite prière timide à ceux qu'il considérait comme ses saints patrons, le dieu de la bonne chère et celui de la forêt, et une vision poignante de cette petite propriété au bord de la mer, le gouverneur choisit son poing.

« Laissez-moi monter à bord, dit-il d'une voix aussi ferme que possible. Je ne vais tout de même pas entrer en communication avec le roi debout sur ce quai. Il me faut une chaise, un endroit calme et une chope de ce qui passe pour du khav sur une galère. »

Rhamanus en resta abasourdi. Le gouverneur eut encore la force d'en tirer un certain plaisir.

On s'empressa de lui accorder tout ce qu'il demandait. On délogea la jeune femme et on le laissa seul dans la cabine du capitaine. Il prit une succession de respirations profondes. Puis il but le khav et se brûla la langue, ce qui contribua à le réveiller. Et, pour la première fois en trois années de service, il rétrécit son esprit jusqu'à ne plus percevoir qu'une image de Brandin de la taille d'une tête d'épingle, tandis qu'il appelait mentalement le nom du roi comme celui-ci lui avait appris à le faire.

Avec une rapidité parfaitement déroutante, la voix calme et fraîche de Brandin, aux accents légèrement moqueurs, fut dans sa tête. L'effet était vertigineux. Le gouverneur fit un gros effort pour se ressaisir. En s'efforçant de se montrer clair mais concis, car il leur avait été bien précisé qu'il fallait faire vite, il exposa la situation à Brandin. Durant son compte rendu, il prit la peine de s'excuser à deux reprises, mais n'osa pas réitérer de peur de prendre trop de temps, bien que son instinct de survie le poussât à le faire. Mais l'instinct de survie d'un diplomate de carrière ne lui est plus d'aucun secours quand il s'englue dans la sorcellerie. Il avait l'estomac retourné tant l'effort de communiquer ainsi par saccades l'épuisait.

Puis, tandis que son esprit s'élevait miraculeusement et qu'il adressait un concert de louanges aux vingt déesses qui chantaient en chœur dans sa tête, le gouverneur de Stévanie comprit que le roi n'était pas en colère. Au contraire: il avait fait le bon choix en l'appelant de la sorte. D'un point de vue politique, le moment n'aurait pas pu être mieux choisi pour sonder la détermination d'Alberico. En conséquence, il convenait de laisser Rhamanus emmener la jeune fille comme tribut, mais – et là le roi avait lourdement insisté – en faisant clairement savoir qu'elle était de Certando. Une Certandane de passage en Basse-Corte. Cette information ferait autorité: pas question de fuir le problème en déclarant qu'elle travaillait à Stévanie et tout le reste. On verrait bien alors si cet apprenti sorcier de Barbadior avait du coffre.

Le gouverneur avait pris une sage décision, déclara le roi.

Le gouverneur sentit son projet de maison près de la mer devenir quasiment palpable à la périphérie de son esprit, et il profita de la liaison silencieuse établie par Brandin pour bredouiller quelques propos relativement abjects sur l'amour et l'obéissance dus à son souverain. Le roi l'interrompit.

« Nous allons en rester là, dit-il. Et n'abusez pas du bon vin, vous autres Méridionaux. » C'était terminé. Le gouverneur resta un long moment assis dans la cabine du capitaine, tout en essayant de se persuader que le roi avait prononcé cette dernière phrase sur le ton de la bonhomie et non du reproche.

Une période de grande tension commença. La galère fut autorisée à partir le matin même. Dans la quinzaine qui suivit, le roi entra par deux fois en communication avec le gouverneur. La première pour lui ordonner d'envoyer discrètement quelques renforts, mais pas trop, à la garnison de Forese, afin que cette manœuvre ne fût pas perçue comme une nouvelle provocation. Le gouverneur passa une nuit blanche à essayer de calculer combien de soldats il convenait de dépêcher pour répondre à cette demande.

Des compagnies arrivèrent de la ville de Basse-Corte par voie d'eau pour suppléer ses propres forces armées à Stévanie. Plus tard, il fut informé de la venue possible d'un émissaire barbadien du Certando ; si ce personnage se présentait, il fallait l'accueillir avec la plus extrême cordialité et en référer à Chiara avant de prendre la moindre résolution. Il lui fut également recommandé de guetter d'éventuelles représailles en provenance de Sinave et de régler leur compte à toutes les troupes barbadiennes qui oseraient s'aventurer en Basse-Corte. Le gouverneur, qui n'avait jamais réglé son compte à qui que ce soit, jura néanmoins d'obéir.

Il dut également conseiller aux marchands de remettre leurs déplacements à l'est de la péninsule à plus tard ; il ne s'agissait ni d'un ordre ni d'une mesure officielle, mais simplement d'un conseil qu'un commerçant avisé serait bien inspiré de suivre ; de fait, la plupart s'y conformèrent.

Mais il ne se passa rien.

Alberico décida d'ignorer l'incident. En refusant d'entrer dans un processus d'escalade, il perdait pourtant la face ; aussi craignit-on un moment qu'il ne se livrât à quelque exaction sur la personne d'un marchand ou d'un musicien ambulant venu de l'ouest de la Palme, mais il n'en fut rien. Les Barbadiens considérèrent simplement que la jeune fille avait établi résidence en Basse-Corte, exactement comme Rhamanus l'avait si allègrement soutenu le matin où il s'était emparé d'elle.

Dans les provinces ygrathiennes cependant, il fut d'emblée établi que la jeune fille était certandane : Brandin s'était emparé d'une femme originaire d'une province sous contrôle barbadien, faisant ainsi la nique à Alberico.

Rhamanus, quant à lui, se dirigeait lentement vers son port d'attache ; il lui fallut tout l'été pour y parvenir. Il redescendit le fleuve sur sa galère, puis tout le butin amassé à l'intérieur des terres fut transféré sur le grand bateau collecteur aux larges voiles déployées. Il remonta lentement le long de la côte, chargeant le produit des impôts et des taxes douanières récoltés lors d'escales choisies en Corte et en Asoli.

La récolte avait effectivement été mauvaise en Corte, et les habitants avaient bien du mal à respecter les quotas. À deux reprises, le bateau resta ancré pendant plusieurs jours, tandis que Rhamanus conduisait une compagnie vers un poste de l'intérieur des terres. Il en profita pour rechercher des femmes susceptibles d'être un peu plus que de simples otages ou des symboles de la domination évidente d'Ygrath. Des femmes susceptibles de pourvoir le saishan et de servir la carrière d'un capitaine de bateau collecteur qui se sentait prêt à occuper une charge sur terre après avoir navigué pendant vingt ans.

Il découvrit trois candidates acceptables. L'une, de famille noble, lui avait été signalée par un indicateur. Elle fut capturée après que le manoir de son père, en Corte, eut été malencontreusement détruit dans un gigantesque incendie.

On était à l'équinoxe d'automne – période au cours de laquelle des contrées aussi plates et insipides que l'Asoli prenaient du charme, tandis que les pluies marquaient une pause. Le bateau collecteur se lança alors dans la traversée délicate du détroit d'Asoli avant de pénétrer dans la mer de Chiara. Quelques jours plus tard, ses voiles rouge et or fièrement gonflées, il entrait dans le grand port de l'île, qui depuis des siècles continuait d'inspirer les poètes.

Le bateau collecteur de Rhamanus recelait de l'or, des pierres précieuses, de l'argent et toutes sortes de monnaies ; on y trouvait du cuir de Stévanie et des bois sculptés de Corte, de larges meules de fromage de la côte occidentale d'Asoli. Il y avait aussi des épices, des herbes aromatiques et des couteaux, des vitraux, de la laine et du vin. Il y avait deux femmes de Corte et une d'Asoli ; outre ces trois-là, il y avait une autre femme, et celle-là était différente. Celle-là, c'était la beauté aux yeux sombres et aux cheveux bruns qui, avant la fin de leur traversée, était déjà connue partout dans la péninsule comme la femme ayant failli provoquer une guerre.

Elle s'appelait Dianora di Certando.

Dianora avait eu l'intention de venir sur l'île dès qu'elle avait commencé à concevoir son plan, un soir d'été, seule devant un feu mort, dans la maison silencieuse de son père. Elle s'était endurcie, comme est censé le faire un homme qui s'apprête à livrer bataille, et préparée à l'idée qu'on la capture, qu'on l'amène à Chiara et qu'on l'enferme pour le restant de ses jours dans le saishan du tyran. La mort au cœur, elle était allée jusque-là dans l'élaboration de son projet, cinq ans auparavant. Son père était mort, son frère parti, et sa mère avait fui plus loin encore ; dans ses rêves, des images de chacun d'eux surgissaient des cendres de l'incendie allumé dans sa patrie.

La mort n'avait cessé de rôder ; elle l'accompagnait encore sur ce bateau. Ses rêves n'avaient pas disparu non plus mais, maintenant que Chiara la légendaire se rapprochait dans la brillance du soleil, quelque chose d'autre se mêlait à eux : un sentiment de complète incrédulité, d'ébahissement devant sa destinée. En apparence tout s'était mal passé ; en réalité, les événements servaient exactement son plan.

Tandis qu'elle pénétrait dans ce monde nouveau, elle tenta d'y voir un présage et referma trois fois sa main sur son pouce afin que son vœu se réalisât.

CHAPITRE 8

Force est de constater, songeait Dianora, qu'au fil des ans les auspices si manifestes de la jeunesse se noient dans les ambiguïtés complexes de l'âge adulte. Elle déambulait parmi la foule qui se pressait dans la salle d'audience éclairée par la lumière printanière qui filtrait à travers les vitraux.

Tout en buvant à petites gorgées dans son gobelet incrusté de pierres, elle entreprit de réfléchir à ce qui s'était réellement passé. Car c'était elle et elle seule qui s'était mise à subtiliser à l'excès, et donc à compliquer les choses. Certaines vérités fondamentales étaient exactement les mêmes que le jour de son arrivée sur l'île. Mais elle passait le plus clair de son temps à éluder ce qu'elle était devenue et ce qu'elle n'avait pas encore accompli.

C'était pourtant la question centrale de son existence, qu'une fois de plus elle repoussa à la périphérie de sa conscience. Pas aujourd'hui. Pas au grand jour. De telles pensées appartenaient aux nuits qu'elle passait seule dans sa chambre au saishan, tandis que Scelto veillait à sa porte ; lui seul savait qu'elle ne parvenait pas à trouver le sommeil ou découvrait les traînées que les larmes avait laissées sur ses joues lorsqu'il la réveillait le lendemain matin.

De telles pensées appartenaient au monde nocturne et non à une belle journée ensoleillée comme celle-ci, qui plus est dans un endroit ô combien public. Elle se dirigea donc vers l'homme qu'elle venait de reconnaître et lui décocha un sourire qui illumina son regard. Tenant son gobelet en équilibre, elle esquissa un salut complet, à la façon ygrathienne, à l'intention de l'homme corpulent, sobrement vêtu, qui portait trois chaînes d'or autour du cou.

« Bienvenue à vous, murmura-t-elle après s'être redressée puis rapprochée de lui. Pour une surprise, c'en est une. Il est rare en effet que le gardien des Trois Ports daigne renoncer un moment aux affaires urgentes qui sont les siennes pour rendre visite à ses vieux amis. »

Malheureusement, il était toujours aussi difficile d'émouvoir Rhamanus ou de le prendre au dépourvu. Depuis la nuit où il l'avait fait enlever dans la rue, devant le restaurant *la Reine*, puis embarquer dans la galère comme il aurait fait d'une génisse, elle essayait en vain de le déstabiliser.

Il se contenta de sourire, lui montrant qu'il était toujours le même homme bien que sa silhouette se fût alourdie au fil des années, surtout depuis qu'il ne naviguait plus.

L'un des rares Ygrathiens qu'elle aimât sincèrement.

« Cela vous va mal, jeune fille, dit-il en faisant mine de prendre ombrage. Comment des paresseuses de votre espèce, qui passent leurs journées à se coiffer, se décoiffer et se recoiffer, osent-elles critiquer ceux dont la tâche est si ardue et si exigeante qu'elle leur donne des nuits blanches et des cheveux gris ? »

Dianora éclata de rire. Il n'y avait pas le moindre fil gris dans l'épaisse chevelure noire et bouclée de Rhamanus, que la moitié des femmes du saishan lui enviaient. Elle laissa son regard se promener de façon expressive sur ses boucles brunes.

« Je mens », reconnut Rhamanus sans se troubler davantage ; puis il se pencha pour qu'elle seule pût l'entendre. « L'hiver a été si calme que je me suis souvent senti désœuvré. J'aurais très bien pu vous rendre visite, mais vous savez à quel point je déteste les tralalas de la cour ; les boutons de mon gilet ont une fâcheuse tendance à sauter dès que je suis obligé de saluer quelqu'un. »

Dianora rit de nouveau et lui pinça légèrement le bras. Rhamanus l'avait bien traitée sur le bateau, et il s'était toujours montré courtois et cordial depuis, même à l'époque où, malgré son début de notoriété, elle n'était guère autre chose que de la chair fraîche au saishan du roi. Elle savait que lui aussi l'aimait bien ; elle savait également, pour l'avoir appris de d'Eymon en personne, que l'ancien capitaine collecteur était un administrateur intègre et efficace.

Elle l'avait aidé à obtenir le poste quatre ans auparavant. C'était un grand honneur pour un marin que de veiller à l'application du règlement dans les trois principaux ports de Chiara. Mais c'était un poste trop proche du pouvoir pour qu'on pût espérer en tirer le moindre profit ; cela se voyait d'ailleurs aux vêtements légèrement élimés que portait Rhamanus.

Tout en réfléchissant, elle fit claquer sa langue contre ses dents. Brandin la taquinait souvent à ce sujet. Il prétendait que ce tic annonçait invariablement une requête ou une suggestion. Il la connaissait bien, ce qui n'était pas sans l'effrayer.

« Ce n'est qu'une idée, dit-elle calmement à Rhamanus, mais cela vous intéresserait-il de passer quelques années dans le nord de l'Asoli ? Non pas que je cherche à me débarrasser de vous. C'est un endroit détestable, comme chacun sait, mais qui offre des possibilités, et je préfère que ce soit un homme honnête qui en profite plutôt qu'une sangsue comme il en traîne tant par ici.

—La perception ? » demanda-t-il tout doucement.

Elle acquiesça d'un hochement de tête. Il ouvrit des yeux un peu plus grands que de coutume mais, rompu à la discrétion, ne montra pas d'autre signe de surprise ou d'intérêt.

Un instant plus tard, il jetait un bref coup d'œil pardessus son épaule en direction du trône. Dianora avait commencé à se retourner, mue par un sixième sens, avertie par une paire d'antennes invisibles.

Elle regardait donc le trône de l'île et la porte juste derrière au moment où, les hérauts ayant frappé deux coups discrets au sol, Brandin fit son entrée dans la salle. Il était suivi de deux prêtres et de la prêtresse d'Adaon. Rhun débola maladroitement pour venir se placer à ses côtés, habillé exactement comme le roi, le couvre-chef excepté.

Brandin avait un jour déclaré à Dianora que ce n'était pas une vingtaine de hérauts annonçant son arrivée avec un grand fracas qui lui donneraient la mesure de son autorité. N'importe quel imbécile doté de quelques moyens pouvait fixer l'attention ainsi. La manière la plus probante, la plus juste, consistait à entrer discrètement et à observer la suite.

La suite fut ce qu'elle était toujours. Depuis une dizaine de minutes, la salle d'audience tout entière était comme suspendue au bord d'un précipice, dans l'attente de son arrivée. Et c'est tout entière qu'elle retomba dans une attitude de soumission. Pas une seule personne dans cette salle bondée ne parlait encore quand le héraut, pourtant prié de faire preuve de retenue, annonça le roi. Le silence était tel que les deux coups discrets résonnèrent comme le tonnerre sur le sol de marbre.

Brandin était d'excellente humeur. Dianora eût été en mesure de le dire depuis l'autre bout de la salle, même si Rhun ne lui avait pas fourni d'indice. Elle sentit son cœur battre la chamade ; il en était toujours ainsi lorsque Brandin surgissait devant elle. Même au bout de douze années. Même aujourd'hui et en dépit de tout le reste. Les grandes lignes de son existence menaient toutes à cet homme ou partaient de lui, ou encore se rejoignaient en lui, inextricables.

C'est vers d'Eymon que Brandin se tourna d'abord, comme toujours ; le chancelier le salua sans laisser paraître la moindre émotion et s'inclina très bas, à la mode ygrathienne. Puis, comme toujours, Brandin se tourna vers Solores et lui sourit.

Et ce fut au tour de Dianora. Elle avait beau s'y préparer, du moins essayer de s'y préparer, elle ne parvenait jamais à maîtriser complètement ce qui lui arrivait quand les yeux gris rencontraient les siens et les retenaient prisonniers ; son regard était comme une caresse imperceptible, une présence furtive, tour à tour enflammée et glaciale, comme Brandin lui-même.

Tant d'émotion contenue dans un seul regard lancé d'un bout à l'autre d'une vaste salle.

Un jour qu'ils étaient au lit, il y avait de cela fort longtemps, elle avait osé lui poser une question qui la préoccupait depuis le début.

« Est-ce que la sorcellerie intervient dans la manière dont vous me faites l'amour ou dont vous me regardez quand vous m'apercevez dans une réunion publique ? »

Elle ne savait pas très bien ce qu'elle souhaitait l'entendre répondre, pas plus qu'elle n'était capable d'anticiper sa réaction. Elle s'imaginait qu'il serait flatté par les implications contenues dans sa question, ou du moins qu'il s'en amuserait. On ne pouvait jamais être sûr de rien avec Brandin ; son esprit empruntait des voies si diverses avec une agilité telle qu'elle dépassait le commun des mortels. C'est pourquoi les questions, surtout les questions transparentes, présentaient un réel danger. Pourtant sa réponse lui importait au plus haut point : s'il répondait par l'affirmative, elle essaierait de s'en servir pour rallumer le feu de sa colère meurtrière. Cette colère qu'elle semblait avoir perdue dans l'univers étrange de l'île.

Elle devait avoir l'air grave ; il tourna la tête sur l'oreiller et, s'appuyant sur son coude, posa le menton sur sa main pour la regarder avec les deux yeux à la même hauteur. Il secoua la tête.

« Pas comme tu l'imagines. Je ne m'en sers pas pour modeler ou contrôler quoi que ce soit en dehors de ma descendance. Je n'aurai plus d'enfants, tu le sais. »

Elle le savait ; toutes les femmes le savaient. Il fit une pause, puis demanda prudemment : « Pourquoi me demandes-tu cela ? Que t'arrive-t-il ? »

Elle crut un instant avoir décelé un élément de doute dans sa voix, mais de cela non plus on ne pouvait jamais être sûr avec Brandin.

« Je suis dépassée, répondit-elle, dépassée par les événements. »

Et, cette fois-là, elle parlait vrai : ses paroles venaient du fond d'un cœur qui avait perdu son innocence. Les yeux limpides de Brandin témoignaient d'une compréhension fine, précise, qui l'effrayait. Elle bougea, mue par un désir aux multiples facettes, et alla se glisser contre lui, puis au-dessus de lui et enfin sur lui, afin de déclencher à nouveau le terrible processus. Dans son intégralité. La trahison et le souvenir auxquels se mêlait le désir, comme dans ce vin de couleur ambrée que la Triade était censée boire, un vin bien trop fort pour les mortels.

« Ce poste en Asoli, reprit Rhamanus d'une voix douce, c'est une proposition sérieuse ? » Brandin n'était pas allé s'asseoir sur le trône mais faisait tranquillement le tour de la salle, attestant ainsi sa belle humeur. Rhun, dont seule une moitié de la bouche parvenait à sourire, trottinait maladroitement dans son sillage.

« Je dois avouer que je n'y avais pas songé », ajouta l'ancien capitaine collecteur.

Dianora dut faire un effort pour se recentrer. Pendant ces quelques secondes, elle avait oublié sa propre question. Voilà l'effet que Brandin avait sur elle. Et ce n'était pas sain. Pour beaucoup de raisons, ce n'était pas sain du tout.

Elle se tourna vers Rhamanus. « C'est tout à fait sérieux, dit-elle. Mais, quand bien même je réussirais à l'obtenir, ce poste vous comblerait-il ? Celui que vous occupez actuellement vous confère davantage de prestige et la possibilité de profiter de Chiara. L'Asoli peut vous donner l'opportunité de vous enrichir un peu, mais je pense que vous devinez aussi les servitudes de la fonction. Alors, qu'est-ce qui vous importe le plus, Rhamanus ? »

La question était trop brutale pour obéir aux règles de la courtoisie, surtout envers un ami.

Il cligna des yeux et se mit à tripoter une des trois chaînes symboles de son poste.

« Ce sont là les termes du choix ? demanda-t-il d'une voix hésitante. C'est ainsi que vous voyez les choses ? Un homme n'a-t-il donc pas le droit de se sentir titillé par un nouveau défi, ou même, au risque de vous paraître idiot, par le désir de servir son roi ? »

Ce fut elle qui cligna des yeux cette fois.

« J'ai honte, dit-elle simplement au bout d'un moment. Vraiment, Rhamanus. » Il tenta de protester mais elle l'arrêta en posant une main sur sa manche. « Il m'arrive de me poser des questions sur ce que je suis devenue à force de vivre ici. Dans cet univers d'intrigants. »

Elle entendit un bruit de pas, et ce qu'elle dit ensuite s'adressait autant à l'homme derrière elle qu'à celui qui lui faisait face. « Il m'arrive de me poser des questions sur les effets pervers de la vie à la cour.

— Devrais-je m'en poser également ? » demanda Brandin d'Ygrath.

Il se joignit à eux en souriant. Il ne la toucha pas. Il ne touchait pratiquement jamais les femmes du saishan en public, encore moins lors d'une réception selon le protocole ygrathien. Elles connaissaient ces règles, qui d'ailleurs modelaient leur existence.

« Monseigneur, dit-elle, se tournant vers lui et le saluant d'une révérence, me trouvez-vous plus cynique qu'à l'époque où ce terrible personnage m'a conduite ici ? » Elle avait adopté un ton désinvolte, légèrement provocateur.

Le regard amusé de Brandin allait de l'un à l'autre. Il n'avait certes pas oublié le nom ni le visage du capitaine qui avait amené Dianora. Elle le savait, et il savait qu'elle le savait. Mais cela faisait partie de leurs joutes d'esprit. Il était si intelligent qu'il la poussait dans ses ultimes limites, quitte à modifier ensuite les règles du jeu. Elle remarqua, peut-être parce qu'elle venait d'évoquer le sujet avec Rhamanus, qu'il y avait autant de poils blancs que de noirs dans sa barbe désormais.

Il hocha la tête avec circonspection, feignant d'être sincèrement affecté par cette question. « Je me sens obligé de répondre par l'affirmative. Tu es devenue aussi cynique et manipulatrice que ce terrible personnage est devenu corpulent.

—Dans les mêmes proportions ? protesta Dianora. Mais c'est qu'il est très corpulent ! »

Les deux hommes se mirent à rire. Rhamanus tapota affectueusement son gros ventre.

« Voilà ce qui arrive lorsqu'un homme qui a passé vingt ans de sa vie à manger de la viande froide et salée est brusquement soumis aux tentations de la cité royale.

—Eh bien, dit Brandin, nous serons peut-être obligés de vous envoyer quelque part où vous ayez des chances de retrouver des allures de gazelle.

—Monseigneur, ajouta aussitôt Rhamanus, vous pouvez exiger de moi ce que vous voulez. » Le ton était sobre et pénétrant tout à la fois.

Brandin s'en aperçut et changea de registre également. « Je le sais, murmura-t-il. Et j'aimerais bien voir davantage d'hommes comme vous à ma cour. Aussi bien ici qu'en Ygrath. Peu importe votre poids, Rhamanus, je ne vous oublie pas, quoi qu'en pense cette chère Dianora. »

Des louanges inhabituelles, un embryon de promesse, et Rhamanus comprit que le moment était venu de prendre congé. L'œil brillant, il salua de manière protocolaire et se retira. Brandin fit quelques pas, Rhun dans son sillage. Dianora les suivit comme on l'attendait d'elle. Dès qu'il fut certain que personne d'autre que le fou ne pouvait l'entendre, il se tourna vers elle. Elle eut le regret de constater qu'il réprimait un sourire.

« Qu'est-ce que tu as fait ? Tu lui a promis le nord de l'Asoli ? »

Elle poussa un soupir de frustration qui venait du fond du cœur. Ce genre de mésaventure lui arrivait sans cesse. « Voilà qui est parfaitement injuste, protesta-t-elle. Vous vous servez de votre pouvoir. »

Il ne put réprimer son sourire. Elle savait qu'on les regardait. Elle savait aussi qu'on en parlerait.

« Certainement pas, murmura Brandin. Je n'irais pas gâcher mon pouvoir ni m'épuiser quand la réponse est aussi évidente.

— Évidente ! se rebiffa-t-elle.

— Ce n'est pas de ton fait, chère petite manipulatrice sans scrupules. Mais Rhamanus est devenu si brusquement sérieux quand j'ai plaisanté sur l'éventualité d'une mutation… Or le seul poste vacant à l'heure actuelle est celui du nord de l'Asoli… »

Il ne termina pas sa phrase. Ses yeux riaient toujours.

« Serait-il un si mauvais choix ? » demanda Dianora d'un air provocateur. Brandin avait une façon d'appréhender les situations proprement déconcertante mais, si elle s'attardait trop sur le sujet, elle risquait de prendre peur de nouveau.

« Qu'en penses-tu ? lui demanda-t-il en guise de réponse.

— Moi, penser ? » Elle haussa exagérément les sourcils. « Comment un simple objet de plaisir dont le roi daigne se souvenir de temps à autre pourrait-il avoir une opinion sur des sujets tels que celui-ci ?

— Eh bien, voilà une remarque intelligente, fit Brandin en opinant vigoureusement de la tête. Je vais donc devoir consulter Solores au lieu de Dianora.

— Si vous obtenez d'elle une remarque intelligente, répondit Dianora d'une voix aigre, je veux bien sauter du balcon du saishan jusque dans la mer.

— Et survoler la place du port ? Un véritable exploit, répliqua calmement Brandin.

— Non, c'est tirer une remarque intelligente de Solores qui en serait un. »

Et, cette fois, Brandin éclata de rire. Toute la cour écoutait, toute la cour entendit. Chacun en tirerait les conclusions qu'il voudrait, mais ces conclusions iraient toutes dans le même sens. Scelto, calcula-t-elle, recevrait sûrement des présents d'autres courtisans que Neso d'Ygrath avant la fin de la journée.

« J'ai vu quelque chose d'intéressant dans la montagne ce matin, reprit Brandin en cessant de rire. Quelque chose d'assez surprenant. »

Elle comprit alors pourquoi il voulait lui parler seul à seul. Il avait fait l'ascension du Sangarios ce matin-là. Or Dianora faisait partie des rares personnes au courant. Brandin ne s'étendait guère sur cette aventure, pour le cas où il échouerait.

Chaque début de printemps, au moment où les vents commençaient à tourner, où les dernières neiges fondaient dans le Certando, la Tregea et les étendues méridionales de l'ancienne province de Tigane, la période des Quatre-Temps marquait un tournant dans l'année.

Plus personne dans la péninsule n'allumait de feu qui ne brûlât déjà. Les dévots jeûnaient au moins le premier des trois jours que duraient les Quatre-Temps. Dans les temples de la Triade, les cloches restaient silencieuses. Dès le soir tombé, les hommes ne sortaient pas de chez eux, surtout la première nuit, la nuit des morts.

On célébrait également les Quatre-Temps d'automne, au milieu de l'année, et l'on portait alors le deuil d'Adaon, tué sur la montagne de Tregea, alors que le soleil commençait de décliner, qu'Eanna pleurait le défunt et que Morian se repliait sur elle-même dans ses vastes souterrains. Mais les Quatre-Temps de printemps inspiraient une crainte plus grande encore, surtout à la campagne, car ils déterminaient ce qui se passerait ensuite. Ils marquaient la fin de l'hiver, saison des semis, et suscitaient l'espoir de la récolte, de la vie et de la plénitude estivale.

À Chiara, le rite différait du reste de la péninsule sur un point.

Sur l'île, la légende disait qu'Adaon et Eanna s'étaient unis pour la première fois pendant les trois jours et les trois nuits qu'ils avaient passés au sommet du Sangarios.

La troisième nuit, le désir d'Eanna avait atteint son paroxysme : elle avait alors créé les étoiles du paradis, qu'elle avait lancées comme une dentelle lumineuse dans les ténèbres. La légende voulait que neuf mois plus tard, c'est-à-dire trois fois trois mois, elle eût formé la Triade en donnant naissance à Morian dans les profondeurs d'une grotte au flanc de cette même montagne.

Et avec Morian commença le cycle de la vie et de la mort, et avec la vie et la mort apparurent les premiers mortels, destinés à se mouvoir sous les étoiles fraîchement nommées, sous les deux lunes qui permettent à la nuit de monter la garde, et sous le soleil du jour.

Et c'est pour cette raison que Chiara avait toujours affirmé sa supériorité sur les huit autres provinces de la Palme, et qu'elle avait nommé Morian gardienne de sa destinée.

Morian des Portes, qui régnait sur tous les lieux de passage. Car nul n'ignorait que les îles étaient des mondes en elles-mêmes et que venir sur une île revenait à pénétrer dans un autre monde. Une vérité dont on se souvenait sous les étoiles et les lunes, mais qu'on oubliait parfois à la lumière du jour.

Tous les trois ans, au début de chaque année dédiée à Morian, les jeunes hommes de Chiara se mesuraient les uns aux autres à l'aube du premier jour des Quatre-Temps : il s'agissait de courir jusqu'au sommet du Sangarios et de cueillir une branche de sonraï, les baies toxiques de la montagne, sous l'œil vigilant des prêtres de Morian, qui avaient passé toute la nuit au flanc de la montagne parmi les esprits en éveil des morts. Le premier homme à redescendre du sommet était sacré seigneur du Sangarios jusqu'à la course suivante, trois ans plus tard.

Autrefois, le seigneur du Sangarios était poursuivi et sacrifié sur sa montagne par les femmes six mois plus tard, au premier jour des Quatre-Temps d'automne.

Mais il y avait longtemps que cette coutume avait cessé. Maintenant, le jeune champion devenait un géniteur activement sollicité pour l'excellence de ses gènes. Un autre genre de poursuite, avait confié Dianora à Brandin.

Il n'avait pas ri. Il ne trouvait pas le rite amusant. Six années plus tôt, il avait choisi d'effectuer le parcours le jour précédant celui de la course. Il avait récidivé la fois suivante. Ce qui n'était pas un mince exploit pour un homme de son âge, surtout que les jeunes gens, eux, passaient de longues heures à s'entraîner. Dianora ne parvenait pas à décider ce qui était finalement le plus saugrenu : le fait qu'il se livrât à cet exercice en grand secret, ou l'exubérance de sa fierté virile chaque fois qu'il réussissait à grimper et à redescendre du Sangarios.

Dans la salle d'audience, Dianora lui posa la question qu'il attendait d'elle : « Et qu'avez-vous donc vu ? »

Elle ne savait pas que cette question marquerait un tournant dans son existence, tant il est rare que les mortels sachent ce qu'ils font lorsqu'ils s'apprêtent à franchir un des seuils de la déesse.

« Quelque chose de surprenant, répéta Brandin. Bien entendu, les gardes chargés de ma protection étaient loin derrière moi.

—Bien entendu », murmura-t-elle en lui décochant un regard en biais.

Il lui sourit. « J'étais seul sur le chemin qui mène au sommet, entre deux rangées d'arbres serrés, des sorbiers essentiellement, ainsi que quelques acacias.

—Passionnant », tel fut le commentaire de Dianora.

Cette fois, il la foudroya du regard. Dianora se mordit la lèvre et prit garde à maîtriser son expression.

« En regardant sur ma droite, poursuivit Brandin, j'ai découvert un gros rocher gris qui formait comme une plate-forme en bordure des arbres. Une créature était assise sur le rocher. De sexe féminin, j'en suis sûr ; on aurait presque dit une femme.

—Presque ? »

Elle ne le taquinait plus. Au moment où nous posons le pied sur le seuil d'une des portes de Morian, il arrive que nous prenions conscience qu'un phénomène important est sur le point de se produire.

« C'est là le plus surprenant. Elle n'était certainement pas tout à fait humaine. À cause de ses cheveux verts et de la pâleur extrême de sa peau. Une peau si blanche qu'on voyait les veines au travers, Dianora. Et des yeux comme jamais je n'en avais encore vu. J'ai pensé qu'il s'agissait d'un effet de lumière, dû au soleil qui filtrait entre les arbres. Mais elle ne bougea ni ne se modifia en aucune façon quand je m'arrêtai pour la regarder. »

À ce moment-là, Dianora sut précisément où elle se trouvait.

Les antiques créatures de l'eau, des bois et des grottes remontaient au même lointain passé que la Triade et, d'après sa description, elle comprit ce qu'il avait vu. Elle en savait davantage sur le sujet, et soudain elle prit peur.

« Qu'avez-vous fait ? demanda-t-elle d'une voix aussi indifférente que possible.

—Je ne savais pas vraiment que faire. Je lui ai parlé ; elle n'a pas répondu. J'ai fait un pas en avant, et elle a immédiatement bondi derrière le rocher. Je lui ai présenté mes paumes de main ouvertes, mais elle a paru effrayée ou offensée, et un instant plus tard elle s'enfuyait.

—Vous l'avez suivie ?

—J'étais sur le point de le faire quand un des gardes m'a rejoint.

—Et lui, il l'a vue ? » demanda-t-elle un peu trop vite.

Il lui lança un regard curieux. « Je lui ai posé la question. Il m'a dit que non, mais je ne pense pas qu'il aurait répondu différemment dans le cas contraire. Pourquoi me demandes-tu cela ? »

Elle haussa les épaules. « Cela aurait confirmé qu'elle était réelle », mentit-elle.

Brandin secoua la tête. « Elle l'était bel et bien. Ce n'était pas une vision. De fait, ajouta-t-il comme s'il venait tout juste de faire le rapprochement, elle m'a fait penser à toi.

—Avec... sa peau verte et ses cheveux bleus, c'est bien cela ? » répondit-elle en recouvrant son instinct de courtisane. Pourtant, il se passait quelque chose de capital. Elle prit sur elle pour cacher son émoi. « Je vous remercie du fond du cœur, ô mon roi. Je suppose qu'en en parlant à Scelto et à Vencel nous pourrions reproduire la couleur de la peau ; quant au bleu des cheveux, il ne devrait pas poser de problèmes. Si cela vous excite autant... »

Il sourit mais n'éclata pas de rire. « Verts les cheveux, non pas bleus, dit-il, l'air presque absent. Et je te répète, Dianora, ajouta-t-il en la regardant d'un air bizarre, elle me fait bel et bien penser à toi. Tu as déjà entendu parler de telles créatures ?

—Pas du tout, dit-elle. Au Certando, nous n'avons pas de légendes qui fassent mention de femmes à cheveux verts qui hantent les montagnes. » Elle mentait. Elle mentait de son mieux, en le regardant droit dans les yeux, en lui parlant en face. Elle avait du mal à croire ce qu'elle venait d'entendre, le récit de ce qu'il avait vu.

Brandin ne s'était pas départi de sa bonne humeur.

« Et quelles légendes de montagne raconte-t-on au Certando ? demanda-t-il, souriant d'ores et déjà.

—Des histoires de créatures velues qui marchent sur des pattes grosses comme des troncs d'arbre et dévorent les chèvres et les vierges à la nuit tombante. »

Il sourit plus largement encore. « Il en reste ?

—Des chèvres, oui, dit-elle, le visage de marbre. Les vierges sont moins nombreuses. Les créatures velues dotées d'un régime alimentaire aussi spécifique n'incitent guère à la chasteté. Envisagez-vous d'envoyer un détachement traquer cette nymphe ? » La question était si importante qu'elle retint son souffle en attendant sa réponse.

« Je ne crois pas, dit Brandin. À mon avis, ces créatures-là choisissent de se laisser voir ou pas. »

C'était la stricte vérité, elle le savait.

« Je n'en ai touché mot à personne d'autre qu'à toi », ajouta-t-il de manière inattendue.

Il n'y avait pas la moindre trace de dissimulation dans l'expression que prit alors son visage. Mais ce qui lui importait le plus, c'était cet élément nouveau en elle, qui était apparu avec le compte rendu de Brandin. Elle avait grand besoin d'être seule et de réfléchir. Pourtant il lui faudrait attendre longtemps encore ; mieux valait repousser cette aventure le plus loin possible, avec toutes les choses qu'elle ne cessait de refouler à la lisière de sa conscience.

« Merci, monseigneur », murmura-t-elle. Cela faisait un moment qu'ils discutaient en privé, elle le savait. Tout comme elle savait l'interprétation qu'en ferait la cour.

« En attendant, dit Brandin brusquement, sur un ton différent, tu ne m'as toujours pas demandé si j'avais bien couru. C'est la première question que m'a posée Solores, je me sens obligé de te le dire. »

Le ton de cette remarque les ramenait en territoire connu.

« Très bien, répondit-elle en feignant l'indifférence. Dites-moi : vous avez couru la moitié du chemin ? Les trois quarts ? »

Une lueur d'indignation passa dans les yeux gris du souverain.

« Ce que tu peux être impertinente par moments ! Je suis trop faible avec toi. Je te signale que j'ai couru jusqu'au sommet où j'ai cueilli un bouquet de sonraïs, et que je suis redescendu au pas de course également. J'ai hâte de savoir si aucun des participants à l'épreuve de demain effectue le parcours aussi rapidement.

— Oui, dit-elle sans réfléchir, mais ils n'auront pas la magie pour les aider.

— Dianora, cela suffit ! »

Au ton de sa voix, elle sut immédiatement qu'elle était allée trop loin. Elle eut l'impression qu'un gouffre venait de s'ouvrir à ses pieds, comme à chaque fois qu'elle commettait pareille bévue.

Elle savait ce que Brandin attendait d'elle ; elle savait pourquoi il lui permettait tant d'impertinence, d'effronterie même. Il y avait longtemps qu'elle avait compris en quoi l'humour décapant qu'elle introduisait dans leur relation lui importait. Il servait de contre-poids à l'amitié tendre, inconditionnelle et peu exigeante de Solores. Et ces deux femmes, à leur tour, contre-balançaient l'exercice ascétique de la politique et du gouvernement pratiqué par d'Eymon.

Tous trois gravitaient autour de l'étoile Brandin d'Ygrath, ce soleil qui s'était volontairement exilé, arraché au paradis connu, aux terres, aux mers, aux gens qui lui étaient familiers, et lié à cette péninsule hostile, à cause d'une défaite, d'un chagrin et d'un désir de vengeance.

Elle savait tout cela. Elle connaissait bien le roi. Il y allait de sa vie. Elle ne franchissait que très rarement cette ligne qui les séparait, invisible mais inviolable. Et, quand elle s'y risquait, c'était toujours sur un prétexte aussi futile que celui-là. Il lui semblait si paradoxal qu'il pût apprécier, voire même encourager un commentaire des plus caustiques sur la cour ou les colonies, et se rebiffer comme un petit garçon à l'orgueil blessé lorsqu'elle le taquinait sur sa capacité à gravir et dévaler une montagne en courant.

Dans un moment pareil, il suffisait qu'il prononçât son nom d'une certaine manière pour qu'une succession d'abîmes s'ouvrît à ses pieds dans la mosaïque délicate du sol de la salle d'audience.

Elle était prisonnière à la cour d'un tyran, esclave plus que courtisane. Elle était également une mystificatrice s'appuyant sur un mensonge permanent, tandis que sa province disparaissait progressivement de la mémoire des hommes. Et elle s'était juré de tuer cet homme dont un simple regard à distance agissait à la manière d'une langue de feu sur sa peau ou transportait son corps de mortelle comme un verre de vin ambré.

Partout où son regard se posait, elle découvrait des abîmes.

Et voilà que ce matin il avait aperçu une riselka. Lui, et sans doute un autre homme aussi. Luttant contre la peur, elle se força à hausser les épaules et, levant exagérément les sourcils, se composa un visage indifférent – fruit d'une longue pratique.

« Voilà qui m'amuse », dit-elle en retrouvant son assurance. Elle savait précisément en quoi il avait besoin d'elle, même en ce moment. Surtout en ce moment. « Vous me dites que la question de Solores, son impatience à connaître votre performance de ce matin, vous a fait plaisir, vous a touché même. C'est la première chose qu'elle a demandée, dites-vous. Combien de fois a-t-elle dû se poser la question de savoir si vous aviez réussi ou non ? Tandis que moi, qui n'ai jamais douté un seul instant que vous ayez atteint le sommet, je n'ai pas ressenti l'urgence d'une telle question. Et voilà que le roi s'en indigne ! Il m'ordonne avec sévérité de me taire ! Mais dites-moi en toute justice, ô mon roi, laquelle de nous deux vous a honoré le plus ? »

Il demeura silencieux un long moment ; elle savait que la cour guettait avidement l'expression de son visage. Mais, à cet instant, elle se moquait de leur opinion. Et même de son passé ou de la rencontre qu'il avait faite dans la montagne. Il y avait là un abîme bien particulier qui commençait et se terminait dans la profondeur de ces yeux gris qui cherchaient les siens.

Quand il se remit à parler, ce fut sur un ton différent encore, un ton qu'elle connaissait parfaitement, et elle oublia brusquement tout ce qui venait d'être dit, l'endroit où ils se trouvaient et les gens qui les regardaient. Elle se sentit faiblir. Ses jambes tremblaient, mais pas de peur.

« Je pourrais te prendre ici, à même le sol, devant toute ma cour », fit Brandin, roi d'Ygrath, la voix voilée, le visage rouge.

Elle avait la gorge nouée et sentit un nerf incontrôlé palpiter sous la peau du poignet. Elle aussi avait les joues en feu, elle le savait. Elle déglutit non sans mal.

« Peut-être serait-il plus sage d'attendre la tombée de la nuit », murmura-t-elle en essayant de prendre un air dégagé sans y parvenir vraiment. Elle était incapable de cacher la réponse instantanée de son corps, décelable à son regard où une étincelle en générait une autre pour donner naissance à un brasier. Le gobelet incrusté de pierres tremblait entre ses mains. Il s'en aperçut ; elle vit qu'il s'en était aperçu et que sa réaction, comme toujours, n'avait servi qu'à nourrir le désir de l'homme. Elle but quelques gorgées en tenant le gobelet à deux mains, cherchant à tout prix à se maîtriser.

« Mieux vaut attendre ce soir », répéta-t-elle, submergée comme toujours par ce qui lui arrivait. Elle savait ce qu'il avait besoin de l'entendre dire, à ce moment précis, dans cette salle de réception où se pressaient sa cour au grand complet ainsi que des émissaires d'Ygrath.

Et elle le lui dit, sans le quitter des yeux, en articulant chaque mot avec soin : « Après tout, mon roi, à votre âge il faut économiser ses forces. Et vous avez quand même couru un bout de chemin ce matin, en montagne qui plus est ! »

Un instant plus tard, pour la deuxième fois, la cour de Chiara vit son roi rejeter en arrière sa belle tête barbue et rire ouvertement de plaisir. À quelques pas de là et au même moment, Rhun le fou se mit à caqueter de joie.

« Isolla d'Ygrath ! »

Cette fois on entendit un tambour et des trompettes, de même que le bâton du héraut qui résonnait sur le plancher près des doubles portes à l'extrémité méridionale de la salle d'audience.

Dianora, debout près du trône, eut le temps d'observer la démarche imposante de celle que Brandin avait qualifiée de meilleure musicienne d'Ygrath. La cour de Chiara au grand complet se pressait sur plusieurs rangs de part et d'autre de l'allée qui menait au trône.

« C'est encore une très belle femme pour son âge, murmura Neso d'Ygrath, car elle a au moins cinquante ans, j'en suis sûr. » Il avait réussi à se glisser à ses côtés, au premier rang.

Le ton mielleux du personnage l'irrita comme toujours, mais elle s'efforça de n'en rien laisser paraître. Isolla portait une robe bleu foncé, d'une grande simplicité, resserrée à la taille par une fine chaîne d'or. Ses cheveux bruns parsemés de fils gris étaient coupés très court bien que ce ne fût plus la mode, mais Dianora se dit qu'après son passage à Chiara la tendance risquait de s'inverser dès l'été suivant, tant la colonie suivait toujours Ygrath dans ce domaine.

Isolla remonta l'allée entre les deux rangées de courtisans d'un pas confiant, sans se hâter. Brandin esquissait déjà un sourire de bienvenue. Cela lui procurait toujours un grand plaisir de voir tel ou tel artiste d'Ygrath entreprendre la longue et parfois dangereuse traversée jusqu'à sa seconde cour.

À quelques pas derrière Isolla, Dianora fut réellement surprise d'apercevoir le poète Camena di Chiara, vêtu de son éternelle cape à trois épaisseurs, qui portait l'étui contenant le luth d'Isolla comme s'il s'agissait d'un objet d'une valeur inestimable. Un murmure traversa l'assemblée, prouvant qu'elle n'était pas la seule à s'en étonner.

Instinctivement, elle jeta un coup d'œil furtif de l'autre côté de l'allée, là où se trouvaient Doarde et sa femme, et eut juste le temps de voir l'éclair de haine et d'effroi qui passa dans le regard du poète lorsqu'il vit approcher son jeune rival. Un instant plus tard, ce regard révélateur avait disparu et Doarde avait opté pour un masque de dédain railleur à la vue d'un Camena s'abaissant à servir de vulgaire portefaix à une Ygrathienne.

Tout de même, se dit Dianora, nous sommes ici à la cour du roi d'Ygrath. Camena, devina-t-elle intuitivement, avait probablement demandé à Isolla de mettre en musique l'un de ses poèmes. Et si la dame interprétait une de ses chansons, ce serait une réussite éblouissante pour le poète de Chiara. Plus que suffisante pour justifier les raisons qui l'avaient poussé à rendre hommage aux artistes ygrathiens, et plus particulièrement à Isolla, en acceptant de lui servir de porteur.

La politique des arts, songea-t-elle, était au moins aussi complexe que celle des nations et des provinces.

Conformément au protocole, Isolla s'était arrêtée à quinze pas de l'estrade où se dressait le trône insulaire, non loin de Neso et Dianora.

Gracieuse, elle exécuta la triple obéissance. Brandin lui fit l'honneur insigne de se lever pour l'accueillir. Il souriait. Rhun, debout derrière lui sur sa gauche, souriait aussi.

Sans qu'elle pût jamais expliquer pourquoi, le regard de Dianora allait du monarque à la musicienne, puis au poète portant le luth. Camena s'était arrêté à six pas derrière Isolla avant de s'agenouiller sur le sol de marbre.

Un détail jurait avec l'harmonie de la scène : les yeux dilatés du poète. Dianora en conclut aussitôt qu'il avait consommé des feuilles de nilth. Il s'était drogué. Elle vit la sueur perler sur son front bien qu'il fît plutôt frais dans la salle d'audience.

« Soyez la bienvenue, Isolla », fit Brandin, visiblement ravi. Cela fait trop longtemps que nous ne vous avons pas vue ni entendue jouer. »

Dianora vit Camena modifier la façon dont il portait le luth. Elle pensa qu'il se préparait à ouvrir l'étui. Et, pourtant, la forme n'était pas celle d'un luth. À dire vrai…

Ensuite, il ne resta qu'une chose dont elle fût sûre : c'était l'histoire de la riselka qui lui avait ainsi aiguisé la vue. L'histoire elle-même, mais aussi le fait que Brandin n'avait pas su dire avec certitude si le second homme, son garde, l'avait vue ou non.

Qu'un seul homme l'ait vue annonçait une bifurcation sur le chemin de sa vie. Mais, s'ils étaient deux, l'un devait mourir.

De toute façon, il allait se passer quelque chose. D'un instant à l'autre. Tous les yeux sauf les siens étaient braqués sur Brandin et Isolla. Elle seule vit le poète faire glisser l'étui de velours qui recouvrait le luth. Elle seule vit qu'il ne s'agissait pas d'un luth. Car nul autre n'avait entendu le récit de la rencontre entre Brandin et la riselka.

« Meurs, Isolla d'Ygrath ! » s'écria Camena d'une voix rauque ; les yeux exorbités, il lança le morceau de velours au loin et ajusta son arbalète.

Avec une rapidité fulgurante, digne d'un homme deux fois plus jeune que lui, Brandin tendit le bras pour dessiner un cercle protecteur autour de la chanteuse en péril.

Exactement ce qu'on attendait de lui, s'aperçut Dianora.

« *Brandin, non !* hurla-t-elle. *C'est vous !* »

Et, saisissant un Neso d'Ygrath éberlué par l'épaule, elle se propulsa dans l'allée en l'entraînant.

Et le carreau de l'arbalète destiné à parcourir une trajectoire menant droit au cœur de Brandin alla se ficher dans l'épaule de Neso, par ailleurs frappé de stupeur. Il poussa un hurlement de douleur et d'angoisse.

Dianora, emportée par son élan, termina sa course à genoux près d'Isolla. Elle leva les yeux, et le regard que lui adressa la chanteuse resta gravé à tout jamais dans sa mémoire.

Elle détourna les yeux. L'émotion, la haine étaient trop fortes. Elle se sentait défaillir et tremblait du choc qu'elle venait de recevoir. Elle se força à se remettre debout et regarda Brandin. Il avait toujours le bras tendu, et elle percevait le miroitement de la barrière de protection qu'il avait dressée autour d'Isolla.

Laquelle n'avait jamais été en danger.

Les gardes tenaient Camena maintenant et l'avaient remis sur ses pieds. Dianora n'avait jamais vu visage aussi pâle ; jusqu'à ses yeux qui paraissaient blêmes à cause de la drogue. Elle pensa qu'il allait s'évanouir, mais Camena rejeta la tête en arrière autant que le lui permit la poigne de fer des soldats ygrathiens. Il ouvrit la bouche comme s'il souffrait le martyre.

« *Chiara!* cria-t-il de toutes ses forces. *Liberté pour Chiara!* » avant d'être brutalement réduit au silence.

L'écho se perpétua un long moment. La salle était vaste, le silence absolu. Nul n'osait bouger. Dianora eut l'impression que la cour avait cessé de respirer. Personne n'avait envie d'attirer l'attention sur soi.

Neso, qui gisait encore sur le carrelage en mosaïque, poussa un nouveau gémissement d'angoisse et de douleur, et rompit ainsi le silence. Deux soldats s'agenouillèrent pour le secourir. Dianora craignait toujours de perdre connaissance ; elle ne maîtrisait pas le tremblement de ses mains. Isolla d'Ygrath n'avait pas bougé.

Dianora comprit qu'elle en était incapable : Brandin l'avait ensorcelée, comme une fleur sous presse. Les soldats soulevèrent Neso et l'aidèrent à sortir. Dianora recula, laissant Isolla seule devant le roi. Elle recula de quinze pas et se sentit mieux.

« Camena n'était qu'un instrument, fit Brandin d'une voix calme. Et Chiara n'a pratiquement rien à voir avec ceci. Ne vous figurez pas que je sois aveugle à ce point. Je ne peux rien vous offrir d'autre désormais qu'une mort plus douce. Il faut me dire la raison de cet acte. » Sa voix était délibérément mesurée, prudente et unie. Dianora ne l'avait encore jamais entendu s'exprimer sur ce ton. Elle regarda alors Rhun : le fou pleurait, les larmes dessinaient de longues traînées sur les traits déformés de son visage.

Brandin baissa le bras, rendant ainsi à Isolla la liberté de bouger et de parler.

L'explosion de haine qui embrasait son visage fit place à une expression d'orgueil provocant. Dianora se demanda si Isolla avait jamais réellement cru que son stratagème aboutirait ; si elle s'était imaginée qu'après avoir tué le roi elle pourrait sortir librement de la salle.

Et si elle ne nourrissait aucune illusion, alors à quoi toute cette mise en scène rimait-elle?

La musicienne, qui se tenait très droite maintenant, lui fournit une partie de la réponse. «Je suis condamnée, dit-elle à Brandin. Les docteurs m'ont donné moins de trois mois avant que la tumeur n'atteigne le cerveau. Déjà certaines chansons m'échappent. Des chansons qui font partie de moi depuis quarante ans.

— Vous m'en voyez désolé », fit Brandin, très formel; sa courtoisie était telle qu'elle apparaissait comme une violation de la nature humaine. « Tous les êtres humains meurent. Certains très jeunes. Mais tous ne complotent pas contre leur roi. Il faut m'en dire un peu plus si vous voulez que je vous épargne la douleur.»

Pour la première fois la résolution d'Isolla parut vaciller. Elle détourna le regard des yeux gris, sinistres à force de sérénité. Après un long silence, elle dit enfin: «Vous ne pouviez pas ignorer qu'il y a un prix à payer pour ce que vous avez fait.

— Et qu'ai-je donc fait au juste?»

Elle releva la tête. « Vous avez porté aux nues un fils mort au détriment d'un fils vivant et cherché à vous débarrasser de votre femme. Au point d'en oublier votre pays. Avez-vous seulement eu une pensée, l'ombre d'une pensée pour eux tandis que vous cherchiez à venger Stevan par des moyens contre nature?»

Dianora entendait les battements sourds de son cœur. Nul ne prononçait jamais ce nom à Chiara. Elle vit Brandin serrer les lèvres comme elle l'avait vu faire deux ou trois fois seulement. Mais il s'exprima d'une voix aussi strictement maîtrisée qu'auparavant.

« J'estime que je me suis montré juste envers eux. Girald gouverne Ygrath comme prévu. Je lui ai même abandonné mon saishan, pour sa valeur symbolique. Quant à Dorotea, je l'ai invitée à maintes reprises les premières années.

— Vous l'avez invitée ici certes, pour qu'elle s'étiole et vieillisse sous vos yeux pendant que vous conserviez votre jeunesse. Une chose qu'aucun roi sorcier d'Ygrath n'avait encore osé faire, de crainte que les dieux punissent pareille impiété en s'en prenant au pays. Mais vous n'avez jamais eu la moindre pensée pour Ygrath, n'est-ce pas ? Ni pour Girald. Il n'est pas roi. Son père l'est. C'est votre titre et non pas le sien. Que signifie l'accès au saishan auprès de cette réalité-là ? Il risque même de mourir avant vous, Brandin, si personne ne vous tue. Et que se passera-t-il alors ? Tout cela est anormal ! Contre nature ! Et il faudra bien en payer le prix, tôt ou tard.

— Il y a toujours un prix à payer, dit le roi d'une voix très douce. Quoi qu'on fasse. Même pour vivre. Mais je ne me savais pas de dettes envers ma propre famille. » Il y eut un silence. « Isolla, je suis obligé de prolonger ma vie pour avoir le temps d'achever ce que j'ai entrepris ici.

— C'est bien pour cela que tout le monde paye, répéta Isolla ; vous, Girald, Dorotea. Et Ygrath. »

Et Tigane, songea Dianora qui avait cessé de trembler et sentait sa propre douleur resurgir comme une blessure en elle. Tigane aussi paye ; avec des statues brisées, des tours écroulées, des enfants massacrés, un nom disparu.

Elle observa le visage de Brandin. Puis celui de Rhun.

« J'entends, dit le roi à la chanteuse. J'entends même davantage de choses que vous ne m'en dites. Mais il me manque un dernier élément : qui, de Girald ou de Dorotea, est à l'origine de ceci ? » Le chagrin perçait dans sa voix. Le vilain visage de Rhun grimaçait tandis qu'il agitait les mains dans tous les sens.

« Et pourquoi, dit Isolla en se redressant, vous figurez-vous que leurs buts divergent ? Pourquoi l'un ou l'autre, roi d'Ygrath ? » Elle parlait avec la suffisance glaciale de ceux qui n'ont plus rien à perdre, et sa voix résonnait aussi dure que le message qu'elle transmettait.

Il hocha lentement la tête. Il avait beau se contrôler parfaitement, Dianora le savait profondément blessé, à la manière dont il se tenait et parlait. Elle n'éprouvait même pas le besoin de regarder Rhun pour s'en assurer.

« Très bien, fit Brandin. Et vous, Isolla ? Qu'ont-ils bien pu vous offrir pour vous inciter à commettre un acte semblable ? Me haïssez-vous donc à ce point ? »

Elle n'hésita pas plus d'un instant. Puis, aussi fière et provocante que précédemment, elle lui répondit : « J'aime la reine à ce point. »

Brandin ferma les yeux. « Jusqu'à quel point ?

— Jusqu'à compenser le vide que vous avez laissé en choisissant de vous exiler, en préférant un défunt à l'amour de votre femme et à son lit. »

En temps normal ou même à demi anormal, la cour aurait inévitablement réagi à une déclaration pareille. Mais Dianora n'entendit pas le moindre murmure, juste la respiration discrète de la plupart des courtisans tandis que leur roi rouvrait les yeux et regardait la chanteuse. Le triomphe se lisait sur le visage de l'Ygrathienne.

« Je l'ai invitée, répéta-t-il, non sans une certaine mélancolie. J'aurais pu la contraindre à venir, mais je n'en ai rien fait. Elle m'avait clairement exposé ses sentiments, et j'ai préféré la laisser libre de choisir. J'ai pensé que c'était l'attitude la plus juste et la plus généreuse. Il semblerait que mon péché ait été de ne pas la faire embarquer de force sur un bateau en partance pour la péninsule. »

Une myriade de chagrins différents, un éventail de douleurs se disputaient la première place dans le cœur de Dianora. À quelques pas derrière le roi, elle aperçut d'Eymon ; son visage avait pris une couleur grise, malsaine. Leurs regards se croisèrent, mais il s'empressa de détourner les yeux. Plus tard, elle chercherait peut-être à tirer parti de cette brève ascendance sur lui, mais pour le moment elle n'éprouvait que de la pitié pour l'homme. Il présenterait sa démission au roi le soir même, elle le savait. Probablement lui offrirait-il aussi le sacrifice de sa vie, comme cela se faisait autrefois. Brandin refuserait, mais plus rien ne serait jamais comme avant.

Pour de multiples raisons.

Brandin conclut : « Je crois que vous m'avez dit tout ce que j'avais besoin de savoir.

— Le Chiaran a agi de sa propre initiative », révéla-t-elle de façon inattendue. Elle désigna Camena, prisonnier de l'étreinte propre à lui briser les os des soldats. « Il s'est joint à nous lorsqu'il est venu en Ygrath, il y a deux ans. Il est apparu que nos buts convergeaient au point d'en arriver là. »

Brandin hocha la tête. « Au point d'en arriver là, répéta-t-il lentement. C'est bien ce que je pensais. Merci de m'en avoir apporté la confirmation », ajouta-t-il gravement.

Il y eut un silence. « Vous m'avez promis une mort facile, fit Isolla, très droite.

— Effectivement, répondit Brandin, je vous l'ai promis. » Dianora retint son souffle. Le roi n'en finissait pas de regarder Isolla, mais son visage ne laissait rien transparaître.

« Vous n'imaginez pas à quel point j'étais heureux que vous soyez venue nous faire écouter votre musique », dit-il enfin d'une voix presque inaudible.

Il fit un geste de la main, comme pour congédier un serviteur ou un émissaire venu lui présenter une requête.

La tête d'Isolla explosa comme un fruit trop mûr auquel on assène un coup violent. Du sang de couleur sombre gicla de son cou tandis que son corps s'écroulait comme un sac. Dianora se tenait tout près : sa robe et son visage furent éclaboussés. Elle recula d'un pas mal assuré, en proie à une vision : des créatures reptiliennes rampaient et ondulaient là où la tête d'Isolla avait été transformée en un magma informe.

Des hurlements fusèrent ici et là, bientôt suivis d'un mouvement de panique tandis que la cour reculait. Tout à coup quelqu'un s'avança, qui trébucha et faillit tomber dans sa hâte. L'individu dégaina brusquement son épée : c'était Rhun qui, tenant son fer à deux mains, se mit à assener de grands coups maladroits au corps de la défunte.

Son visage était étrangement déformé par la haine et le dégoût. Tel un boucher, il abattit sauvagement son épée sur le torse d'Isolla et lui sectionna un bras. Une matière vert sombre et informe parut sortir du moignon, qui laissa une traînée gluante, d'un noir brillant. Dianora entendit quelqu'un vomir derrière elle.

« Stevan ! » cria Rhun d'une voix cassée. Et, au milieu de cette horreur, de ce chaos nauséeux, Dianora fut saisie d'une immense pitié. Elle regarda le fou accomplir son ouvrage frénétique, vêtu exactement comme le roi, portant l'épée du roi, la bouche écumante.

« Musique ! Stevan ! Musique ! Stevan ! » répétait inlassablement Rhun, et chaque fois qu'il prononçait ces terribles paroles son épée de cérémonie, fine et incrustée de pierres, se levait et s'abattait avec des reflets scintillants dans les flots de lumière, découpant le corps de la chanteuse comme un quartier de viande. Il perdit l'équilibre sur le sol glissant et tomba à genoux, emporté par le feu de sa colère. Une chose grise pourvue d'yeux sur des pédoncules ondulants parut se coller à son genou comme une sangsue.

« Musique ! » répéta encore une fois Rhun, d'une voix calme mais exceptionnellement claire. Puis l'épée glissa entre ses doigts ; il était assis au milieu d'une mare de sang à côté du corps mutilé d'Isolla ; sa tête à demi chauve pendait sur le côté en formant un angle bizarre avec son torse, ses vêtements de cérémonie blanc et or étaient irrémédiablement souillés et il pleurait comme s'il avait le cœur brisé.

Dianora se tourna vers Brandin. Le roi, immobile, les mains le long du corps, détendues, n'avait pas bougé d'un pouce depuis le début. Il fixait l'effroyable scène avec un détachement saisissant.

« Il y a toujours un prix à payer », dit-il, impassible, un peu comme s'il se parlait à lui-même au milieu des cris incessants et du tumulte de la salle d'audience. Dianora fit un pas hésitant dans sa direction, mais il avait déjà fait demi-tour et sortait par la porte derrière le dais, suivi de près par d'Eymon.

Dès qu'il fut parti, les créatures ondulantes et visqueuses disparurent à leur tour, mais non le corps mutilé de la chanteuse ni la silhouette recroquevillée du fou. Il ne restait plus guère que Dianora à côté d'eux, tous les autres s'étant massés près des issues. Le sang d'Isolla était chaud sur sa peau.

Les gens se bousculaient, poussés par un besoin incontrôlable de quitter la salle maintenant que le roi n'y était plus. Elle vit des soldats pousser Camena di Chiara sans ménagement par une porte latérale. D'autres arrivèrent avec un drap pour recouvrir le corps d'Isolla. Ils durent écarter le fou qui pleurait toujours, le visage déformé par une grimace grotesque d'enfant malheureux. Dianora s'essuya la joue d'une main et s'aperçut qu'elle avait les doigts pleins de sang. Les soldats placèrent le drap sur le corps tandis que l'un d'eux ramassait prestement le bras que Rhun avait sectionné et le poussait sous le drap. Dianora s'en aperçut. Elle avait sans doute le visage tout éclaboussé de sang. Sur le point de perdre le contrôle d'elle-même, elle chercha de l'aide du regard, n'importe quelle aide.

« Venez, madame, fit une voix providentielle dont elle avait désespérément besoin. Venez, laissez-moi vous reconduire au saishan.

—Oh, s'il te plaît, Scelto, chuchota-t-elle, partons tout de suite. »

À l'annonce de la nouvelle, le saishan s'enflamma comme une brassée de petit bois bien sec ; les rumeurs allaient bon train et chacun tremblait. Une tentative de meurtre ourdie en Ygrath, avec la participation d'un natif de Chiara.

Et qui avait bien failli réussir.

Scelto poussa Dianora dans le couloir qui menait à ses appartements en jouant des coudes pour mieux la protéger, et claqua la porte au nez de la foule en émoi qui errait et s'attardait dans le couloir : on aurait dit de grands insectes habillés de soie. Sans cesser de lui murmurer des paroles apaisantes, il la déshabilla et la lava, puis l'enveloppa soigneusement dans un peignoir bien chaud. Elle ne parvenait ni à maîtriser son tremblement ni à s'exprimer. Il alluma un feu et la fit asseoir devant. Entièrement soumise, elle but la tisane aux vertus sédatives qu'il lui prépara. Deux tasses pleines. Elle cessa enfin de trembler, mais elle éprouvait toujours de la difficulté à parler. Il l'obligea à rester dans le fauteuil près du feu. Elle n'avait d'ailleurs aucune envie d'en bouger.

Elle avait le cerveau comme engourdi et se sentait tout à fait incapable d'appréhender rationnellement ce qui venait de se passer, encore moins de réagir de manière appropriée.

Une pensée, une seule, chassait toutes les autres et lui martelait le crâne comme le bâton du héraut sur le sol. Une vérité qui lui paraissait impossible à croire et l'anéantissait tour à tour, au point qu'elle essaya de toutes ses forces de la chasser à la faveur d'une migraine brutale qui l'élançait de plus en plus. Mais elle ne le pouvait pas. Le marteau frappait, encore et encore : *elle lui avait sauvé la vie.*

Il s'en était fallu d'une fraction de seconde que Tigane renaquît ; cette fraction de seconde qu'aurait mis le carreau de l'arbalète pour atteindre le cœur de Brandin.

Son pays était un rêve récurrent. Un monde où les enfants jouaient. Parmi des tours à proximité de la montagne, sur les rives d'un fleuve, sur les ondulations blanc et or du sable autour d'un palais au bord de la mer. Son pays était un rêve lancinant et désespéré, un nom qui hantait ses rêves. Et cet après-midi elle avait fait en sorte que ce nom fût banni à tout jamais, disparût de la face du monde, enfermé dans un rêve. En attendant que les rêves meurent à leur tour.

Comment s'accommoder d'un geste pareil ? En accepter les conséquences ? Elle était venue ici pour tuer Brandin d'Ygrath, pour faire revivre Tigane en mettant fin à ses jours. Et, au lieu de cela...

Elle se remit à trembler. Scelto, qui n'avait cessé de marmonner dans sa barbe, rajouta des bûches sur le feu et lui posa une couverture de plus sur les genoux et les pieds. Quand il vit ses larmes, il poussa un étrange gémissement de détresse et d'impuissance. Un moment plus tard, quelqu'un frappa à la porte et elle entendit l'eunuque éconduire les visiteurs avec une grossièreté inhabituelle chez lui.

Petit à petit, elle retrouvait ses esprits. Aux reflets de la lumière qui se glissait doucement par les hautes fenêtres, elle sut que l'après-midi tirait à sa fin. Elle se frotta les joues et les yeux du dos de la main, et se redressa dans son fauteuil. Il fallait qu'elle soit prête quand le crépuscule tomberait ; c'était toujours à cette heure que Brandin appelait.

Elle se leva et constata avec plaisir qu'elle se sentait plus solide sur ses jambes. Scelto s'avança d'un air réprobateur mais, quand il vit son visage déterminé, il se ravisa. Sans un mot, il la précéda dans le couloir qui menait aux bains. Son regard féroce réduisit le personnel présent au silence. Elle le sentait capable de les frapper s'ils avaient osé parler ; pourtant, à sa connaissance, il n'avait jamais commis le moindre acte de violence. Pas depuis qu'il avait tué un homme et perdu ses attributs virils.

Elle s'abandonna au bien-être du bain, laissant les huiles parfumées lui adoucir la peau, sa peau éclaboussée de sang dans l'après-midi. L'eau tourbillonnait autour d'elle puis se retirait. Ensuite Scelto lui appliqua du vernis sur les ongles des pieds et des mains. Il avait choisi une couleur tendre, un rose pâle. Aussi éloignée que possible de la couleur du sang, de la colère et de la douleur. Plus tard, elle se mettrait un rouge à lèvres du même ton. Ils ne feraient sûrement pas l'amour. Ils se contenteraient de se serrer l'un contre l'autre. Elle retourna chez elle pour attendre la convocation.

La lumière lui apprit que le soir était tombé. Personne au saishan n'ignorait à quel moment le soir tombait. Cette heure entre chien et loup était le point culminant de la journée. Elle demanda à Scelto de se poster devant la porte pour accueillir le messager lorsqu'il se présenterait. Peu de temps après, il rentra et lui annonça que Brandin avait fait quérir Solores.

Sa colère explosa avec sauvagerie. Comme... comme la tête d'Isolla d'Ygrath dans la salle d'audience. Dianora avait du mal à respirer tant sa fureur était grande. Elle n'avait encore jamais ressenti rien de tel. Son cœur était comme un chaudron chauffé à blanc. Après la chute de Tigane et le départ forcé de son frère, elle avait certes éprouvé de la haine, mais une haine construite, contrôlée, canalisée, attisée par une motivation ; une flamme protégée qui, elle le savait, devrait brûler encore longtemps.

Or c'était un calvaire qu'elle vivait à présent ; un volcan explosait en elle, gigantesque, tout-puissant, une longue coulée de lave, de celles qui font table rase. Si Brandin s'était trouvé là à cet instant, elle lui aurait arraché le cœur de ses ongles et de ses dents, lui infligeant le même châtiment que les femmes à Adaon au flanc de la montagne. Elle vit Scelto reculer comme malgré lui ; elle n'avait pourtant jamais remarqué qu'il la craignait, ni elle ni personne d'autre ; cela n'avait d'ailleurs pas grande importance pour l'heure.

Ce qui importait, la seule chose qui importait en fait, c'était qu'elle avait sauvé la vie de Brandin d'Ygrath aujourd'hui même, souillant de boue et de sang le souvenir clair et immaculé de son pays et le serment qu'elle avait fait en venant ici, tant d'années auparavant. Elle avait violé l'essence de ce qu'elle était autrefois, s'était violée elle-même, avec bien plus de cruauté qu'aucun des hommes qui avaient couché avec elle pour une pièce d'argent dans sa chambre au Certando.

Et en retour ? En retour, Brandin venait de faire quérir Solores di Corte, la laissant passer la nuit seule dans sa chambre.

Il n'aurait pas dû faire cela.

Qu'elle ait compris du fond de sa colère pourquoi il faisait une chose pareille n'y changeait rien. Car ce n'était certes pas d'esprit ou d'intelligence, de brio, de questions, de suggestions dont il aurait besoin ce soir. Ni même de désir. Ce dont il avait le plus besoin, c'était la douceur, la gentillesse spontanée et communicative de Solores. Ce qu'elle-même, de toute évidence, ne savait pas donner. La soumission, le bercement, la tendresse, la voix apaisante. Il aurait besoin d'un havre ce soir. Elle le comprenait d'autant plus que c'était exactement ce dont elle avait désespérément besoin elle-même après les événements de l'après-midi.

Mais ce réconfort, lui seul pouvait le lui donner.

Et c'est ainsi que, cette nuit-là, seule dans son lit, sans rien ni personne pour la consoler, Dianora se retrouva toute nue et incapable d'échapper aux conclusions qui s'imposèrent après que sa colère fut retombée.

Quand la pendule sonna les trois premières heures de la nuit, elle ne dormait pas, pas plus qu'aux trois suivantes, mais avant qu'apparût l'aube grisâtre elle fit deux expériences majeures.

La première fut le retour inexorable du seul souvenir qu'elle avait toujours pris soin de refouler parmi les mille et un chagrins qui l'avaient affligée l'année où Tigane avait été occupée. Mais elle était nue et sans défense dans l'obscurité de cette nuit des Quatre-Temps, tandis que son âme à la dérive s'éloignait de plus en plus de ses points d'attache, quels qu'ils fussent.

Pendant qu'à l'autre bout du palais Brandin cherchait un réconfort auprès de Solores di Corte, Dianora avait l'impression de flotter, seule dans un espace découvert, incapable d'écarter aucune des images qui resurgissaient du passé et la submergeaient. Des images d'amour et de perte d'amour, des images de douleur insupportable, bien trop aiguës et cinglantes pour qu'elle se les fût permises en temps normal.

Mais la mort avait posé un doigt sur Brandin d'Ygrath ce jour-là, et elle seule l'avait déviée de sa cible, avait empêché que le roi franchisse la plus noire

des portes de Morian. Or c'était la nuit des Quatre-
Temps, une nuit de fantômes et d'ombres, qui ne
ressemblait en rien à une nuit ordinaire, qui ne l'était
pas non plus. Les images qui déferlaient dans la conscience de Dianora avec une gradation inéluctable,
comme les vagues du noir océan, étaient les derniers
souvenirs de son frère avant son départ.

◆

Il était trop jeune pour la bataille de la Deisa. Aucun
garçon de moins de quinze ans, avait déclaré le prince
Valentin avant d'enfourcher solennellement sa monture pour se rendre à la guerre dans le Nord. Alessan,
son plus jeune fils, avait été conduit dans le Sud où
Danoleon, le grand prêtre d'Eanna, devait le cacher,
lorsqu'on apprit que Brandin fondait sur eux.

Stevan venait de se faire tuer. Leur seule et unique
victoire. Chacun savait ; les hommes las qui avaient
combattu et survécu, ainsi que les femmes, les vieil-
lards et les enfants qu'on avait laissés chez eux, nul
n'ignorait que l'arrivée de Brandin sonnerait la fin de
l'univers qu'ils avaient bâti et chéri.

Ils ne savaient pas encore à quel point c'était vrai,
n'avaient pas imaginé ce que le roi sorcier d'Ygrath
était capable de faire ni ce qu'il ferait. Ils devaient
l'apprendre dans les jours et les mois qui suivirent :
une vérité dure et brutale qui s'étendit comme une
tumeur et suppura dans l'âme des survivants.

Les victimes de la Deisa ont eu bien de la chance,
chuchotaient de plus en plus souvent les survivants dans
les moments de grande douleur, l'année où Tigane suc-
comba.

Dianora et son frère virent l'esprit de leur mère se
rompre comme la corde d'un arc trop tendu lorsque lui
parvinrent les nouvelles de la seconde bataille. Et alors
que l'avant-garde des Ygrathiens pénétrait dans la cité
pour occuper les rues et les places de Tigane, les hôtels
particuliers et le palais de la Mer aux teintes délicates,

elle laissa s'envoler l'ultime perception qu'elle avait du monde alentour pour errer, muette et inoffensive, dans un territoire où aucun de ses enfants ne pouvait la suivre.

Parfois, assise parmi les gravats et le marbre brisé qui jonchaient la cour, elle souriait ou hochait la tête à l'intention de créatures invisibles, et le cœur de sa fille sursautait, comme surpris par une vieille douleur qui se réveille au contact du froid humide de l'hiver.

Dianora se mit à tenir la maison du mieux qu'elle put, bien que trois des serviteurs et apprentis de son père aient péri en même temps que lui. Deux autres s'étaient enfuis peu après l'arrivée des Ygrathiens et le début des destructions. Elle n'arrivait pas à leur en vouloir. Il ne restait plus qu'une femme et le plus jeune apprenti.

Son frère et l'apprenti attendirent que la vague des incendies et des destructions fût passée ; puis, quand les Ygrathiens eurent ordonné un minimum de reconstructions, ils se mirent à chercher du travail ; ils déblayaient des gravats ou réparaient des murs. La vie commençait à retrouver un semblant de normalité. Ou du moins ce qui en tenait lieu dans une ville rebaptisée Basse-Corte et une province du même nom.

Dans un monde où le nom de Tigane ne pouvait être entendu que d'eux seuls. Ils cessèrent bientôt de le prononcer dans les lieux publics. La douleur était trop forte : ce sentiment tortueux que faisait naître le regard d'incompréhension sur les visages des Ygrathiens ou des commerçants et banquiers de Corte qui s'étaient précipités dans l'espoir de glaner tout ce qu'ils pourraient parmi les décombres et de tirer profit de la lente reconstruction de la ville. Il n'existait pas de mot pour décrire pareille douleur.

Dianora se souvenait avec une clarté aiguë, incisive, de la première fois où elle avait dû appeler son pays Basse-Corte. Tous les survivants avaient éprouvé la même chose : chacun avait eu l'impression qu'un hameçon se fichait en son âme. Les morts de la première et seconde Deisa avaient eu bien de la chance, répétait-on partout.

Elle regarda son frère devenir mature dans l'amertume de ce premier été et de ce premier automne ; Dianora pleurait son sourire envolé, son rire disparu, son enfance trop vite achevée, sans s'apercevoir que sur son visage ingrat aux joues creuses se lisaient les mêmes stigmates, les mêmes leçons durement apprises. Elle eut seize ans à la fin de l'été et lui quinze à l'automne. Elle fit un gâteau pour l'anniversaire de sa dénomination, qu'ils partagèrent avec l'apprenti, la vieille servante et sa mère. Il n'y avait pas d'invités, aucune réunion n'étant autorisée. Sa mère sourit lorsque Dianora lui tendit une tranche de gâteau ambré, mais la jeune fille savait que ce sourire ne leur était pas destiné.

Son frère aussi le savait. Prématurément grave, il avait embrassé sa mère sur le front, puis sa sœur, avant de sortir dans la nuit. Il était illégal de sortir après le coucher du soleil, bien sûr, mais quelque chose le poussait à battre le pavé la nuit. Il contournait les feux qui fumaient encore à chaque coin de rue ou presque, comme s'il défiait les patrouilles ygrathiennes de l'attraper, de le punir pour avoir eu quatorze ans l'année de la guerre.

Deux soldats furent égorgés dans l'obscurité cet automne-là. Les représailles ne tardèrent pas : une vingtaine de roues de la mort furent érigées; six femmes et cinq enfants firent partie des victimes ; Dianora les avait déjà presque tous croisés. Il ne restait plus grand monde dans la ville, aussi les gens se connaissaient-ils presque tous. Les hurlements des enfants, puis leurs cris de plus en plus faibles troublèrent régulièrement son sommeil jusqu'à la fin de ses jours.

Nul n'attenta plus jamais à la vie d'un soldat.

Son frère continua de sortir la nuit. Elle restait éveillée à l'attendre. Il faisait toujours un peu de bruit, afin qu'elle l'entendît et s'endormît. Il savait qu'elle

ne parvenait pas à dormir en son absence, bien qu'elle
ne lui en eût jamais parlé.

Il aurait pu être joli garçon, avec ses cheveux bruns,
ses grands yeux marron, mais il était terriblement maigre et il avait les yeux cernés par trop de chagrin et trop
peu de sommeil. Il n'y eut pas grand-chose à manger
le premier hiver, la majeure partie de la récolte ayant
brûlé ; le reste avait été confisqué, mais Dianora fit de
son mieux pour les nourrir tous les cinq. Il n'y avait
malheureusement rien qu'elle pût faire pour changer
l'expression de son regard. Tout le monde avait le
même regard, elle le voyait bien dans la glace.

Au printemps suivant, les soldats ygrathiens découvrirent un nouveau sport. C'était pratiquement inévitable,
cela faisait partie des tumeurs malignes résultant de la
haine que Brandin leur avait insufflée dans sa folie
vengeresse.

Dianora était à une des fenêtres du premier étage
lorsque tout avait commencé. Elle regardait son frère
et l'apprenti, qui n'en était plus un bien sûr, traverser
la place et se diriger vers le chantier où ils travaillaient.
Des nuages blancs filaient dans le ciel, poussés par le
vent. Un petit groupe de soldats surgit de l'angle opposé et accosta les deux garçons. Dianora avait ouvert
la fenêtre en grand pour aérer la chambre et profiter de
la fraîcheur de la brise ; elle entendit donc parfaitement
l'échange qui suivit.

« Aidez-nous ! bêla un des soldats, avec aux lèvres
un sourire narquois qu'elle apercevait de sa fenêtre.
Nous sommes perdus ! » gémit-il tandis que les autres
entouraient les garçons. L'un d'eux donna un coup de
coude dans les côtes de son voisin.

« Où sommes-nous ? » implora le soldat.

Les yeux soigneusement baissés, son frère nomma
la place et les rues qui en partaient.

« Cela ne sert à rien, se plaignit le soldat. À quoi bon
m'indiquer des noms de rues quand j'ignore jusqu'à celui
de cette maudite ville ? » Les autres éclatèrent de rire, et
Dianora tressaillit en saisissant la teneur de ce rire.

«Basse-Corte», s'empressa de marmonner l'apprenti, tandis que son frère demeurait silencieux. Ce silence ne passa d'ailleurs pas inaperçu.

«Comment s'appelle cette ville? Dis-le, toi, là», insista sèchement leur porte-parole en bousculant un peu son frère.

«Je viens de vous le dire: Basse-Corte», fit l'apprenti d'une voix plus forte. L'un des soldats le frappa à la tempe du revers de la main. Le garçon trébucha et faillit tomber; il refusa de lever la main pour se palper la tête.

Le pouls accéléré par la peur, Dianora vit son frère lever les yeux. Ses cheveux noirs luisaient dans la lumière matinale. Elle crut qu'il allait s'attaquer au soldat qui avait frappé l'apprenti. Elle pensa qu'il allait mourir. Elle était debout à la fenêtre, les mains accrochées au rebord. Il régnait un silence oppressant sur la place en contrebas. Le soleil brillait.

«Basse-Corte», dit son frère comme s'il s'étouffait en prononçant ces mots.

Les soldats éclatèrent d'un rire rauque, puis les laissèrent partir.

Ce matin-là du moins.

Les deux garçons devinrent les victimes préférées de cette compagnie chargée de patrouiller entre le palais de la Mer et la place centrale où se dressaient les trois temples. Aucun des temples de la Triade n'avait été démoli. On s'était contenté de détruire les statues tout autour; deux d'entre elles étaient l'œuvre de son père: une jeune Morian, gracile et séduisante, et un immense buste primitif d'Eanna tendant les mains pour fabriquer les étoiles.

Les garçons se mirent à quitter la maison de plus en plus tôt, empruntant des itinéraires détournés pour tromper la vigilance des soldats. Mais, la plupart du temps, ceux-ci finissaient par les retrouver. On était à la fin du printemps et les Ygrathiens s'ennuyaient ferme; les efforts des garçons pour leur échapper les distrayaient.

Dianora allait se poster à la fenêtre du premier étage quand ils partaient par la place, comme si le simple fait d'observer la scène lui permettait de la partager, de répartir la douleur entre eux trois et de leur faciliter un peu les choses. La plupart du temps, les soldats les accostaient dès qu'ils débouchaient sur la place. Elle y assistait le jour où le jeu prit mauvaise tournure.

C'était un après-midi, cette fois. Ils avaient eu une demi-journée de congé le matin en raison d'un service religieux en l'honneur de la Triade, qui suivait de peu la célébration des Quatre-Temps de printemps. Les Ygrathiens, tout comme les Barbadiens à l'est, avaient pris grand soin de ne pas toucher aux pratiques religieuses et d'épargner le clergé. Après déjeuner, les deux garçons partirent travailler.

Les soldats les encerclèrent au milieu de la place. Ils ne se lassaient pas de ce jeu. Mais, cet après-midi-là, tandis que leur gradé commençait sa rengaine – il était perdu et ne savait plus dans quelle ville il se trouvait –, un groupe de quatre marchands essoufflés atteignit le sommet de la rue pentue qui remontait du port. L'un des soldats eut alors une idée qui n'était que le fruit de sa profonde malveillance.

« Halte-là ! » fit-il d'une voix rauque. Les marchands obtempérèrent comme un seul homme. En Basse-Corte, nul ne discutait les ordres des Ygrathiens.

« Venez un peu par ici », poursuivit le soldat. Ses compagnons s'écartèrent pour permettre aux marchands de venir se placer en face des deux garçons. À cet instant, Dianora eut une prémonition de l'ignominie à venir, comme si une main glaciale se posait sur son épaule.

Les quatre marchands indiquèrent qu'ils venaient d'Asoli. C'était évident, rien qu'à leur accoutrement.

« Bien ! fit le soldat d'une voix grinçante, je vous sais tous avides de profits, alors écoutez-moi. Ces gosses vont vous dire comment s'appellent leur ville et leur province. Si vous arrivez à comprendre ce qu'ils disent, sur mon honneur et au nom de Brandin, roi d'Ygrath, je vous promets une récompense : vingt ygras d'or au premier qui me répète le nom. »

Une véritable fortune. Même de son observatoire haut perché et séparée d'eux par un écran, Dianora put observer la réaction des marchands asoliens. Elle n'avait pas encore fermé les yeux. Elle pressentait la suite et savait qu'elle allait encore souffrir. Elle avait un tel besoin de son père, un tel désir de le voir revenir qu'elle en pleurait presque. Mais son frère était là en bas, entouré de soldats qui le haïssaient. Elle ravala ses larmes et ouvrit les yeux. Elle se força à regarder.

« Toi, dit le soldat à l'apprenti – c'était toujours à lui qu'ils s'adressaient en premier –, ta province portait un autre nom autrefois. Dis-le-leur. »

Elle vit le garçon qui s'appelait Naddo pâlir de peur ou de colère ou des deux. Les quatre marchands ignorèrent complètement ce détail et se penchèrent dans une attitude de concentration. Dianora vit Naddo lancer un regard à son frère : peut-être cherchait-il un conseil ou une échappatoire.

Le soldat s'en aperçut. « Arrête-moi ça tout de suite ! » fit-il d'une voix cassante. Puis il sortit son épée. « Si tu tiens à la vie, dis-le-leur. »

Naddo, articulant parfaitement le mot, dit alors : « Tigane. »

Et, bien entendu, aucun des marchands ne fut capable de répéter ce mot. Pas même pour vingt ygras d'or. La récompense eût-elle été vingt fois plus importante que cela n'aurait rien changé. Dianora lut dans leur regard la contrariété, l'avidité déçue, et aussi la peur qu'engendre une confrontation directe avec la sorcellerie.

Les soldats se bousculaient en riant aux larmes. L'un d'eux gloussait comme un coq. Ils se tournèrent vers son frère.

« Non, dit-il carrément avant qu'ils aient eu le temps d'exiger quoi que ce soit de lui. Vous avez eu votre partie de fou rire. Ils n'entendent pas ce nom. Nous savons tous pourquoi. Que reste-t-il à prouver ? »

Il avait quinze ans, il était trop maigre, avec des mèches brunes qui lui tombaient sur les yeux. Cela faisait plus d'un mois qu'elle ne lui avait pas coupé les

cheveux et elle avait eu l'intention de le faire cette
semaine-là. Elle se mit à serrer le rebord de la fenêtre
avec une telle force que le sang reflua complètement ;
sa main était blanche et glacée. Elle l'aurait volontiers
coupée si ce geste avait suffi à changer le cours des
choses. Elle remarqua d'autres visages derrière les
fenêtres, de part et d'autre de la place. En bas, des gens
s'étaient arrêtés en voyant le rassemblement et en sentant la tension prendre soudainement forme.

Ce n'était pas une heureuse initiative car, maintenant
qu'ils avaient un public, les soldats allaient être forcés
de faire preuve d'autorité. Ce qui en privé n'était encore
qu'un jeu prenait une tout autre dimension. Dianora
eut envie de détourner les yeux. Elle aurait tout donné
pour que son père rentrât de la Deisa accompagné du
prince Valentin, tous deux bien vivants, et que sa mère
revînt de ce pays inconnu où son esprit errait.

Elle continua de regarder. Pour partager. Pour être
témoin et se souvenir, d'ores et déjà consciente de la
valeur que ses souvenirs et son témoignage prendraient
dans les années à venir, pour peu qu'on gardât un tant
soit peu le sens des valeurs à l'avenir.

Le soldat, qui avait tiré son épée, appliqua soigneusement la pointe sur la poitrine de son frère. La lame
réfléchissait la lumière vive de ce début d'après-midi.
C'était une épée de combat, une arme de soldat. Un léger
bruit monta des spectateurs alignés sur le pourtour de
la place.

Son frère, la voix quelque peu désespérée, répéta :
« Ils ne peuvent pas retenir ce nom. Vous savez qu'ils
ne le peuvent pas. Vous nous avez réduits à néant. Est-il
vraiment nécessaire de continuer à nous torturer ? Est-
ce bien indispensable ? »

Il n'a que quinze ans, se mit à prier Dianora en agrippant le rebord de la fenêtre de toutes ses forces, comme
si elle avait des griffes à la place des ongles. Il était trop
jeune pour se battre. Il n'a pas été autorisé à participer
à la bataille. Pardonnez-lui. Je vous en prie.

Les quatre marchands asoliens reculèrent comme un seul homme. L'un des soldats – celui au rire aigu – paraissait mal à l'aise, comme s'il regrettait que les choses soient allées jusque-là. Mais il y avait un attroupement sur la place, et puis ils avaient donné une chance à ce garçon. Il était trop tard pour reculer maintenant.

L'épée s'appuya délicatement puis se retira. Une coulée de sang apparut sur la tunique déchirée et resta suspendue un instant, tel un ruban chatoyant dans la lumière printanière, avant que la lame agrandît la déchirure et souillât le bleu.

« Le nom », répéta posément le soldat. Il n'y avait plus la moindre frivolité dans sa voix. Il agissait comme un professionnel qui s'apprête à tuer, constata Dianora.

Témoin, mémoire vivante, elle vit alors son jeune frère écarter les pieds comme pour s'enraciner dans le sol. Elle le vit poser les poings sur les hanches. Elle le vit rejeter la tête en arrière et la tourner vers le ciel.

Et, à ce moment, elle entendit son cri.

Il leur donna ce qu'ils exigeaient de lui. Il obéit à l'ordre, sans maussaderie ni timidité, et sans honte aucune. Enraciné dans la terre de ses ancêtres, devant la maison de sa famille, il se tourna vers le soleil et laissa le nom jaillir de son âme.

« *Tigane !* » s'écria-t-il, que tous pussent l'entendre ; tous ceux qui s'étaient rassemblés sur la place. Et une deuxième fois, mais plus fort : « *Tigane !* » Puis une troisième et dernière fois, au sommet de sa voix, avec fierté, amour et fureur, il leur lança un ultime défi.

« TIGANE ! »

Le cri traversa la place, s'engouffra dans les rues, pénétra par les fenêtres d'où les gens regardaient la scène, survola les toits en direction de l'ouest et de la mer mais aussi de l'est et des temples, et bien au-delà – un appel, un nom, la course d'une douleur dans l'air vif. Et même si les marchands ne parvenaient pas à retenir le nom, pas plus que les soldats, les femmes et les enfants aux fenêtres, ainsi que les hommes immobiles dans les rues et sur la place, l'entendirent clairement et se le réapproprièrent, car ils sentaient et se rappelaient la fierté à l'origine de ce cri qui montait en spirale.

Et cela, les soldats le virent clairement et le comprirent. C'était écrit sur tous les visages alentour. L'adolescent n'avait rien fait d'autre qu'obéir à leur ordre, mais la partie ne s'était pas déroulée comme prévu, s'était retournée contre eux en quelque sorte, sans qu'ils fussent capables d'expliquer exactement pourquoi.

Comme on pouvait s'y attendre, ils lui mirent une raclée.

De leurs poings et de leurs pieds, avec le plat de leurs chères épées. Naddo ne fut pas épargné, puisqu'il avait commis la faute de se trouver là et donc de participer à ce qui s'était passé. La foule ne bougea pas cependant, alors qu'elle avait pour habitude de se disperser en pareil cas. Les badauds, pourtant nombreux, regardèrent dans un silence anormal. Il n'y avait d'autre bruit que celui des coups qui pleuvaient : aucun des deux garçons ne broncha, et les soldats s'étaient tus eux aussi.

Quand ce fut terminé, ils obligèrent la foule à se disperser à grand renfort de jurons et d'invectives. Les rassemblements n'étaient pas autorisés, même si celui-ci était de leur fait. En quelques instants la place se vida. Il ne restait que des visages derrière les fenêtres des étages supérieurs aux rideaux à demi tirés, des paires d'yeux braqués sur la place où il n'y avait plus âme qui vive hormis les deux garçons allongés dans la poussière, tandis que le sang sur leurs vêtements brillait à la clarté du soleil. Dianora remarqua que les oiseaux n'avaient cessé de chanter du début à la fin.

Elle se força à rester là où elle était. À ne pas se précipiter vers eux. À les laisser se relever seuls : c'était leur droit. Et son frère finit effectivement par se mettre debout, avec des mouvements lents et calculés de vieillard. Elle le vit s'adresser à Naddo et l'aider prudemment à se relever lui aussi. Puis, comme elle s'y attendait, elle le vit prendre à l'est, suivi de son compagnon, et se diriger vers le chantier où ils étaient censés travailler ce jour-là ; ses vêtements étaient maculés de sang et de poussière, et il marchait avec difficulté. Il ne jeta pas même un regard derrière lui.

Les yeux secs, elle le vit s'éloigner. Elle attendit qu'ils aient tourné à l'angle opposé de la place et disparu de sa vue pour quitter son observatoire. À ce moment seulement, elle lâcha le rebord en bois de la fenêtre. À ce moment seulement, cachée de tous derrière les rideaux tirés, elle s'autorisa à pleurer : par amour pour lui, à cause de ses blessures et de son incorrigible fierté.

Quand ils rentrèrent ce soir-là, la vieille servante l'aida à faire chauffer de l'eau et à préparer un bain ; puis toutes deux firent ce qu'elles purent pour panser leurs blessures ainsi que les marques bleues et noires qui leur couvraient le corps.

Plus tard, au dîner, Naddo leur annonça son intention de partir la nuit même. C'en était trop, dit-il en se tortillant maladroitement sur sa chaise. Il s'adressait à Dianora, car dès qu'il avait ouvert la bouche Baerd avait tourné la tête.

Il devenait impossible de vivre ici, avait déclaré Naddo avec fougue et insistance malgré sa bouche enflée aux lèvres déchiquetées. Les soldats étaient par trop vicieux, et les impôts écrasants. Pour un jeune homme qui, comme lui, nourrissait l'espoir de faire quelque chose de sa vie, la seule solution était de partir. Il guettait désespérément un signe d'approbation de Dianora, tout en jetant des regards angoissés à son frère qui leur tournait carrément le dos maintenant.

Dianora lui avait demandé où il comptait aller.

En Asoli, avait-il répondu. La terre y était pauvre et détrempée, et en été la chaleur humide presque insupportable, nul ne l'ignorait. Mais il y avait de la place pour du sang neuf. Les Asoliens étaient accueillants, avait-il entendu dire, davantage en tout cas que les habitants des territoires occupés par les Barbadiens. Et il se refusait à aller en Corte ou à Chiara. Jamais un Tiganais n'irait là-bas, dit-il. Baerd émit un petit bruit mais ne bougea pas ; Naddo lui jeta un coup d'œil et déglutit. Sa pomme d'Adam dansait dans sa gorge.

Trois autres jeunes gens avaient élaboré un plan, expliqua-t-il à Dianora. Pour se glisser hors de la ville à la faveur de l'obscurité et se diriger vers le nord. Il était au courant depuis plusieurs jours mais hésitait à se joindre à eux. Les événements d'aujourd'hui avaient décidé pour lui.

« Qu'Eanna éclaire ton chemin », lui dit Dianora en toute sincérité. Il avait toujours été un bon apprenti et s'était révélé un ami courageux et loyal. Chaque jour, des gens partaient. Il ne faisait pas bon vivre dans la province de Basse-Corte en cette époque maudite. L'œil de Naddo était si enflé qu'il pouvait à peine l'ouvrir. Il s'en était fallu de peu que les soldats le tuent.

Puis, quand il eut rassemblé ses affaires et fut prêt à partir, elle lui donna quelques pièces d'argent du pécule caché de son père. Elle lui dit adieu et l'embrassa. Il pleurait. Il se recommanda à sa mère et ouvrit la porte. Sur le seuil, il se retourna une dernière fois, le visage ruisselant de larmes.

« Au revoir », dit-il, mort d'angoisse, à la silhouette qui fixait le feu dans la cheminée de la grande salle de son regard sans vie. En voyant l'expression du visage de Naddo, Dianora supplia intérieurement son frère de se retourner. Il n'en fit rien. Il s'agenouilla délibérément et déposa une autre bûche sur le feu.

Naddo le regarda encore un instant, puis se tourna vers Dianora, une ébauche de sourire craintif et éploré aux lèvres ; il se glissa dans l'obscurité et disparut.

Beaucoup plus tard, quand ils eurent laissé mourir le feu, son frère sortit à son tour. Dianora regarda les dernières braises s'éteindre, jeta un coup d'œil à sa mère et alla se coucher. Une fois allongée, elle eut l'impression désagréable qu'un poids pesait sur son corps, autrement plus lourd que celui de l'édredon.

Elle ne dormait pas quand il rentra. Elle ne s'endormait jamais avant. Elle entendit son pas lourd sur le palier, une habitude qu'il avait prise pour lui signifier qu'il était de retour. Mais elle n'entendit pas le bruit suivant, celui qu'il faisait en ouvrant et refermant la porte de sa chambre.

Il était très tard. Elle demeura éveillée, submergée par les épreuves douloureuses encore très présentes de la journée qui s'achevait. Puis, avec des mouvements lents de droguée ou de somnambule, elle se leva et alluma la chandelle. Elle marcha jusqu'à la porte et l'ouvrit.

Il était sur le palier. Et, à la lumière vacillante de la chandelle qu'elle tenait à la main, elle vit qu'un flot de larmes coulait sans répit sur son visage tuméfié et déformé. Elle sentit ses mains trembler. Elle était incapable de prononcer un mot.

« Pourquoi ne lui ai-je pas dit au revoir ? demanda-t-il d'une voix étranglée. Pourquoi ne m'as-tu pas obligé à lui dire au revoir ? » Elle ne l'avait jamais vu aussi malheureux. Pas même quand ils avaient appris que leur père était mort sur la rive du fleuve.

Le cœur serré, Dianora posa la chandelle sur une corniche qui, autrefois, supportait un buste de sa mère sculpté par son père. Elle franchit les quelques pas qui la séparaient de son frère et le prit dans ses bras, absorbant les secousses rudes de ses sanglots. C'était la première fois qu'il pleurait, devant elle du moins. Elle le fit entrer dans sa chambre et s'étendre sur le lit à côté d'elle ; ils pleurèrent très longtemps dans les bras l'un de l'autre. Elle n'aurait su dire combien de temps.

Par la fenêtre ouverte, elle entendait la brise bruisser dans les jeunes feuilles. Un oiseau se mit à chanter ; un autre lui répondit. Le monde était fait pour rêver ou souffrir. Il arrivait qu'on rêvât, il arrivait qu'on souffrît. Il arrivait qu'on rêvât et qu'on souffrît. Dans le sanctuaire de la nuit, elle fit doucement glisser sa tunique par-dessus sa tête en faisant attention à ses blessures, puis elle ôta son propre peignoir. Son cœur battait comme celui d'une bête sauvage qu'on vient de capturer. Elle sentit son pouls s'accélérer quand elle posa les doigts sur sa poitrine. Les deux lunes s'étaient couchées, le vent s'engouffrait dans le feuillage des arbres. Et ainsi…

Et ainsi, dans l'obscurité qui pesait au-dessus et autour d'eux, les oppressait, dans l'obscurité totale d'une nuit sans lune, l'obscurité de leur quotidien, tous deux se mirent en quête d'un piètre refuge, d'un réconfort illicite, pour oublier le désastre de leur univers.

« Que sommes-nous en train de faire ? » murmura son frère.

Puis, une éternité plus tard, quand leurs pouls eurent retrouvé un rythme normal et qu'accrochés l'un à l'autre ils eurent satisfait un besoin terrifiant et incontrôlable, il lui dit en lui caressant les cheveux : « Qu'avons-nous fait ? »

Et, toutes ces années après, seule au saishan sur l'île, tandis que le plus profondément enfoui de ses souvenirs remontait à la surface, Dianora se souvint clairement de ce qu'elle avait répondu :

« Oh, Baerd, que nous ont-ils fait ? »

Cela dura tout le printemps et l'été qui suivit. Ce qu'ils faisaient portait un nom : on appelait cela le péché des dieux. Car on disait qu'au commencement Adaon et Eanna avaient été frère et sœur, et Morian leur enfant.

Dianora savait qu'elle n'avait rien d'une déesse ; d'ailleurs son miroir ne lui laissait aucune illusion, qui lui montrait une paire d'yeux immenses et craintifs dans un visage trop maigre. Elle savait seulement que son bonheur l'épouvantait, que le remords la rongeait et que l'amour qu'elle portait à Baerd était toute sa vie. Et cela l'effrayait presque autant de constater le même degré de passion chez Baerd, la même ardeur stupéfaite. Dianora doutait sans cesse, même lorsqu'ils atteignaient une sorte de bonheur fugitif : leur flamme brillait d'un éclat trop grand dans une contrée où toute joie avait été anéantie ou interdite.

Il passait toutes ses nuits avec elle. La servante couchait au rez-de-chaussée ; leur mère dormait et s'éveillait dans un monde connu d'elle seule. Dans l'obscurité de la chambre de Dianora, chacun allait à la rencontre de l'autre pour échapper à la réalité, et retrouver son innocence perdue dans l'égarement et la prise de conscience du mal.

Il lui arrivait encore d'arpenter les rues désertes la nuit, mais plus aussi souvent ; elle lui en était reconnaissante et y voyait une sorte de justification à sa conduite. Un certain nombre de jeune gens s'étaient laissé surprendre dehors après le couvre-feu, ce printemps ; ils avaient péri sur la roue. Si ce qu'elle faisait suffisait à le maintenir en vie, elle affronterait le jugement que lui réserverait Morian, quel qu'il soit.

Elle n'arrivait pas à le retenir tous les soirs, cependant. Parfois, un besoin qu'elle ne partageait ni ne comprenait très bien le poussait à sortir. Il essaya de le lui expliquer. La ville n'était plus du tout la même à la clarté des deux lunes, ou d'une seule, ou des étoiles. À la faveur de cette lumière plus douce, des ombres plus floues, il revoyait Tigane. Il marchait sans bruit vers le palais obscur et, observant les ruines dans le noir, il parvenait à le reconstruire mentalement tel qu'il était autrefois.

Il avait besoin de cela. Il ne provoquait pas les soldats et lui promit de ne jamais essayer. Il ne voulait même pas les voir. Ils brisaient l'illusion qu'il tentait de créer. Il avait seulement besoin d'être dehors pour faire revivre le souvenir qu'il gardait de la ville disparue. Il lui arrivait de se glisser par des interstices dans le mur qui longeait le port et de marcher sur la plage en écoutant la mer.

Le jour, il travaillait. L'adolescent trop maigre abattait autant d'ouvrage qu'un homme robuste pour reconstruire ce qu'il était permis de reconstruire. De riches marchands de Corte – leurs ennemis d'autrefois – avaient obtenu la permission de s'installer dans la ville ; ils rachetaient les bâtiments en ruine et les hôtels particuliers à très bas prix, et les restauraient pour leur propre compte.

Le soir, Baerd rentrait parfois avec des écorchures ou des traces de coups récents ; elle avait même découvert l'empreinte d'un fouet sur ses épaules. Elle savait que, si l'une des compagnies avait fini par le laisser tranquille, il en existait d'autres pour prendre la relève. Il n'y avait qu'ici qu'ils se conduisaient de la sorte, avait-elle entendu dire. Partout ailleurs, les soldats se contrôlaient, et le roi d'Ygrath gouvernait avec application pour consolider ses provinces contre Barbadior.

Il n'en était pas de même en Basse-Corte, où l'on avait tué son fils.

Elle avait beau remarquer ces traces sur le corps de son frère, elle n'avait pas le cœur de lui demander de renoncer à sa ville perdue la nuit, quand il en ressentait le besoin. Même si elle éprouvait mille et une frayeurs et mourait cent fois entre le moment où la porte se refermait derrière lui, à la nuit tombante, et celui où il la rouvrait. Elle entendait la démarche familière et chérie dans l'escalier, puis sur le palier. Il entrait dans sa chambre et la prenait dans ses bras.

La relation se poursuivit tout l'été, puis elle cessa. Et, comme son cœur averti le lui avait prédit dès le début, elle prit fin dans l'obscurité, avec pour accompagnement le chant des oiseaux et le bruissement du vent dans les arbres.

Il n'était pas rentré plus tard que d'habitude de sa promenade nocturne, pourtant. Ilarion, la lune bleue, chevauchait seule parmi les nuages haut perchés aux contours ciselés. C'était une belle nuit. Assise à sa fenêtre, elle avait longtemps contemplé le clair de lune sur le faîte des toits. Elle était couchée lorsqu'il arriva, le cœur battant, en proie à des sentiments confus et inextricables parmi lesquels le soulagement, la culpabilité et le désir. Il entra dans la chambre.

Il ne s'allongea pas à ses côtés mais se laissa tomber dans le fauteuil près de la fenêtre où elle-même était assise peu avant. Avec un étrange sentiment engourdissant de peur, elle sortit un bâton d'amadou et ralluma la chandelle. Elle s'assit et le regarda. Il était très pâle, elle le voyait bien, même à la lueur de la chandelle. Elle ne dit mot et attendit.

« Je suis allé sur la plage, dit Baerd doucement. Et j'ai vu une riselka. »

Elle avait toujours su que cela finirait. Il le fallait.

D'instinct, elle lui posa la question : « Quelqu'un d'autre l'a-t-il vue ? »

Il secoua la tête.

Ils se regardèrent en silence. Elle n'en revenait pas de rester aussi calme, les mains si relâchées sur l'édredon. Et, dans ce silence, elle comprit clairement ce qu'elle sentait confusément depuis longtemps.

« C'est à cause de moi que tu es resté, d'ailleurs », dit-elle. Une simple affirmation. Dénuée de reproche. Il venait de voir une riselka.

Il ferma les yeux. « Tu le savais ?

— Oui, mentit-elle.

— Je te demande pardon », fit-il en la dévisageant. Elle savait qu'il lui serait plus facile de partir si elle lui cachait qu'il s'agissait d'un fait nouveau pour elle, avec un arrière-goût de mort. Mais elle tenait à lui faire ce cadeau : probablement le dernier.

« Ne me demande pas pardon, murmura-t-elle en posant les mains bien en évidence pour qu'il pût constater à quel point elle était calme. Je comprends fort bien. » Et certes elle comprenait, même si son cœur n'était plus qu'une petite chose blessée, un oiseau à qui l'on a coupé une aile et qui volette en cercles étroits jusqu'au sol.

« La riselka… » fit-il en la regardant. Il s'arrêta. Il s'agissait d'un événement majeur mais effrayant, elle ne l'ignorait pas.

« Le message est clair, poursuivit-il avec conviction en faisant allusion à la fourche annoncée par la prophétie.

Je dois partir. » Elle lut l'amour qu'il lui portait dans ses yeux et s'obligea à rester forte. Assez pour l'aider à se séparer d'elle. *Oh, mon frère*, pensait-elle, *est-il possible que tu sois sur le point de me quitter ?*

« Le message est clair, Baerd, répéta-t-elle, je le sais. Je comprends que tu doives partir. Je suis sûre que c'est inscrit dans les lignes de ta main. » Elle avala sa salive. C'était plus dur que tout ce qu'elle avait imaginé. « Et où comptes-tu aller ? » reprit-elle. *Mon amour*, ajouta-t-elle pour elle seule.

« J'y ai réfléchi. » Il se redressa dans son fauteuil. Elle constata qu'il tirait de la force de son calme. Elle s'accrocha à cette constatation de toutes ses forces.

« Je vais me mettre en quête du prince, fit-il.

— Alessan ? Nous n'avons même pas la certitude qu'il soit encore vivant, fit-elle malgré elle.

— J'ai entendu dire qu'il l'était, répondit Baerd. Les prêtres d'Eanna cachent sa mère, et on a éloigné le prince. S'il reste un espoir, le rêve de voir Tigane revivre un jour, il réside en la personne du prince Alessan.

— Il n'a que quinze ans », dit-elle. Ne put-elle s'empêcher de dire. *Et toi aussi*, songea-t-elle. *Baerd, qu'est-il advenu de notre enfance ?*

À la lumière de la bougie, ses yeux sombres n'étaient déjà plus ceux d'un gamin. « Je ne pense pas qu'il s'agisse d'un problème d'âge, fit-il. Ce sera long et difficile, si tant est que nous réussissions un jour. Et il n'aura plus quinze ans quand viendra le moment.

— Toi non plus.

— Et toi encore moins, répondit Baerd en écho. Oh, Dia, que vas-tu faire, toi ? » Personne d'autre que son père ne l'appelait ainsi. Bêtement, ce diminutif faillit bien lui faire perdre le contrôle d'elle-même.

Elle secoua la tête. « Je n'en sais rien, répondit-elle honnêtement. M'occuper de maman. Me marier. J'ai assez d'argent pour vivre quelque temps si je fais attention. » Elle vit son regard accablé et entreprit de le rassurer. « Ne t'inquiète pas pour moi, Baerd. Écoute bien : tu viens de voir une riselka ; tu ne vas tout de même pas aller contre ton destin et demeurer ici à déblayer des gravats pour le restant de tes jours ! Chacun a du mal à faire des choix par les temps qui courent, et ce sera moins difficile pour moi que pour la plupart des gens. J'essaierai peut-être de trouver un moyen de poursuivre le même rêve que toi », ajouta-t-elle en rejetant la tête en arrière d'un air provocateur.

À y repenser, il était surprenant qu'elle eût dit une chose pareille cette nuit-là. Comme si c'était elle qui avait vu la riselka et que son propre chemin eût été tout tracé, au moment même où la destinée de Baerd divergeait de la sienne.

Elle se sentait seule dans l'atmosphère glaciale du saishan ce soir, mais ce n'était rien en comparaison de cette nuit-là. Il n'avait pas traîné après qu'elle lui eut donné son aval. Elle s'était levée, habillée, et l'avait aidé à préparer son baluchon. Il avait catégoriquement refusé l'argent qu'elle lui proposait. Elle lui avait enveloppé quelques provisions pour le premier jour de sa longue marche solitaire. Sur le seuil, dans l'obscurité de cette nuit d'été, ils s'étaient enlacés, blottis dans les bras l'un de l'autre sans mot dire. Ni l'un ni l'autre ne pleura, car ils savaient que le temps des larmes était révolu.

« Si l'amour des déesses et du dieu nous accompagne, fit Baerd, nous nous reverrons sûrement. Je penserai à toi chaque jour de ma vie. Je t'aime, Dianora.

— Moi aussi, Baerd, avait-elle répondu. Tu sais à quel point je tiens à toi. Qu'Eanna éclaire ton chemin et te ramène à la maison. »

Ce furent ses seules paroles. Il n'y avait rien à ajouter.

Après son départ, elle passa un vieux châle de sa mère autour de ses épaules et resta assise dans le salon jusqu'au lever du soleil, à regarder les cendres qui restaient de la veille au soir sans les voir vraiment.

Au petit matin, l'essentiel de son plan avait déjà pris forme.

Le plan qui l'avait conduite jusqu'ici bien des années après, jusqu'à ce lit où elle gisait seule par une nuit de Quatre-Temps peuplée de fantômes. Une nuit qu'elle n'aurait certes pas dû passer avec ses souvenirs pour toute compagnie, la prise de conscience qu'ils avaient engendrée et la constatation de ce qu'elle était devenue depuis son arrivée sur l'île, à la cour de Brandin. Aux côtés de Brandin.

Et c'est ainsi que Dianora eut deux révélations en cette nuit de Quatre-Temps au saishan.

La première prit la forme de souvenirs : réminiscences de son frère, qui lui revinrent par vagues successives jusqu'à la dernière image, celle des cendres froides dans la cheminée.

La seconde, conséquence inexorable de la première, lui vint de cette même lointaine année, générée par le souvenir, la culpabilité ainsi que des multiples blessures qui la submergeaient tandis qu'elle était étendue seule et sans défense en cette terrible nuit… Résultat d'un enchevêtrement de sentiments complexes, elle aboutit à la prise d'une résolution : Dianora sut qu'elle allait passer aux actes désormais ; il le fallait, au mépris des conséquences.

Elle ne parvenait ni à se réchauffer ni à s'endormir, consciente que le froid dont elle souffrait était plus intérieur qu'ambiant. Quelque part dans le palais, elle ne l'ignorait pas, les tortionnaires malmenaient Camena di Chiara, lequel avait essayé de tuer un tyran et de libérer son pays tout en sachant qu'il allait mourir et de la manière la plus horrible qui soit.

Ils étaient avec lui même à cette heure et dosaient savamment la douleur. Fiers de leur professionnalisme, ils devaient lui briser les doigts un à un, puis les poignets et les bras. Et enfin les doigts de pied, les chevilles et les jambes. Avec précaution, presque tendrement, surveillant son rythme cardiaque, de sorte qu'après lui avoir brisé la colonne vertébrale, à laquelle ils s'attaquaient toujours en dernier, ils puissent l'arrimer vivant à une roue de la mort et l'exposer sur la place du port afin qu'il mourût devant tout le monde.

Elle n'aurait jamais imaginé que Camena avait autant de courage et de fougue. Elle s'était gaussée de lui : ce n'était qu'un poseur, avec ses éternelles capes à trois épaisseurs, un artiste mineur, un individu sans importance, seulement préoccupé de son ascension sociale.

Plus à présent. L'après-midi de la veille lui avait imposé une image toute différente du personnage. Maintenant qu'il avait fait ce qu'il avait fait, maintenant que son corps était aux mains des bourreaux avant qu'on le crucifie sur une roue, une question émergeait qui ne pouvait plus être refoulée, pas davantage que les souvenirs qu'elle gardait de Baerd. Pas cette nuit-là, en tout cas, vulnérable comme elle l'était, et si parfaitement lucide.

Qu'était-elle au regard de ce que Camena avait tenté ? Cette pensée, telle une bise hivernale, lui transperçait l'âme.

Que restait-il de la mission que la jeune fille de seize ans s'était si fièrement assignée la nuit où son frère était parti ? La nuit où il avait aperçu une riselka près de la mer, au clair de lune, et décidé de partir à la recherche de son prince.

Elle connaissait les réponses, bien sûr. Elle savait ce qu'elle était. Les qualificatifs qu'elle avait mérités sur cette île. Ils la brûlaient comme du vinaigre sur une blessure. Elle sentit cette brûlure intérieure tout en continuant à trembler, et tenta une fois de plus de maîtriser ses sentiments et d'entreprendre le voyage mortellement ardu qui n'avait encore jamais réussi et qui allait de cette chambre à l'autre extrémité du palais, là où résidait le roi d'Ygrath, jusqu'à sa province.

Cette nuit était différente, cependant. Un changement s'était produit, à cause des événements récents bien sûr, mais aussi du caractère absolu de sa réaction dans la salle d'audience. Tout en le reconnaissant, tout en essayant de l'admettre, Dianora commença de sentir, de très loin, que son cœur s'éloignait lentement et douloureusement des feux de l'amour. Pour retourner et se tourner vers le souvenir des feux allumés dans son pays. Des champs dévorés par les flammes, d'une ville qui brûlait, d'un palais en feu.

Il n'y avait certes aucun réconfort dans cette vision. Aucun réconfort nulle part. Juste un rappel implacable de son identité et de la raison qui l'avait conduite ici.

Et, au beau milieu de cette nuit de Quatre-Temps, alors que dans les villages portes et fenêtres étaient soigneusement closes pour se protéger des morts et de la magie champêtre, Dianora, parfaitement immobile, récita doucement pour elle seule l'ancienne prédiction en vers :

> *Qu'un homme aperçoive une riselka,*
> *Et sa destinée bifurque.*
> *Que deux hommes aperçoivent une riselka,*
> *Et l'un ne tardera pas à mourir.*
> *Que trois hommes aperçoivent une riselka,*
> *L'un sera exaucé, l'autre bifurquera, le troisième*
> *mourra.*
> *Qu'une femme aperçoive une riselka,*
> *Et elle trouvera aussitôt sa voie.*
> *Que deux femmes aperçoivent une riselka,*
> *Et l'une ne tardera pas à enfanter.*
> *Que trois femmes aperçoivent une riselka,*
> *L'une sera exaucée, la seconde trouvera sa voie, la*
> *troisième enfantera.*

Au matin, se dit-elle en luttant contre le froid, le feu et une myriade de sentiments contradictoires, au matin commencera ce qui aurait dû commencer et aboutir il y a déjà si longtemps.

La Triade savait à quel point tout choix lui avait paru amer, voire impossible. Combien, entre ces quatre murs, son rêve de venger les siens était devenu vague, élusif. Mais d'une chose au moins elle était certaine maintenant : elle avait besoin d'un fil conducteur sur le chemin tortueux de la trahison qui était devenu toute sa vie et, ce fil, Brandin venait de lui apprendre où le trouver.

Au matin elle ferait le premier pas.

D'ici là, elle resterait allongée sur cette couche, désespérément éveillée et aussi seule qu'en cette lointaine nuit chez elle, et elle se souviendrait.

TROISIÈME PARTIE

LES QUATRE-TEMPS

CHAPITRE 9

Il faisait un froid glacial dans le fossé qui longeait la route. Les trois hommes marchaient à l'abri d'une étroite rangée de bouleaux qui les séparait de la propriété des Nievolene mais ne suffisait pas à atténuer le mordant des bourrasques.

Des flocons étaient tombés la nuit dernière, phénomène plutôt rare dans le nord de la Palme, même en plein hiver. Pour la deuxième nuit consécutive depuis leur départ de Ferraut, ils chevauchaient dans la neige et le froid, mais Alessan se refusait à ralentir l'allure. Il était de moins en moins bavard à mesure que la nuit s'avançait et, comme Baerd parlait peu dans le meilleur des cas, Devin avait ravalé ses questions et se concentrait sur les efforts à fournir pour progresser au même rythme qu'eux.

Ils avaient traversé la frontière d'Astibar dans la nuit pour atteindre les terres des Nievolene à l'aube. Les trois hommes avaient attaché leurs chevaux dans un bosquet à un demi-mille au sud-ouest et continué à pied par le fossé. Pendant la matinée, Devin somnola à plusieurs reprises. La neige donnait à cette campagne une allure insolite et pimpante ; quand le soleil se montrait, le paysage était franchement superbe, mais en milieu d'après-midi des nuages gris s'amoncelèrent au-dessus d'eux et soudain la beauté s'évanouit : il ne resta plus que le froid. D'ailleurs, une nouvelle averse de neige, brève cette fois, les avait surpris environ une heure plus tôt.

Quand Devin entendit le cliquetis caractéristique des sabots de chevaux dans la grisaille, il comprit que, pour une fois, la Triade venait à leur rencontre paumes ouvertes. Ou plutôt que les déesses et le dieu avaient décidé de les laisser s'exposer dans une entreprise téméraire qui risquait de leur être fatale. Il s'aplatit du mieux qu'il put sur la terre humide du fossé. Il songea à Catriana et au duc, bien au chaud et à l'abri au Ferraut, en compagnie de Taccio.

Les silhouettes d'une douzaine de mercenaires barbadiens se découpèrent dans le paysage gris. D'humeur joyeuse, ils chantaient et riaient avec entrain. En expirant, ils laissaient échapper des ronds de fumée blanche ; leurs chevaux aussi. Devin les regarda passer, couché à plat ventre dans le fossé. Il entendait le souffle régulier de Baerd près de lui. Les Barbadiens s'arrêtèrent aux portes des terres qui avaient si longtemps été la propriété des Nievolene mais ne leur appartenaient plus désormais, car elles leur avaient été confisquées à l'automne. Le commandant de la compagnie descendit de cheval et s'approcha des grilles verrouillées. D'un grand moulinet du bras qui déclencha force rires et applaudissements chez ses soldats, il ouvrit les grilles en fer à l'aide de deux clés au bout d'une chaîne ouvragée.

« Première compagnie », murmura Alessan sous cape. Les seules paroles qu'il avait prononcées depuis des heures. « C'est Karalius qu'on a choisi pour la commander. Sandre me l'avait dit. »

Les grilles s'ouvrirent grand et les cavaliers entrèrent au petit trot. Le dernier referma à double tour derrière lui.

Baerd et Alessan attendirent quelques instants avant de se relever. Devin se mit debout à son tour, non sans une grimace tant il avait les membres engourdis.

« Il faudra que nous trouvions la taverne dans le village », annonça Baerd d'une voix si lugubre que Devin lui jeta un regard brusque dans l'obscurité croissante. Mais son visage était impénétrable.

« Pas question d'entrer, pourtant, fit Alessan. Tout ce que nous allons faire ici, ce sera incognito. »

Baerd hocha la tête. Il tira un papier froissé d'une poche de sa veste en peau de mouton. « On commence par l'homme de Rovigo ? »

L'homme de Rovigo était un marin en retraite qui habitait un village deux kilomètres plus à l'est. Il leur indiqua où se trouvait la taverne. En échange d'une somme conséquente, il leur donna également un nom : celui d'un indicateur connu pour renseigner Grancial et sa deuxième compagnie de Barbadiens. Le vieux marin compta ses pièces, puis cracha une fois de manière entendue avant de leur fournir l'adresse de l'homme et quelques renseignements sur ses habitudes.

Deux heures plus tard, Baerd étranglait l'indicateur sur le chemin de la fermette où il demeurait à la taverne du village. Il faisait nuit noire. Devin l'aida à transporter le corps et à le cacher dans le fossé près des grilles de la propriété des Nievolene.

Baerd demeura silencieux, et Devin l'imita, faute de savoir que dire. L'indicateur était un homme d'âge mûr, bedonnant, au crâne dégarni. Il n'avait pas l'air foncièrement mauvais ; il avait simplement l'air de quelqu'un qu'on attaque par surprise sur le chemin de la taverne qu'il fréquente le plus souvent. Devin se demanda s'il avait une femme et des enfants. Ils n'avaient pas posé la question à l'homme de Rovigo, et cela valait mieux ainsi.

Ils retrouvèrent Alessan à la lisière du village, d'où il surveillait la taverne. Sans mot dire, il désigna un grand cheval louvet parmi toutes les bêtes attachées devant l'auberge. Le cheval d'un soldat. Tous trois revinrent sur leurs pas en prenant légèrement à l'ouest et attendirent sur le bas-côté, prostrés mais attentifs. Devin s'aperçut qu'il ne ressentait plus le froid ni la fatigue, ou plutôt qu'il n'avait pas le temps d'y penser.

Plus tard, sous le regard blafard et hautain de Vidomni dans un ciel d'hiver qui se dégageait progressivement, Alessan tua l'homme qu'ils guettaient. Quand Devin perçut un cliquetis de sabots, le prince n'était plus à ses côtés et s'apprêtait déjà à assaillir le soldat.

Devin entendit un bruit étouffé, plus proche d'une toux que d'un cri. Le cheval poussa un hennissement d'effroi, et le jeune homme se leva à retardement pour tenter de calmer l'animal. Il s'aperçut alors que Baerd s'était éloigné également. Quand il émergea enfin du fossé et s'avança sur la route, le soldat qui portait l'insigne de la deuxième compagnie était mort et Baerd maîtrisait son cheval. L'homme, qui, à en juger à sa mise, n'était pas de service cette nuit-là, se dirigeait vraisemblablement vers le fort situé à la frontière. C'était un homme grand et fort, comme tous les Barbadiens, mais dont le visage, au clair de lune, paraissait étonnamment jeune.

Ils placèrent le corps en travers de la selle et s'en retournèrent aux grilles du domaine des Nievolene. Les hommes de la première compagnie, installés dans le manoir le long de l'allée sinueuse, chantaient à tue-tête. Les bruits portaient très loin dans le silence de cette nuit d'hiver. Des étoiles brillaient à proximité de la lune maintenant, tandis que les nuages se dissipaient. Baerd s'empara du corps du soldat et l'adossa à l'un des montants de la grille. Alessan et Devin allèrent rechercher le corps de l'autre là où ils l'avaient laissé, dans le fossé. Puis Baerd attacha le cheval à quelque distance de la route.

Pas trop loin tout de même, qu'ils puissent le retrouver sans peine.

Alessan effleura alors l'épaule de Devin. Se rappelant l'enseignement de Marra, qui lui semblait si loin désormais, le jeune homme saisit les deux cadenas d'apparence sophistiquée. Il était heureux de savoir faire quelque chose. Les cadenas étaient imposants mais pas aussi compliqués qu'ils en avaient l'air. De toute évidence, les Nievolene n'avaient guère eu peur des intrus.

Alessan et Baerd, un cadavre chacun sur l'épaule, franchirent les grilles dès qu'elles furent ouvertes. Devin les referma derrière eux, et ils pénétrèrent dans la propriété. Le manoir ne les intéressait pas ; sous la faible clarté de la lune, ils se dirigèrent dans la neige vers les granges.

Leur tâche s'avéra alors plus compliquée. La grange la plus vaste était fermée à clé de l'intérieur, et Baerd désigna silencieusement mais avec une grimace la lumière d'une torche qui filtrait sous la porte à deux battants. Il mima la présence d'un garde.

Tous trois levèrent les yeux. Distinctement éclairée par Vidomni, ils découvrirent une petite fenêtre entrouverte sur la façade orientale.

Devin regarda Alessan, puis Baerd, puis de nouveau Alessan, et enfin le corps des deux hommes qu'ils venaient de tuer.

Il montra la fenêtre du doigt, puis pointa l'index sur lui-même.

Au bout d'un long moment, Alessan hocha la tête.

Dans le silence troublé seulement par les bribes de chant qui lui parvenaient du manoir, Devin entreprit de grimper le long du mur de la grange. En explorant la surface au clair de lune, il finit par trouver des prises. Il avait décidé de faire abstraction du froid. Quand il atteignit la fenêtre, il regarda par-dessus son épaule et aperçut Ilarion qui se levait à l'est.

Il se glissa dans le grenier. En dessous, un cheval s'ébroua doucement, et Devin sentit son haleine. Le cœur battant, il s'immobilisa et tendit l'oreille. Tout était parfaitement calme. Goûtant la chaleur soudaine et délicieuse de la grange, il avança prudemment en rampant et posa le regard en contrebas.

Le garde dormait, et pour cause. Il avait déboutonné son uniforme, et la lanterne à même le sol mettait en évidence une carafe de vin vide. Il a dû perdre aux dés pour qu'on lui assigne un poste aussi rébarbatif, se dit Devin. De fait, il n'y avait strictement rien à garder ici, hormis les chevaux et la paille.

Il descendit l'échelle sans un bruit. Et, dans la lumière vacillante de cette grange, parmi les odeurs de foin, d'animaux et de vinasse, Devin tua pour la première fois ; il enfonça son poignard dans la gorge du Barbadien endormi. Ce n'était pourtant pas ainsi qu'il s'était imaginé procéder dans ses rêves d'exploits glorieux.

Il mit un moment à refouler les nausées qui le tourmentaient. Il essaya de se persuader que c'était l'odeur du vin. Le sang coulait plus abondamment qu'il n'aurait cru. Il essuya soigneusement la lame du poignard avant d'ouvrir la porte aux deux autres.

« Bien joué », fit Baerd en prenant connaissance du tableau. Il posa brièvement la main sur l'épaule de Devin.

Alessan ne dit mot mais, dans la lumière incertaine, Devin vit passer dans son regard une lueur de compassion qui le mit mal à l'aise.

Baerd s'était déjà mis au travail.

Ils abandonnèrent le cadavre du garde aux flammes à venir. Ils traînèrent ceux de l'indicateur et du soldat de la deuxième compagnie à proximité d'un bâtiment annexe. Baerd refusa de se précipiter ; il étudia la situation quelques instants, puis plaça les deux corps dans une position calculée et barra la porte devant eux à l'aide d'un morceau de bois qu'on prendrait à coup sûr pour une poutre effondrée.

Dans le manoir, les chants s'étaient tus progressivement. On n'entendait plus qu'une voix enivrée qui fredonnait un refrain mélancolique où il était question d'une lointaine passion. Mais cette voix-là finit par se taire elle aussi.

C'était le signal qu'Alessan leur avait indiqué. Ils mirent simultanément le feu à la paille sèche et au bois dans la grange sous surveillance, ainsi qu'aux bâtiments adjacents, notamment celui où les morts étaient enfermés. Puis ils s'enfuirent. Quand ils sortirent de la propriété des Nievolene, les granges étaient la proie d'un gigantesque incendie et les chevaux hurlaient.

Il n'y eut pas de poursuite. Ils ne s'attendaient pas à ce qu'il y en eût. Alessan et Sandre avaient soigneusement mis au point leur plan au Ferraut. Les corps calcinés de l'indicateur et du soldat seraient découverts par les hommes de Karalius. Les mercenaires de la première compagnie en tireraient les conclusions qui s'imposaient.

Ils récupérèrent leurs montures et prirent à l'ouest. Ils passèrent une nouvelle nuit dehors, dans le froid, en se relayant pour monter la garde. Tout s'était déroulé exactement comme prévu. Devin aurait bien voulu pouvoir libérer les chevaux. Leurs hurlements troublèrent ses rêves intermittents dans la neige.

Au matin, Alessan acheta une charrette à un fermier près de la frontière du Ferraut, tandis que Baerd marchandait avec un bûcheron pour obtenir de lui un chargement de bûches fraîchement débitées au meilleur prix. Ils payèrent le droit de douane et vendirent le bois dans le premier fort de l'autre côté de la frontière. Ils achetèrent de la laine en vue de l'acheminer jusqu'à la ville de Ferraut où ils avaient rendez-vous avec les autres.

Inutile de manquer une occasion de réaliser un profit, tel fut le commentaire d'Alessan. Ils avaient des responsabilités envers leurs associés.

◆

En vérité, un nombre déconcertant d'événements fâcheux secouèrent la Palme orientale au cours de l'automne et de l'hiver qui suivirent la découverte du complot Sandreni. Aucun d'eux n'était vraiment grave en soi mais, mis bout à bout, ils perturbaient Alberico de Barbadior et l'irritaient au point que ses aides de camp et ses messagers commencèrent à murmurer que l'exercice de leurs fonctions devenait dangereux dans la mesure où il impliquait des contacts directs avec le tyran.

Pour un homme qui s'était fait remarquer par son sang-froid et son égalité d'humeur, même au Barbadior où il n'était que le chef d'une famille de petite noblesse, il eut les nerfs étonnamment à vif tout l'hiver.

Ses aides de camp s'accordaient à dire que tout avait commencé après que le traître Sandreni, Tomasso, eut été trouvé mort dans sa cellule au moment où on s'apprêtait à le remettre aux mains de tortionnaires professionnels. Alberico, qui attendait dans la salle de torture, était entré dans une colère terrible. Chacun des gardes de la troisième compagnie avait été sommairement exécuté, y compris le nouveau capitaine; le précédent s'était suicidé la veille au soir. Siferval en personne, qui avait la responsabilité des compagnies de gardes, fut rappelé de Certando en Astibar où il eut droit à un tête-à-tête avec son employeur qui le laissa flageolant et sans voix pour le reste de la journée.

La fureur d'Alberico frôlait l'irrationnel. Ses collaborateurs confirmèrent qu'il avait, de toute évidence, été profondément secoué par ce qui s'était passé dans la forêt. D'abord, il n'allait pas bien du tout; il avait un œil qui ne lui obéissait plus et une démarche anormale. Puis, dans les jours et les semaines qui suivirent, il devint manifeste, comme tous les indicateurs de chacune des trois compagnies le signalèrent dans leurs rapports, que les habitants de la ville d'Astibar refusaient tout bonnement de croire qu'il se fût passé quoi que ce soit dans la forêt. L'idée d'un complot ourdi par les Sandreni leur paraissait inconcevable.

Et, qui plus est, un complot dirigé par Tomasso, fils de Sandre, avec l'appui des seigneurs Scalvaia et Nievole. Les rapports faisaient état de commentaires cyniques circulant partout dans la ville. Trop de gens connaissaient les haines ancestrales qui divisaient ces trois familles. Et la réputation du prétendu chef de ce prétendu complot, le second fils de Sandre, était également de notoriété publique. Qu'on l'accusât d'avoir enlevé un jeune homme au temple de Morian, passe encore, mais de comploter contre un tyran! Avec Nievole et Scalvaia!

Non, les Astibariens étaient trop subtils pour croire à cette histoire. Quiconque ayant le moindre sens de la géographie ou de l'économie était à même d'entrevoir la réalité derrière cette fable. En prétendant que trois des cinq plus grands propriétaires terriens le menaçaient, Alberico avait tout simplement cherché à faire passer pour des représailles l'annexion brutale de terres longuement convoitées.

Car le hasard avait vraiment bien fait les choses : la propriété Sandreni était parfaitement centrale, les fermes des Nievolene jouxtaient la frontière du Ferraut et le vignoble de Scalvaia constituait la ceinture la plus riche du nord de la province, avec les meilleurs cépages de vin bleu. Un complot bien commode en vérité, c'est ce qu'on avait conclu dans toutes les tavernes et toutes les khaveries.

Et, pour couronner le tout, chacun des conspirateurs était mort la nuit même. Quelle justice expéditive ! Quelle accumulation de preuves contre eux ! Il y avait un indicateur parmi les Sandreni, avait-on expliqué. Il était mort. Et, bien sûr, c'était Tomasso, fils de Sandre, qui était à la tête du complot. Mais lui aussi avait eu le bon goût de mourir.

Les quatre provinces de la Palme orientale, avec l'Astibar à leur tête, firent toutes preuve d'une incrédulité amère et caustique. Elles avaient peut-être été conquises, écrasées par la lourde botte des Barbadiens, les habitants n'en étaient pas devenus sots ou aveugles pour autant. Ils savaient reconnaître les manœuvres d'un tyran.

Tomasso, fils de Sandre, un conspirateur habile et dangereux ? L'Astibar, pourtant accablée par les conséquences économiques des confiscations et l'horreur des exécutions, trouvait encore la force d'en rire. C'est alors qu'arrivèrent de l'Occident – de Chiara même – les premiers vers, des vers aussi drôles que méchants, dont certains prétendaient que Brandin en personne les avait rédigés. Ils avaient été plus vraisemblablement commandés à un des poètes qui gravitaient autour de lui. Ces pamphlets disaient qu'Alberico voyait des menaces de complot à chaque coin de rue, ou plutôt dans chaque ferme, ce qui lui fournissait une bonne excuse pour confisquer toutes les volailles et les légumes de la Palme orientale. Pour faire bonne mesure, il y avait également ici et là quelques allusions sexuelles peu subtiles.

Les poèmes, placardés sur les murs de la ville d'Astibar, puis en Tregea, au Certando et au Ferraut, furent déchirés par les Barbadiens aussitôt posés. Malheureusement, il y a des rimes qui ne s'oublient pas facilement, et il n'est nul besoin de les lire ou de les entendre plus d'une fois…

Alberico allait admettre par la suite que ses nerfs avaient lâché. Il reconnaîtrait en son for intérieur que sa fureur était due en grande partie à une violente indignation et aux séquelles de sa frayeur.

Car ce maniéré de Sandreni avait bel et bien ourdi un complot. Et ils avaient bien failli le tuer, dans ce maudit pavillon au milieu des bois.

Cette fois-là, il ne disait que la vérité, sans feinte ni mensonge aucun. Il avait le bon droit pour lui. Mais il ne possédait ni confession, ni témoignage, ni preuve d'aucune sorte. Si seulement son indicateur avait survécu ! Ou Tomasso. Il voulait Tomasso vivant. La nuit de son arrestation, ses rêves avaient été entrecoupés d'images fortes du fils de Sandre, nu comme un ver, les membres entravés, arqué de la manière la plus engageante qui soit sur l'une des machines.

Suite à la mort inexplicable du pervers et aux rapports unanimes selon lesquels personne dans aucune des quatre provinces ne croyait un mot de son histoire, Alberico, qui, initialement, avait envisagé une riposte savamment dosée à ce complot, abandonna toute mesure.

Il fit saisir les terres, bien sûr, et ordonna que tous les membres des trois familles fussent débusqués et soumis au supplice de la roue dans la ville d'Astibar. Il ne savait pas qu'ils étaient aussi nombreux au moment où il avait donné cet ordre. L'odeur était insupportable et certains enfants mettaient si longtemps à mourir sur la roue que c'en était indécent. Il devenait difficile de se concentrer sur les affaires dans les bureaux d'État qui dominaient la grand-place.

Il augmenta les impôts dans la province d'Astibar et, pour la première fois, instaura des droits de douane pour les marchands qui passaient d'une province orientale à l'autre, outre les taxes existantes pour traverser la frontière vers la Palme occidentale. Qu'ils payent, au sens premier du terme, s'ils ne voulaient pas croire qu'il disait la vérité.

Il fit pire encore. La moitié de l'importante moisson des Nievolene fut promptement envoyée en Barbadior. Pour une décision prise sous le coup de la colère, il trouvait celle-ci plutôt judicieuse. Elle fit chuter le cours des céréales dans son pays et mit en difficulté les deux familles rivales de la sienne, tout en le rendant extrêmement populaire aux yeux du plus grand nombre ; malheureusement, on ne faisait pas grand cas de l'opinion du peuple dans son pays.

Parallèlement, la province d'Astibar dut importer plus de blé que jamais du Certando et du Ferraut ; avec les nouvelles taxes douanières, Alberico s'apprêtait à tirer un joli profit de l'inflation des prix du blé.

Ces mesures auraient suffi à étancher sa colère, et le résultat de tous ces remous l'aurait presque rendu heureux, si une série de menus incidents n'était venue tout gâcher.

À commencer par une certaine agitation chez ses soldats. Avec les privations, les autochtones étaient à bout de nerfs et le nombre des altercations avec l'occupant allait croissant. Surtout en Tregea, où les frictions avaient toujours été plus fréquentes qu'ailleurs. En raison de cette tension croissante, les mercenaires, il fallait s'y attendre, réclamèrent une augmentation qui, s'il la leur accordait, risquait de lui coûter tout le bénéfice des confiscations et des nouvelles taxes.

Il envoya un courrier à l'empereur de son pays. Sa première requête en deux ans ; accompagnée d'une caisse de vin bleu d'Astibar prélevée sur un vignoble qui désormais lui appartenait. Il demandait instamment à être placé sous l'égide impériale. Il entendait ainsi toucher une allocation de la Trésorerie de Barbadior pour payer ses mercenaires, et peut-être même recevoir quelques troupes impériales en renfort. Comme toujours, il insistait sur le fait qu'il devait à lui tout seul contenir l'expansion ygrathienne dans cette dangereuse péninsule à mi-chemin entre les royaumes de Barbadior et d'Ygrath. Certes, lorsqu'il avait commencé sa carrière ici, il n'était encore qu'un aventurier indépendant – il était fier de la formulation –, mais, maintenant qu'il avait vieilli et mûri, il souhaitait resserrer les liens avec son empereur et le servir encore plus utilement.

Quant à son désir de devenir empereur lui-même, avec l'approbation, même tardive, du présent souverain, il ne jugea pas vraiment opportun d'évoquer le sujet dans une lettre.

En guise de réponse, il reçut une tenture exquise du palais de l'empereur, des louanges sur ses sentiments loyaux et des regrets polis : la situation de l'empire ne permettait pas de satisfaire à ses demandes d'ordre financier – la réponse habituelle. Il était cordialement invité à venir recevoir tous les honneurs qu'il méritait et à laisser les problèmes fastidieux de cette contrée lointaine à un expert en problèmes coloniaux nommé par l'empereur.

Cela n'était pas nouveau non plus : faites cadeau de votre nouveau territoire à l'empereur, renoncez à votre armée, puis rentrez. Vous aurez alors droit à un défilé ou deux, et pourrez ensuite passer le reste de votre existence à chasser et dépenser votre argent en pots-de-vin et articles de chasse. Attendez que l'empereur décède sans avoir nommé de successeur. Puis prenez part à la tuerie qui ne manquera pas de suivre pour vous emparer du pouvoir.

Alberico exprima ses regrets et lui adressa ses sincères remerciements ainsi qu'une autre caisse de vin bleu.

Peu après, comme l'automne touchait à sa fin, un certain nombre d'hommes de la troisième compagnie en disgrâce, mécontents de leur sort, prirent congé et décidèrent de rentrer au Barbadior sur l'un des derniers bateaux de la saison. La même semaine, mais il s'agissait d'une pure coïncidence bien sûr, les commandants de la première et deuxième compagnies présentèrent officiellement leurs demandes d'augmentation de solde et rappelèrent incidemment à Alberico la promesse qu'il avait faite de doter les mercenaires de terres sur la péninsule. Ils suggéraient avec délicatesse de servir les commandants en premier.

Alberico avait bien envie de les étrangler l'un et l'autre ; ou de brûler leur cervelle de rapaces avinés au feu de sa sorcellerie. Mais il ne pouvait pas se le permettre ; d'ailleurs, faire appel à ses pouvoirs de sorcier lui demanderait sûrement un effort terrible, si peu de temps après la rencontre dans les bois qui avait failli lui coûter la vie.

Cette rencontre dont tout le monde doutait qu'elle eût jamais eu lieu.

Il choisit donc de sourire à ces deux commandants et leur confia qu'il avait déjà délimité dans sa tête une vaste parcelle de la propriété des Nievolene récemment acquise, qu'il destinait à l'un d'eux. Siferval, crut-il bon de préciser, l'air triste plus que fâché, s'était disqualifié lui-même de par la conduite de ses hommes, mais en ce qui les concernait le choix allait être difficile. Il ne manquerait pas de les observer attentivement dans les mois à venir et annoncerait sa décision le moment venu.

« Et quand exactement le moment sera-t-il venu ? » demanda Karalius, qui dirigeait la première compagnie.

Alberico aurait pu tuer l'animal sur-le-champ : un hypocrite qui, le casque sous le bras, baissait les yeux pour se donner l'air respectueux.

« Aux alentours du printemps », répondit-il d'un air évasif, comme si de telles considérations étaient indignes d'hommes de bonne volonté.

Le plus tôt serait le mieux, fit remarquer Grancial, commandant de la seconde compagnie, d'une voix sereine.

Alberico lui décocha un regard qui trahissait en partie ses sentiments. On ne dépasse pas certaines limites impunément.

Grancial sentit le vent tourner et s'empressa de préciser sa pensée : en attribuant la terre le plus tôt possible, avant la fin des semailles du moins, il fournirait à l'élu l'occasion de faire montre de ses capacités.

Peut-être, en effet, répondit Alberico. Et il se contenta de dire qu'il y réfléchirait.

« Karalius, ajouta-t-il alors qu'ils s'apprêtaient à sortir, pendant que j'y pense, pourriez-vous m'envoyer ce jeune et talentueux capitaine qui appartient à votre compagnie ? Celui à la barbe noire et fourchue. J'ai une tâche d'une nature spéciale et confidentielle, et je ne peux la confier qu'à un homme aux compétences aussi manifestes que les siennes. » Karalius encaissa le coup et hocha la tête.

Après leur départ, quand il eut réussi à se calmer, il se fit la réflexion qu'il était important, capital même, de ne pas les laisser se croire indispensables, sans se les mettre à dos pour autant. Seuls les imbéciles vont jusque-là. Surtout qu'il comptait bien rentrer un jour en métropole à leur tête ; de préférence sur invitation de l'empereur, mais il n'en faisait pas une condition indispensable. Non, certes pas indispensable.

Après avoir repensé la question, il décida d'augmenter également les impôts en Tregea, au Certando et au Ferraut pour les rendre équivalents à ceux de l'Astibar. À Siferval, de la troisième compagnie alors postée dans les montagnes du Certando, il dépêcha un messager chargé de le féliciter de ses récents efforts pour faire régner le calme dans cette province.

Un coup de bâton suivi d'une carotte. Qu'ils vous craignent et sachent que s'ils parviennent à gagner votre confiance leur fortune est faite. La réponse était tout entière dans ce dosage subtil.

Malheureusement, divers incidents continuèrent de perturber l'équilibre de la Palme orientale alors qu'on passait de l'automne à un hiver exceptionnellement rigoureux.

Dans la ville d'Astibar, quelque poète maudit choisit cette saison humide et froide pour placarder une série d'élégies à la gloire du défunt duc. Le duc était mort en exil, à la tête d'une famille de comploteurs dont la plupart étaient morts. Ces vers à sa gloire étaient de toute évidence séditieux.

La situation n'en restait pas moins délicate. Chacun des écrivains arrêtés pendant la première rafle des khaveries nia en être l'auteur. Mais, lorsque la seconde rafle eut lieu, chacun des écrivains interpellés prétendit avoir écrit ces vers.

Certains conseillers suggérèrent de les soumettre tous sans distinction à la roue, mais Alberico était préoccupé par une question plus vaste. La différence notable entre sa cour et celle des Ygrathiens. À Chiara, les poètes rivalisaient d'imagination pour se faire remarquer de Brandin et se trémoussaient comme des chiots dès qu'ils recevaient un compliment. Ils écrivaient des sonnets à la gloire du tyran et vilipendaient Alberico à la demande. Ici, chaque écrivain était un semeur de trouble en puissance. Un ennemi de l'État.

Alberico ravala sa colère, loua les subtilités techniques de ces vers et libéra tous les poètes sans distinction. Non sans avoir suggéré, avec toute l'aménité dont il était capable, qu'il ne serait pas fâché de lire des vers aussi bien tournés sur les travers et méfaits de Brandin d'Ygrath – et ils étaient nombreux ! Il était même allé jusqu'à sourire. Il serait vraiment très heureux de lire une satire sur le sujet, avait-il répété, en se demandant si l'un de ces satanés écrivaillons avec leurs airs supérieurs saisirait l'allusion.

Ce fut peine perdue. Un nouveau poème apparut sur tous les murs de la ville deux jours plus tard. Il y était question de Tomasso, fils de Sandre. Une lamentation sur sa mort où on lisait que ses perversions sexuelles n'étaient qu'une façade délibérée, une métaphore vivante pour illustrer la situation elle-même perverse de la province d'Astibar, battue, conquise et aux mains d'un tyran.

Il n'avait plus le choix désormais, c'est-à-dire une fois qu'il eut compris les intentions du poète. Il ne perdit pas de temps en enquêtes cette fois : il choisit une douzaine d'écrivains au hasard dans les khaveries l'après-midi même et les fit placer sur des roues parmi les membres des familles de conspirateurs. Il fit fermer toutes les khaveries pour un mois. Les poètes se turent.

Dans la ville d'Astibar, du moins. Mais, le soir même, alors que les nouvelles dispositions concernant les impôts étaient officiellement annoncées sur la place du marché à Tregea, une femme aux cheveux bruns décida de se donner la mort en se jetant d'un des sept ponts, pour protester contre ces mesures. Avant de sauter, elle fit un discours et laissa derrière elle une liasse de papiers contenant toutes les élégies écrites à la gloire des Sandreni par les poètes d'Astibar. La manière dont elle s'était procuré ces poèmes demeurait un mystère. Nul ne la connaissait. On fit draguer les eaux glaciales du fleuve pour retrouver son corps, mais en vain. Les fleuves étaient rapides en Tregea, qui descendaient des montagnes pour aller se jeter dans la mer orientale.

En moins d'une quinzaine, les élégies couvraient les murs de la province, et elles envahirent le Certando et le sud du Ferraut avant les premières chutes de neige.

Brandin d'Ygrath envoya en Astibar un messager élégamment vêtu, porteur d'une note élégamment rédigée louant les élégies comme la première œuvre intéressante jamais issue d'un territoire sous contrôle barbadien. Il offrait à Alberico ses plus sincères félicitations.

Alberico répondit qu'il avait pris note des nobles sentiments de son correspondant et entendait commander à l'un de ses poètes zélés une épopée en vers sur la vie glorieuse et les prouesses guerrières du prince Valentin de Tigane.

À cause du sort qu'avait jeté Brandin, il savait qu'il serait le seul à pouvoir lire ce dernier mot, mais après tout lui seul importait.

Il pensait avoir marqué un point mais, sans qu'il sût expliquer pourquoi, le suicide de cette femme en Tregea l'avait laissé si nerveux qu'il ne parvenait pas à tirer plaisir de cette victoire. C'était un geste si radical qu'il lui rappelait les violences de la première année de sa conquête. Les choses s'étaient calmées depuis, et la recrudescence d'une telle tension dans les affaires publiques ne présageait rien de bon. Il envisagea brièvement de faire marche arrière sur le chapitre des impôts, mais se ravisa : une telle mesure serait prise pour un aveu de faiblesse et non pour une preuve de générosité. D'autre part, il avait besoin d'argent pour entretenir son armée. On disait que l'empereur de son pays déclinait rapidement désormais, et qu'il apparaissait de moins en moins souvent en public.

Au beau milieu de l'hiver, il décida de doter Karalius de la moitié des terres des Nievolene.

La nuit qui suivit l'annonce de cette nouvelle, l'écurie ainsi que plusieurs bâtiments annexes de la propriété des Nievolene brûlèrent.

Il ordonna aussitôt une enquête mais, moins de vingt-quatre heures plus tard, il regrettait déjà sa décision. On avait trouvé deux corps parmi les décombres fumants, coincés sous une poutre qui barrait la porte. L'un était celui d'un indicateur au service de Grancial et de la deuxième compagnie, l'autre un soldat barbadien de cette même compagnie.

Karalius provoqua immédiatement Grancial en duel à l'heure et au lieu de son choix. Grancial s'empressa de fixer l'heure et le lieu. Alberico leur fit aussitôt comprendre que le survivant irait finir ses jours sur une roue. Cela lui permit d'empêcher le combat, mais les deux commandants ne s'adressèrent plus jamais la parole par la suite. Il y eut un certain nombre d'escarmouches entre soldats de l'une et l'autre compagnie ; l'un de ces accrochages, en Tregea, fit quinze morts et deux fois plus de blessés.

Les corps de trois indicateurs furent découverts dans le Ferraut, attachés à des roues de charrette – parodie sauvage de la justice du tyran. Il n'était pas même possible d'envisager des représailles : c'eût été reconnaître que ces hommes étaient effectivement des indicateurs.

Au Certando, deux soldats de la troisième compagnie sous les ordres de Siferval furent portés absents ; ils avaient disparu dans la campagne enneigée, ce qui ne s'était encore jamais produit. Siferval précisa qu'il ne s'agissait en aucun cas d'une affaire de femmes. Les deux hommes étaient par ailleurs d'excellents amis. Le commandant dut se rendre à l'évidence : une seule hypothèse paraissait plausible, qui était aussi la pire de toutes.

Plus tard dans l'hiver, Brandin d'Ygrath dépêcha un autre messager, aussi suave que le premier et porteur lui aussi d'une missive. Brandin remerciait profusément Alberico de son offre et se disait ravi de lire cette épopée en vers ; il réclamait officiellement qu'on lui envoyât six femmes du Certando, aussi jeunes et avenantes que celle qu'Alberico, dans sa générosité, l'avait laissé prendre quelques années plus tôt pour son saishan. En raison de quelque bévue impardonnable, la lettre eut une diffusion publique.

Les rires étaient insupportables.

Pour les faire taire, Alberico fit saisir six femmes au sud-ouest du Certando. Il ordonna qu'on leur crevât les yeux et leur sectionnât les tendons du genou ; elles furent ensuite allongées sous le drapeau d'un messager et abandonnées sur la frontière enneigée de la Basse-Corte, entre les forts de Sinave et Forese. L'une portait une lettre priant Brandin d'accuser réception de ses nouvelles maîtresses.

Qu'on le haïsse pourvu qu'on le craigne.

En revenant de la frontière, Siferval, comme le précisait son rapport, avait suivi les recommandations d'un indicateur et retrouvé les deux soldats disparus qui vivaient ensemble dans une ferme abandonnée. Ils avaient été exécutés sur les lieux après que l'un, et pas n'importe lequel, eut été castré afin qu'il pût mourir comme il avait vécu. Alberico félicita le capitaine.

Ce fut néanmoins un hiver déstabilisant. Les événements avaient lieu comme malgré lui, ce n'était plus lui qui les modelait. Tard le soir, puis au cours même de la journée et de plus en plus souvent à mesure que le printemps approchait, Alberico se surprit à songer à la neuvième province, encore inoccupée, celle qui s'étendait juste de l'autre côté de la baie. Le Senzio.

◆

Le marchand aux yeux gris tenait des propos tout à fait sensés. Tout en reconnaissant à contrecœur que l'homme avait parfaitement raison, Ettocio ne pouvait s'empêcher de regretter qu'il eût choisi son auberge au bord de la route pour déjeuner. Dans la salle à manger, la conversation avait pris une tournure dangereuse et, la Triade le savait, le nombre de mercenaires barbadiens à emprunter la grand-route qui reliait les villes de Ferraut et d'Astibar était considérable. Si l'un d'eux venait à s'arrêter à l'auberge, il était fort improbable qu'il attribuât la teneur actuelle de la conversation à un excès d'énergie printanière. Ettocio risquerait alors de se voir retirer sa licence pour un mois. Aussi jetait-il des regards inquiets en direction de la porte.

« Doubler les impôts à cette heure ! » disait l'homme grand et maigre, une pointe d'amertume dans la voix ; il se passa la main dans les cheveux. « Après l'hiver que nous venons de connaître ? Après ce qu'il a fait subir au cours du blé ? Ainsi, il faudra payer à la frontière et payer encore aux portes de la ville ? Mais, au nom de Morian, quel profit nous restera-t-il dans nos poches ? »

Des murmures d'approbation teintés d'agressivité saluèrent ces remarques. Ce n'était pas étonnant dans une auberge pleine de marchands. Mais c'était dangereux. Ettocio, qui servait à boire, n'était pas le seul à surveiller la porte. Le jeune homme appuyé au comptoir, qui déjeunait d'un petit pain et d'une tranche de fromage frais, lui adressa brusquement un regard de sympathie auquel il ne s'attendait pas.

« Le profit ? disait un marchand de laine du Ferraut d'un ton sarcastique. Vous n'imaginez tout de même pas que les Barbadiens se soucient de savoir si nous en faisons ou pas ?

— Précisément ! » Un regard entendu passa dans les yeux gris du premier marchand. « À mon avis, tout ce qu'il cherche à faire c'est à estamper la Palme à outrance en vue de s'approprier la tiare de l'empereur au Barbadior.

— Chuut ! » grommela Ettocio dans sa barbe, incapable de se retenir plus longtemps. Il avala une gorgée de bière, chose qu'il ne faisait presque jamais, et longea le comptoir pour aller fermer la fenêtre. C'était dommage car il faisait un vrai temps de printemps, mais la conversation dépassait les bornes.

« Attendez encore un peu, renchérit le marchand aux yeux gris, et il s'emparera du reste de nos terres, comme il a déjà commencé à le faire en Astibar. Je suis prêt à parier que d'ici cinq ans il aura fait de nous des esclaves ! »

Un rire méprisant couvrit le tohu-bohu des approbations. Les marchands se turent brusquement et chacun se tourna vers celui qui avait l'air de trouver cette observation amusante. Les visages arboraient tous une expression sévère. Ettocio se mit à frotter furieusement le dessus du comptoir, pourtant très propre.

Le guerrier de Khardhun continua de rire un bon moment sans souci des regards braqués sur lui : un grand Noir dont le visage sculptural laissait transparaître un réel amusement.

« Et peut-on savoir ce qui vous amuse autant, vieil homme ? demanda sèchement le marchand aux yeux gris.

— Vous », répondit joyeusement le vieux Khardhu. Il grimaçait comme une tête de mort. « Vous tous. Je n'avais jamais vu autant d'aveugles côte à côte.

« — Auriez-vous la bonté de nous expliquer ce que vous entendez par là ? demanda le marchand de laine d'une voix grinçante.

— Vous avez vraiment besoin d'explications ? murmura le Khardhu en ouvrant grand les yeux pour feindre l'étonnement. Eh bien, en voici. Pourquoi, au nom de vos dieux ou des miens, Alberico prendrait-il la peine de vous réduire en esclavage ? » Il pointa un doigt décharné vers le commerçant qui avait entamé cette discussion. « S'il s'y risquait, m'est avis qu'il resterait encore quelques hommes assez fiers dans la Palme orientale pour s'en offenser. Et même, qui sait, *pour se révolter* ! » Il prononça ces derniers mots dans un chuchotement parodique de conspirateur.

Puis il s'enfonça dans son siège, riant toujours de ce trait d'esprit. Il était le seul. Ettocio jeta un regard angoissé en direction de la porte.

« Par contre, continua le Khardhu en gloussant, s'il vous écrase lentement sous le poids des impôts, des taxes et des confiscations, il peut aboutir au même résultat sans rendre personne assez furieux pour s'aviser de réagir. En vérité, messieurs, conclut-il après avoir avalé une rasade de bière, Alberico de Barbadior est plus malin que vous ne le croyez, c'est moi qui vous le dis.

— Quant à vous, fit l'homme aux yeux gris en se penchant au-dessus de la table où il était assis, vous n'êtes qu'un étranger arrogant et insolent. »

Le sourire du Khardhu disparut. Il fixa l'homme du regard, et Ettocio se félicita soudain d'avoir rangé son épée courbe derrière le comptoir, comme toutes les autres armes.

« Cela fait bientôt trente ans que j'habite ici, répondit l'homme noir d'une voix calme. Depuis votre naissance, je parierais. Je gardais déjà les convois de marchands sur cette route quand vous avez cessé de mouiller votre lit la nuit. Et je suis peut-être un étranger mais, aux dernières nouvelles, le Khardhun est toujours un pays libre. Nous avons repoussé l'envahisseur, nous, et, que je sache, personne dans la Palme ne peut en dire autant !

—Parce que vous pratiquez la magie ! s'écria soudain le jeune homme assis au comptoir, couvrant le tintamarre qui suivit. Nous pas. C'est la seule raison ! La seule ! »

Le Khardhu se tourna vers le jeune homme avec une moue méprisante. « Bercez-vous d'illusions, persuadez-vous que c'est la seule raison si ça vous chante, mon petit monsieur. Ça vous aidera peut-être à payer vos impôts au printemps ou à supporter la faim à l'automne, quand le blé viendra à manquer. Mais, si la vérité vous tente, je vais vous la dire, et gratuitement qui plus est ! »

Le tapage s'était quelque peu calmé pendant la remarque du Khardhu, mais bon nombre d'hommes s'étaient levés et lui lançaient des regards furibonds.

Se tournant vers la salle comme si le garçon assis au comptoir ne comptait pas, il s'exprima avec la plus grande clarté :

« Nous avons repoussé Brandin d'Ygrath quand il nous a envahis parce que le Khardhun a combattu comme une nation. Parce qu'il forme un tout. Vous autres avez été battus à plate couture par Brandin et Alberico parce que vous étiez trop occupés par vos querelles de frontière ; ce n'étaient que chamailleries pour savoir quel duc ou quel prince commanderait votre armée, quels prêtres ou quelles prêtresses la béniraient, qui combattrait au centre et qui sur la droite, où aurait lieu la bataille et qui avait la faveur des dieux. L'une après l'autre, vos neuf provinces ont plié devant les sorciers comme les doigts de la main. Et chacun de ces doigts s'est fait briser tel un os de poulet. J'ai toujours pensé, conclut-il dans une salle désormais silencieuse, qu'une main est plus habile au combat lorsqu'elle se referme pour former un poing. »

D'un geste paresseux, il fit signe à Ettocio de lui servir un autre verre.

« Maudit sois-tu, le Khardhu », fit l'homme aux yeux gris d'une voix étranglée. Ettocio se retourna pour le regarder. « Maudit sois-tu pour avoir prononcé des paroles si pleines de vérité. »

Ettocio ne s'attendait pas à pareille réponse, pas plus que les autres clients de l'auberge. Chacun se mit à réfléchir intérieurement, la mine sévère. Voilà qui est encore plus dangereux, songea Ettocio, et en décalage complet avec la douceur printanière de l'air et la chaleur réconfortante du soleil.

« Mais que pouvons-nous faire ? demanda le jeune homme au comptoir d'une voix plaintive, sans s'adresser à quiconque précisément.

—Fulminer, boire et payer nos impôts, répondit le marchand de laine, amer.

—Je dois avouer que je compatis à votre sort », déclara avec suffisance un marchand du Senzio qui voyageait seul. C'était une remarque maladroite. Ettocio lui-même, pourtant réputé pour son flegme, s'en irrita.

Quant au jeune homme au comptoir, il enrageait. « Comment osez-vous… Je n'arrive pas y croire ! De quel droit osez-vous ? » En proie à une fureur extravagante, il tambourina sur le comptoir. Le Senzian replet sourit de cet air supérieur commun à tous ceux de sa province.

« De quel droit en effet ! » Les yeux gris étaient glacials et prêts à reprendre le combat. « La dernière fois que j'ai eu l'occasion de les observer, les commerçants du Senzio avaient tous les mains si profondément enfoncées dans leurs poches pour engraisser de leur tribut l'Ouest aussi bien que l'Est qu'ils n'arrivaient même plus à sortir leur attirail et à satisfaire leur femme ! »

Tous partirent d'un grand éclat de rire bruyant. Le vieux Khardhu en personne esquissa un sourire.

« La dernière fois, fit le Senzian, le visage empourpré, le Senzio était toujours gouverné par quelqu'un de chez nous, et non par des individus venus d'Ygrath ou de Barbadior !

—Qu'est-il arrivé au duc ? intervint le marchand du Ferraut. Le Senzio avait si peur que votre duc s'est lui-même rétrogradé au rang de gouverneur pour ne pas risquer de déplaire aux tyrans. Vous en êtes fier ?

—Fier ? ironisa le marchand aux yeux gris. Il n'a pas le temps d'être fier de quoi que ce soit. Il est trop occupé à regarder des deux côtés pour savoir à quel émissaire il ferait mieux d'offrir sa femme ! »

Cette pique fut à nouveau saluée par un rire vulgaire et amer.

« Vous avez la langue bien acérée pour un homme conquis », déclara froidement le Senzian. Les rires s'arrêtèrent. « D'où êtes-vous donc pour tourner ainsi en dérision le courage des autres ?

—De Tregea, répondit tranquillement l'autre.

—D'une province occupée, corrigea méchamment le Senzian. Conquise. Gouvernée par les Barbadiens.

—Nous avons été les derniers à nous rendre, déclara le Trégéen sur un ton un peu trop provocant. C'est Borifort qui a résisté le plus longtemps.

—Mais a fini par tomber, fit le Senzian sans ménagements, car il était certain d'avoir l'avantage désormais. À votre place, je ne me hâterais pas de faire des commentaires sur les femmes des autres. Pas après les histoires que nous connaissons tous sur ce que les Barbadiens ont fait là-bas. Et j'ai aussi entendu dire que la plupart de vos femmes ne se sont pas fait prier pour…

—Ferme ta sale gueule, répondit le Trégéen d'un ton hargneux en se mettant prestement debout. Ferme-la ou je te la cloue pour toujours, pauvre merdeux de Senzian ! »

S'ensuivit un brouhaha pire que le précédent.

Ettocio sonna vigoureusement la cloche au-dessus du bar et entreprit de restaurer l'ordre.

« Ça suffit ! s'écria-t-il. Arrêtez-moi ça sur-le-champ ou je vous mets tous à la porte ! »

Cette sinistre menace les calma.

Suffisamment du moins pour que le rire sarcastique du guerrier khardhu se fît de nouveau entendre. L'homme était debout. Il laissa tomber quelques pièces sur la table pour régler sa note et, se redressant de toute sa hauteur, il embrassa la salle du regard sans cesser de rire.

« Voyez ce que je veux dire ? murmura-t-il. Tous ces petits doigts raides comme des bâtons qui se titillent les uns les autres et s'envoient des coups. Il en a toujours été ainsi, non ? Et je suppose qu'il en sera toujours ainsi jusqu'à ce qu'il ne reste plus rien dans la Palme que Barbadior et Ygrath. »

Il se dirigea vers le comptoir de sa démarche assurée pour récupérer son épée.

« Dis donc », fit brusquement le Trégéen aux yeux gris tandis qu'Ettocio présentait l'épée courbe dans son fourreau. Le Khardhu se retourna lentement.

« Tu sais te servir de cet engin aussi bien que de ta langue ? » demanda le Trégéen.

Le Khardhu esquissa un sourire sans joie. « J'ai rougi cette lame une fois ou deux, répondit-il.

— Tu travailles pour quelqu'un en ce moment ? »

L'air arrogant, le Khardhu inspecta son interlocuteur de la tête aux pieds comme pour le jauger. « Et où comptes-tu te rendre ?

— J'ai décidé de modifier mon itinéraire. Il n'y a pas beaucoup de bénéfice à réaliser dans la ville de Ferraut en ce moment. Pas avec cette nouvelle taxe en tout cas. Je vais devoir aller plus loin. Je me propose de te payer le tarif en vigueur pour assurer ma protection jusque dans les montagnes du Certando.

— Un pays rude s'il en est », commenta le Khardhu.

Le Trégéen eut une mimique amusée. « Pourquoi crois-tu que je te demande de m'accompagner ? »

Un instant plus tard, le Khardhu sourit de nouveau. « Quand partons-nous ? dit-il.

— Nous sommes partis », répondit le Trégéen en se levant. Il paya sa note, réclama son épée courte, et tous deux sortirent. Quand ils ouvrirent la porte, un rayon de soleil bref mais éblouissant pénétra dans la salle.

Ettocio espérait bien que la conversation allait enfin se calmer. Mais pas du tout. Le jeune homme au comptoir marmonna quelque chose sur la nécessité de rassembler leurs forces et de s'unir, une remarque aussi dangereuse qu'insensée. Malheureusement pour Ettocio, le marchand de laine du Ferraut entendit la remarque et, comme toute la salle était en ébullition, la conversation repartit de plus belle.

Elle se poursuivit tard dans l'après-midi, et même après le départ du jeune homme. Et ce soir-là, devant un groupe de clients complètement différents, Ettocio se surprit lui-même en prenant part à une discussion sur la supériorité ancestrale d'un vignoble astibarien sur un vignoble senzian. Il développa le même argument que le grand Khardhu et parla des neuf doigts chétifs qui s'étaient fait briser l'un après l'autre faute d'avoir jamais réussi à former deux poings. L'argument lui semblait pertinent ; intelligent même, dans sa bouche. Il remarqua que ses auditeurs hochaient lentement la tête en l'écoutant. C'était une réaction inhabituelle et flatteuse, car d'ordinaire personne ne faisait jamais attention à lui, sauf quand il annonçait la fermeture de son établissement.

Il trouva cela fort agréable. Dans les jours qui suivirent, il avança cet argument chaque fois que l'occasion lui en fut donnée. Pour la première fois de sa vie, il se bâtissait une réputation d'homme réfléchi.

Hélas, un soir de l'été suivant, un mercenaire barbadien posté devant la fenêtre ouverte l'entendit. On ne lui ôta pas sa licence. Partout dans la Palme, la tension était extrême. On arrêta Ettocio et on l'exposa sur une roue devant sa taverne, après lui avoir sectionné les mains et les lui avoir fourrées dans la bouche.

Nombreux étaient ceux qui avaient entendu son point de vue, cependant. Et la plupart avaient hoché la tête en l'écoutant.

◆

Devin rejoignit les quatre autres à un mille environ au sud de l'auberge sise au carrefour de la route poussiéreuse qui menait au Certando. Ils l'attendaient. Catriana était seule dans la charrette de tête, mais Devin choisit de s'asseoir dans l'autre, près de Baerd.

« Je bous comme un pot de khav », fit-il joyeusement en réponse à un sourcil interrogateur. Alessan
chevauchait à côté d'eux ; il avait attaché son épée à sa
ceinture, remarqua Devin. Quant à l'arc de Baerd, il
était sur la charrette, juste derrière le siège, à portée de
main. Lors de ces six derniers mois, Devin avait eu à
plusieurs reprises l'occasion de constater avec quelle
rapidité Baerd était capable de s'en emparer. Alessan,
qui montait nu-tête en ce bel après-midi, lui sourit en
passant à sa hauteur.

« Je crois comprendre que tu as joué les agitateurs
après notre départ ? »

Devin eut un large sourire. « Je n'ai pas eu besoin
de me fatiguer beaucoup. Vous êtes passés professionnels en la matière, l'un comme l'autre.

—Et toi aussi, fit le duc qui les avait rejoints de
l'autre côté de la charrette en lançant son cheval au
petit galop. J'ai bien aimé la façon dont tu bafouillais
de colère cette fois. J'ai cru que tu allais me balancer
quelque chose à la figure. »

Devin le regarda affectueusement. Les dents de
Sandre paraissaient très blanches dans son visage noir :
il était tout bonnement méconnaissable.

« Ne vous attendez pas à nous reconnaître », avait
dit Baerd quand ils s'étaient séparés dans le bois des
Sandreni six mois auparavant. Devin avait donc été
prévenu. Mais pas suffisamment.

Baerd aussi s'était grimé : le changement était déconcertant sans être radical ; il s'était laissé pousser une
courte barbe et avait ôté le rembourrage aux épaules de
son pourpoint. Il n'était pas aussi trapu que Devin
l'avait tout d'abord pensé. De blonde, sa chevelure avait
viré au châtain foncé – sa couleur naturelle, avait-il
précisé. Et il avait les yeux bruns, non plus bleu vif
comme avant.

Mais ce qu'il avait fait de Sandre d'Astibar était
impressionnant. Même Alessan, qui avait une longue
habitude de ces changements, émit un sifflement lorsqu'il aperçut le duc. Aussi étonnant que cela pût paraître,

Sandre avait été métamorphosé en un vieux guerrier noir du Khardhun, ce pays de l'autre côté des mers du Nord. Devin savait qu'autrefois on rencontrait fréquemment ses pareils, à une époque où les marchands ne se déplaçaient jamais autrement qu'en groupe et engageaient volontiers ces guerriers khardhus, armés d'épées à la lame dangereusement incurvée, pour se protéger des brigands.

Après qu'on lui eut rasé la barbe et teint les cheveux en gris foncé, le visage décharné de Sandre, avec sa peau noire et ses yeux enfoncés, se mit à ressembler trait pour trait à celui d'un mercenaire khardhu. Baerd leur confia qu'il s'en était aperçu tout de suite après avoir vu le duc à la lumière du jour. Et c'est ainsi qu'il avait imaginé ce déguisement.

« Mais comment as-tu fait ? demanda Devin, médusé.

—Il y a des lotions et des potions pour cela », répondit Alessan en riant.

Baerd lui expliqua par la suite qu'Alessan et lui avaient passé quelques années en Quileia après la chute de Tigane. La pratique du maquillage, l'usage de teintures pour la peau et les cheveux, et même pour les yeux, étaient considérés comme un art majeur au sud des montagnes. Ils jouaient un rôle essentiel dans le culte mystérieux de la déesse mère comme dans les rites moins secrets du théâtre profane, ils avaient toujours été au centre de l'histoire complexe et tumultueuse d'un pays déchiré par la religion.

Baerd se garda de lui révéler ce qu'Alessan et lui faisaient là-bas, comment ils avaient eu accès à cet art secret et où ils s'étaient procuré le matériel nécessaire.

Catriana l'ignorait également, ce qui consola un peu Devin. Un après-midi, ils avaient posé la question à Alessan, qui leur avait répondu par une formule dont il devait user et abuser au cours de l'automne et de l'hiver.

« Au printemps », avait dit Alessan. Au printemps, bien des énigmes s'éclairciraient d'une façon ou d'une autre. Il se préparait un événement d'importance, et il leur faudrait attendre jusque-là. Il ne voulait pas en parler pour le moment. Avant les Quatre-Temps de printemps, ils allaient rompre avec leur circuit habituel, qui les menait d'Astibar au Ferraut en passant par la Tregea, pour se diriger vers le sud et traverser les vastes plaines céréalières du Certando. Dès lors, beaucoup de choses risquaient de changer. D'une façon ou d'une autre, avait-il répété.

Il avait dit tout cela dans le plus grand sérieux, bien qu'il fût d'ordinaire très prompt à sourire.

Catriana avait alors secoué sa chevelure et ouvert grand ses yeux bleus pour lui lancer un regard entendu et désapprobateur.

« C'est à cause d'Aliénor, non ? » avait-elle alors demandé. La remarque ressemblait beaucoup à une accusation. « De cette femme au château Borso ?

— Mais non, chère Catriana, avait répondu Alessan avec une moue de surprise amusée. Nous ferons une halte à Borso, mais cela n'a rien à voir avec elle. Si je ne savais pas ce que je sais, si je n'étais pas persuadé que ton cœur appartient tout entier à Devin, je dirais que tu es jalouse, ma chérie. »

La plaisanterie avait produit l'effet requis et Catriana s'était éloignée en fulminant. Devin, presque aussi embarrassé, avait bien vite changé de sujet. Alessan avait cet effet-là sur tout le monde. Il y avait, au-delà de sa courtoisie naturelle et sincère, de son sens authentique de la camaraderie, une ligne qu'ils avaient appris à ne pas essayer de franchir. Il était rarement brutal, mais ses plaisanteries, qui lui permettaient d'évaluer la maîtrise de soi de ses interlocuteurs, pouvaient blesser durablement. Le duc lui-même avait découvert qu'il était des sujets sur lesquels il valait mieux ne pas trop le titiller. Celui-ci en faisait partie, s'avérait-il et, quand ils lui eurent posé la question, le duc leur avait répondu qu'il ne savait pas davantage qu'eux ce qui allait se passer au printemps.

Tandis que l'automne faisait place à l'hiver et que la pluie puis la neige s'installaient sur la péninsule, Devin prit conscience qu'Alessan était le prince d'un pays qui se mourait un peu plus chaque jour. Dans les circonstances présentes, songea-t-il, le plus étonnant n'est pas qu'Alessan ait son jardin secret mais que nous puissions nous permettre d'aller aussi loin avant d'atteindre les territoires protégés qui s'étendent à l'intérieur.

Cet hiver-là, Devin commença le long apprentissage de la patience. Il s'entraîna à attendre le moment opportun pour poser ses questions, voire même à les garder pour lui et à essayer de trouver les réponses tout seul. Alors, si certaines choses ne devaient prendre tout leur sens qu'au printemps, il patienterait jusque-là. En attendant, il s'investit entièrement dans ce qu'ils faisaient, avec un enthousiasme effréné qu'on ne lui soupçonnait pas.

Une épée avait été plantée dans son âme lors de cette fameuse nuit étoilée, dans le bois des Sandreni.

Il ignorait complètement ce qui l'attendait lorsqu'ils s'étaient mis en route cinq jours plus tard dans la carriole de Rovigo attelée à un cheval, en emmenant trois autres chevaux. Ils étaient censés se rendre au Ferraut pour livrer un lit et plusieurs sculptures sur bois de la Triade. Taccio avait informé Rovigo qu'il était en mesure de vendre des bois sculptés d'Astibar à des marchands de la Palme occidentale et de réaliser un joli profit. D'autant plus que les objets religieux n'étaient pas soumis à la même taxation que les autres : les deux sorciers souhaitaient ainsi apaiser le clergé, le neutraliser même, et leur tentative avait été couronnée de succès.

Au cours de l'automne et de l'hiver, Devin en apprit long sur le commerce et dans bien d'autres domaines. Armé de sa patience toute neuve, acquise au prix de gros efforts, il écoutait en silence tandis qu'Alessan et le duc mettaient à profit les longues heures passées sur les routes pour lancer mille et une idées et, à partir d'un simple concept, élaborer un plan bien au point ;

c'était comme s'ils changeaient des pierres mal taillées en diamants. Et, même si la nuit il rêvait de lever une armée, de libérer Tigane et de prendre d'assaut les murs légendaires de Chiara, il ne tarda pas à comprendre, dans la froideur du jour, que leur tactique serait nécessairement très différente.

Ce qui expliquait pourquoi ils étaient encore à l'est et non à l'ouest, et mettaient à exécution les plans d'Alessan et de Sandre, qui scintillaient comme autant de petits diamants, pour déstabiliser le royaume d'Alberico. Un jour qu'elle avait daigné lui adresser la parole, sans qu'il sût ce qu'il avait fait pour mériter pareil honneur, Catriana lui confia qu'Alessan faisait preuve d'une attitude nettement plus agressive que l'année précédente lorsqu'elle s'était jointe à lui. Devin suggéra que c'était peut-être dû à l'influence de Sandre, mais Catriana secoua la tête. Certes, l'influence de Sandre n'était pas négligeable, mais il y avait autre chose, une nouvelle urgence dont elle ignorait l'origine.

Devin haussa les épaules et lui rappela qu'il leur suffirait d'attendre le printemps pour être fixés. Elle lui lança un regard furieux, comme s'il lui faisait un affront en affichant pareille sérénité.

C'était Catriana cependant qui, au début de l'hiver, avait imaginé l'action la plus percutante qu'ils avaient jamais menée : le faux suicide en Tregea. Et c'était elle qui avait eu l'idée de laisser une liasse des textes que ce jeune poète avait écrits à la gloire des Sandreni. Un certain Adreano, leur avait révélé Alessan avec une retenue inhabituelle chez lui : son nom figurait sur la liste des douze poètes condamnés sans raison au supplice de la roue le jour où Alberico avait décidé de punir tous les auteurs de vers subversifs, les avait informés Rovigo. Alessan s'était montré singulièrement affecté par la nouvelle.

Il y avait une autre information dans la lettre de Rovigo, outre la chronique économique et commerciale qui leur servait de couverture. La missive les attendait dans une taverne du nord de la Tregea qui servait de

boîte aux lettres à la plupart des marchands voyageant
au nord-est de la péninsule. Eux-mêmes se dirigeaient
vers le sud, en répandant autant qu'ils le pouvaient la
nouvelle d'une grogne inhabituelle dans l'armée d'Alberico. Rovigo paraissait certain qu'une augmentation des
impôts était imminente, pour répondre à la demande
des mercenaires insatisfaits. Sandre, qui de toute évidence comprenait étonnamment bien les réactions du
tyran, confirma l'hypothèse.

Après dîner, alors qu'ils étaient seuls autour du feu,
Catriana fit sa proposition. Devin en fut stupéfait. Il
n'ignorait pas qu'à Tregea les ponts sont très élevés et
les eaux du fleuve en dessous très rapides. Et l'hiver
était là, qui apportait chaque jour un peu plus de froid.

Alessan, très affecté par les nouvelles en provenance
d'Astibar et manifestement du même avis que Devin,
rejeta purement et simplement la proposition. Catriana
lui fit remarquer que, primo, elle avait été élevée au
bord de la mer et nageait mieux que n'importe lequel
d'entre eux et que, secundo, un saut tel que celui-ci
s'intégrerait à la perfection dans l'atmosphère qu'ils
essayaient de créer dans la Palme orientale.

« C'est parfaitement exact, avait déclaré Sandre, je
suis obligé de le reconnaître. »

Alessan accepta à contrecœur de se rendre à la ville
de Tregea pour inspecter le fleuve et les ponts.

C'est ainsi qu'un soir, moins d'une semaine plus
tard, Devin et Baerd allèrent s'allonger à un endroit
précis de la berge, parmi les ombres crépusculaires. Ils
étaient terriblement loin du pont choisi par Catriana,
jugea Devin ; surtout avec ce vent et ce froid, tandis
que la nuit tombait brusquement et que les eaux du
fleuve défilaient plus vite encore, des eaux profondes,
noires, glaciales.

Pour tromper la longueur de l'attente, il avait essayé
en vain d'y voir clair dans la complexité des sentiments
qu'il éprouvait pour Catriana. Mais il avait trop peur et
trop froid.

Il savait simplement que son cœur avait bondi, mû par un mélange de soulagement, d'admiration et d'envie, lorsqu'il l'avait vue remonter sur la berge à l'endroit exact où ils se trouvaient. Elle tenait encore sa perruque à la main, de peur qu'elle restât accrochée quelque part où on pourrait la retrouver. Devin la fourra dans le sac dont il avait la charge, pendant que Baerd frictionnait vigoureusement le corps tremblant de Catriana et lui faisait enfiler plusieurs épaisseurs de vêtements, tous ceux qu'ils avaient apportés. Devin la regarda : elle ne maîtrisait pas son tremblement, elle était presque bleue de froid et claquait des dents. Il se sentit alors fier d'elle, non plus envieux.

Cette femme était originaire de Tigane comme lui. Le monde l'ignorait encore, mais tous deux s'employaient à le lui faire savoir, même si leur message restait encore elliptique.

Le lendemain matin, ils sortaient de la ville dans le grincement de leurs deux charrettes ; ils remontaient au nord-ouest, en direction du Ferraut, avec un plein chargement de khav des montagnes. La neige tombait en flocons légers. Derrière eux, la ville était dans un état d'effervescence collective et d'agitation, suite au suicide de cette inconnue aux cheveux bruns, originaire de la campagne environnante. Après cet épisode, Devin éprouva une difficulté croissante à se montrer cassant ou mesquin envers Catriana ; du moins la plupart du temps. Elle-même continuait à se comporter parfois comme s'il n'existait pas.

Il avait du mal à se convaincre qu'ils avaient bel et bien fait l'amour, qu'il avait réellement senti sa bouche se poser tendrement sur la sienne et ses mains lui caresser les cheveux et le serrer contre elle tandis qu'il la pénétrait.

Ils n'en parlaient jamais, bien entendu. Il ne l'évitait pas, ni ne recherchait sa compagnie ; ses humeurs étaient par trop imprévisibles, et il ne savait jamais quelle réaction il risquait de provoquer. Avec la patience qui le caractérisait désormais, il ne voyait pas d'objection à ce qu'elle vînt s'asseoir à côté de lui dans une des charrettes ou devant la cheminée d'une taverne, quand l'envie l'en prenait. Cela lui arrivait quelquefois.

Lorsqu'ils passèrent dans la ville de Ferraut pour la troisième fois cet hiver-là, ils furent tous merveilleusement nourris par Ingonida, qui ne tarissait pas d'éloges sur son nouveau lit. La femme de Taccio ne cessait de manifester une sollicitude toute particulière pour le duc grimé en homme noir – un détail qui n'échappa pas à Alessan. Et, quand le duc et lui étaient seuls, Alessan prenait plaisir à le taquiner à ce sujet. Taccio, quant à lui, s'était montré tout à fait prodigue de son vin.

Du courrier en provenance d'Astibar les attendait ; deux lettres exactement, dont l'une sentait extraordinairement bon, malgré tout le temps qu'elle avait mis à leur parvenir.

Alessan, le sourcil savamment arqué, présenta l'enveloppe bleue et parfumée à Devin avec une mimique infiniment suggestive. Ingonida roucoula et joignit les mains en un geste manifestement destiné à exprimer le ravissement amoureux. Taccio, rayonnant, remplit le verre de Devin.

Le parfum, de toute évidence, était celui de Selvena. L'expression de Devin, lorsqu'il prit possession de l'enveloppe, était sans doute significative car Catriana se mit à rire. Il s'appliqua à ne pas la regarder.

La lettre de Selvena – une seule phrase écrite à toute allure – ressemblait étrangement à son auteur. Elle y faisait néanmoins une allusion si claire que Devin refusa tout net lorsque les autres lui demandèrent s'ils pouvaient lire la missive.

Il fut bien forcé d'admettre, par contre, que les cinq lignes bien rédigées qu'Alaïs avait jointes à la lettre de son père le touchaient davantage. D'une petite écriture régulière, presque professionnelle, elle lui disait simplement qu'elle était tombée sur une variante du *Lamento pour Adaon* dans l'un des temples du dieu, à Astibar.

Elle l'avait recopiée et attendait impatiemment de partager cette découverte avec eux, lors de leur prochain passage dans sa province. Elle avait signé de ses seules initiales.

Rovigo, quant à lui, racontait que la ville d'Astibar était particulièrement calme depuis que les douze poètes avaient été exécutés et exposés sur la grand-place, parmi les parents des conspirateurs. Il indiquait que le prix du blé ne cessait de grimper, qu'ils pouvaient lui envoyer autant de vin vert de Senzio qu'ils pourraient en acheter au prix usuel, et enfin qu'Alberico ne tarderait pas à annoncer auquel des chefs de son armée il allait faire don de la majeure partie des terres confisquées aux Nievolene. Il avait une bonne nouvelle à leur annoncer : la toile de Senzio, qui restait encore en dessous du prix normal, risquait fort d'augmenter dans les prochains mois.

C'est en apprenant ce qu'il allait advenir des terres Nievolene qu'Alessan et le duc partirent dans une discussion qui donna naissance à une étincelle de génie.

Et c'est cette étincelle qui devait provoquer le fameux incendie.

Ils filèrent tous les cinq sur la route bien entretenue qui montait au Senzio avec un autre lot d'objets religieux. Le profit réalisé sur les statuettes leur permit de faire provision de vin vert et d'acheter de la toile à un prix fort intéressant. C'était Baerd, aussi surprenant que cela pût paraître, qui marchandait le mieux. Puis ils revinrent sur leurs pas au plus vite et se rendirent chez Taccio, après avoir payé les nouvelles taxes – des sommes exorbitantes – aux frontières de la province et aux murs de la ville.

Une autre lettre les attendait. Parmi les informations commerciales destinées à masquer les autres, Rovigo rapportait que le nom du bénéficiaire des terres Nievolene serait connu avant la fin de la semaine. Ses sources étaient fiables, précisait-il. La lettre avait été écrite cinq jours plus tôt.

Ce soir-là, Alessan, Baerd et Devin empruntèrent un troisième cheval à Taccio, trop heureux de ne rien savoir de leurs intentions pour poser des questions, et entreprirent la longue chevauchée jusqu'à la frontière de l'Astibar ; dès qu'ils eurent pénétré dans la province, ils se glissèrent dans le fossé bordant l'allée qui menait aux grilles de la propriété des Nievolene.

Sept jours plus tard, ils étaient de retour avec une nouvelle charrette et un chargement de laine brute pour Taccio. Tout le monde était déjà au courant de l'incendie. On ne parlait que de cela, rapporta Sandre. Dans les tavernes, quelques rixes avaient déjà éclaté entre soldats de la première et de la deuxième compagnies.

Ils laissèrent la nouvelle charrette chez Taccio et prirent congé ; cette fois, ils s'en retournaient tranquillement vers la Tregea et n'avaient pas besoin de troisième charrette. Après tout, ils n'étaient que de modestes marchands associés qui gagnaient tout juste leur vie, étant donné les taxes et les impôts qui pesaient sur eux. Ils en parlaient haut et fort, le plus souvent dans des lieux publics. Quelquefois avec une franchise qui déconcertait leur auditoire.

Alessan se querellait avec le guerrier khardhu si prompt à manier le sarcasme, puis le prenait à son service. Ils répétèrent la scène dans une douzaine d'auberges et de tavernes au hasard de la route. Quelquefois Devin jouait un rôle, quelquefois Baerd le remplaçait. Ils prenaient garde à ne jamais se produire deux fois au même endroit. Catriana tenait un journal où elle notait précisément les noms des établissements où ils s'étaient arrêtés et ce qu'ils y avaient dit ou fait. Devin l'avait assurée qu'on pouvait compter sur sa mémoire, mais cela ne l'empêcha pas de continuer à prendre des notes.

En public, le duc disait s'appeler Tomaz. Sandre était un nom déjà trop peu répandu dans la Palme et, pour un mercenaire originaire du Khardhun, c'eût été prendre un risque certain que de le porter. Devin était resté songeur quand, au cours de l'automne, le duc leur avait indiqué son choix. Il se demandait comment on pouvait vivre après avoir été contraint de tuer son seul fils encore de ce monde. Et, sachant que tous ceux qui appartenaient à sa famille de près ou de loin étaient morts écartelés sur les roues de Barbadior, il essayait d'imaginer ce que pouvait bien ressentir le duc.

La vie, le fait même d'exister, avec toutes les conséquences que cela entraînait, lui apparut comme un processus de plus en plus complexe et douloureux pendant l'automne et l'hiver qui suivirent. Il pensait souvent à Marra, arrachée à la vie de manière arbitraire avant d'avoir pu atteindre l'âge mûr et l'accomplissement. Son absence lui était comme une douleur sourde qui, à certains moments, devenait un poids trop lourd pour lui. Avec elle et elle seule il eût pu aborder les sujets qui le préoccupaient. Les autres avaient leurs propres soucis et il ne voulait pas leur imposer les siens. Il se demanda si Alaïs, fille de Rovigo, aurait compris les difficultés avec lesquelles il se débattait. Il se dit que non ; elle menait une existence trop protégée, trop éloignée des réalités du monde pour se poser de telles questions. Une nuit cependant, il rêva d'elle. Un ensemble d'images aussi intenses qu'inattendues défila dans sa tête. Le matin suivant, il était assis à côté de Catriana, dans la charrette de tête, inhabituellement calme, ému, exalté même par la proximité de la jeune femme dont la chevelure se teintait de pourpre dans la pâleur du paysage hivernal.

Il lui arrivait de penser au soldat dans la grange des Nievolene qui, après avoir perdu aux dés, était allé se retirer dans cet endroit solitaire, loin des rires et des chants, avec pour seule consolation une carafe de vin, et s'était fait trancher la gorge pendant son sommeil. Ce soldat était-il venu au monde uniquement pour permettre à Devin de Tigane de réussir un rite de passage ?

Cette pensée le perturbait terriblement. Puis, après l'avoir tournée et retournée dans sa tête pendant les longs trajets au cœur de l'hiver, Devin en arriva à la conclusion qu'il se trompait. L'homme avait eu des relations avec bien d'autres gens de son vivant; il avait donné du plaisir, et du chagrin sûrement, il avait fait l'expérience de l'un et de l'autre à son tour. Les circonstances de sa mort ne déterminaient pas le sens de son voyage sous les lumières d'Eanna, quel que soit le nom qu'on donnait à ce voyage dans l'empire de Barbadior.

Il n'était pas facile d'y voir clair cependant. Stevan d'Ygrath avait-il vécu et péri afin que, mû par un immense chagrin, son père entreprît de détruire une petite province, son peuple et le souvenir de leur existence ? Le prince de Tigane était-il né uniquement pour lever l'épée meurtrière qui avait été à l'origine de tout cela ?

Et que dire du plus jeune fils d'un fermier asolien qui avait fui Avalle quand la ville fut renommée Stévanie ? L'écheveau n'était certes pas facile à démêler.

Un matin qu'ils se trouvaient au Senzio et sentaient pour la première fois quelques signes annonciateurs quoique encore discrets du printemps, Baerd revint de la célèbre foire aux armes avec une belle épée, bien conçue, qu'il destinait à Devin. La garde était incrustée d'une pierre noire. Il ne fit aucun commentaire, mais Devin savait que ce cadeau était lié à ce qui s'était passé dans la grange des Nievolene. Il ne lui permit pas de répondre aux questions nouvelles qu'il se posait, mais l'aida néanmoins. Baerd entreprit de lui donner des leçons sur le bord de la route, pendant la pause du déjeuner.

Devin se faisait du souci pour Baerd, en partie parce qu'il savait qu'Alessan s'en faisait.

La première impression qu'il avait eue dans le pavillon de chasse était presque entièrement erronée ; Baerd n'était pas l'homme blond, grand et fort, intimidant de calme et de compétence qu'il s'était tout d'abord imaginé. Brun, plutôt mince, certes compétent dans un nombre assez incroyable de domaines pour continuer à impressionner Devin au bout de six mois, il n'était pourtant pas si calme qu'il en avait l'air. Circonspect, prudent, oui, mais certainement pas imperturbable. Refermé sur la blessure avec laquelle il vivait depuis si longtemps.

D'une certaine manière, Alessan manifestait moins de raideur. Le prince trouvait une source de détente dans les conversations, les rires, mais surtout, surtout, dans la musique. Baerd, lui, n'avait pas d'exutoire ; il avançait dans un univers modelé et constamment re-modelé autour d'une seule réalité : la disparition de Tigane.

Parfois il partait seul dans la nuit, s'éloignant du feu qu'ils avaient fait en bordure du chemin, renonçant à dormir. Il se levait sans prévenir, précis dans ses gestes et discret, pour disparaître seul dans l'obscurité.

« J'ai connu un homme comme lui », dit Sandre gravement après que Baerd eut quitté le confort d'une chambre d'auberge pour errer dans une nuit d'hiver enveloppée de brume, dans les collines à proximité de Borifort, en Tregea. « Il avait besoin de s'éloigner, d'être seul, pour lutter contre le besoin de tuer.

— Il s'agit peut-être du même phénomène, du moins en partie », fit Alessan.

Songes d'hiver, ambiance de nuit d'hiver.

Mais le printemps était là maintenant et, à mesure que la sève montait de la terre et grimpait, verte et or, dans la lumière tiède, Devin sentait son humeur se radoucir, s'harmoniser avec la nature en ébullition.

Attendez le printemps, leur avait répété Alessan tandis qu'ils cheminaient parmi les bruns et les rouges des arbres d'automne, et les vignes nues, dépouillées de leur butin. Et voilà que le printemps arrivait à grands pas ; les Quatre-Temps étaient proches, et ils roulaient enfin vers le Certando, vers des réponses, quelles qu'elles fussent, à leurs questions.

Devin ne parvenait ni n'aspirait à faire taire certaine impression qui montait en lui, comme la sève dans les bois verts, et lui soufflait que les événements qu'il attendait sans en connaître la nature étaient imminents.

Assis dans la seconde charrette à côté de Baerd, il se sentait terriblement vivant et gonflé d'une certaine importance. Devant eux, les reflets du soleil dans les cheveux de Catriana avaient un effet étrange et merveilleux sur lui. Il sentit le regard insistant et curieux de Baerd se poser sur lui et surprit un petit sourire sur les lèvres de son compagnon. Il s'en moquait. Il en était même content. Baerd était son ami.

Devin se mit à chanter. Une très vieille ballade, *la Chanson du pèlerin* :

Me voici bien loin de la maison où je suis né,
Sur ce qui n'est qu'une autre piste sinueuse,
Mais quand le soleil descendra les deux lunes se
lèveront
Et les étoiles d'Eanna m'entendront dire mon his-
toire...

Alessan, quelle que fût son humeur, était toujours prêt à faire de la musique et, effectivement, dès le second couplet, Devin entendit la flûte trégéenne l'accompagner. Il tourna la tête et vit le prince arriver à leur hauteur et lui adresser un clin d'œil.

Catriana leur lança un regard désapprobateur. Devin lui sourit et haussa les épaules, et soudain la flûte d'Alessan s'emballa : le rythme soutenu l'invitait à les rejoindre. Catriana ne parvint pas à étouffer un sourire. Elle se joignit à eux au troisième couplet et suggéra la chanson suivante.

Plus tard, au cours de l'été qui suivrait, Devin évoquerait souvent cette image de leur petite troupe se mettant en mouvement aux premières heures du jour, avant une longue chevauchée vers le sud, et, à ce seul souvenir, il se sentirait soudain très vieux.

Mais, ce jour-là, il était jeune. Ils l'étaient tous d'une certaine manière, même Sandre, qui entonnait avec eux les refrains qu'il connaissait d'une voix de baryton acceptable. Il renaissait dans sa nouvelle identité, il espérait de nouveau voir aboutir un vieux rêve qui n'avait rien perdu de sa vitalité.

Devin prit l'initiative de la troisième chanson et fit monter sa voix pure et aiguë pour les guider le long de la piste sinueuse et ensoleillée qui menait au Certando, à la mystérieuse dame du château Borso et à ce qu'Alessan entendait trouver dans les montagnes.

Mais, à l'approche du crépuscule, ils dépassèrent un voyageur.

Ce qui n'avait rien d'étonnant en soi. Ils étaient encore au Ferraut, dans la région peuplée du nord de Fort-Ciorone, où les routes fort empruntées en provenance de la Tregea et de la Corte croisent l'axe nord-sud sur lequel ils cheminaient. Les voyageurs solitaires, par contre, étaient si rares que Devin et Baerd passèrent aussitôt les bas-côtés de la route au peigne fin pour vérifier que l'homme n'avait pas quelque compagnon embusqué dans le fossé.

Une précaution de routine : ils étaient dans une région où les voleurs ne faisaient pas de vieux os et, de toute façon, il faisait encore jour. Puis, tandis qu'ils approchaient du voyageur, Devin aperçut la petite harpe qu'il portait sur son dos. Un troubadour. Devin eut un sourire car les troubadours étaient toujours d'une compagnie agréable.

L'homme s'était retourné et attendait qu'ils arrivent à sa hauteur. Et, lorsque Catriana arrêta la charrette de tête devant lui, il lui fit une révérence d'une grâce si raffinée qu'elle paraissait pour le moins incongrue ici, au bord de cette route solitaire.

« Cela fait un mille que je me régale de votre musique, fit-il en se redressant. Et je dois dire que vous voir est encore plus délectable que vous entendre. » C'était un homme grand et plus très jeune, avec de longs cheveux grisonnants et des yeux vifs. Il adressa à Catriana un de ces sourires qui avaient fait la réputation des troubadours de la Palme. Il avait les dents blanches et régulières dans un visage à la peau tannée.

« Vous profitez de l'arrivée du printemps pour descendre vers le sud ? demanda-t-elle en souriant poliment à ses compliments. Le parcours traditionnel ?

— En effet, répondit-il. Le parcours traditionnel, au bon moment. Et je n'ai pas envie d'avouer à une jeune personne aussi jolie que vous depuis combien d'années je le fais, ce parcours. »

Devin, assis dans l'autre charrette près de Baerd, sauta à terre et s'approcha de l'homme pour vérifier quelque chose. « Je pourrais peut-être deviner, dit-il en souriant, car je crois vous reconnaître. Nous avons fait la saison des mariages ensemble au Certando, il y a deux ans de cela. N'étiez-vous pas harpiste chez Burnet di Corte ? »

L'homme l'examina des pieds à la tête de ses yeux vifs. « Effectivement, répondit-il. Je m'appelle Erlein di Senzio et j'ai bel et bien passé une saison dans la troupe de ce maudit Burnet. Puis il m'a spolié d'une partie de mes gages, et j'ai décidé de retourner à la solitude. Je me disais bien que ces voix derrière moi appartenaient à des professionnels. Vous êtes… ?

— Devin d'Asoli. » Il mentit facilement. « J'ai passé plusieurs années dans la troupe de Menico di Ferraut.

— Et de toute évidence vous êtes passé à autre chose de plus lucratif, conclut Erlein en jetant un coup d'œil aux charrettes remplies de marchandises. Menico est-il toujours sur les routes ? Et plus gros que jamais ?

— Je répondrai à vos deux questions par l'affirmative, fit Devin en dissimulant le sentiment de culpabilité qui l'assaillait chaque fois qu'il songeait à son ancien directeur. Burnet n'a pas renoncé non plus, autant que je sache.

— Maudit bonhomme, fit doucement Erlein. Il me doit de l'argent.

— Eh bien, fit Alessan du haut de sa monture, nous ne pouvons pas vous aider sur ce point, mais nous pouvons vous conduire à Ciorone et vous y trouver un lit avant le couvre-feu. Montez dans la charrette avec

Baerd », s'empressa-t-il d'ajouter, sachant qu'Erlein avait remarqué la place vacante à côté de Catriana.

« Je vous suis très reconnaissant… commença Erlein.

— Je n'aime pas Fort-Ciorone, intervint brusquement Sandre. On a tôt fait de vous y rouler, et trop de gens ne tardent pas à savoir où vous allez et ce que vous transportez. Trop de gens louches. Il ne fera pas froid cette nuit, et je crois que nous serons mieux ici. »

Devin regarda le duc d'un air surpris. C'était la première fois qu'il l'entendait formuler une telle objection.

« Mais enfin, Tomaz, je ne vois vraiment pas… dit Alessan.

— Tu m'as pris à ton service, marchand, grogna Sandre. Tu m'as demandé de remplir certaine tâche et c'est exactement ce que je suis en train de faire. Alors, si tu ne veux pas m'écouter, paye-moi ce que tu me dois et je trouverai un autre client. » Ses yeux lançaient des éclairs du fond de leurs orbites dans le visage noirci.

Il s'était exprimé sur un ton qui n'admettait pas de réplique.

Sandre savait ce qu'il faisait, même si ses raisons n'étaient pas évidentes.

« Un peu de courtoisie si tu veux bien, fit Alessan d'une voix cassante en guidant son cheval directement en face de celui du duc, ou je vais te laisser partir en effet, offrir les services de ta vieille carcasse à quelqu'un d'assez bête pour te supporter. J'ai trouvé le moyen, ajouta-t-il en se tournant vers Erlein, de rencontrer le plus arrogant parmi les Khardhus qui sillonnent les routes de la Palme.

— C'est inhérent à leur nature, répondit le troubadour en hochant la tête. Tout comme l'épée courbe. »

Alessan se mit à rire. Et Devin, suivant son exemple, rit à son tour.

« Il reste une bonne heure avant la tombée de la nuit, fit Baerd d'une voix geignarde. Cela suffit largement pour atteindre le fort. Alors pourquoi dormir par terre ? »

Alessan soupira. « Je sais, je sais, mais nous ne connaissons pas ce trajet, contrairement à Tomaz. Il me faut suivre ses conseils ou alors ce n'était pas la peine de l'embaucher. » Il se tourna vers Erlein et haussa les épaules. « Dommage pour vous.

— Bah, je me débrouillerai, fit le troubadour en souriant. De toute façon, je ne comptais pas passer la nuit à Fort-Ciorone.

— Pourquoi ne pas partager notre feu de camp ? » intervint Devin en espérant qu'il avait correctement interprété le regard du duc. Il n'était toujours pas certain de ce que Sandre avait en tête.

Erlein les surprit en rougissant ; il semblait gêné. « Je vous remercie, fit-il, mais je n'ai pas d'offrande, ni pour le foyer ni pour la table.

— Eh bien, votre remarque prouve que vous êtes sur les routes depuis un bout de temps, dit Sandre d'une voix plus calme. Cela fait des années que je n'ai pas entendu un natif de la Palme utiliser cette expression. C'est une tradition oubliée que celle-là.

— Vous avez une harpe, non ? » dit Catriana au moment opportun, de sa voix la plus avenante. Elle regarda Erlein droit dans les yeux pendant un moment, avant de baisser sagement la tête.

« En effet », répondit le troubadour un instant plus tard, confirmant ainsi ce qui était évident. Il mangeait Catriana des yeux.

« Alors vous n'avez certes pas les mains vides, fit Alessan d'une voix décidée. Devin et ma sœur chantent, comme vous avez pu vous en rendre compte, et je ne me débrouille pas trop mal avec cette flûte. Après dîner, le son d'une harpe au clair de lune sera un vrai bonheur.

— N'en dites pas plus, l'interrompit Erlein. Je préfère de loin rester en votre compagnie que de radoter tout seul dans mon coin. »

Alessan éclata de rire à nouveau.

« Il y a des arbres là-bas à l'ouest, et un ruisseau, si mes souvenirs sont exacts, fit Sandre. Un endroit idéal pour camper. »

Avant que quiconque ait eu le temps de dire un mot, Erlein avait sauté dans la charrette à côté de Catriana. Devin s'apprêtait à faire une remarque ; il s'en abstint en surprenant le geste discret mais pressant de Sandre.

Catriana quitta la route et prit à l'ouest, afin de les conduire vers le bosquet que le duc avait mentionné. Devin l'entendit rire à une réflexion du troubadour.

Il regardait Sandre, cependant. Tout comme Alessan et Baerd.

Le duc, lui, observait Erlein qui leur tournait le dos ; d'un geste bref, il leva la main gauche en repliant soigneusement les troisième et quatrième doigts.

Il fixa Alessan du regard, puis l'homme assis à côté de Catriana.

Devin ne comprenait pas. S'agissait-il d'un serment ? Il ne savait comment interpréter ce geste.

Sandre baissa la main, mais ne détacha pas son regard de celui d'Alessan : un regard étrange, porteur d'un défi. Soudain, le prince pâlit.

Et, au même instant, Devin comprit.

« Oh, Adaon, murmura Baerd d'une voix aiguë, tandis que Devin sautait dans la charrette à côté de lui. Je n'arrive pas à y croire ! »

Devin n'y parvenait pas davantage.

Car Sandre leur signifiait sans détours qu'Erlein était magicien. Un de ceux qui s'étaient coupé deux doigts en signe d'appartenance à la magie de la Palme.

Or Alessan, fils de Valentin, était un authentique prince de Tigane. Ce qui voulait dire, si la vieille légende d'Adaon et de Micaela était véridique, qu'il pouvait s'attacher les services d'un magicien. Devin se souvint que Sandre était resté sceptique dans le pavillon de chasse, à l'automne précédent.

Mais voilà qu'il donnait à Alessan une chance de lui prouver qu'il avait tort. Ce qui expliquait l'étincelle de défi dans son regard.

Une chance, ou du moins un embryon de chance. Devin réfléchit plus vite que jamais et se tourna vers

Baerd. « Suis mon exemple quand nous arriverons là-bas, dit-il à voix basse. J'ai une idée. » Plus tard, il aurait le temps de méditer sur les changements qui s'étaient opérés au cours des six derniers mois. Six petits mois, des Quatre-Temps d'automne à ceux de printemps, mais qui lui permettaient de s'adresser à Baerd comme il venait de le faire ; mieux encore, de se faire écouter…

Il y avait bel et bien un petit cours d'eau ; Sandre devait le savoir, ou peut-être l'avait-il tout simplement deviné. Ils s'arrêtèrent non loin de la rive. Chacun vaqua aussitôt aux occupations habituelles en cette fin de journée : Catriana s'occupa des chevaux et Devin du bois. Alessan et le duc déplièrent les couvertures et sortirent les ustensiles de cuisine ainsi que les provisions qu'ils transportaient.

Baerd prit son arc et disparut dans le bois. Vingt minutes plus tard tout au plus, il était de retour avec trois lapins et un grèbe bien gras, les ailes coupées.

« Impressionnant, commenta Erlein qui se tenait à proximité de Catriana et des chevaux.

— Vous me paierez en musique », dit Baerd en esquissant un de ses rares sourires ; un de ceux qu'il réservait généralement aux commerçants dans les foires, lorsqu'il entendait marchander avec eux.

Devin observait Erlein aussi discrètement que possible. Quand il avait la main gauche du troubadour dans sa ligne de mire – malheureusement elle était constamment en mouvement –, il lui semblait distinguer un flou étrange, comme si l'air tout autour ne circulait plus normalement.

Il attendait le retour de Baerd avec une impatience telle que, lorsque celui-ci se présenta, il n'y tint plus.

« Dis donc, fit-il en souriant au chasseur, tu ressembles de plus en plus aux animaux que tu chasses et tu feras bientôt peur à tous les marchands un tant soit peu civilisés que nous croiserons. Tu as besoin d'une bonne coupe de cheveux si tu veux être présentable, mon ami. »

Baerd ne traîna pas.

« À ta place, je me tairais, polisson, répondit-il du tac au tac en lançant sa proie à Sandre, qui se tenait près de la pile de bois destinée à faire du feu. Tu ferais mieux de te regarder. Ou s'agit-il d'un souci délibéré d'apparaître le plus débraillé possible afin d'effrayer Aliénor à Borso ? »

Alessan éclata de rire. Erlein également.

« Il en faut davantage pour effrayer Aliénor, gloussa le troubadour. Et ce garçon a exactement l'âge requis.

—Qu'entends-tu par là ? demanda Alessan avec un sourire sournois. Que tout garçon de plus de douze ans en bonne santé fait son affaire ?

—Je n'aime pas ça, dit Catriana d'un air un peu hautain tandis que les cinq hommes riaient.

—Pardon, dit Alessan en essayant de garder son sérieux tandis qu'elle venait se placer juste en face de lui, les mains aux hanches.

—Tu ne m'as pas l'air repenti pour deux sous, et pourtant tu devrais l'être, fit Catriana d'une voix cassante. Tu sais très bien que j'ai horreur de ce genre de remarques. De quoi ai-je l'air, moi, quand tu tiens des propos pareils ? Et tu ne le fais que désœuvré ; alors occupe-toi ! Coupe les cheveux de Devin. Il est vraiment hirsute, je ne l'avais encore jamais vu dans cet état.

—Moi ? protesta Devin sur un ton effarouché. Mes cheveux ? Que veux-tu dire ? Ceux de Baerd, oui, pas les miens. Tu l'as regardé, lui ? C'est lui qui…

—Vous avez tous besoin d'une bonne coupe », conclut Catriana sur un ton qui n'admettait pas de discussion. Elle scruta d'un regard froid la crinière emmêlée d'Erlein. Elle ouvrit la bouche, hésita, puis la referma et fit mine de se retenir par politesse. Elle jouait parfaitement son rôle. Erlein rougit. De sa main droite il tira maladroitement sur ses mèches qui lui arrivaient aux épaules.

De sa main gauche il n'arrêtait pas de jouer nerveusement avec des cailloux qu'il avait ramassés dans le cours d'eau.

« Je crois, fit Devin d'un air rancunier, que tu as insulté notre invité. Tu pourrais faire un effort pour qu'il se sente un peu mieux accueilli.

— Je n'ai rien dit, Devin ! lança-t-elle, furieuse.

— Ce n'était pas la peine, fit Erlein d'un air piteux. Vos yeux magnifiques ne m'ont guère paru satisfaits du spectacle qui s'offrait à eux.

— Les yeux de ma sœur sont rarement satisfaits de ce qu'ils voient », commenta Alessan sur un ton chagrin. Il était accroupi près d'un des sacs dont il retournait le contenu ; il finit par exhiber une paire de ciseaux et un peigne. Nous avons encore une demi-heure de jour devant nous. Qui sera la première victime ?

— Moi, s'empressa de répondre Baerd. Tu ne toucheras pas à un seul de mes cheveux après le crépuscule, je te le dis tout net. »

Erlein observa d'un œil intéressé tandis qu'Alessan conduisait Baerd sur un rocher près du cours d'eau et lui coupait les cheveux d'une main plutôt experte. Catriana retourna s'occuper des chevaux, non sans avoir lancé au troubadour un autre de ses regards brefs et énigmatiques. Sandre empila savamment le bois pour le feu, et se mit à dépiauter les lapins et à plumer le canard tout en chantonnant.

« Encore un peu de bois, petit », dit-il soudain à Devin sans lever les yeux de son ouvrage. C'était parfait.

Oh, Morian, se dit Devin, sentant un mélange d'excitation et de fierté dans ses veines. *Chacun joue si bien son rôle !*

« Tout à l'heure, se contenta-t-il de répondre en s'allongeant dans l'herbe. Nous en avons assez pour l'instant, et d'ailleurs je suis second sur la liste d'Alessan.

— Certainement pas ! cria Alessan depuis la rivière, bien décidé à profiter de la ruse de Sandre. Va chercher le bois, Devin. Il ne fait plus assez jour pour vous couper les cheveux à tous les trois. Je m'occuperai des tiens demain. Pour l'instant, je me propose de m'attaquer à ceux d'Erlein, s'il est d'accord. Catriana devra supporter ton affreuse personne une nuit de plus.

—Et je crains qu'une coupe de cheveux ne fasse pas grande différence », cria-t-elle de l'autre bout de la clairière. Erlein et Baerd éclatèrent de rire.

Devin marmonna quelque chose, puis se leva et se dirigea vers la réserve de bois sans se presser.

Il entendit la voix d'Erlein derrière lui. « Je vous en serais reconnaissant, disait le troubadour à Alessan. Je n'aimerais pas qu'une autre femme me regarde comme votre sœur vient de le faire.

—Ne faites pas attention à elle, dit Baerd en riant, tout en s'approchant du feu.

—Cela m'est tout à fait impossible », répliqua Erlein d'une voix qui portait suffisamment pour se faire entendre de l'endroit où étaient attachés les chevaux. Il se leva et se dirigea vers le cours d'eau ; il s'assit sur le rocher, juste devant Alessan. Le soleil, pareil à un disque écarlate, se couchait de l'autre côté de la rivière.

Devin, les bras chargés de bois, se dirigea discrètement vers Catriana en faisant des tours et des détours dans les ombres. Elle l'entendit arriver mais continua de brosser la jument baie. Elle ne quittait pas des yeux les deux hommes près de la rivière.

Devin non plus. Plissant les yeux dans la lumière du soleil couchant, il avait l'impression qu'Alessan et le troubadour étaient des statues dans un paysage intemporel. Leurs voix sonnaient étonnamment claires dans le calme du crépuscule approchant.

« Quand vous êtes-vous fait couper les cheveux pour la dernière fois ? demanda Alessan en passant, tout en continuant à tailler dans les longs cheveux gris et emmêlés d'Erlein.

—Je ne m'en souviens pas, avoua le troubadour.

—Eh bien, fit Alessan en riant tandis qu'il se penchait pour mouiller le peigne dans la rivière, nous autres gens de la route ne sommes guère au fait des modes de la cour. Penche un peu la tête de ce côté. Comme cela, c'est bien. Comment te coiffes-tu ? Avec une raie ou les cheveux ramenés en arrière ?

— En arrière de préférence.

— Très bien », fit Alessan tout en approchant les mains du sommet du crâne d'Erlein ; les ciseaux brillaient, éclairés par les derniers rayons du soleil. « C'est une coupe à l'ancienne, mais les troubadours sont censés appartenir à une autre époque non ? Cela fait partie de leur charme. *Au nom d'Adaon, je t'attache à mon service. Je suis Alessan, prince de Tigane ; magicien, tu m'appartiens !* »

Devin fit un pas involontaire en avant. Il vit Erlein qui tentait instinctivement de reculer. Mais la main capable de le soumettre lui tenait la tête, et les ciseaux qui allaient et venaient quelques instants plus tôt s'appuyaient contre sa gorge. Ils l'immobilisèrent un moment, et cela suffit.

« Maudit sois-tu ! » s'exclama Erlein tandis qu'Alessan le relâchait et reculait. Le magicien sauta du rocher comme s'il était brûlant et se retourna pour faire face au prince, les traits déformés par la rage.

Voyant Alessan menacé, Devin se dirigea vers la rivière pour aller quérir son épée. Il vit alors que Baerd avait déjà placé une flèche dans l'encoche de son arc, qu'il pointait vers le cœur d'Erlein. Il ralentit, puis s'arrêta. Sandre était à ses côtés ; il avait sorti l'épée courbe de son fourreau. Devin regarda furtivement le visage sombre du duc et crut y déceler de la peur, sans en avoir l'absolue certitude dans la lumière déclinante.

Il se tourna vers les deux hommes au bord de la rivière. Alessan avait soigneusement posé ses ciseaux et son peigne sur le rocher. Il était immobile, les mains le long du corps, la respiration haletante.

Erlein tremblait littéralement de colère. Devin l'observait ; on aurait dit qu'un masque venait de tomber, car dans l'œil du magicien la haine rivalisait avec la terreur. Sa bouche s'ouvrait et se fermait par spasmes. Il leva la main gauche et la dirigea vers Alessan, en un geste de violente dénégation.

Devin remarqua distinctement cette fois que ses troisième et quatrième doigts avaient été coupés. La marque traditionnelle le liant à la Palme et à sa magie.

«Alessan? appela Baerd.

—Tout va bien. Il n'y a rien qu'il puisse faire contre ma volonté.» La voix d'Alessan paraissait calme, presque détachée, comme si tout cela concernait un autre que lui. C'est alors que Devin comprit que le geste du magicien n'était autre qu'une tentative pour jeter un sort au prince. La magie. Il ne s'en était jamais approché d'aussi près. Il se sentit des picotements dans la nuque, qui ne devaient rien à la brise crépusculaire.

Erlein baissa lentement la main et cessa progressivement de trembler. «Que la Triade te maudisse, dit-il d'une voix basse et sans chaleur. Et maudisse la carcasse de tes ancêtres, ainsi que tes enfants et les enfants de tes enfants pour ce que tu m'as fait.» C'était la voix d'un homme offensé de manière brutale et cruelle.

Alessan ne fléchit ni ne se détourna. «J'ai été maudit il y a dix-neuf ans, ainsi que mes ancêtres et les enfants que moi-même et tous ceux de mon peuple engendreraient. C'est une malédiction que je me suis donné pour but de lever pendant qu'il en est encore temps. C'est pour cette seule et unique raison que je t'ai lié à moi.»

Il y avait quelque chose de tragique dans le visage d'Erlein. «Chaque prince de Tigane digne de ce nom, reprit le magicien avec une profonde amertume, sait depuis le début quel affreux présent le dieu lui a fait. À quel point ce pouvoir sur une âme libre et vivante est primaire. Sais-tu seulement que... » Il fut contraint de s'arrêter, le visage livide, les poings fermés, pour se contrôler. «Sais-tu seulement combien de fois ce pouvoir fut invoqué?

—Deux fois, répondit posément Alessan. Autant que je sache. Les livres anciens font état de deux instances, encore qu'ils aient sûrement tous été brûlés maintenant.

—Deux fois! répéta Erlein d'une voix de plus en plus aiguë. Deux fois en combien de générations depuis qu'il existe des archives sur cette péninsule ? Et toi, petit prince en culottes courtes, sans même une terre sur laquelle régner, tu te permets de faire main basse sur ma vie avec autant de désinvolture et de méchanceté ?

— Non, sans aucune désinvolture. Seulement parce que je n'ai plus de pays, que la Tigane se meurt et disparaîtra à tout jamais si je ne fais rien.

— Et en quoi ce joli petit discours te donne-t-il des droits sur mon existence ?

— J'ai un devoir à accomplir, répondit gravement Alessan, et je dois faire usage de tous les outils dont je dispose.

— Je ne suis pas un outil ! cria Erlein du fond du cœur. Je suis un être vivant et libre, avec son propre destin ! »

Devin, qui observait Alessan, vit à quel point ce cri le touchait. Le silence s'établit. Il vit le prince inspirer prudemment, comme s'il cherchait à équilibrer ce nouveau fardeau sur ses épaules, ce poids supplémentaire qui venait s'ajouter à tous ceux qu'il portait déjà. Et qui augmentait encore le prix qu'il devait payer pour appartenir à la maison de Tigane.

« Je ne vais pas te mentir, te raconter que je suis désolé, dit Alessan en choisissant soigneusement ses mots. Cela fait trop longtemps que je rêve de trouver un magicien. Je me contenterai de te livrer la stricte vérité : je comprends ce que tu viens de me signifier, les raisons de ta haine, et je puis t'assurer que je souffre de ce que la situation exige.

— Elle n'exige rien du tout ! répliqua Erlein, criard et implacable dans son bon droit. Nous sommes des hommes libres. Capables de faire des choix.

— Il est des choix que certains d'entre nous n'avons pas le droit de faire », intervint Sandre de manière surprenante.

Il s'avança et vint se placer juste devant Devin.

« Et certains hommes doivent choisir à la place de ceux qui en sont incapables, soit par manque de volonté, soit par manque de pouvoir. » Il s'approcha des deux autres près de la rivière sombre au murmure régulier. « De même que nous pouvons choisir de ne pas frapper celui qui s'efforce de tuer notre enfant, de même Alessan aurait pu choisir de ne pas lier à son service un magicien utile à son peuple, c'est-à-dire ses enfants. Aucun de ces deux choix, Erlein di Senzio, n'est digne d'un homme d'honneur.

—D'honneur ! » Erlein cracha après avoir prononcé le mot. « En quoi l'honneur lie-t-il un homme du Senzio au sort de la Tigane ? Quel prince peut se permettre de condamner un homme libre à une mort quasiment certaine à ses côtés et parler ensuite d'honneur ? Appelons cela un abus de pouvoir et n'en parlons plus.

—Certainement pas », répliqua le duc de sa voix grave. Il faisait presque noir maintenant, et Devin ne distinguait plus son regard. Derrière eux, Baerd allumait le feu. Les premières étoiles apparurent dans le manteau noir bleuté du ciel. À l'ouest, de l'autre côté de la rivière, une touche de pourpre éclairait encore la ligne d'horizon.

« Certainement pas, répéta Sandre. L'honneur d'un dirigeant, son devoir, résident tout entiers dans le soin qu'il prend de son pays et de son peuple. Il ne se mesure pas autrement. Et le prix à payer, une partie du prix à payer, consiste à aller contre les impératifs de son âme et à faire des choses qui le heurtent profondément. Comme ce que le prince de Tigane vient de te faire. »

Mais la voix d'Erlein revint en flèche, méprisante, peu convaincue : « Et de quel droit, railla-t-il, un mercenaire khardhu ose-t-il parler d'honneur et énumérer les devoirs d'un prince ? » Il cherchait à faire mal, Devin le voyait bien, mais ce qui transparaissait dans sa voix ressemblait davantage à de la peur et à du désarroi.

Il y eut un silence. Derrière eux, le feu prit immédiatement et une lueur orangée monta d'un seul coup, éclairant le visage rageur et tendu d'Erlein, et celui de Sandre, sombre et décharné, aux pommettes saillantes. Alessan, constata Devin, n'avait pas bougé.

« Les guerriers khardhus que j'ai connus, répondit Sandre, étaient tous des hommes d'honneur. Mais je n'en tirerai aucune gloire, car mon intention n'est pas de te mentir : je ne suis pas khardhu. Je m'appelle Sandre d'Astibar et je fus à une époque duc de cette province. J'ai donc quelque expérience du pouvoir. »

Erlein le regarda bouche bée.

« Je suis également magicien, ajouta Sandre avec beaucoup de naturel. C'est pour cela que je t'ai reconnu : au sortilège dont tu te sers pour masquer ta main. »

Erlein ferma la bouche. Il dévisagea le duc comme pour chercher à voir au travers de son déguisement ou trouver une confirmation dans les yeux aux paupières tombantes. Puis il baissa le regard, comme malgré lui.

Sandre avait déjà étalé les doigts de sa main gauche. Au complet.

« Je n'ai jamais prêté l'ultime serment, dit-il. J'avais douze ans quand j'ai découvert mes pouvoirs. J'étais le fils et l'héritier de Tellani, duc d'Astibar. J'ai fait mon choix : j'ai tourné le dos à mes quelques dons pour épouser le règlement des humains. Je n'ai utilisé mes maigres pouvoirs que cinq fois dans ma vie. Ou peut-être six, corrigea-t-il. La sixième fois étant encore toute récente.

—Il y a eu un complot contre le Barbadien, murmura Erlein en oubliant un instant sa colère tandis qu'il cherchait à résoudre cette énigme. Et puis… oui, bien sûr. Qu'avez-vous fait ? Tué votre fils dans son cachot ?

—Précisément. » La voix, parfaitement neutre, ne laissait rien transparaître.

« Vous auriez pu vous couper deux doigts et le faire sortir.

—Peut-être. »

Devin dévisagea le duc sous le coup de la surprise.

« Je n'en sais rien, Erlein di Senzio. Cela fait si longtemps que j'ai choisi. » Et, avec ces mots paisibles, une nouvelle forme de douleur envahit la clairière, presque visible aux contours de l'espace éclairé par le feu.

Erlein eut un rire forcé qui se voulait corrosif. « Un choix on ne peut plus judicieux, ironisa-t-il. Maintenant, votre duché a cessé de vous appartenir et vous n'êtes qu'un magicien esclave, à la solde d'un Tiganais arrogant. Vous devez être drôlement heureux !

— Il n'en est pas ainsi, intervint doucement Alessan depuis la rivière.

— Je suis ici de mon plein gré, déclara le duc. Parce que la cause de la Tigane ne diffère en rien de celle de l'Astibar, du Senzio ou de Chiara. Le choix est le même pour nous tous. Allons-nous mourir en victimes consentantes ou tenter de recouvrer notre liberté ? Allons-nous errer comme vous l'avez fait toutes ces années pour échapper aux sorciers ? Ou sommes-nous capables de nous unir, paume contre paume, dans cette folle péninsule où des provinces guerroient chacune de leur côté, enfermées dans leur orgueil, et de chasser les deux tyrans une fois pour toutes ? »

Devin se sentit profondément touché par ce discours. Les paroles du duc dans l'obscurité éclairée par le feu étaient comme un défi jeté à la nuit. Mais elles ne furent saluées que par les applaudissements moqueurs d'Erlein di Senzio.

« Merveilleux, tel fut son commentaire méprisant. N'oubliez pas ce discours au cas où vous trouveriez une armée de simples d'esprit prêts à rallier votre cause. Pardonnez-moi, mais ce soir les harangues sur la liberté ne m'émeuvent pas le moins du monde. Avant le coucher du soleil, j'étais un homme libre d'aller sur la route de mon choix. Je suis un esclave désormais.

— Vous n'étiez pas libre ! explosa Devin.

— Puisque je te dis que si, fit Erlein d'une voix sèche en se tournant vers lui. Il y avait bien quelques lois contraignantes et un gouvernement qui n'était pas celui que j'aurais souhaité. Mais les routes sont incontestablement plus sûres que lorsque cet homme régnait en Astibar et le père de celui-là en Tigane. Et je faisais ce que je voulais de ma vie. Je suis sûr que vous me pardonnerez mon absence de sensibilité lorsque je vous aurai avoué que le sort jeté sur le nom de Tigane par Brandin d'Ygrath ne m'a jamais préoccupé outre mesure !

— Nous te pardonnons, fit Alessan d'une voix atone qui ne lui ressemblait guère. Nous te pardonnons, et nous ne chercherons pas à changer ton point de vue pour l'instant. Je dois te dire ceci cependant : la liberté dont tu parles te sera rendue lorsque le nom de Tigane pourra de nouveau être entendu de tous. J'ai l'espoir, même si c'est un espoir vain, que peut-être tu travailleras avec nous de ton plein gré avec le temps mais, en attendant, la contrainte que m'a permise Adaon me suffit. Mon père est mort sur les rives de la Deisa, mes frères aussi, et avec eux la fine fleur d'une génération qui se battait pour sa liberté. Je n'ai pas enduré pareil chagrin ni fourni pareils efforts pour entendre un poltron ricaner de la destruction d'un peuple et de son héritage.

— Un poltron ! s'exclama Erlein. Maudit sois-tu, espèce de petit prince arrogant ! Sais-tu seulement de quoi tu parles ?

— Je ne sais qu'une chose, ce que toi-même viens de nous dire, rétorqua Alessan, la mine sévère cette fois. Tu as parlé de routes plus sûres, d'un gouvernement qui n'est pas exactement celui que tu aurais souhaité. » Il s'avança vers Erlein comme s'il allait le frapper ; on aurait dit qu'il allait finir par perdre son sang-froid. « Je ne connais pas de pire engeance que la tienne : tu n'es que le sujet consentant de deux misérables tyrans. Ton idée de la liberté est celle-là même qui leur a permis de nous conquérir puis d'asseoir leur joug. Tu te disais libre ? Libre de quoi ? De te cacher ? Et de mouiller tes hauts-de-chausses lorsqu'un sorcier ou l'un de ses pisteurs pénétrait à moins de dix milles de ton petit sortilège protecteur ? Libre de passer devant les roues de la mort sur lesquelles pourrissaient tes amis magiciens, libre de leur tourner le dos et de poursuivre ton chemin ? Mais c'est fini, Erlein di Senzio. Par la Triade, tu vas devoir te mouiller maintenant ! Comme n'importe quel autre citoyen de la Palme, maintenant ! Alors entends bien cet ordre : tu te serviras de ton pouvoir pour cacher l'absence de tes deux doigts comme précédemment.

— Non », répliqua froidement Erlein.

Alessan n'ajouta rien. Il se contenta d'attendre. Devin vit le duc ébaucher un pas vers les deux hommes, puis s'arrêter à mi-chemin. Il se souvint que Sandre n'avait pas cru au don du prince.

Et puis il vit. Ils virent tous, à la clarté des étoiles et du feu que Baerd avait allumé.

Erlein résistait. Sans y comprendre grand-chose, déconcerté par tout ce qui se passait ou presque, Devin prit peu à peu conscience du terrible combat qui se livrait en la personne du magicien. Cela se voyait à son port rigide et tendu et à ses dents serrées, cela s'entendait à sa respiration brève et rauque, cela se lisait dans ses yeux clos et ses doigts crispés à ses flancs.

« Non, dit encore Erlein dans un râle qui lui demandait chaque fois un effort plus grand, non, non et non ! » Il tomba à genoux, tel un arbre dont on vient de sectionner le tronc. Il baissa lentement la tête en courbant l'échine comme s'il devait résister à un assaut foudroyant. Puis fut secoué de spasmes erratiques. Enfin tout son corps se mit à trembler.

« Non », murmura-t-il à nouveau d'une voix fêlée. Il ouvrit les mains et les enfonça dans le sol. À la lumière du feu rougeoyant, son visage était un masque de douleur. La sueur coulait de ses joues malgré la fraîcheur du soir. Soudain, il ouvrit grand la bouche.

Devin détourna le regard, autant par pitié que par crainte, juste au moment où le cri du magicien déchirait la nuit. Catriana se précipita vers Devin et enfouit le visage dans son épaule.

Ce cri de douleur, le cri d'un animal torturé, s'éleva et resta suspendu entre le feu et les étoiles pendant un temps qui parut infini. Lorsqu'il se tut, Devin prit conscience de l'opacité du silence, rompu par les craquements intermittents d'une branche dans le feu, ou le murmure discret de la rivière, ou encore par la respiration spasmodique et rauque d'Erlein di Senzio.

Sans mot dire, Catriana se redressa et lâcha le bras de Devin. Il la regarda furtivement, mais ses yeux ne rencontrèrent pas les siens. Il se tourna de nouveau vers le magicien.

Erlein était agenouillé devant Alessan, dans l'herbe nouvelle près de la rivière. Il tremblait toujours et s'était mis à pleurer. Quand il releva la tête, Devin distingua les traînées laissées par la sueur et les larmes et la boue qui lui maculait les mains. Il leva lentement la main gauche et la regarda comme s'il s'agissait d'un corps étranger qui ne lui appartenait pas. Tous virent ce qui s'était passé ou l'illusion de ce qui s'était passé.

Cinq doigts. Le sortilège était en activité.

Tout à coup, une chouette poussa un cri bref et distinct depuis le nord de la rivière. Devin constata que le ciel avait changé. Il leva les yeux. Ilarion, la lune bleue, réduite à un croissant, venait de se lever à l'orient. La lumière des fantômes, songea Devin, qui regretta aussitôt cette pensée.

« L'honneur ! » fit Erlein di Senzio d'une voix à peine audible.

Alessan n'avait pas bougé depuis qu'il avait lancé son ordre. Il regarda le magicien qu'il avait soumis et dit sereinement : « Je m'en serais volontiers dispensé, mais il fallait que nous en passions par là. J'espère qu'une fois suffira. Pouvons-nous manger maintenant ? »

Il passa devant Devin, le duc et Catriana, puis alla rejoindre Baerd près du feu. La viande cuisait. En proie à un tourbillon d'émotions, Devin surprit néanmoins le regard inquisiteur de Baerd. Puis il se tourna à temps pour voir Sandre tendre une main au magicien et l'aider à se relever.

Erlein commença par l'ignorer, puis saisit le bras du duc et se redressa.

Devin suivit Catriana qui s'approchait du feu. Il entendit les deux magiciens derrière eux.

Ils dînèrent en silence ou presque. Erlein prit son assiette et son verre pour aller s'asseoir le plus loin

possible, près de la rivière sur un rocher encore faiblement éclairé par la lueur du feu. En regardant les contours sombres de sa silhouette, Sandre murmura qu'un
homme plus jeune aurait certainement refusé de manger.
« En voilà un qui est coriace, fit le duc. Tout magicien
ayant survécu aussi longtemps l'est forcément.

— Vous pensez qu'il va se faire à nous ? demanda
Catriana d'une voix douce.

— Je le pense », répondit Sandre en buvant son vin
à petites gorgées. Il se tourna alors vers Alessan. « Mais
il va essayer de s'enfuir cette nuit même.

— Je sais, dit le prince.

— On l'en empêche ? » demanda Baerd

Alessan secoua la tête. « C'est à moi de le faire. Il
est… soumis à ma volonté. C'est une impression étrange. »

Étrange, certes, pensa Devin. Il porta le regard sur
la silhouette sombre près de la rivière. Il n'arrivait
même pas à imaginer l'effet que cela pouvait faire. Ou
plutôt si, et cela le mettait mal à l'aise.

Il sentit le regard de Catriana se poser sur lui et se
tourna vers elle. Cette fois, elle ne détourna pas les
yeux. Elle aussi avait une expression étrange ; Devin se
dit qu'elle éprouvait certainement la même nervosité,
la même impression d'irréalité que lui. Il se souvint
brusquement avec acuité du contact de sa tête sur son
épaule une heure plus tôt. Sur le moment, il en avait à
peine pris conscience tant il était absorbé par Erlein. Il
essaya de la rassurer d'un sourire, sans vraiment y parvenir.

« Troubadour, tu nous as promis un récital de harpe ! »
cria Sandre sans prévenir. Le troubadour, noyé dans
l'obscurité, ne répondit pas. Devin avait oublié cette promesse. Il n'avait pas très envie de chanter et Catriana
non plus, lui semblait-il.

Là-dessus, Alessan, le visage impénétrable, alla chercher sa flûte et se mit à jouer seul près du feu.

Il jouait divinement bien, avec beaucoup de sobriété ; ses mélodies étaient un cadeau si doux que

Devin, dans l'état d'esprit où il se trouvait ce soir-là, imaginait presque les étoiles d'Eanna et le croissant bleuté de la première lune suspendant leur mouvement pour ne pas s'éloigner inexorablement de la grâce d'une telle musique.

Puis, un moment plus tard, Devin comprit ce que faisait Alessan et il eut brusquement l'impression qu'il allait pleurer. Il demeura parfaitement immobile pour se dominer et regarda le prince à travers les flammes rouge et orange.

Alessan jouait les yeux fermés ; son visage semblait plus émacié que jamais et les pommettes hautes saillaient. Et, dans les sons qu'il créait, il semblait verser, comme de la coupe d'un temple votif, le désir qui l'animait ainsi que le respect et l'amour qui étaient le fondement de sa personnalité. Mais ce n'était pas pour cela que Devin avait envie de pleurer.

Toutes les chansons qu'interprétait Alessan, toutes ces cascades de notes aiguës douloureusement pures et cristallines, toutes les mélodies étaient du Senzio.

Des mélodies à l'intention d'Erlein di Senzio, seul près de la rivière, au milieu des ombres de la nuit, confit en amertume.

« Je ne vais pas te dire que je regrette ce que j'ai fait, avait déclaré Alessan au magicien alors que le soleil se couchait, mais sache que j'ai de la peine. »

Et, cette nuit-là, en écoutant le prince de Tigane jouer de sa flûte, Devin comprit la différence entre les deux. Il regarda Alessan, puis les deux autres, qui regardaient Alessan eux aussi, et, lorsque son regard se posa sur Baerd, l'envie de pleurer fut soudain trop forte. Son propre chagrin monta au son de la flûte des bergers. Il versa des larmes pour Alessan et pour Erlein, terrassé. Il en versa pour Baerd et ses marches nocturnes et hantées. Pour Sandre et ses dix doigts, et pour son fils défunt. Pour Catriana et lui-même, pour tous ceux de leur génération, sans racines, sans passé et sans pays. Il versa des larmes pour ce que tous, hommes et femmes, avaient subi, et pour ce qu'il leur restait à accomplir avant de pouvoir relever la tête.

Catriana s'approcha de leur paquetage ; elle déboucha une bouteille et les servit. Le troisième verre de la soirée : du vin bleu, comme toujours. Elle remplit celui de Devin sans une parole ; elle n'avait d'ailleurs pas dit deux mots de toute la soirée, mais il ne s'était pas senti aussi proche d'elle depuis longtemps. Il but lentement en regardant la volute de fumée froide qui montait du verre et se dispersait dans la fraîcheur de la nuit. Au-dessus d'eux, les étoiles étaient comme des pointes de feu glaciales, et la lune brillait, aussi bleue que le vin, aussi lointaine que la liberté ou la chaleur d'un pays pour ceux qui n'en n'ont pas.

Devin finit son verre et le reposa. Puis il s'enveloppa dans sa couverture et s'allongea. Il se surprit à penser à son père et aux jumeaux, ce qui ne lui était pas arrivé depuis longtemps.

Peu après, Catriana s'allongea à son tour, pas très loin de lui. En règle générale, elle étendait son tapis de sol et sa couverture le plus loin possible, de l'autre côté du feu, à proximité du duc. Devin était assez avisé pour comprendre qu'elle essayait de se rapprocher de lui et que cette soirée allait peut-être leur donner l'occasion de guérir le mal qui pervertissait leur relation ; il était cerné de toutes parts par des chagrins compliqués mais se sentait trop épuisé pour réagir.

Il lui dit bonsoir d'une voix douce, mais elle ne répondit pas. Il n'était pas sûr qu'elle l'avait entendu, mais il n'ajouta rien et ferma les yeux. Il les rouvrit quelques instants plus tard pour regarder Sandre de l'autre côté du feu. Le duc ne parvenait pas à détacher son regard des flammes. Devin se demanda ce qu'il voyait, sans avoir réellement envie de savoir. Erlein n'était plus qu'une ombre, un point sombre dans l'univers, perdu dans l'obscurité de la berge. Devin se souleva sur un coude pour tenter d'apercevoir Baerd, mais il avait disparu et devait marcher seul dans la nuit.

Alessan n'avait pas bougé ; les yeux fermés, il continuait à jouer, seul et accablé, lorsque Devin s'endormit.

C'est la poigne ferme de Baerd sur son épaule qui le réveilla. Il faisait encore nuit et le froid était vif à cette heure. Le feu s'était consumé lentement. Catriana et le duc dormaient encore, mais Alessan était debout derrière Baerd, l'air pâle et pourtant serein. Devin se demanda s'il s'était couché.

« J'ai besoin de toi, fit Baerd. Viens vite. »

Devin sortit de sa couverture en frissonnant et enfila ses bottes. La lune avait disparu. Il regarda à l'est, mais l'aube ne s'était pas encore levée à l'horizon. La nature paraissait parfaitement immobile. Encore endormi, il enfila le gilet de laine qu'Alaïs lui avait fait parvenir au Ferraut par l'intermédiaire de Taccio. Il ne savait ni combien de temps il avait dormi ni quelle heure il était.

Il finit de s'habiller et alla soulager sa vessie au milieu des arbres près de la rivière. Son haleine fumait dans l'air glacial. Le printemps était proche sans être vraiment là, surtout la nuit. Le ciel resplendissait de clarté et d'étoiles. La journée promettait d'être belle quand le soleil se lèverait. Il frissonna et laça le cordon de son haut-de-chausses.

Puis il constata qu'Erlein demeurait invisible.

« Que s'est-il passé ? murmura-t-il à Alessan tout en retournant au camp. Tu disais pouvoir le rappeler.

— C'est ce que j'ai fait », se hâta de répondre le prince. Maintenant qu'il se tenait plus près, Devin lut la fatigue sur son visage. « Mais il a opposé une telle résistance qu'il a finalement perdu connaissance. Quelque part par là. » Il désigna le sud et l'ouest.

« Viens, répéta Baerd. Et prends ton épée. »

Ils durent traverser la rivière. En pénétrant dans l'eau glaciale, Devin sentit s'envoler les dernières traces de sommeil. Le choc était tel qu'il suffoquait presque.

« Ne m'en veux pas, fit Baerd. J'avais bien l'intention d'y aller tout seul, mais j'ignore à quelle distance il se trouve et ce que je risque de rencontrer dans la campagne. Alessan veut que nous le ramenions au camp avant qu'il reprenne connaissance. Alors nous ne serons pas trop de deux.

—Non, non, tu as bien fait, protesta Devin en claquant des dents.

—Je suppose que j'aurais pu réveiller le vieux duc. Ou Catriana.

—Quoi ? Non, vraiment, Baerd. Ça va. Je… »

Il s'interrompit parce que Baerd le regardait en riant. Depuis peu, Devin participait à l'échange de taquineries. Curieusement, cela lui réchauffait le cœur. C'était en fait la première fois qu'il sortait seul avec Baerd la nuit. Il y vit un signe de confiance accrue, une façon de l'impliquer davantage. Il faisait de plus en plus clairement partie du projet qu'Alessan et Baerd mûrissaient depuis tant d'années. Il se redressa et, se grandissant le plus possible, suivit Baerd dans l'obscurité en direction de l'ouest.

Ils découvrirent Erlein di Senzio à la lisière d'un bouquet d'oliviers, au flanc d'une colline. Ils étaient à une heure de marche du camp. Devin déglutit avec peine en découvrant ce qui s'était passé. Baerd siffla doucement entre ses dents : le spectacle n'était pas beau à voir.

Erlein gisait inconscient. Il s'était attaché à un tronc d'arbre après avoir fait une dizaine de tours avec la corde. En se baissant, Baerd aperçut sa gourde : elle était vide. Erlein avait trempé la corde pour obtenir des nœuds plus serrés. Il avait abandonné son sac et son couteau par terre, hors de sa portée.

La corde était effilochée et emmêlée. On aurait dit qu'un certain nombre de nœuds s'étaient défaits ; cinq ou six cependant avaient résisté.

« Regarde un peu ses doigts », fit Baerd en sortant son poignard pour couper la corde.

Erlein avaient les mains couvertes de plaies à vif et de sang séché. Il avait essayé de se placer dans une situation telle qu'il lui serait impossible de répondre aux sommations d'Alessan. Qu'espérait-il donc ? se demanda Devin. Que le prince croirait à sa disparition et l'oublierait ?

Devin se dit qu'il n'avait probablement pas obéi à des pensées aussi rationnelles. Il ne s'agissait que d'un défi pur et simple dont la férocité laissait pantois. Il aida Baerd à couper les dernières entraves. Erlein respirait mais n'avait toujours par repris conscience. La douleur avait dû le terrasser, songea Devin en revoyant l'image du magicien près de la rivière, terrassé, tombant à genoux et hurlant. Il se demanda de quels nouveaux hurlements la nuit avait été témoin en cet endroit désolé et sauvage.

Il éprouvait un mélange confus de respect, de pitié et de colère, tandis qu'il regardait le troubadour aux cheveux gris. Pourquoi leur compliquait-il tant la tâche ? Pourquoi forcer Alessan à endosser davantage de souffrance ?

Malheureusement, il connaissait certaines des réponses à ces questions et elles n'avaient rien de réconfortant.

« Va-t-il essayer de se tuer ? demanda-t-il à Baerd à brûle-pourpoint.

—Je ne le crois pas. Comme l'a remarqué Sandre, c'est un coriace. Cela m'étonnerait qu'il recommence. Il fallait qu'il essaye une fois au moins, ne serait-ce que pour savoir jusqu'où il pouvait se permettre d'aller. J'aurais fait la même chose. » Il eut une hésitation. « Mais je ne m'attendais pas à le trouver ligoté, je dois l'avouer. »

Devin prit le paquetage d'Erlein, Baerd l'arc, les flèches et l'épée. Puis il balança le magicien inconscient sur son épaule non sans un grognement, et ils reprirent le chemin du campement. Lorsqu'ils arrivèrent à la rivière, une traînée grisâtre barrait l'horizon, qui, avant l'aube proprement dite, tamisait l'éclat des dernières étoiles.

Les autres étaient debout et les attendaient. Baerd coucha Erlein près du feu que Sandre avait rallumé. Devin posa les affaires et les armes, et retourna à la rivière avec une cuvette. Quand il fut de retour, le duc et Catriana entreprirent de nettoyer et de bander les mains mutilées d'Erlein. Ils avaient déboutonné sa chemise et retroussé ses manches, laissant apparaître de vilaines zébrures là où la corde lui avait lacéré la peau alors qu'il luttait pour sa liberté.

Ou plutôt le contraire, songea tristement Devin. Car n'était-ce pas dans le fait même de s'attacher de la sorte que résidait son vrai combat pour la liberté? Il vit qu'Alessan regardait fixement Erlein. Mais le visage du prince était tout à fait impénétrable, et Devin ne put y lire quoi que ce soit.

Le soleil se leva, et peu après Erlein ouvrit les yeux. Ils le virent regarder alentour et se reconnaître.

«Un khav?» proposa Sandre avec naturel. Ils étaient tous assis autour du feu pour le petit-déjeuner, chacun une tasse fumante à la main. Une lueur prometteuse, d'une teinte pâle et délicate à la fois, éclairait le ciel à l'orient. Elle scintillait à la surface de l'eau et parait le feuillage naissant des arbres d'un vert doré. Le chant des oiseaux emplissait le paysage, ainsi que l'éclaboussement des truites dans le cours d'eau.

Erlein s'assit lentement et les regarda. Devin le vit découvrir ses mains bandées. Puis il jeta un coup d'œil aux chevaux sellés et aux deux charrettes, chargées et prêtes pour le départ.

Ses yeux se posèrent alors sur le visage d'Alessan et s'y attardèrent.

Les deux hommes, liés l'un à l'autre de façon aussi inattendue, se dévisagèrent sans un mot. Puis Alessan lui sourit d'un sourire que Devin connaissait bien. Il irradiait dans son visage sévère et illuminait ses yeux gris ardoise.

«Si j'avais su que tu détestais la flûte trégéenne à ce point, je te promets que je me serais abstenu d'en jouer», dit le prince.

Quelques instants plus tard, Erlein di Senzio éclata d'un rire horrible. Il n'y avait pas la moindre joie dans ce rire, rien qu'il souhaitât communiquer ni partager. Il plissa les yeux au point de les fermer, et les larmes jaillirent qui ruisselèrent sur son visage.

Tous restèrent immobiles et silencieux. Pendant un long moment. Quand Erlein fut enfin calmé, il s'essuya la figure sur le revers de sa manche en prenant garde à ses mains bandées. Puis il regarda de nouveau Alessan. Il ouvrit la bouche et fut sur le point de dire quelque chose, mais il se ravisa.

« Je sais, lui dit Alessan d'une voix posée, je sais exactement ce qu'il en est. »

Peu après, Sandre lui demanda de nouveau : « Du khav ? »

Cette fois, Erlein en accepta une tasse, qu'il prit maladroitement entre ses deux mains emmitouflées. Quelques instants plus tard, ils levaient le camp et prenaient la direction du sud.

CHAPITRE 10

Ils atteignirent le château Borso quelques jours plus tard, au premier soir des Quatre-Temps.

À mesure qu'ils pénétraient dans les régions méridionales, Devin passait de plus en plus de temps à regarder les montagnes. Comme tout enfant élevé dans le plat pays humide d'Asoli, il était subjugué par les imposants massifs du sud de la péninsule : le Braccio ici, dans le Certando, le Parravi à l'est, en direction de la Tregea, et, bien qu'il ne le connût que de réputation, le fameux Sfaroni, aux cimes enneigées, dans la province occidentale qui s'était appelée Tigane.

Le soir approchait. Loin dans le Nord ce même après-midi, le cadavre mutilé d'Isolla d'Ygrath gisait sous un drap ensanglanté dans la salle d'audience du palais de Chiara.

Le soleil allait se coucher derrière un éperon et teintait les sommets de bordeaux, de rouge et de violet très sombre. Sur les plus hautes cimes, la neige d'un blanc éblouissant étincelait dans les dernières lueurs du jour. Devin distinguait tout juste le tracé du col du Braccio, l'un des trois cols légendaires qui, à la bonne saison, reliaient non sans mal la péninsule de la Palme à la Quileia au sud.

Autrefois, avant que le matriarcat s'installe définitivement en Quileia, le commerce transitait par les

montagnes ; quand venaient les Quatre-Temps de printemps, l'atmosphère de piété n'empêchait pas les gens
d'attendre le regain de vitalité des échanges commerciaux, avec la promesse de la réouverture prochaine des
cols. Les villes et les châteaux-forteresses des montagnes
méridionales formaient des nœuds de vie et d'animation.
Bien défendus cependant car, là où un convoi de marchandises pouvait passer, une armée le pouvait aussi.
Mais aucun roi de Quileia n'avait jamais senti son
pouvoir suffisamment assis dans son propre pays pour
partir à l'assaut du Nord, alors que chez lui les grandes
prêtresses n'attendaient qu'une chose : le voir échouer
ou périr. Ici au Certando, les armées privées avaient
surtout rougi leurs épées et leurs flèches en se faisant
la guerre entre elles, cédant à des querelles sauvages
de Méridionaux qui perduraient d'une génération à
l'autre et donnaient lieu à des légendes.

Puis le matriarcat avait pris le dessus, à l'époque
d'Achis et de Pasitheia, quelques centaines d'années
auparavant. Sous l'influence des prêtresses, la Quileia
s'était repliée sur elle-même comme une fleur au crépuscule, et le commerce s'était interrompu.

Certaines villes du Sud périclitèrent au point de retourner à l'état de simples villages ; d'autres furent assez
entreprenantes et énergiques pour changer de vocation
et se tourner vers le nord, à l'instar d'Avalle des Tours
en Tigane. Dans les contreforts du Certando, les puis-
sants seigneurs et leurs grands châteaux aux allures de
forteresses firent bientôt figure d'anachronismes vivants.
Leurs incursions dans les domaines voisins, leurs querelles, qui avaient fait partie des événements courants
dans la Palme, perdirent peu à peu toute raison d'être ;
elles n'en restèrent pas moins féroces et impitoyables.

Devin, quand il chantait avec Menico di Ferraut, avait
l'impression qu'une ballade sur deux avait pour thème
les contrées du Sud : tantôt il s'agissait de chanter les
exploits de quelque jeune aristocrate poursuivi par des
ennemis dans les rochers à pic des massifs méridionaux, tantôt les malheurs d'infortunés amants qu'une

haine ancestrale entre leurs deux familles séparaient ; ou encore les exploits sanglants de leurs pères, sauvages comme des aigles dans leurs châteaux austères au pied du Braccio.

Et la moitié de ces vieilles chansons, qui évoquaient de féroces combats sanguinaires et des villages en feu, ou des amants en détresse parce que séparés, qui se noyaient dans des étangs silencieux dissimulés parmi les massifs brumeux, mettaient en scène le clan des Borso, à l'intérieur ou à proximité de leur château, massif, austère, à moitié en ruine mais splendide, juste sous le col du Braccio.

Il n'y avait plus de nouvelles ballades depuis longtemps, depuis que les convois en provenance de Quileia avaient déclaré forfait. Cela n'avait pas empêché les rumeurs, les histoires de circuler au cours des vingt dernières années. Un nombre impressionnant d'histoires en vérité, et qui concernaient toutes le présent. À sa manière, Aliénor de Borso était déjà de son vivant une légende pour tous les voyageurs.

Dans ces histoires récentes, il était au moins autant question d'amour que dans les vieilles ballades ; par contre, on n'y disait plus un mot de ces jeunes hommes anxieux, prêts à affronter leur destin sur quelque piton balayé par les vents, ce qui était révélateur d'une évolution notoire dans l'enceinte du château Borso. On y mentionnait d'épais tapis et des tapisseries murales, des soies importées, des dentelles et des velours, et des œuvres d'art pour le moins déconcertantes dans des salles où autrefois des hommes aguerris, assis à des tables à tréteaux, mettaient au point des raids nocturnes tandis que leurs chiens de meute turbulents se battaient pour un os lancé par leur maître parmi les joncs qui recouvraient le sol.

Assis à côté d'Erlein dans la seconde charrette, Devin détacha lentement les yeux des sommets éclairés par les derniers rayons de lumière pour contempler le château dont ils approchaient, niché dans un pli, près d'un petit village, et entouré de douves. Déjà il disparaissait dans l'obscurité, et Devin remarqua les lumières qui s'allumaient une à une, derrière chacune des fenêtres. Les dernières avant la fin des Quatre-Temps.

« Aliénor est une amie, une amie de longue date », s'était contenté de dire Alessan.

Cela paraissait évident, rien qu'à la manière dont elle l'accueillit quand son majordome, un grand vieillard voûté pourvu d'une magnifique barbe blanche, les fit solennellement entrer dans la grand-salle chaleureuse où crépitait une bonne flambée.

Alessan avait les joues en feu quand la châtelaine retira ses longs doigts de ses cheveux et ses lèvres des siennes. Elle n'avait pas précipité leurs embrassements. Et, plus intéressant encore, il avait manifesté la même nonchalance qu'elle. Aliénor recula d'un pas, un léger sourire aux lèvres, et inspecta ses compagnons.

Elle gratifia Erlein d'un signe de reconnaissance. « Bienvenue une fois encore, troubadour. Cela fait deux ans, non ?

—Je suis flatté que vous vous en souveniez, madame. » La révérence d'Erlein appartenait à une autre ère et aux manières qui étaient les siennes avant qu'Alessan se l'appropriât comme magicien.

« Vous étiez seul alors, et je suis heureuse de constater que vous voyagez désormais en si admirable compagnie. »

Erlein ouvrit la bouche, puis la referma sans répondre. Aliénor, légèrement intriguée, regarda Alessan de ses yeux noirs.

Faute d'obtenir une réponse, elle se tourna alors vers le duc, dont l'allure piqua plus nettement sa curiosité. L'air songeur, elle posa un doigt sur sa joue et pencha légèrement la tête sur le côté. Le faux Khardhu se soumit à cet examen sans broncher.

« Très habile, fit Aliénor de Borso à voix basse, afin que ni le majordome ni les serviteurs ne puissent l'entendre. Je suppose que, grâce à Baerd, toute la Palme vous prend pour un Khardhu. Mais qui se cache derrière ce masque ? » Elle avait un sourire à vous couper le souffle.

Devin n'aurait su dire s'il le trouvait fascinant ou inquiétant. Mais il dut remettre ce dilemme à plus tard.

« Vous l'ignorez ? fit Erlein di Senzio d'une voix forte. Mais c'est un oubli impardonnable. Permettez-moi de le réparer. Madame, j'ai l'honneur de vous présenter le… »

Il n'alla pas plus loin.

Devin fut le premier à intervenir, ce qui l'étonna quand il y repensa par la suite. Il avait toujours été prompt à réagir, et c'était lui qui se trouvait le plus près d'Erlein. Il fit la seule chose à faire : il pivota brusquement et frappa Erlein au ventre, du plus fort qu'il put.

Il n'avait guère qu'une fraction de seconde d'avance sur Catriana qui, placée de l'autre côté d'Erlein, avait bondi pour lui fermer la bouche de sa main. Devin avait frappé si fort que le magicien se plia en deux avec un grognement de douleur. Ce qui produisit un effet inattendu et fit perdre l'équilibre à Catriana, laquelle tomba en avant et fut rattrapée en douceur par Aliénor.

Tout l'enchaînement n'avait guère duré plus de trois secondes.

Erlein tomba à genoux sur l'épais tapis. Devin s'agenouilla près de lui. Il entendit Aliénor congédier les serviteurs.

« Tu n'es qu'un imbécile ! lança Baerd au magicien d'une voix rageuse.

— Cela ne fait aucun doute », approuva Aliénor sur un ton différent de celui de Baerd, un peu excessif, et dans lequel perçaient la colère et l'indignation. « Pourquoi s'imaginer que je puisse souhaiter connaître la véritable identité d'un prétendu guerrier khardhu ? » Elle tenait toujours Catriana par la taille, sans nécessité. Elle la libéra en s'amusant du mouvement de recul instantané de la jeune fille.

« Vous êtes d'une nature fougueuse, n'est-ce pas ? susurra-t-elle.

—Pas spécialement », lui répondit Catriana avec audace, en s'arrêtant à quelques pas d'elle.

Aliénor eut une moue bizarre. Elle regarda la jeune fille de haut en bas d'un œil expert. « Je suis horriblement jalouse de vous, fit-elle au bout d'un moment, et je le serais même sans les cheveux et les yeux ! Vous avez d'extraordinaires compagnons de voyage.

—Vraiment ? fit Catriana d'une voix indifférente mais les joues en feu.

—Vraiment ? ironisa Aliénor. Vous voulez dire que vous ne vous en étiez pas encore aperçue ? Mais, ma chère, qu'avez-vous fait de vos nuits ? Ce sont vraiment des êtres exceptionnels. Ne gâchez pas votre jeunesse, chère enfant. »

Catriana la regardait sans émotion. « Je ne crois pas que ce soit le cas, dit-elle. Encore que nous n'ayons sans doute pas les mêmes idées sur le sujet. »

Devin tressaillit, mais Aliénor répondit sans agressivité. « Peut-être pas, admit-elle, imperturbable. Mais en vérité nous avons sans doute plus de points communs que vous ne l'imaginez. » Elle marqua une pause. « Vous constaterez peut-être en vieillissant que le froid sied aux décès, à la fin de toutes choses, pas aux commencements. À aucun commencement. Par contre, je veillerai, ajouta-t-elle avec un sourire généreux, à ce que vous ayez suffisamment de couvertures pour ne pas souffrir du froid cette nuit. »

Erlein poussa un gémissement qui détourna vers lui l'attention de Devin, au détriment des femmes. Il entendit Catriana déclarer « Je vous remercie de votre sollicitude à mon égard », mais il ne parvint pas à saisir l'expression de son visage. Au ton de sa voix, il en avait néanmoins une vague idée.

Il souleva la tête d'Erlein tandis que celui-ci s'efforçait de reprendre sa respiration. Aliénor ne fit pas attention à eux. Elle s'était tournée vers Baerd et s'adressait à lui sur un ton courtois et amical, auquel Baerd répondait par la même politesse enjouée, remarqua Devin.

« Je te demande pardon, murmura-t-il à Erlein. C'est la première idée qui m'est venue en tête. »

Erlein agita une main faible, pas encore tout à fait guérie. Il avait tenu à enlever ses pansements avant d'entrer au château.

« C'est moi qui te demande pardon, fit-il d'une voix rauque, j'ai complètement oublié les serviteurs. » La remarque laissa Devin pantois. Le magicien s'essuya la bouche du revers de la main. « Je n'aurai pas gagné grand-chose si je réussis à nous faire tous trucider ! Ce n'est pas ma conception de la liberté en tout cas. Pas plus que la posture dans laquelle je me trouve actuellement ne constitue un modèle de dignité pour un homme de mon âge. Toi qui m'as mis à terre, peut-être peux-tu m'aider à me relever ? » C'était la première fois que Devin percevait une note d'humour dans la voix du troubadour. Sandre avait dit de lui qu'il était coriace.

Avec tout le tact dont il était capable, il l'aida à se mettre debout.

« Le jeune homme violent, disait sèchement Alessan, c'est Devin d'Asoli. Il chante à ses heures. Si tu te conduis bien, il chantera peut-être pour toi. »

Devin se détourna d'Erlein, mais peut-être les événements récents l'avaient-il rendu distrait ; en tout cas il se sentit complètement désarmé par le regard qu'il rencontra alors.

Il est tout à fait impossible, se surprit-il à penser, que cette femme ait quarante ans. Il esquissa instinctivement la révérence que Menico lui avait enseignée pour masquer l'état d'extrême confusion dans lequel il se trouvait tout à coup. Elle avait presque quarante ans, il ne l'ignorait pas : Aliénor avait perdu son époux deux ans après leur mariage. Cornaro de Borso avait péri lors de l'invasion des Barbadiens au Certando. Le portrait de la jolie veuve dans son château méridional et les histoires la concernant avaient commencé de circuler peu après.

Elles étaient toutes en deçà de la réalité du personnage qu'il découvrait, drapé dans une longue robe d'un bleu intense proche du noir. Ses cheveux de jais, coiffés en chignon sur le sommet de la tête, étaient retenus par un diadème d'or blanc semé de pierres précieuses. Quelques mèches, habilement libérées, retombaient librement, qui entouraient l'ovale parfait du visage. Elle avait les yeux bleu indigo, presque violets sous les longs cils, et sa bouche aux lèvres pleines et rouges paraissait sourire pour lui seul.

Il s'obligea à soutenir ce regard. Ce faisant, il avait l'impression que toutes les écluses de son corps s'étaient brusquement ouvertes, que son sang était une rivière en crue suivant un cours périlleux à une allure toujours croissante. Son sourire s'accentua, un sourire de plus en plus personnel, comme si elle devinait ce qui se passait à l'intérieur du jeune homme ; brusquement il vit ses pupilles se dilater un instant.

« J'imagine qu'il ne me reste plus qu'à essayer d'être très sage, si cela doit vous persuader de chanter pour moi », lui fit Aliénor di Certando avant de se tourner à nouveau vers Alessan.

Devin ne put s'empêcher de remarquer ses seins ronds et fermes. Elle portait une robe au décolleté profond et un pendentif en diamant qui attirait le regard, tel un feu aux reflets bleu-blanc.

Il secoua la tête pour tenter de s'éclaircir les idées ; il était vaguement choqué par sa propre réaction. Je suis ridicule, s'admonesta-t-il sévèrement. Il s'était enflammé en pensant aux histoires qu'on racontait, et son imagination était partie au galop, attisée par la décoration opulente et sensuelle de la salle. Il regarda le plafond pour tenter de penser à autre chose, et regretta immédiatement son geste.

Car le plafond avait été peint par un artiste au fait des réalités de l'amour et représentait l'accouplement initial d'Adaon et d'Eanna. Le visage de la déesse était de toute évidence celui d'Aliénor, et la peinture montrait avec beaucoup de talent que la jeune femme avait atteint le paroxysme du transport amoureux quand les étoiles, nées de cette extase, s'étaient matérialisées.

On distinguait en effet une multitude d'étoiles à l'arrière-plan, mais il était difficile de se concentrer sur l'arrière-plan. Devin se força à baisser les yeux. Il croisa alors les yeux de Catriana, ce qui contribua à lui faire recouvrer la maîtrise de soi. Le regard de la jeune fille exprimait un mélange d'ironie caustique et d'autre chose qu'il n'arrivait pas à définir. Malgré son exceptionnelle beauté et sa crinière de feu, Catriana paraissait toute jeune, et l'on sentait qu'elle n'avait pas encore trouvé la plénitude des femmes mûres.

La châtelaine de Borso était parfaitement elle-même, depuis ses pieds chaussés de sandales jusqu'à sa chevelure lustrée. Devin remarqua tardivement qu'elle s'était verni les ongles des mains du même bleu sombre et inquiétant que sa robe.

Il soupira et détourna le regard.

« Je t'attendais hier, murmura Aliénor à l'intention d'Alessan. Je t'attendais et m'étais faite belle pour toi, mais tu n'es pas venu.

— C'est aussi bien, murmura Alessan à son tour, un sourire aux lèvres. Si je t'avais trouvée plus belle encore qu'aujourd'hui, je n'aurais jamais eu la force de repartir. »

Elle eut une moue malicieuse et se tourna vers les autres. « Vous voyez comme cet homme me tourmente ? Il n'est pas arrivé depuis un quart d'heure qu'il parle déjà de repartir. Que penser d'un tel ami ? »

La question s'adressait directement à Devin. Celui-ci avait la gorge sèche ; le regard de cette femme avait le pouvoir de perturber le va-et-vient normal des messages de son cerveau à sa bouche. Il tenta un sourire, conscient que le résultat devait osciller entre la fatuité et la bêtise.

Que ne donnerais-je pas pour un peu de vin ! songea-t-il, désespéré. Il avait sérieusement besoin de boire un verre d'alcool.

Comme mus par un sens de l'à-propos plus subtil encore que le pouvoir d'un magicien, trois serviteurs en livrée bleue réapparurent, chacun avec un plateau de sept verres. Les verres des deux premiers plateaux contenaient du vin rouge, vraisemblablement du certando.

Sur le troisième, Devin aperçut du vin bleu.

Il se tourna vers Alessan. Le prince regardait Aliénor avec une expression qui trahissait une relation très personnelle, remontant à de nombreuses années. L'espace d'un instant, son comportement changea : on aurait dit qu'elle avait momentanément cessé de tisser la toile de la séduction. Et Devin, qui était devenu beaucoup plus perspicace ces derniers mois, crut même déceler un soupçon de tristesse dans son regard.

Puis elle s'exprima, confirmant indubitablement le pressentiment du jeune homme. D'une manière subtile, cette certitude le rassura et jeta un éclairage différent, lénitif, sur l'ambiance de la salle.

« Ce n'est pas un rite que je suis susceptible d'oublier, dit-elle d'une voix douce en désignant le vin bleu.

— Moi non plus, puisque c'est ici qu'il est né. »

Elle demeura silencieuse un moment, les paupières baissées. Puis l'épisode fut clos. Quand elle leva de nouveau les yeux, elle avait recouvré son regard étincelant. « J'ai comme toujours un assortiment de lettres qui vous sont destinées. L'une d'elles vient juste d'arriver. C'est un jeune prêtre d'Eanna qui me l'a apportée ; ma présence le terrifiait au point qu'il a refusé de passer la nuit au château alors qu'il était arrivé au coucher du soleil. Il a enfourché son cheval et s'est enfui ; à mon avis, il craignait que je ne lui arrache son aube s'il venait à rester ne serait-ce que le temps d'un repas.

— L'aurais-tu fait ? » demanda Alessan en souriant.

Elle fit la grimace. « J'en doute. Les dévots d'Eanna en valent rarement la peine. Encore que celui-là fût plutôt joli garçon. Presque autant que Baerd, à y bien réfléchir. »

Baerd demeura impassible et se contenta de sourire. Aliénor lui lança un regard insistant et enjôleur. Lui aussi, songea Devin. Car l'échange de regards évoquait un vécu commun qui ne datait pas de la veille. Il se sentit très jeune brusquement ; c'était comme s'il naviguait dans des sphères qui le dépassaient.

« Et d'où vient cette dernière missive ? » demanda Alessan.

Aliénor parut hésiter. « De l'Ouest », se contenta-t-elle de répondre. Elle regarda les autres avec un certain malaise.

Alessan s'en aperçut. « Tu peux parler sans crainte. J'ai confiance en eux tous. » Il prit garde à ne pas se tourner vers Erlein. Devin lui jeta un regard furtif mais ne décela pas la moindre réaction chez le magicien, dont le visage demeura de marbre.

D'un geste, Aliénor congédia les serviteurs. Le vieux majordome s'était déjà retiré pour superviser la préparation des chambres. Quand ils furent seuls, Aliénor s'approcha d'une écritoire, près d'une des quatre cheminées, et sortit une enveloppe scellée d'un tiroir. Elle la tendit à Alessan.

« C'est un courrier de Danoleon en personne, dit-elle. Qui vient de votre province, dont je ne peux entendre ni répéter le nom. »

Devin ne s'attendait pas à cela.

« Excusez-moi », dit Alessan. Il fit quelques enjambées en direction de la cheminée la plus proche tout en déchirant l'enveloppe. Aliénor offrit un verre de vin rouge à chacun. Devin but une longue gorgée. Puis il remarqua que Baerd n'avait pas touché à son verre et ne quittait pas Alessan du regard. Devin regarda le prince à son tour. Il finissait tout juste de lire la missive. Très raide, il regardait fixement les flammes.

« Alessan ? » fit Baerd.

Aliénor se retourna brusquement. Alessan ne bougea pas. On aurait dit qu'il n'avait pas entendu.

« Alessan ? répéta Baerd sur un ton plus pressant. Que se passe-t-il ? »

Le prince de Tigane se tourna lentement vers eux. Pas véritablement vers eux, corrigea Devin intérieurement. Mais vers Baerd. Il y avait quelque chose de froid et de lugubre dans son visage. Le froid sied à la fin de toutes choses, pensa Devin malgré lui.

« Il s'agit bien d'un courrier de Danoleon. En provenance du sanctuaire. » Alessan s'exprimait d'une voix neutre. « Ma mère est mourante. Je dois rentrer dans mon pays dès demain. »

Baerd était aussi pâle qu'Alessan. « Et la rencontre ? La rencontre prévue pour demain ? »

—Nous y assisterons, répondit Alessan. Ensuite, quoi qu'il arrive, il me faudra rentrer. »

Devin, encore sous le choc de cette nouvelle et de l'effet produit par les paroles et l'expression d'Alessan, se sentit complètement désorienté lorsqu'on frappa à sa porte tard dans la nuit.

Il ne dormait pas. « Une minute », fit-il à voix basse tout en enfilant promptement son haut-de-chausses. Il passa une chemise ample et traversa le tapis à pas de loup ; puis ses pieds entrèrent en contact avec le froid glacial de la pierre et il sursauta. Il avait les cheveux ébouriffés, les vêtements en désordre, les idées confuses. Il ouvrit doucement la porte.

Dans le couloir, munie d'une simple bougie qui jetait des ombres bizarres et tremblotantes sur le mur, se tenait Aliénor en personne.

« Suis-moi », dit-elle. Elle ne souriait pas, et la flamme de la bougie ne permit pas à Devin de deviner son regard. Elle portait un peignoir de couleur crème, doublé de fourrure et fermé jusqu'au cou, mais il distinguait néanmoins la courbe de ses seins en dessous. Elle avait défait son chignon et ses cheveux noirs retombaient en cascade sur ses épaules et dans son dos.

Devin hésita ; il avait de nouveau la gorge sèche, l'esprit lent et confus. Il se passa la main dans les cheveux pour essayer de coiffer sa tignasse désespérément emmêlée.

Elle secoua la tête. « Laisse-les ainsi », dit-elle. Elle leva sa main libre aux longs ongles peints et l'enfonça dans les boucles châtaines du jeune homme. « Laisse-les » répéta-t-elle, et elle lui tourna le dos.

Il la suivit. Il sentait le flot incontrôlé du sang dans ses veines. Ils empruntèrent un long couloir, puis un autre plus court, et enfin traversèrent plusieurs salles vides avant de grimper un escalier en spirale. En haut des marches, il aperçut une coulée de lumière orange derrière une porte à deux battants entrouverte. Devin franchit le seuil derrière la dame du château Borso. Il eut le temps de remarquer les flammes incandescentes dans la cheminée, les tentures sophistiquées aux murs, les nombreux tapis aux motifs extravagants et l'immense lit à baldaquin couvert d'une profusion d'oreillers de toutes les couleurs et de toutes les tailles. Près de la cheminée, un lévrier aux membres grêles, au poil gris et soyeux, le regardait sans bouger.

Aliénor posa le bougeoir. Elle ferma les portes et se tourna vers lui, le dos contre le bois ciré. Ses yeux paraissaient immenses, d'un noir inquiétant. Devin sentit le martèlement de son pouls, comme si son sang faisait du bruit en s'engouffrant dans les veines.

« Je me consume », fit Aliénor.

Devin, qui possédait un sens aigu de la mesure et de l'ironie, eut envie de protester et même de rire d'une telle déclaration. Mais, en la regardant, il prit conscience de sa respiration fiévreuse, haletante, et de son visage empourpré ; sa main se leva d'elle-même pour lui effleurer la joue.

Une joue brûlante.

Aliénor poussa un râle ; elle emprisonna sa main dans la sienne et lui enfonça les dents dans la paume.

Cette douleur déchaîna un désir comme jamais encore il n'en avait éprouvé. Il entendit un râle étrangement déformé et s'aperçut qu'il venait de lui. Il fit un pas vers elle et Aliénor se jeta dans ses bras. Ses doigts fourrageaient sa chevelure et sa bouche cherchait la sienne avec une avidité telle qu'il en oublia tout le reste.

Tigane. Alessan. Alaïs, Catriana. Ses souvenirs. Sa mémoire elle-même, qui constituait pourtant un point d'ancrage particulièrement sûr et dont il était fier. Jusqu'au souvenir des corridors menant à sa chambre, jusqu'aux routes et aux années, et jusqu'aux chambres, toutes les autres chambres avant celle-ci. Avant cette femme.

Il arracha sauvagement l'agrafe de son peignoir et enfouit son visage entre ses seins libérés. Elle poussa un cri et tira sur sa chemise jusqu'à ce qu'elle parvînt à la lui ôter. Il sentit ses ongles lui écorcher le dos. Il tourna la tête et la mordit à son tour, éprouvant le goût de son sang dans sa bouche. Il l'entendit rire.

Il n'avait encore jamais eu d'expérience semblable.

Ils se retrouvèrent sur le lit au milieu de l'assortiment de coussins multicolores. Aliénor, nue au-dessus de lui, s'empala sur son sexe tendu et sa bouche descendit vers la sienne tandis qu'ils étaient emportés l'un et l'autre vers le point culminant d'un acte qui tendait à rejeter le reste de l'univers le plus loin possible.

Devin crut un instant qu'il comprenait. Dans un éclair d'intelligence viscérale, il s'imagina qu'il comprenait pourquoi Aliénor agissait de la sorte, qu'il saisissait la nature de son besoin, différente de ce qu'il y paraissait au premier abord. Eût-il disposé de quelques instants de plus et d'un petit coin tranquille au firmament qu'il aurait pu mettre un nom dessus, cadrer cette prise de conscience encore floue. Il atteignit...

Elle poussa un cri d'orgasme. Elle laissa glisser ses mains sur sa peau en se penchant en avant. Le désir oblitéra toute pensée, toute tentative de pensée construite. Effectuant une torsion douloureuse, il la bascula violemment sur un côté du lit et culbuta sur elle, sans se retirer du havre tiède entre ses cuisses. Les coussins éparpillés tombèrent. Elle gardait les yeux soigneusement clos, tandis que ses lèvres dessinaient des mots silencieux.

Devin la pénétra avec une ardeur accrue, comme pour chasser tous les démons et toutes les blessures, toutes les vérités brutales et sanglantes qui modelaient alors la Palme. Son propre orgasme le laissa tremblant et sans force ; il ne savait plus où il était et s'accrochait à la dernière certitude qui lui restât : son nom.

Il l'entendit chuchoter ce nom encore et encore. Elle se dégagea doucement de son étreinte. Il roula sur le dos, les yeux fermés. Incapable de bouger, il sentit le contact de ses doigts sur sa peau. Elle jouait avec ses mains, les caressant et les guidant, et faisait danser ses lèvres et ses doigts sur la poitrine et le ventre de Devin, sur son sexe rassasié et plus bas, explorant ses cuisses, ses jambes, ses plantes de pied.

Avant qu'il eût le temps de saisir ce qu'elle faisait, elle l'avait attaché, bras et jambes écartés, aux quatre montants du lit. Il ouvrit grand les yeux, surpris et effarouché. Il se débattit. En vain, car il avait les pieds et les mains retenus aux colonnes par un lien de soie.

« Que voilà une merveilleuse entrée en matière, fit Aliénor d'une voix rauque. Puis-je t'enseigner une chose ou deux maintenant ? » Elle tendit le bras, splendide dans sa nudité, les joues empourprées, la peau marquée par leur violente étreinte, et prit quelque chose à côté du lit. Il ouvrit grand les yeux en apercevant l'objet qu'elle tenait.

« Tu m'as attaché contre ma volonté, fit Devin d'une voix un peu désespérée. Ce n'est pas ainsi que je conçois l'acte d'amour. » Il se débattit de nouveau, soulevant la hanche, puis l'épaule ; les liens de soie tinrent bon.

En guise de réponse, Aliénor lui décocha un sourire lumineux. À cet instant, elle lui parut sublime ; jamais il n'avait imaginé qu'une femme pût être aussi belle. Dans l'immensité de ses yeux sombres quelque chose bougeait, quelque chose de primitif, de dangereux et de terriblement excitant. Son sexe se dressa, comme malgré lui. Elle s'en aperçut et son sourire s'élargit. De son doigt effilé, elle caressa avec légèreté son membre en érection, presque pensive.

« Tu ne tarderas pas à changer d'avis », murmura la sombre dame, la châtelaine de Borso. Elle entrouvrit les lèvres, découvrant une rangée de dents blanches et pointues. Il remarqua la fermeté, la tension de ses mamelons tandis qu'elle ouvrait de nouveau les jambes et s'apprêtait à l'enfourcher. Il la vit effleurer l'objet dont elle s'était emparé sur la descente de lit. Près du feu, le superbe chien courant avait levé la tête et les regardait.

« Fais-moi confiance, poursuivit-elle, laisse-moi te montrer ceci et cela, et bientôt ta conception de l'amour rejoindra la mienne. Crois-moi, Devin, répéta-t-elle, tu ne tarderas pas à changer d'avis. »

Elle se déplaça, réfléchissant puis masquant la lueur de la bougie à mesure qu'elle se rapprochait de lui. Il se débattit encore, mais pas très longtemps car il sentait son cœur battre la chamade et son désir le submerger, tout comme Aliénor dont les exigences complexes se lisaient dans son regard sombre avant qu'elle fermât les yeux, mais aussi dans ses mouvements, dans sa respiration hachée, rauque, forcée.

Et, avant la fin de la nuit, avant la fin de la première moitié de la nuit, tandis que se consumaient les dernières chandelles de l'hiver, elle lui prouva encore et encore à quel point elle avait raison. Pour finir, c'est elle qui se retrouva attachée aux quatre colonnes du lit, délimitant un monde, son lit, et Devin ne savait plus très bien qui il était pour oser faire ce qu'il faisait. Des caresses qui l'incitaient à murmurer puis à crier son nom à voix haute, encore et encore. Mais il n'ignorait pas qu'elle l'avait changé, qu'elle avait révélé en lui un besoin de chercher l'oubli au moins égal au sien.

La bougie de son côté du lit brûla un moment encore, laissant s'échapper un mince filet de fumée odorante, modifiant le jeu des ombres et des lumières dans la chambre ; ils s'en aperçurent tous deux, car ils ne dormaient pas. Le feu n'était plus qu'un amas de braises, mais le chien n'avait pas quitté sa place devant la cheminée, sa belle tête posée sur ses pattes.

« Il faut que tu partes tant qu'il reste un bout de chandelle, fit Aliénor en lui caressant machinalement l'épaule. On perd facilement son chemin dans l'obscurité.

—Tu observes les Quatre-Temps ? demanda-t-il, surpris par tant de piété. Extinction de tous les feux ?

—Extinction de tous les feux, répondit-elle tristement. Sinon la moitié de mes domestiques me quitteraient, et je n'ose même pas penser à ce que feraient les métayers et les villageois. Ils attaqueraient le château. Ou renouvelleraient quelque ancienne malédiction à l'aide d'épis de blé trempés dans du sang. Nous sommes dans les hautes terres du Midi ici, Devin, un pays où les rites sont pris au sérieux.

—Aussi sérieusement que toi-même prends les tiens ? »

À ces mots elle sourit et s'étira comme un chat. « Sans doute, oui. Les fermiers vont s'adonner à certaines pratiques rituelles dont je préfère ne rien savoir. » Tout en décrivant un arc de cercle, elle se pelotonna au pied de sa couche et tendit le bras pour saisir quelque chose sur la descente de lit. Son corps n'était plus qu'une courbe de chair blanche, marbrée de rouge là où il l'avait griffée.

Elle se redressa et lui tendit son haut-de-chausses. Un geste brutal, qui ressemblait à un renvoi ; Devin la regarda longuement sans bouger. Elle ne chercha pas à esquiver ; ses yeux n'étaient ni durs ni dédaigneux.

« Ne te fâche pas, fit-elle doucement. Tu t'es trop bien comporté pour partir fâché. Je ne te dis que la stricte vérité : j'observe bel et bien les rites des Quatre-Temps, et il n'est certes pas facile de retrouver son chemin dans un château sans lumière. » Elle hésita un instant, puis ajouta : « Et depuis la mort de mon mari j'ai toujours dormi seule. »

Devin ne fit aucun commentaire. Il se leva et s'habilla. Il retrouva sa chemise à mi-chemin entre le lit et les portes. Elle était en lambeaux, ce qui en soi était plutôt amusant. Mais Devin ne s'en amusa pas du tout. Car il était vraiment fâché, ou du moins en proie à un sentiment proche de la colère, mais différent en même temps car plus complexe. Aliénor, qui n'avait pas rabattu les couvertures sur elle, reposait nue parmi l'amoncellement de coussins. Il la regarda, émerveillé de sa beauté féline et conscient qu'en dépit de son changement d'humeur il ne faudrait pas grand-chose pour attiser de nouveau son désir.

Mais, tandis qu'il la contemplait, une pensée qu'il avait refoulée quelque part dans la frénésie des premières heures de la nuit remonta à la surface. Il ajusta sa chemise de son mieux et alla prendre une chandelle dans un bougeoir de cuivre.

Elle s'était tournée de biais pour l'observer, la tête sur la main, les cheveux retombant en cascade autour d'elle, le corps offert aux regards de l'homme, tel un présent, une merveille dans la lumière instable. Son regard était franc et direct, son sourire généreux, tendre même.

« Bonne nuit, dit-elle. Si jamais l'envie te prend de revenir, tu seras toujours le bienvenu, j'espère que tu l'as compris. »

Il ne s'attendait pas à cela. Il savait, sans qu'on ait besoin de le lui dire, qu'elle lui faisait un grand honneur. Mais les pensées, le sentiment de malaise qui l'avaient démangé juste avant se précisaient et se mêlaient à d'autres images ; il lui sourit et acquiesça d'un hochement de tête, mais il ne ressentait ni fierté ni honneur.

« Bonne nuit », dit-il en s'apprêtant à partir.

Il s'arrêta sur le seuil et, parce qu'il se souvenait d'avoir entendu Alessan dire que l'habitude du vin bleu avait commencé en sa compagnie, il se retourna. Elle n'avait pas bougé. Il but du regard la chambre opulente, la beauté offerte de la femme sur le lit. À l'autre extrémité de la pièce, une chandelle de plus s'éteignit.

« Est-ce là ce qui nous arrive quand nous ne sommes plus libres ? » demanda-t-il en tâchant d'exprimer le plus justement possible une réflexion nouvelle pour lui, et dure à accepter. « Est-ce là ce qu'il advient de notre amour ? »

Même à cette distance et dans cet éclairage incertain, il décela un changement dans son expression. Elle lui adressa un long regard.

« Tu es intelligent, finit-elle par dire. Alessan a eu raison de te choisir. »

Il attendit.

« Ah, fit Aliénor d'une voix rauque, en feignant l'étonnement. Il attend une réponse. Une réponse juste. Celle d'une dame seule dans son château aux confins du monde. » Peut-être était-ce dû à cette lumière aux contours insaisissables, mais il eut l'impression qu'elle regardait très loin, au-delà du seuil de la porte, au-delà des murs tendus de tapisseries de cette chambre.

« C'est une des expériences de l'existence, dit-elle enfin. Une sorte d'insurrection nocturne contre des lois qui, le jour, nous contraignent irrémédiablement. »

Devin réfléchit un moment à ce qu'elle venait de dire.

« C'est possible, admit-il tout en intégrant le sens profond de sa remarque. Ou peut-être est-ce la reconnaissance implicite que nous ne méritons rien d'autre, rien de plus profond. Puisque nous avons perdu notre liberté en nous soumettant de la sorte. »

À ces mots, elle tressaillit et ferma les yeux.

« Méritais-je cela ? » demanda-t-elle.

Devin se sentit envahi par une profonde tristesse. Il déglutit avec difficulté. « Non, dit-il, non, tu ne méritais pas cela. »

Quand il quitta la chambre, elle n'avait pas rouvert les yeux.

Il se sentait las, accablé, et pas uniquement de fatigue ; le poids de ses réflexions lui pesait, le ralentissait. Il trébucha en descendant l'escalier et dut se cramponner au mur de pierre de sa main libre pour ne pas tomber. Sous l'effet de ce mouvement brutal, la chandelle s'éteignit.

Il faisait très sombre. Le château était parfaitement silencieux. En se déplaçant prudemment, il atteignit le pied de l'escalier et posa la chandelle éteinte sur une corniche. De temps à autre un rai de lune pénétrait dans le couloir par des fenêtres étroites au sommet des murs, sans l'éclairer vraiment car ni l'heure ni l'angle ne s'y prêtaient.

Il envisagea d'aller chercher une autre bougie mais, après être demeuré immobile assez longtemps pour permettre à ses yeux de s'accoutumer à l'obscurité, il se mit en route en suivant le chemin qu'il croyait avoir emprunté à l'aller.

Très vite il fut perdu, mais il ne s'en inquiéta pas outre mesure. Étant donné son humeur du moment, il lui semblait presque normal de se déplacer ainsi, pieds nus sur des dalles froides, le long de corridors plongés dans l'obscurité, au cœur d'un vieux château sis dans les montagnes méridionales, à cette heure de la nuit.

Aucun chemin n'est mauvais en soi. Il existe seule-ment des voies que nous pensions réservées à d'autres que nous-mêmes.

Qui lui avait dit cela ? Ces mots, enfouis dans quel-que recoin de sa mémoire, s'imposaient brusquement à lui. Il s'engagea dans un couloir inconnu et déboucha dans une salle aux murs garnis de tableaux. Ce faisant, il se rappela la voix qui avait prononcé ces paroles : c'était celle d'un vieux prêtre de Morian, au temple de la déesse près de la ferme paternelle, en Asoli. C'était lui qui avait enseigné aux jumeaux, puis à Devin, à lire et à compter, et, quand il devint manifeste que le plus jeune était doué pour le chant, il lui avait donné ses premières leçons d'harmonie.

Aucun chemin n'est mauvais en soi, se répéta Devin. Puis, avec un tremblement qu'il ne put réprimer, il se souvint qu'il ne s'agissait pas d'une nuit ordinaire mais, à la fin de l'hiver, de la première des Quatre-Temps au cours de laquelle les morts étaient censés sortir de chez eux.

Les morts. Qui étaient-ils donc, ses morts à lui ? Marra. Sa mère, qu'il n'avait jamais connue. La Tigane ?

Pouvait-on dire d'un pays, d'une province, qu'il était mort ? Qu'il était perdu et méritait qu'on le pleurât comme on pleure une âme ? Il pensa au Barbadien qu'il avait tué dans la grange des Nievolene.

Il se mit alors à avancer plus vite sur les pierres froides et noires sporadiquement éclairées du grand château silencieux.

Il lui semblait qu'il marchait depuis un temps infini – un temps en dehors du temps –, sans jamais rencontrer personne ni rien entendre hormis sa propre respiration et son propre pas feutré, quand soudain il reconnut une statue dans une niche. Il l'avait admirée à la lumière de la torche la veille au soir. Il savait que sa chambre n'était pas loin ; il lui suffisait d'aller tout droit, puis de tourner à droite. Sans s'en apercevoir, il s'était trompé de chemin et avait fait le tour du château.

Il se souvint aussi que la chambre juste en face de la jolie statue de l'archer barbu qui bandait son arc était celle de Catriana.

Il inspecta le couloir mais ne vit que des ombres plus ou moins hautes entre les rais de lune blancs qui tombaient du haut des murs. Il tendit l'oreille mais ne surprit pas le moindre bruit. Si les morts étaient sortis, c'était dans le plus profond silence.

Aucun chemin n'est mauvais en soi, lui avait autrefois déclaré Ploto, le prêtre.

Il songea à Aliénor, couchée parmi ses coussins multicolores et ses bougies, les yeux clos, et il regretta d'avoir dit ce qu'il lui avait dit en la quittant. Il regrettait bien des choses. La mère d'Alessan était mourante. La sienne était morte.

Le froid sied à la mort et la fin de toutes choses, avait dit Aliénor à Catriana dans la grand-salle.

Il était gelé, il était très triste. Il fit un pas et rompit le silence en frappant doucement à la porte de Catriana.

La jeune fille avait eu une nuit agitée, pour diverses raisons. Aliénor l'avait troublée : la sensualité débridée

qui émanait de cette femme ainsi que l'intimité mystérieuse et qu'elle partageait de longue date avec Alessan
et Baerd la dérangeaient.

Catriana avait horreur de ce qu'elle ne connaissait
pas, elle ne supportait pas qu'on lui cachât quoi que ce
soit. Or elle ne savait toujours pas ce qu'Alessan allait
faire le lendemain ni quel était ce mystérieux rendez-
vous au cœur des montagnes auquel il avait fait allusion ; l'ignorance la mettait mal à l'aise et, bien qu'elle
ne l'eût jamais vraiment admis, lui faisait peur.

Elle enviait Devin parfois ; elle aurait aimé pouvoir
accepter aussi sereinement que lui de ne pas toujours
être au courant de tout. Elle l'avait vu ranger les bribes
d'information qu'on lui dévoilait et attendre patiemment qu'on lui en donnât une autre, puis les empiler
comme dans un jeu de construction pour enfant.

Tantôt elle l'admirait, tantôt elle enrageait et le mé-
prisait d'accepter les réticences épisodiques d'Alessan
ou les silences chroniques de Baerd. Catriana avait
besoin de savoir. Elle avait longtemps vécu dans l'ignorance, dans son petit village de pêcheurs de l'Astibar ;
on l'avait délibérément tenue à l'écart de sa propre histoire, et désormais il lui fallait rattraper tout le temps
perdu. Il lui arrivait d'en pleurer.

C'était ce qu'elle ressentait ce soir-là avant de glisser
dans un sommeil léger, agité, et de rêver de sa famille.
Depuis qu'elle les avait quittés, elle rêvait fréquemment
des siens, de sa mère surtout.

Dans ce rêve-ci elle traversait le village au lever du
soleil et passait devant la dernière maison, celle de
Tendo – dont le chien était également présent dans le
rêve –, puis elle suivait la courbe familière de la grève
où son père avait acheté une maisonnette abandonnée,
l'avait remise en état et y avait élevé une famille.

Son bateau, déjà loin, pêchait au chalut dans la
houle matinale. C'était le printemps. Sa mère réparait
des filets sur le seuil à la faveur de la clarté de l'aube.
Elle n'avait plus de très bons yeux et il lui était pénible

de coudre le soir. La dernière année, Catriana avait peu à peu pris en charge les travaux d'aiguille de la soirée.

C'était un matin lumineux. Sur la plage, les galets luisaient, tandis qu'une brise fraîche et légère montait de la mer. Tous les autres bateaux étaient sortis également car c'était le moment de la journée le plus favorable, mais le leur n'était pas difficile à reconnaître. Catriana s'engagea dans l'allée et se dirigea vers le porche que son père venait de réparer ; elle attendit que sa mère levât les yeux de son ouvrage, se précipitât à sa rencontre en poussant un cri et la serrât dans ses bras.

Sa mère leva effectivement les yeux de son ouvrage, mais seulement pour tourner son regard vers la mer, gênée par le soleil, et vérifier la position de leur bateau. Une vieille habitude, presque un tic, vraisemblablement responsable en partie de l'état de ses yeux. Elle avait un mari et trois fils dans ce bateau, cependant.

Elle ne vit pas sa fille. Catriana comprit, non sans une étrange douleur, qu'elle était devenue invisible. Parce qu'elle était partie, qu'elle les avait quittés, elle n'était plus là. Elle ne bougea pas, goûtant la chaleur de ces premiers rayons de soleil. Sa mère avait de plus en plus de cheveux gris, et elle éprouva un immense chagrin en constatant à quel point ses mains paraissaient usées et calleuses, et son beau visage généreux fatigué. Sa mère avait cessé d'être une jeune femme le jour où Tiena, le bébé, était morte de la peste, six années auparavant. Plus rien n'avait jamais été pareil ensuite.

Ce n'est pas juste, songea-t-elle, et elle se mit à pleurer, mais dans son rêve personne ne l'entendait.

Sa mère, assise dans le fauteuil de bois sur le porche, sous la lumière matinale, réparait les filets. De temps à autre elle levait les yeux pour vérifier la position de la petite embarcation familiale parmi toutes celles qui dansaient au gré des vagues, sur cette mer hostile qui n'avait rien de commun avec celle qu'elle avait tant aimée.

Catriana se réveilla tandis que son corps se tordait violemment pour fuir toute la douleur contenue dans cette image. Elle ouvrit les yeux et attendit que son cœur eût retrouvé un rythme normal; elle était allongée sous plusieurs épaisseurs de couvertures dans une chambre du château Borso. Le château d'Aliénor.

Aliénor, qui avait le même âge que cette mère au corps las et usé. Quelle injustice! Pourquoi se sentait-elle si coupable d'être partie, pourquoi son sommeil était-il troublé par des visions aussi tristes et douloureuses? Pourquoi, alors que c'était sa mère en personne qui lui avait remis la bague l'année de ses quatorze ans, l'année où le bébé était mort? La bague qui faisait d'elle une enfant de Tigane et de la mer, pour quiconque connaissait les symboles anciens.

La bague qu'Alessan, fils de Valentin, avait aussitôt reconnue lorsque, deux ans plus tôt, Baerd et lui l'avaient vue vendre des anguilles et des civelles fraîchement pêchées dans la petite ville côtière d'Ardin, à quelques milles de son village.

À dix-huit ans, c'était une jeune fille méfiante, et elle ne savait toujours pas pourquoi elle leur avait fait confiance et avait accepté de quitter la ville en leur compagnie après le marché, par le chemin qui longeait la rivière. Si on l'avait obligée à trouver une explication, elle aurait dit qu'il y avait quelque chose dans le personnage de Baerd qu'elle avait trouvé rassurant.

Pendant la promenade, ils lui avaient révélé la signification de cette bague et l'existence de la Tigane, et le centre de sa vie s'était brusquement déplacé. Le temps s'était mis à couler différemment à partir de là, et le besoin de savoir l'emporta bientôt sur tout le reste.

Après le dîner ce soir-là, quand ses frères furent couchés, elle avoua à ses parents qu'elle savait d'où ils venaient désormais, et ce que signifiait cette bague. Et elle demanda à son père ce qu'il comptait faire pour aider la Tigane à se relever, ce qu'il avait fait pendant toutes ces années. C'était la première fois qu'elle voyait son père d'ordinaire si doux, si parfaitement inoffensif, se mettre en colère; c'était aussi la première fois qu'il la frappait.

Sa mère était en larmes. Son père arpentait la maison en fulminant, à la manière d'un homme qui n'a pas l'habitude de se fâcher, et il jura sur la Triade qu'il n'avait pas emmené sa femme et sa fille avant l'invasion ygrathienne et la chute finale pour qu'on vînt le replonger dans ce chagrin à présent.

Et c'est ainsi que Catriana avait pris connaissance d'une autre information qui devait également changer sa vie.

Son plus jeune frère s'était mis à pleurer. Son père était alors sorti de la maison en claquant la porte, faisant trembler les vitres. Catriana et sa mère s'étaient longuement regardées, en silence, tandis que dans la mansarde au-dessus le petit garçon effrayé se rendormait peu à peu. Catriana leva la main et exhiba la bague qu'elle portait depuis quatre ans. Elle posa une question à sa mère du regard, et celle-ci hocha la tête. Elle ne pleurait plus. Elles s'embrassèrent, sachant toutes deux que c'était la dernière fois.

Catriana avait rejoint Alessan et Baerd dans la plus connue des auberges d'Ardin. La nuit était splendide et les deux lunes presque pleines. Le veilleur de nuit l'avait lorgnée et il avait cherché à la toucher tandis qu'elle grimpait l'escalier à ses côtés, en direction de la chambre qu'il avait identifiée.

Elle frappa et, en entendant son nom, Alessan lui ouvrit. Avant même qu'elle se mît à parler, elle remarqua que ses yeux gris étaient étonnamment sombres, comme s'il redoutait un fardeau ou une douleur.

« Je viens avec vous, annonça-t-elle. Mon père est un poltron. Nous avons fui avant l'invasion. J'entends réparer cette faute. Mais ne comptez pas sur moi pour coucher avec vous. Je n'ai jamais couché avec un homme. Je peux avoir confiance en vous deux ? »

En se rappelant cet aveu, elle rougit dans l'obscurité. Elle avait dû leur paraître terriblement gamine. Aucun d'eux n'avait ri cependant, ni même souri. Elle s'en souviendrait toujours.

« Tu sais chanter ? » fut la seule question que lui posa Alessan.

Elle se rendormit en pensant à la musique, à toutes les chansons qu'elle avait chantées avec lui sur les routes de la Palme pendant ces deux années. Elle rêva de nouveau, un rêve aquatique : elle était chez elle et nageait dans l'océan. C'était là son plus grand plaisir. L'été, au crépuscule, elle plongeait à la recherche de coquillages ; les poissons étincelants fuyaient devant elle tandis qu'elle sentait la mer l'envelopper comme une seconde peau.

Puis, sans prévenir ni observer de transition, le rêve bifurqua : elle était sur le pont, en Tregea, dans l'obscurité hivernale et le vent ; jamais elle n'avait imaginé qu'on pût avoir aussi peur. Elle n'avait qu'elle-même à blâmer, son orgueil, ce besoin inassouvi qui la dévorait, la consumait, de racheter leur fuite. Elle se revit monter sur la rambarde, s'y maintenir en équilibre, tandis qu'en dessous l'eau noire et tumultueuse dévalait à toute allure, et elle entendit, malgré le bruit de l'eau, les battements de son cœur...

Elle s'éveilla une deuxième fois, juste avant le cauchemar du saut. Ce qu'elle avait pris pour les battements de son cœur n'était autre qu'un coup frappé à la porte.

« Qui est-ce ? demanda-t-elle.

— Devin. Me permets-tu d'entrer ? »

Elle se redressa brutalement et tira la couverture du dessus jusqu'au menton.

« Qu'est-ce qui se passe ? interrogea-t-elle.

— Je ne saurais le dire précisément. Je peux entrer ?

— La porte n'est pas fermée à clé », dit-elle au bout d'un moment. Elle vérifia que les couvertures la cachaient, mais il faisait si sombre que cela n'avait guère d'importance.

Elle l'entendit entrer mais ne distingua guère autre chose que les contours de sa silhouette.

« Merci, fit-il. Tu devrais fermer ta porte à clé, tu sais. »

Elle se demanda s'il se rendait compte à quel point elle détestait ce genre de recommandations. « La seule personne susceptible de rôder dans les couloirs cette nuit, c'est notre hôtesse, et je ne pense pas qu'elle ait jamais eu envie de venir me voir. Il y a un fauteuil, là, à gauche, si tu veux. »

Elle l'entendit tâtonner, puis s'affaler dans le fauteuil avec un soupir. « Tu as sans doute raison, dit-il d'une voix épuisée. Et pardonne-moi cette remarque, car je te sais tout à fait capable de veiller à ta sécurité sans mes conseils. »

Elle tendit l'oreille pour savoir s'il s'agissait d'un commentaire ironique, mais décida que non. « Je crois que je ne m'en suis pas trop mal sortie sans ton aide », fit-elle calmement.

Il resta silencieux. Puis : « Catriana, je ne sais vraiment pas pourquoi je suis là. Je suis vraiment d'humeur bizarre ce soir. Je me sens bêtement triste. »

Il y avait certes quelque chose d'étrange dans sa voix. Elle parut hésiter un instant, puis, après avoir soigneusement tiré les couvertures, elle entreprit de frotter une pierre à feu.

« Tu allumes une flamme une nuit de Quatre-Temps ? demanda-t-il.

—Ça m'en a tout l'air. »

Elle l'approcha de la chandelle sur sa table de chevet. Puis, un peu honteuse de lui avoir répondu avec une telle agressivité, elle ajouta : « Ma mère en allumait toujours une, pour que la Triade n'oublie pas, disait-elle. Mais je n'ai compris le sens de ses paroles qu'après avoir rencontré Alessan.

—C'est bizarre, mon père faisait la même chose, fit Devin, songeur. Je n'y avais jamais fait attention. J'ignorais pourquoi. Mon père n'était pas du genre à fournir beaucoup d'explications. »

Elle se tourna vers lui, mais il était si bien carré dans le fauteuil que les bras lui cachaient le visage.

« Pour qu'elle n'oublie pas la Tigane ? dit-elle.

—Je ne vois pas d'autre explication. Comme si… comme si la Triade ne méritait pas tant de dévotion, une observation aussi scrupuleuse des rites, après ce qu'elle avait laissé faire. » Il se tut, puis reprit sur un ton plus méditatif : « Encore un exemple de notre orgueil, non ? De cette arrogance tiganaise dont Sandre parle sans arrêt. Nous marchandons avec la Triade, nous entendons rétablir l'équilibre : on nous prive de notre nom, et nous supprimons une partie des rites.

—Peut-être », dit-elle, mais elle ne voyait pas exactement les choses sous cet angle. Devin parlait de la sorte par moments. Pour elle, il ne s'agissait pas d'une preuve d'orgueil ou d'un marchandage, mais seulement d'un moyen de se souvenir du tort qu'on leur avait fait. Une façon de ne pas oublier, comme le vin bleu pour Alessan.

« Ma mère n'est pas une femme orgueilleuse, s'entendit-elle déclarer à sa grande surprise.

—Je ne sais pas comment était la mienne, répondit-il d'une voix nouée. Je ne sais même pas si mon père l'est ou non. Je ne sais pas grand-chose de lui non plus, en définitive. » Il n'était décidément pas lui-même.

« Devin, ordonna-t-elle sèchement, penche-toi en avant, que je puisse te regarder. » Elle vérifia ses couvertures ; elles lui remontaient toujours jusqu'au menton.

Il s'avança lentement : la lumière de la chandelle éclaira ses cheveux en désordre, sa chemise déchirée, les traces laissées par les ongles et les dents de sa maîtresse. Elle ressentit une vive bouffée de colère, bientôt suivie d'une angoisse plus lente, plus profonde, qui n'avait rien à voir avec lui. Du moins pas directement.

Elle cacha l'une et l'autre de ces deux réactions derrière un rire sarcastique.

« Elle rôdait bel et bien, à ce que je vois. On dirait que tu reviens d'une bataille. »

Au prix d'un gros effort, il parvint à sourire, mais son regard était ténébreux, comme elle le constata aussitôt à la seule clarté de la bougie.

Elle en conçut un certain malaise. « De quoi s'agit-il, alors ? poursuivit-elle en poussant le sarcasme un peu plus loin. Tu l'as achevée, et tu es venu chercher un supplément ici ? Dans ce cas, permets-moi de te dire que...

—Non, se hâta-t-il de répondre. Non, ce n'est pas cela. C'est... tout sauf cela, Catriana. La nuit... n'a pas été facile.

—Je m'en serais doutée en te voyant », répliqua-t-elle en agrippant ses couvertures à deux mains.

Il continua avec obstination. « Tu n'y es pas. C'est tellement bizarre. Et compliqué. Je crois que j'ai appris quelque chose cette nuit. Je crois que...

—Devin, épargne-moi les détails ! » Elle s'en voulait de se fâcher de la sorte dès qu'on abordait ce sujet.

« Non, non, il ne s'agit pas de cela ; encore que si, au tout début. Mais... » Il reprit son souffle. « Je crois que j'ai appris quelque chose sur la manière de procéder des tyrans. Et pas seulement Brandin, et pas seulement à Tigane. Alberico aussi. Tous les deux... et dire que nous sommes tous tombés dans le panneau !

—Quelle perspicacité ! ironisa-t-elle tout en réfléchissant. Elle doit être encore plus habile que tu ne le pensais. »

Cette dernière remarque le réduisit au silence. Il recula dans son fauteuil, et elle cessa de distinguer son visage. Dans la pause qui suivit, elle réussit à calmer sa respiration.

« Je te demande pardon, fit-elle. Ce n'est pas ce que je voulais dire. Je suis fatiguée. J'ai fait de mauvais rêves cette nuit. Qu'attends-tu de moi, Devin ?

—Je ne suis pas sûr, dit-il. Que tu sois mon amie. »

Elle se sentit de nouveau bousculée et mal à l'aise. Elle résista à l'envie instinctive de suggérer qu'il allât écrire une lettre à l'une des filles de Rovigo. Elle se contenta de dire : « Je ne suis pas très douée pour cela. Et ne l'ai jamais été, même enfant.

—Moi non plus », répondit-il en se penchant de nouveau. Il avait vaguement remis de l'ordre dans ses cheveux. « Il y a autre chose qu'un simple lien d'amitié entre toi et moi, pourtant. Et il t'arrive de me haïr, n'est-ce pas ? »

Catriana sentit son cœur se remettre à battre la chamade. « Il n'est nul besoin d'évoquer ce sujet, Devin.
Je ne te hais pas.

—Quelquefois si, poursuivit-il sur ce même ton
étrange et obstiné. À cause de ce qui s'est passé au
palais Sandreni. » Il s'arrêta et inspira maladroitement.
« Parce que je suis le premier avec qui tu aies fait
l'amour. »

Elle ferma les yeux. Et essaya très fort de faire comme
si cette dernière phrase n'avait pas été prononcée. En
vain. « Tu t'en es aperçu ?

—Pas sur le moment. Je l'ai compris par la suite. »

Les pièces d'un autre puzzle. Il les avait patiemment
assemblées. Avait fait le point sur son personnage. Elle
ouvrit les yeux et le regarda sévèrement. « Et tu crois
que c'est en me rappelant cet épisode passionnant que
nous allons devenir amis ? »

Il tressaillit. « Sans doute que non. Je n'en sais rien.
J'avais juste envie de te dire que j'aimerais être ton
ami. » Il se tut. « Ne m'en veux pas, Catriana, je ne suis
plus sûr de rien. »

Catriana eut la surprise de constater qu'elle n'éprouvait plus ni choc ni colère. Elle le vit s'affaisser de
nouveau, épuisé, et elle fit de même, s'appuyant contre
la tête de lit en bois. Elle réfléchit un bon moment,
s'étonnant de son calme intérieur.

« Je ne te hais pas, Devin, reprit-elle. Je te promets
que non. Je n'éprouve rien de la sorte à ton égard. C'est
un souvenir qui me met mal à l'aise, je ne vais pas prétendre le contraire, mais je ne pense pas qu'il nous ait
jamais détournés de notre but. Et c'est ce qui compte,
non ?

—Tu as raison. » Elle ne distinguait pas son visage.
« Si, comme tu le dis, c'est effectivement tout ce qui
compte.

—Tu sais, je t'ai dit la stricte vérité tout à l'heure :
je n'ai jamais su me faire d'amis.

—Pourquoi ? »

D'autres éléments dans le puzzle. Elle ajouta : « En ce qui concerne mon enfance, je l'ignore. Peut-être par excès de timidité ou d'orgueil. Je ne me suis jamais sentie chez moi dans ce village, bien que je n'en aie jamais connu d'autre. Mais, depuis que Baerd m'a parlé de la Tigane, depuis que j'ai entendu ce nom, tout le reste a cessé de compter. Seule la Tigane m'importe. »

Elle l'entendait presque réfléchir à ce qu'elle venait de dire.

« Le froid de la fin. »

Exactement ce que lui avait dit Aliénor. Il poursuivit : « Tu n'en demeures pas moins un être vivant, Catriana. Avec un cœur, une vie à vivre, la possibilité de te lier d'amitié, et même d'aimer. Pourquoi cherches-tu à réduire ton existence à cette seule cause ? »

Et elle s'entendit répondre : « Parce que mon père a refusé de se battre. Il a fui la Tigane comme un poltron avant même les batailles de la Deisa. »

Dès qu'elle eut prononcé ces mots, elle se retint pour ne pas s'arracher la langue jusqu'à la racine.

« Oh, fit-il.

— Pas un mot, Devin ! Ne dis pas un mot ! »

Il obéit et demeura assis sans bouger, presque invisible dans les profondeurs de son fauteuil. Elle éteignit brusquement la chandelle ; elle ne voulait plus de lumière maintenant. Puis, parce qu'il faisait sombre et qu'il était si obligeamment silencieux, elle se reprit peu à peu. Et réussit à assumer ce qu'elle avait dit les yeux secs. Il lui fallut un long temps de récupération, dans l'obscurité, mais elle poussa un profond soupir et sut qu'elle s'était reprise.

« Merci », dit-elle sans savoir très bien de quoi. De son silence surtout.

Nulle réponse ne vint. Elle attendit quelques instants avant de l'appeler, doucement. Il ne répondit pas davantage. Elle tendit l'oreille et finit par percevoir le rythme régulier de sa respiration de dormeur.

Elle avait un sens de l'ironie suffisamment développé pour en rire. Il était manifeste qu'il avait eu une nuit difficile, et pas seulement pour les raisons évidentes qu'ils avaient tous deux évoquées.

Elle songea à le réveiller et à le renvoyer dans sa chambre. Cela en surprendrait plus d'un si on les voyait sortir ensemble de la sienne. Elle constata qu'elle s'en moquait ; elle constata aussi que cela la gênait moins que prévu, qu'il ait découvert cette vérité à son sujet, dans le palais Sandreni, puis ce qu'elle lui avait révélé ce soir et qui concernait son père mais la concernait, elle, avant tout.

Elle eut envie d'étendre une couverture sur lui, mais résista à cette impulsion. Sans savoir très bien pourquoi, elle ne souhaitait pas qu'il se réveillât au petit matin et s'aperçût qu'elle avait fait cela. C'était bon pour les filles de Rovigo mais pas pour elle. La plus jeune l'aurait déjà mis dans son lit et serait en train de lui faire l'amour, malgré son humeur bizarre et son état de fatigue. Quant à la plus âgée, elle aurait tissé un nouveau couvre-pied avec une rapidité époustouflante et l'en aurait couvert, sans omettre de joindre une note indiquant le pedigree du mouton ayant fourni la laine et l'historique du motif choisi.

Catriana sourit pour elle seule dans l'obscurité, puis elle se rendormit. Son agitation s'était dissipée et elle ne fit pas d'autre rêve. Quand elle s'éveilla, peu après le lever du jour, il avait disparu. Ce n'est que plus tard qu'elle apprit où il était allé.

CHAPITRE 11

Elena était postée près de la porte ouverte, dans la demeure de Mattio ; de là, elle avait une vue imprenable sur la route sombre qui menait aux douves et au pont-levis relevé. Elle regarda les bougies vaciller puis s'éteindre une à une derrière les vitres du château Borso. De temps à autre des gens entraient dans la maison, qui lui adressaient un signe de tête ou un bref salut dans le meilleur des cas, parfois ni l'un ni l'autre. Car c'était une nuit de combat qui les attendait, et aucun des nouveaux arrivants ne l'ignorait.

Pas un bruit, pas une lumière ne lui parvenait du village derrière elle. Cela faisait belle lurette qu'on avait soufflé toutes les bougies, étouffé tous les feux et même calfeutré les portes à l'aide de serpillières ou de chiffons. Car c'était au cours de la première nuit des Quatre-Temps que les morts sortaient, chacun le savait.

Il n'y avait pas beaucoup de bruit à l'intérieur non plus, bien que quinze ou vingt personnes se fussent déjà massées dans la maison de Mattio, à la lisière du village. Elena ignorait le nombre exact de Marcheurs censés les rejoindre ici ou au point de rencontre, un peu plus tard ; par contre elle savait qu'il n'y en aurait pas assez. Ils étaient déjà trop peu nombreux les deux années précédentes, et chaque bataille s'était soldée par une défaite cuisante. Ces combats de Quatre-Temps décimaient les Marcheurs bien plus vite qu'Elena et les

autres jeunes destinés à les remplacer ne grandissaient.
Et voilà pourquoi la défaite les attendait à chaque printemps, comme elle les attendait ce soir encore.

Dans le ciel constellé d'étoiles, seule une lune était
visible, le croissant blanc de Vidomni, sur le déclin. Il
faisait froid dans les montagnes, en ce début de printemps. Elena croisa les bras et serra fermement les
coudes contre son buste. Le ciel serait différent, la nuit
également, d'ici quelques heures, lorsque la bataille
commencerait.

Carenna entra, un sourire furtif et néanmoins chaleureux aux lèvres. Mais elle ne s'arrêta pas pour bavarder,
car l'heure n'était certes pas aux bavardages. Elena
s'inquiétait pour Carenna : elle avait mis un enfant au
monde deux semaines auparavant, et c'était trop tôt
pour se lancer dans une aventure comme celle de ce
soir. Mais on avait besoin d'elle, d'eux tous en vérité :
la guerre nocturne des Quatre-Temps n'attendait pas,
indifférente au sort d'aucun homme et d'aucune femme
dans le monde diurne.

Un couple qu'elle ne connaissait pas la salua et elle
répondit par un signe de tête. Ils suivirent Carenna
dans la maison. Leurs vêtements étaient couverts de
poussière ; sans doute avaient-ils fait un long périple
depuis l'est et s'étaient-ils arrangés pour arriver après le
coucher du soleil et la fermeture des portes et fenêtres
en ville comme dans toutes les fermes isolées qui se
dressaient dans les champs obscurs. Derrière toutes ces
portes et toutes ces fenêtres, les gens des hautes terres
du Midi attendaient dans le noir et priaient.

Ils demandaient de la pluie et du soleil, une terre
fertile au printemps et en été, jusqu'aux grandes moissons
d'automne ; ils priaient pour que les semences de blé et
d'avoine lèvent dans le sol noir, humide, généreux, et
se dressent, d'une belle couleur d'or, telle une promesse
d'abondance tenue. Et même si, tapis dans leurs maisons
sombres et hermétiques, ils étaient totalement igno-
rants de ce qui allait effectivement se passer ce soir, ils

priaient pour que les Marcheurs de la Nuit sauvent leurs champs, la belle saison, les céréales, et leur viennent en aide toute leur vie durant.

Elena leva machinalement la main pour toucher le petit pendentif de cuir qu'elle avait autour du cou. Un pendentif qui contenait un lambeau de la coiffe qu'elle portait encore à la naissance, et qui distinguait les Marcheurs : tous étaient recouverts de l'enveloppe transparente lorsqu'ils sortaient du ventre maternel en criant.

Un symbole de bonne fortune, disaient les sages-femmes partout ailleurs dans la Palme. Les enfants qui le portaient encore à la naissance venaient au monde avec la bénédiction de la Triade.

Mais ici, dans ces contrées reculées de la péninsule, dans ces régions sauvages dominées par de hauts sommets, le dogme et les usages n'étaient pas les mêmes. Ici, les anciens rites étaient plus profondément enracinés et depuis plus longtemps. Ils passaient de bouche à oreille et de main en main depuis leur origine, à une lointaine époque. Ici, dans les hautes terres du Certando, on ne disait pas d'un enfant né avec sa coiffe qu'il ne mourrait jamais en mer ou, plus naïvement encore, qu'il aurait beaucoup de chance.

On disait qu'il avait été désigné pour marcher au combat.

Les combats reprenaient chaque année à la première nuit des Quatre-Temps, qui marquait le début du printemps et donc de la nouvelle année. On livrait combat dans les champs et pour les champs, pour les semences encore enfouies dans le sol, synonymes d'espoir et de vie, pour la promesse d'une terre renouvelée. On livrait combat pour ceux des grandes villes, privés de l'enseignement de la terre et qui vivaient dans l'ignorance à peu près complète des traditions ; on livrait combat pour tous ceux du Certando, cachés derrière leurs murs et qui ne savaient rien faire d'autre que prier et s'effrayer du moindre bruit au-dehors, sous prétexte qu'il était peut-être imputable à un mort.

Elena sentit une main se poser sur son épaule. Elle se retourna et aperçut Mattio qui la regardait d'un air perplexe. Elle secoua la tête en repoussant ses cheveux d'une main.

«Rien à signaler pour le moment», lui dit-elle.

Mattio ne répondit pas mais, à la lumière blafarde de la lune, elle vit que ses yeux étaient tristes au-dessus de sa longue barbe noire. Il lui pressa l'épaule pour la rassurer, mais son geste, trop machinal, ne lui parut guère convaincant; puis il rentra.

Elena le regarda s'éloigner de son pas lourd : un homme solide, capable. Par la porte ouverte, elle le vit se rasseoir à la longue table à tréteaux, en face de Donar. Elle les observa tous deux un instant, tout en pensant à Verzar, à l'amour et au désir.

Elle se retourna une fois encore pour scruter la nuit en direction de la silhouette lugubre du château dans l'ombre duquel elle avait toujours vécu. Elle se sentit vieille tout à coup, bien plus vieille qu'elle n'était réellement. Elle était mère de deux jeunes enfants qui dormaient chez son père et sa mère ce soir, dans une de ces fermettes soigneusement closes, exempte de lumière. Elle avait également un mari, qui dormait au cimetière, l'une des nombreuses victimes du terrible combat de l'année passée, où il était apparu que le nombre des Autres s'était grandement accru et que leur cruauté, leur malveillance, avaient grandi en proportion.

Verzar était mort quelques jours après la bataille, comme toutes les victimes des combats nocturnes.

Ceux que la mort touchait au cours des combats des Quatre-Temps ne tombaient pas au champ de bataille. Ils se savaient marqués par ce contact froid et inéluctable au plus profond de leur âme – «comme un doigt posé sur ton cœur», lui avait confié Verzar – et, lorsqu'ils rentraient chez eux, ils s'endormaient, puis se réveillaient et tenaient encore debout quelque temps – un jour, une semaine ou un mois –, avant de céder à cet autre monde qui réclamait possession d'eux.

Au nord ainsi que dans les villes, on appelait cela franchir la dernière porte de Morian pour y recevoir la bénédiction si convoitée dans ses salles obscures ; on sollicitait l'intercession des prêtres à grand renfort de cierges et de larmes.

Mais ceux qui naissaient avec la coiffe dans les massifs méridionaux, ceux qui livraient combat aux Quatre-Temps et rencontraient les Autres venus les affronter, ceux-là ne parlaient pas de la sorte.

Non pas qu'ils fussent insensés au point de nier Morian des Portes, Eanna ou Adaon ; mais ils connaissaient l'existence de puissances plus anciennes et obscures que la Triade, des puissances dont l'influence s'étendait bien au-delà de cette péninsule, et même, lui avait confié Donar, au-delà de ce monde-ci, avec ses deux lunes et son soleil. Une fois l'an, les Marcheurs de la Nuit du Certando avaient droit, bien malgré eux, à un aperçu de ces vérités, sous un ciel qui n'était pas le leur.

Elena frissonna. La mort allait une fois de plus réclamer son dû cette nuit, et ils seraient encore moins nombreux à se battre l'année suivante puis celle d'après. Comment cela finirait-il, elle l'ignorait. Elle n'en connaissait pas assez sur le sujet. Elle n'était qu'une jeune veuve de vingt-deux ans, mère de deux enfants, la fille d'un charron établi dans les montagnes méridionales. Elle était également née avec la coiffe propre aux Marcheurs de la Nuit, plongée dans une époque où ceux-ci perdaient toutes les batailles, année après année.

Elle était aussi connue comme celle qui voyait le mieux dans l'obscurité, ce qui expliquait pourquoi Mattio l'avait postée sur le seuil pour guetter l'arrivée de celui que Donar sentait venir.

◆

Ce n'était pas la saison des pluies et, comme il s'y attendait, le niveau d'eau dans les douves était assez bas. Autrefois, il y avait fort longtemps, les seigneurs du château Borso se plaisaient à voir grouiller dans les douves des créatures capables de tuer un homme. Baerd se doutait bien que ce genre de pratique n'avait plus cours depuis longtemps.

Il traversa à pied, immergé jusqu'aux hanches, sous la voûte étoilée faiblement éclairée par Vidomni. Il faisait froid, mais il y avait longtemps maintenant que les conditions atmosphériques le laissaient plutôt indifférent. De même que l'idée de s'aventurer dehors la nuit des Quatre-Temps ne l'inquiétait plus. En fait, c'était même devenu une habitude au fil des années : savoir que partout dans la Palme les gens sacrifiaient au rituel des saints jours en restant cloîtrés chez eux, dans le noir, lui procurait un sentiment de solitude plus puissant encore, dont son âme avait manifestement besoin. Il adorait se mouvoir dans ce monde replié sur lui-même, qui respirait à peine, lové dans une obscurité primale, sous les étoiles, sans qu'aucun feu allumé par l'homme ne vînt éclairer le ciel, les seules flammes étant celles que la Triade faisait jaillir des éclairs produits par les cieux.

Et si d'aventure des fantômes ou des esprits rôdaient dans la nuit, il voulait les voir ; si les morts de son passé sortaient de leur retraite, il voulait pouvoir implorer leur pardon.

Sa propre douleur était tissée d'images qui ne le lâchaient pas. Images de sérénité disparue, de marbre pâle sous un clair de lune semblable à celui-ci, de portiques gracieux nés d'harmonies qu'on pouvait passer toute une vie à étudier avant d'en comprendre les infinies subtilités ; évocations de voix calmes, presque intelligibles pour l'enfant qui sommeillait dans la pièce voisine ; de rires confiants et sereins ; et, dans le soleil matinal éclairant une cour familière, d'une main puissante et stable sur son épaule. La main d'un sculpteur et d'un père.

Puis le feu, le sang et les cendres dispersées par le vent, qui rougissaient le soleil de midi.

La fumée et la mort, le marbre fracassé, la tête d'un dieu qui s'envole et rebondit comme un caillou sur la terre brûlée avant d'être impitoyablement écrasée, jusqu'à redevenir un petit tas de sable fin. Comme le sable de la plage qu'il avait foulé dans l'obscurité, quelques mois plus tard, et qui s'étendait à perte de vue en bordure d'une mer froide et indifférente.

Tels étaient les sinistres visiteurs qui, parmi d'autres, peuplaient ses nuits depuis dix-neuf ans ou presque. Il portait comme un bagage, comme une charrette à bras qu'il était forcé de tirer, comme un caillou rond dans son cœur, des images de son peuple, de leur monde anéanti, de leur nom oblitéré. Oblitéré au sens propre du terme ; une consonance à la dérive, qui s'éloignait davantage d'année en année du monde des hommes, semblable à la marée qui se retire dans l'aube grisâtre d'un matin d'hiver. Très proche de cette marée, à ceci près que les marées, elles, remontent.

Il avait appris à vivre avec ces images parce qu'il n'avait pas d'autre choix, sauf celui de capituler. Ou de mourir. Ou de se réfugier dans la folie comme sa mère. Il se définissait par la somme de ses douleurs : il les connaissait comme d'autres connaissent la forme de leurs mains.

Mais la seule chose capable de le réveiller, qui ne s'apparentait ni au monde du sommeil ni à aucune autre forme de repos et l'obligeait présentement à sortir, comme il s'y sentait obligé dans sa jeunesse au milieu de la ville en ruine, c'était finalement autre chose que tout cela. Ce n'était pas une vision fugitive de la splendeur passée ; ce n'était pas non plus une image de mort ou de sinistre. C'était par-dessus tout le souvenir de l'amour qui avait pris forme dans les cendres et la dévastation.

La nuit, il n'était pas assez fort pour lutter contre le souvenir d'un printemps et d'un été avec Dianora, sa sœur.

Et c'est pourquoi, partout dans la Palme, Baerd sortait la nuit, quel que fût le ciel : éclairé par l'une ou l'autre des lunes ou par les deux à la fois, ou bien sombre et constellé d'étoiles. L'été parmi les collines couvertes de bruyère du Ferraut, en automne dans les vignes opulentes de l'Astibar ou du Senzio, le long des pentes enneigées de la Tregea, ou ici, au début du printemps, par une nuit de Quatre-Temps, dans les hauts massifs méridionaux.

Il sortait marcher et se fondait dans l'obscurité pour respirer l'odeur de la terre, fouler le sol, écouter la voix du vent d'hiver, goûter le raisin et l'eau au clair de lune, s'installer, immobile, dans un arbre de la forêt pour suivre la chasse d'un prédateur nocturne. Et, de temps à autre, quand il se sentait attaqué ou provoqué par un brigand ou un mercenaire, Baerd tuait. Lui-même prédateur de la nuit, leste et vite envolé. Une autre sorte de fantôme, une partie de lui-même morte avec les victimes de la Deisa.

Dans chaque province de la Palme sauf la sienne, qui avait disparu, il s'était livré à ce jeu d'année en année, conscient du passage lent des saisons, apprenant à connaître la nuit dans cette forêt ou dans ce champ, près de ce fleuve obscur, sur la crête de ce massif, cherchant partout y compris à l'intérieur de lui-même une délivrance qui lui était toujours refusée.

Il s'était souvent trouvé dans ces hautes terres à l'occasion des Quatre-Temps. Alessan et lui venaient depuis longtemps, et ils avaient partagé beaucoup de choses avec Aliénor de Borso ; sans oublier cette autre raison, plus conséquente, qui les poussait vers les montagnes du Sud au nouvel an une année sur deux. Il songea aux nouvelles en provenance de l'Ouest. De leur pays. Il se souvint du visage d'Alessan quand il avait pris connaissance de la lettre de Danoleon, et il eut un pressentiment. Mais c'était pour demain, et cela concernait davantage Alessan que lui-même, malgré le désir qu'il avait depuis toujours de partager ses soucis et d'alléger son fardeau.

Cette nuit était la sienne ; c'était lui l'appelé. Seul dans l'obscurité, mais accompagné d'une Dianora plus

présente que jamais, il s'éloigna du château. Les autres
années, il prenait toujours à l'ouest, puis au sud de
Borso, et louvoyait dans les montagnes au-dessous du
col du Braccio. Cette nuit pourtant, sans qu'il sût pourquoi, ses pas le conduisirent dans la direction inverse,
au sud-est, jusqu'à la lisière du village en contrebas du
château ; là, tandis qu'il passait devant une maison dont
la porte, bizarrement, était restée ouverte, il aperçut
dans la clarté lunaire une femme aux cheveux blonds
qui semblait l'attendre, et il s'arrêta.

◆

Assis à la table, Mattio résista à la tentation de re-
compter les présents une énième fois et s'efforça de se
conduire comme si tout était aussi normal que possible
à l'approche du combat ; il entendit alors Elena prononcer son nom, puis celui de Donar, depuis le pas de
la porte. Sa voix était douce, comme toujours, mais tous
les sens de Mattio furent en émoi. Il en était ainsi depuis
des années, même avant que ce pauvre Verzar mourût.

Il jeta un coup d'œil à Donar de l'autre côté de la
table, mais le vétéran avait déjà saisi ses béquilles et
s'apprêtait à se lever. Il se dirigea vers la sortie en oscil-
lant sur son unique jambe, et Mattio le suivit. Nombre
de leurs compagnons se tournèrent dans leur direction,
nerveux et pleins d'appréhension. Mattio réussit à
esquisser un sourire rassurant. Carenna croisa son regard
et se mit à proférer des paroles apaisantes aux plus
nerveux d'entre eux.

Passablement mal à l'aise lui-même, Mattio sortit
rejoindre Donar et constata qu'il y avait un nouveau
venu. Un homme de taille moyenne, aux cheveux bruns
et à la barbe bien taillée, se tenait immobile devant
Elena ; son regard allait de la jeune femme aux deux
hommes, mais il ne disait rien. Il portait une épée dans
un fourreau en bandoulière, à la manière des Trégéens.

Mattio regarda Donar dont le visage était resté impassible. Malgré sa longue expérience des combats de

Quatre-Temps, malgré le talent de Donar, il ne put réprimer un frisson.

« Peut-être aurons-nous un nouveau », avait annoncé leur chef unijambiste la veille au soir. Et, de fait, un homme était venu au clair de lune dans l'heure précédant la bataille. Mattio observa Elena : elle ne quittait pas l'étranger des yeux. Elle se tenait très droite, gracieuse et immobile, les mains aux coudes, cachant sa peur et son étonnement du mieux qu'elle pouvait. Mais cela faisait des années que Mattio l'observait, et il avait remarqué sa respiration haletante. Il l'aimait pour son calme et les efforts qu'elle faisait pour cacher sa peur.

Il jeta un regard à Donar, puis s'avança, les mains ouvertes et tendues. D'une voix amène il dit : « Sois le bienvenu, bien que ce ne soit pas une nuit à errer loin de chez soi. »

L'étranger hocha la tête. Il se tenait fermement campé et donnait l'impression de savoir se servir de son épée. « Ni à laisser portes et fenêtres ouvertes, dit-il, si j'entends quelque chose à cette région.

—Et qu'est-ce qui te donne l'impression que tu y entends quelque chose ? » reprit Mattio un peu trop vite. Elena n'avait toujours pas détaché les yeux de cet homme. Elle avait pris une expression inhabituelle.

Alors qu'il faisait un pas pour se rapprocher d'elle, il reconnut l'homme. Il l'avait vu à plusieurs reprises au château. Un musicien, croyait-il se rappeler, ou bien un marchand. Un de ces individus sans racines qui traversaient et retraversaient la Palme. Lui qui s'était mis à espérer en apercevant l'épée commençait à déchanter.

L'étranger n'avait pas relevé la remarque insolente de Mattio. Autant qu'on pût en juger au clair de lune, il semblait réfléchir à la teneur de son propos. Sa réponse dérouta Mattio.

« Pardonnez-moi si je transgresse une coutume par ignorance, dit-il. Je marche pour des raisons personnelles. Mais je vais vous laisser en paix. »

Il fit demi-tour, prêt à partir.

« Non ! » lança Elena d'une voix pressante.

À cet instant, Donar, qui n'avait encore rien dit, décida de s'exprimer.

« Il n'y a pas de paix possible ce soir, dit-il de cette voix grave qui leur inspirait confiance à tous. Et tu n'es pas un intrus. Je m'attendais un peu à voir venir quelqu'un par cette route. Elena te guettait. »

À ces mots, l'étranger se retourna. Ses yeux paraissaient plus grands dans l'obscurité ; une lueur différente, plus sereine, plus respectueuse, brillait dans son regard maintenant.

« Dans quel but ? » demanda-t-il.

Il y eut un silence. Donar déplaça ses béquilles et s'élança. Elena se mit sur le côté pour lui permettre de se placer en face de l'étranger.

Mattio la contempla : ses cheveux lui tombaient tous sur une épaule ; au clair de lune, ils brillaient comme de l'or blanc. Elle n'avait pas cessé de regarder l'homme aux cheveux bruns.

Qui, lui, regardait intensément Donar. « Dans quel but ? » répéta-t-il sans agressivité.

Donar hésitait encore, et à cet instant Mattio s'aperçut, non sans un choc, que le meunier, leur aîné à tous, avait peur.

Une bouffée d'appréhension s'empara de lui, car il comprit brusquement ce que Donar s'apprêtait à faire.

Et Donar franchit le pas. Il livra leur secret à un homme du Nord.

« Nous sommes les Marcheurs de la Nuit du Certando, déclara-t-il de sa voix grave et posée. Et cette nuit est la première des Quatre-Temps. Notre nuit. Alors je dois te demander si, là où tu es né, on a décelé une marque… si les sages-femmes présentes ont mentionné un signe porte-bonheur ? » Lentement, il glissa une main dans sa chemise et sortit la bourse de cuir contenant la coiffe qui l'avait marqué dès sa naissance.

Du coin de l'œil, Mattio vit Elena se mordiller la lèvre. Il regarda l'étranger, le vit assimiler ce que Donar venait de lui révéler, tout en évaluant ses chances de le tuer si jamais cela s'avérait nécessaire.

Cette fois, le silence se prolongea. Les bruits étouffés dans la maison derrière eux résonnaient davantage. L'homme aux cheveux bruns avait les yeux grands ouverts désormais, et la tête haute. Mattio comprenait qu'il soupesait les conséquences de ce qu'on venait de lui révéler.

Puis, toujours en silence, l'étranger mit une main dans sa chemise et sortit, pour que tous trois puissent voir à la lumière des étoiles et de la lune, la petite bourse de cuir que lui aussi portait autour du cou.

Mattio entendit un petit bruit, un soupir, et s'aperçut que c'était lui qui l'avait poussé.

« Que la terre soit louée ! » murmura Elena, incapable de se contenir. Elle avait fermé les yeux.

« La terre, tout ce qui en jaillit, tout ce qui y retourne », ajouta Donar. Curieusement, sa voix tremblait.

Ils laissèrent Mattio conclure. « Pour en jaillir à nouveau dans un cycle sans fin », dit-il en regardant l'étranger et la bourse qu'il portait. Elle était presque identique à la sienne, à celles d'Elena et de Donar, à la bourse que chacun d'eux portait, sans exception.

C'est avec ces paroles invocatoires, prononcées par ses trois interlocuteurs – chacun en récitant une partie –, que Baerd finit par comprendre dans quoi il s'était immiscé.

Deux cents ans plus tôt, à une époque où sévissaient de multiples fléaux – mauvaises récoltes, meurtres et violence –, une doctrine qualifiée d'hérétique, la doctrine de Carlozzi, avait pris racine ici, dans le Sud. Et, de là, elle avait commencé à se répandre partout dans la Palme, faisant des adeptes à une vitesse fulgurante. Les prêtres inflexibles des trois cultes s'étaient unis contre l'enseignement majeur de Carlozzi, qui voulait que la Triade ne fût qu'un chœur de jeunes divinités soumises, œuvrant pour un ensemble de puissances plus sombres.

Confrontés à une unité si totale et si exceptionnelle du clergé ainsi qu'à dix années de fléaux et de famines, les ducs et grands-ducs, y compris Valcanti, le prince de Tigane, avaient senti qu'ils n'avaient pas le choix. Les adeptes de Carlozzi avaient été traqués, jugés et exécutés partout dans la péninsule, selon le mode d'exécution choisi par chaque province à l'époque.

Une époque marquée par la violence et le sang. Deux cents ans plus tôt.

Et voilà qu'il venait d'exhiber la bourse de cuir contenant la coiffe de sa naissance devant trois personnes qui s'avouaient adeptes de Carlozzi.

Les plus zélés d'entre eux. Ils étaient les Marcheurs de la Nuit, avait déclaré cet unijambiste : l'avant-garde, l'armée secrète de la secte. Des individus choisis selon des critères tenus secrets. Mais lui savait maintenant, ils venaient de lui montrer. Il songea que cette révélation mettait en danger sa vie, et, de fait, le grand gaillard barbu se tenait sur ses gardes comme s'il se préparait à un affrontement.

Cependant, la femme qui faisait le guet pleurait ; une très belle femme, mais pas à la manière d'Aliénor dont chaque mouvement, chaque parole évoquaient un danger potentiel, à la manière d'un félin. Cette femme était trop jeune, trop timide, il n'arrivait pas à la trouver menaçante ; surtout pas maintenant qu'elle pleurait ainsi. Et tous trois avaient prononcé des paroles de remerciement, de louanges. Il se tenait instinctivement sur le qui-vive, et pourtant ne pressentait pas de menace imminente. Baerd obligea ses muscles à se détendre. « Que souhaitez-vous me dire d'autre ? » fit-il.

Elena essuya les larmes sur son visage. Elle regarda encore l'étranger, s'imprégnant de sa force sereine, sans faille, doutant encore de sa matérialité tant il était extraordinaire qu'il fût là. Elle déglutit avec difficulté ; elle sentait les battements accélérés et douloureux de son cœur dans sa poitrine, et s'efforçait de dépasser l'instant où elle avait vu cet homme surgir de la nuit et de l'ombre pour s'approcher d'elle ; puis ce long moment où ils étaient restés face à face au clair de lune, jusqu'à ce qu'elle tende instinctivement la main pour toucher la sienne et s'assurer que c'était bien un homme de chair et de sang. Seulement alors elle avait appelé Mattio et Donar. En proie à un sentiment étrange, elle se força à écouter plus attentivement ce que disait Donar.

« Ce que je vais te confier te donne un pouvoir de vie et de mort sur un grand nombre de gens, disait-il posément. Car le clergé cherche à nous anéantir, et le tyran d'Astibar se range toujours aux côtés du clergé dans de telles affaires. Tu dois le savoir.

— Je le sais, répondit l'homme aux cheveux bruns d'une voix tout aussi posée. Peux-tu m'expliquer pourquoi tu me confies tout cela ?

— Parce que nous nous apprêtons à partir à la bataille, dit Donar. Cette nuit, je mènerai mes Marcheurs de la Nuit au combat ; or, la nuit dernière, j'ai rêvé qu'un étranger venait à nous. J'ai appris à me fier à mes rêves bien qu'ils soient imprévisibles. »

Elena vit l'étranger approuver d'un hochement de tête sans se départir de son calme, accueillant cette déclaration avec la même évidence que sa présence à elle sur la route. Les muscles de ses bras saillaient sous sa chemise, et elle vit qu'il se tenait comme un homme qui a déjà eu l'occasion de se battre. Elle devinait un air de tristesse sur son visage, mais il faisait trop sombre pour en avoir la certitude et elle s'en voulut de laisser ainsi courir son imagination en un moment comme celui-ci.

Mais, tout de même, il errait seul sur les routes une nuit de Quatre-Temps. Il n'y avait que les hommes en proie à un chagrin personnel pour faire une chose pareille, elle en était sûre. Elle se demandait d'où il était originaire, sans oser lui poser la question.

« C'est vous le chef du groupe, si je comprends bien ? dit-il à Donar.

— C'est lui, intervint Mattio d'un ton sec. Et vous feriez bien de ne pas trop vous appesantir sur son infirmité. » Étant donné le ton provocant qu'il avait employé, il était clair qu'il avait compris la question de travers. Elena le savait toujours prêt à protéger Donar ; c'était une des choses qu'elle appréciait le plus chez lui. Mais le moment était trop important et grandiose pour se tromper d'interprétation. Elle se tourna vers lui et secoua la tête avec conviction.

« Mattio ! » s'exclama-t-elle, mais Donar avait déjà posé une main sur le bras du forgeron, et à cet instant l'étranger sourit pour la première fois.

« Tu réagis vite, mais je n'entendais offenser personne. J'ai connu des hommes au moins aussi gravement mutilés qui conduisaient des armées ou gouvernaient. Je cherche simplement à trouver mes repères, car il fait plus sombre ici pour moi que pour vous. »

Mattio ouvrit la bouche, puis la referma. Il eut un petit geste maladroit des épaules et des mains en guise d'excuse. Ce fut Donar qui répondit.

« Je suis le doyen des Marcheurs, oui, dit-il ; c'est moi qui dirige les opérations lors des batailles, avec l'aide de Mattio. Mais je dois t'avertir que le combat que nous allons livrer ce soir ne ressemble à aucun autre. Quand nous ressortirons de cette maison, le ciel n'aura plus rien de commun avec celui au-dessus de nos têtes maintenant. Et, sous cet autre ciel, dans cet univers peuplé de fantômes et d'ombres, peu d'entre nous garderont la même apparence qu'en ce moment. »

Le visiteur bougea, laissant paraître un léger malaise. Il baissa les yeux, comme à contrecœur, pour regarder les mains de Donar.

Donar lui sourit et tendit la main gauche en écartant les doigts.

« Je ne suis pas sorcier, dit-il. Il y a certes de la magie dans tout cela, mais, si nous y pénétrons, c'est uniquement parce que nous avons été désignés pour cela ; nous n'avons pas de pouvoir et il ne s'agit pas de sorcellerie. »

L'étranger hocha la tête. Puis, avec des paroles courtoises et mesurées, il déclara : « Je le vois bien. Mais je suppose que, si vous m'expliquez tout cela, c'est que vous avez une idée en tête. Pouvez-vous me dire laquelle maintenant ? »

Et Donar finit par la lui dire : « Parce que nous voudrions te demander ton aide à la bataille de ce soir. »

Au cours du silence qui suivit, Mattio s'exprima ; Elena savait ce qu'il lui coûtait de fierté pour insister ainsi : « Nous en avons besoin. Grand besoin.

— Contre qui vous battez-vous ? demanda le visiteur.

— Nous les appelons les "Autres", dit Elena, comme ni Donar ni Mattio ne répondaient. Ils viennent tous les ans depuis plusieurs générations.

— Ils viennent saccager nos champs, détruisant semences et récoltes, fit Donar. Pendant deux siècles, les Marcheurs de la Nuit du Certando se sont battus contre eux la nuit des Quatre-Temps et ont réussi à les tenir en échec alors qu'ils déferlaient par l'ouest. »

C'est Mattio qui poursuivit : « Mais cela fait presque vingt ans maintenant que les choses vont de mal en pis. Et, lors des trois dernières années, nous avons subi de sévères défaites. Beaucoup d'entre nous sont morts. Et la sécheresse s'est accrue au Certando ; tu as dû en entendre parler, ainsi que d'autres désastres… »

Mais l'étranger venait de lever la main, un geste brusque et inattendu.

« Presque vingt ans ? En provenance de l'ouest ? » dit-il d'une voix rauque. Il avança d'un pas et se tourna vers Donar. « Les tyrans sont arrivés voici près de vingt ans. Et Brandin d'Ygrath a débarqué par l'ouest. »

Le regard de Donar ne vacilla pas tandis qu'il s'appuyait sur ses béquilles et regardait le visiteur. « C'est vrai, dit-il, et certains d'entre nous ont fait le rapprochement, mais je ne le crois pas significatif. Notre combat annuel n'a rien à voir avec des préoccupations d'ordre politique – quels sont ceux qui gouvernent la Palme à telle ou telle période, comment ils la gouvernent et d'où ils viennent.

— Mais tout de même… fit le visiteur.

— Mais tout de même, reprit Donar en hochant la tête, il y a derrière tout cela des mystères qui me dépassent.

Si tu y vois une logique qui m'échappe, qui suis-je pour remettre en question ou nier que ce puisse être vrai?»

Il toucha la bourse de cuir autour de son cou.

«Tu portes la même marque que nous tous et j'ai vu ta présence en rêve la nuit passée. Nous n'avons aucun droit sur toi, strictement aucun, et je dois te prévenir que la mort sera au rendez-vous cette nuit, quand les Autres arriveront sur le champ de bataille. Mais je dois aussi te préciser que notre quête va bien au-delà de ces champs, au-delà du Certando et même, je crois, de la péninsule de la Palme. Acceptes-tu de te battre à nos côtés ce soir?»

L'étranger resta longtemps silencieux. Il se retourna et leva les yeux vers le ciel, l'étroit croissant de lune et les étoiles, mais Elena sentait que son regard était tourné vers l'intérieur et non vers les lumières du ciel.

«S'il te plaît, s'entendit-elle demander, accepte.»

Elle ne savait même pas s'il avait entendu. Lorsqu'il se tourna de nouveau vers eux, ce fut pour s'adresser à Donar cette fois encore.

«Je suis loin de comprendre tout cela. Je dois mener mes propres combats, et j'ai juré fidélité à certains; néanmoins, je n'ai pas discerné la moindre trace de malignité ou de mensonge en toi, et je souhaite voir par moi-même la forme que prennent les Autres. Si tu as vu ma présence dans un rêve, alors je suis prêt à me laisser guider par ton rêve.»

À cet instant, alors qu'elle sentait ses yeux se remplir à nouveau de larmes, Elena le vit s'adresser à elle. «J'accepte», dit-il d'une voix sereine; il ne souriait pas et la regardait avec toute la gravité de ses grands yeux sombres. «Je me battrai avec vous ce soir. Mon nom est Baerd.»

Ainsi donc il l'avait entendue.

Elena parvint à refouler ses larmes et se redressa de toute sa taille. Elle se sentait en proie à un désordre grandissant, à une terrible confusion, et au milieu de ce chaos il lui sembla entendre un son, une note unique, qui l'atteignit en plein cœur. Après Donar, Mattio fit une remarque qu'elle n'entendit pas. Elle regardait cet étranger, et lorsque leurs regards se croisèrent elle comprit qu'elle avait eu raison, que son instinct ne l'avait pas trahie. Il émanait de lui une tristesse telle qu'aucun homme ni femme clairvoyant ne pouvait manquer de la voir, même la nuit, même dans l'ombre.

Elle détourna le regard puis ferma les paupières un instant, dans un effort pour préserver une partie de son cœur avant qu'il ne fût tout entier absorbé dans la magie et l'étrangeté de la nuit à venir. *Ô Verzar*, songea-t-elle, *ô mon amour défunt !*

Elle rouvrit les yeux et inspira avec précaution.

« Je m'appelle Elena, dit-elle. Entre, je t'en prie, et viens faire la connaissance des autres.

— C'est cela, fit Mattio d'un ton bourru, entre, Baerd. Sois le bienvenu dans ma demeure. » Cette fois, elle perçut la blessure qui filtrait dans sa voix, bien qu'il essayât de la dissimuler. Elle tressaillit car elle avait de l'affection pour lui, et du respect pour sa force et sa générosité ; elle détestait également causer du chagrin à qui que ce fût. Mais, en cette nuit de Quatre-Temps, il était quasiment impossible de dominer des tempêtes émotionnelles déjà incontrôlables à la lumière du jour.

De plus, elle doutait déjà sérieusement, alors qu'ils s'apprêtaient tous quatre à pénétrer dans la maison, de trouver la moindre joie dans ce qui venait de lui arriver, dans cet étranger surgi de l'obscurité, en réponse ou à l'appel du rêve de Donar.

◆

Baerd examina la tasse qu'une certaine Carenna venait de lui placer entre les mains. C'était une tasse en terre cuite, rugueuse au toucher, avec un bord ébréché ; elle n'avait pas été peinte et gardait la couleur rouge de la terre.

Son regard alla de Carenna à Donar, le plus âgé d'entre eux, le mutilé qu'ils appelaient l'aîné, puis au barbu et à l'autre jeune femme, Elena. Tandis qu'elle lui rendait son regard, son visage était nimbé de lumière, même parmi les ombres de la maison, et il s'en détourna comme d'une chose, peut-être la seule, qu'il se sentait incapable de maîtriser. Pas maintenant en tout cas, et peut-être jamais de toute sa vie. Il posa les yeux sur les gens réunis là. Dix-sept personnes. Neuf hommes, huit femmes, chacun une tasse à la main, qui l'attendaient. Il y en aurait davantage au point de rassemblement, avait dit Mattio. Mais combien exactement, ils n'en savaient rien.

Il prenait des risques, il le savait. Emporté par le pouvoir d'une nuit de Quatre-Temps, par la vérité indéniable du rêve de Donar, par le fait qu'ils l'attendaient. Et aussi, s'il était honnête, par le regard d'Elena quand il s'était approché d'elle la première fois. Une tentation complexe du destin, un phénomène auquel il n'obéissait pas fréquemment.

C'était pourtant ce qu'il faisait ce soir-là, du moins ce qu'il s'apprêtait à faire. Il pensa à Alessan, à toutes les fois où il avait réprimandé le prince, son frère spirituel, ou l'avait tourné en dérision parce que sa passion de la musique l'entraînait dans une voie dangereuse. Que dirait Alessan s'il le voyait maintenant ? Ou Catriana, avec son franc-parler ? Ou Devin ? Devin, lui, ne dirait rien ; il se contenterait d'observer, de son regard si attentif et circonspect, et tirerait ses conclusions le moment venu. Sandre le traiterait tout bonnement d'imbécile.

Et peut-être en était-il un. Mais quelque chose au plus profond de lui avait réagi aux paroles de Donar. Il portait depuis toujours la coiffe de sa naissance dans un petit sac de cuir, une superstition vénielle, sans conséquence. Un talisman qui le protégerait de la noyade, lui avait-on dit dans son enfance. Mais il prenait ici une signification bien plus grande, et la tasse entre ses mains témoignait qu'il l'acceptait.

Près de vingt ans, avait dit Mattio.

Les Autres venaient de l'ouest, avait ajouté Donar.

Qu'en penser ? Il pouvait s'agir d'un détail mineur, d'une découverte importante, d'un petit rien ou de l'essentiel.

Il regarda la jeune femme, Elena, et but le contenu de la tasse jusqu'à la dernière goutte.

Le liquide était amer, terriblement amer. L'espace d'un instant il fut pris de peur panique et crut que c'en était fait de lui : ils l'avaient empoisonné pour sacrifier à quelque rite saisonnier connu des seuls adeptes de Carlozzi.

Puis il vit la grimace que Carenna elle-même faisait en avalant et la mine tristement dégoûtée de Mattio, et il se reprit.

Le grand plateau qui servait de table avait été enlevé des tréteaux et mis de côté. On avait disposé des paillasses dans la salle pour leur permettre de s'allonger. Elena s'approcha de lui et les montra du doigt ; il eût été incorrect de refuser. Il prit la paillasse qu'elle lui offrait, près du mur. Elle s'assit sur celle d'à côté, sans dire un mot.

Baerd pensait à sa sœur ; il avait en tête une vision très précise de Dianora et lui marchant main dans la main le long d'une route silencieuse, plongée dans l'obscurité, errant seuls de par le vaste monde.

Donar le meunier se balança jusqu'à la paillasse de l'autre côté de Baerd. Il posa ses béquilles contre le mur et s'affaissa sur la natte.

« Laisse ton épée ici », dit-il. Baerd haussa les sourcils. Donar sourit, mais l'expression de son visage était hiératique, dénuée de joie. « Elle ne te sera d'aucune utilité là où nous allons. Nous trouverons des armes sur place, dans les champs. »

Baerd hésita encore un instant ; puis, conscient de prendre un risque insensé, d'obéir à quelque folie mystique qu'il eût été incapable de justifier, il se débarrassa du fourreau en le faisant passer par-dessus sa tête et l'appuya contre le mur, à côté des béquilles de Donar.

« Ferme les yeux, fit Elena tout près de lui. C'est plus facile ainsi. » Sa voix paraissait étrange, lointaine.

La boisson qu'on lui avait fait avaler commençait à agir. «Tu auras l'impression de t'endormir, et pourtant tu ne dormiras pas. La terre nous confère la grâce, et le ciel la lumière.» Il n'en entendit pas davantage.

Ce n'était pas du sommeil. Il n'aurait su dire ce que c'était, mais certainement pas du sommeil, car jamais aucun rêve n'avait eu cette netteté, jamais on ne sentait le vent avec autant de piquant dans les rêves.

Il se trouvait dans un champ à découvert, une jachère vaste et obscure; la terre exhalait des odeurs de printemps. Il ne se souvenait pas d'être jamais venu par ici. Il y avait beaucoup de monde, environ deux cents personnes, peut-être plus, qu'il ne se rappelait pas avoir vues. Elles venaient sûrement d'autres villages, où elles s'étaient rassemblées dans des demeures comme celle de Mattio.

Il régnait une lumière étrange. Il leva les yeux.

Et Baerd vit que la lune était ronde et pleine, large disque d'un vert doré comme la végétation aux premiers jours du printemps. Elle brillait de cet éclat vert et or parmi des constellations qu'il n'avait jamais vues. Il se retourna, en proie au vertige, désorienté, le cœur battant, à la recherche de diagrammes célestes connus. Il regarda vers le sud, là où il savait se trouver les montagnes, mais aussi loin qu'il put discerner dans la clarté verte il ne voyait que des champs, certains en jachère, d'autres porteurs d'une récolte de céréales prête à moissonner, alors que le printemps commençait tout juste. Pas la moindre montagne, pas de sommet enneigé, pas de col du Braccio ni de Quileia au-delà. Il fit volte-face. Pas de château Borso, ni au nord ni à l'est. Ou était-ce à l'ouest?

À l'ouest. Obéissant à une brusque prémonition, il se tourna dans cette direction. Des collines ondulaient à l'infini. Baerd constata qu'elles étaient totalement dépourvues d'arbres, d'herbe, de fleurs, de buissons: des collines en friche, arides et lugubres.

« Regarde là-bas, fit Donar à côté de lui de sa voix grave, et comprends pourquoi nous sommes ici. Si nous perdons la bataille de cette nuit, le champ où nous nous trouvons sera devenu aussi inculte que ces collines quand nous reviendrons l'année prochaine. Si les Autres sont parvenus jusqu'à ces terres céréalières, c'est parce que nous avons perdu les batailles qui se sont déroulées dans ces collines les années passées. Aujourd'hui, nous nous battons dans la plaine et, à ce rythme-là, nos enfants ou les leurs ne tarderont pas à combattre le dos à la mer et perdront l'ultime bataille de cette guerre.

— Et puis… ? » Baerd regardait toujours à l'ouest, les collines délabrées où la pierre grise affleurait.

« Les récoltes seront catastrophiques. Et pas seulement au Certando. Beaucoup mourront. De faim ou de la peste.

— Dans toute la Palme ? » Il ne parvenait pas à détacher son regard de cette désolation. Il eut une vision d'un monde dont toute vie aurait disparu et qui aurait cette allure-là. Il frissonna. C'était à vous donner la nausée.

« Et au-delà, Baerd. Ne t'y trompe pas. Il ne s'agit pas d'escarmouches locales, ni même d'une bataille pour une malheureuse petite péninsule. C'est toute notre planète qui est concernée, peut-être même au-delà, car il est dit que les puissances ont essaimé dans d'autres mondes que le nôtre – des mondes dispersés dans le temps et parmi les étoiles.

— C'est ce qu'enseignait Carlozzi ?

— C'est ce qu'enseignait Carlozzi. Si je comprends bien son enseignement, nos problèmes ici-bas sont liés à des dangers encore plus graves ailleurs ; dans des mondes que nous n'avons jamais vus et ne verrons jamais, sauf peut-être en rêve. »

Baerd secoua la tête sans cesser d'observer les collines à l'ouest. « Tout ceci m'est trop étranger. Trop compliqué. Je sais travailler la pierre et commercer à l'occasion ; au fil des ans, j'ai appris à me battre, contre ma volonté et mes penchants naturels. Je vis dans une péninsule envahie par des ennemis venus d'outremer. C'est là l'idée que je me fais du mal ; je n'y entends pas davantage.»

Il tourna le dos aux collines occidentales et regarda Donar. En dépit des avertissements qu'il lui avait prodigués, il fut abasourdi. Le meunier avait retrouvé l'usage de ses deux jambes ; ses cheveux gris et clairsemés étaient châtains et aussi drus que ceux de Baerd ; il se tenait bien droit, la tête haute, tel un homme dans la force de l'âge.

Une femme s'approcha d'eux, et Baerd sut que c'était Elena car elle n'avait pas beaucoup changé. Elle paraissait juste un peu plus âgée, moins fragile ; ses cheveux étaient plus courts mais du même blond doré, presque blanc, malgré l'étrangeté de la lumière. Il remarqua également ses yeux, d'un bleu intense.

« Tes yeux étaient-ils de cette couleur il y a une heure ? » demanda-t-il.

Elle sourit, heureuse et timide. « Cela fait plus d'une heure. Et je ne sais pas encore à quoi je ressemble cette année. Je ne suis jamais tout à fait la même d'une année sur l'autre. De quelle couleur sont-ils cette fois ?

— Bleus. Extrêmement bleus.

— Alors la réponse est oui. Ils ont toujours été bleus. Peut-être pas extrêmement bleus, mais bleus. » Son sourire s'accentua. « Veux-tu que je te décrive à mon tour ? » Elle s'exprimait d'une voix légère, incongrue. Même Donar arborait un petit sourire amusé.

«Vas-y.

— On dirait un adolescent, dit-elle avec un petit rire. Un garçon de quatorze ou quinze ans, beaucoup trop maigre, sans barbe mais avec une tignasse châtain que je me ferais un plaisir de couper si je le pouvais. »

Baerd sentit son cœur cogner comme un marteau dans sa poitrine. Puis il lui sembla qu'il s'arrêtait un instant, avant de se remettre à battre laborieusement. Il se détourna brutalement des autres et regarda ses mains. Elles étaient vraiment différentes. Il avait la peau plus douce, moins ridée, et sa cicatrice avait disparu. Cinq

ans auparavant, il s'était blessé avec un couteau en
Tregea et en avait gardé une marque. Il ferma les
yeux ; il se sentait faible tout à coup.

« Baerd ? fit Elena derrière lui, inquiète. Pardonne-
moi, Baerd, je ne voulais pas… »

Il secoua la tête. Il essaya de parler mais n'y parvint
pas. Il aurait voulu les rassurer, Donar et elle, leur dire
que tout allait bien, mais, aussi incroyable que cela pût
paraître, il pleurait, pour la première fois depuis bientôt vingt ans.

Pour la première fois depuis l'âge de quatorze ans,
quand sur ordre de son père et du prince il avait dû
renoncer à aller à la guerre. Ils lui avaient interdit de se
battre et de mourir avec eux sur les rives ocre de la
Deisa où toute merveille s'était éteinte.

« Tout doux, Baerd, fit Donar de sa voix grave et
bienveillante. Tout doux. Il règne toujours une atmosphère étrange ici. »

Il sentit des mains de femme se poser sur ses épaules
puis lui entourer la poitrine par-derrière. Elle avait posé
une joue sur son dos et le tint ainsi, forte et généreuse,
tandis qu'il se couvrait le visage de ses deux mains
tout en continuant à pleurer.

Au-dessus d'eux, la pleine lune était du même vert
mordoré, et autour d'eux s'étendaient des champs en
friche, ou fraîchement ensemencés, ou croulant sous la
récolte, ou, à l'ouest, arides et nus, complètement ra-
vagés.

« Ils arrivent, dit quelqu'un en s'approchant. Regardez ! Nous ferions mieux de prendre nos armes. »

Il reconnut la voix de Mattio. Elena le libéra et recula. Baerd s'essuya les yeux et se tourna de nouveau
vers l'ouest.

Et il comprit que la nuit des Quatre-Temps lui offrait
une seconde chance. Une chance de rectifier ce qui
avait si mal tourné dans le monde l'été de ses quatorze
ans.

Car les Autres arrivaient par les collines à l'ouest ;
ils étaient encore loin mais étonnamment distincts sous

cette lumière extraordinaire. *Tous sans exception portaient la livrée d'Ygrath.*

« Oh, Morian ! murmura-t-il après une brève inspiration.

— Que vois-tu ? » fit Mattio.

Baerd se retourna. L'homme était plus mince, sa barbe noire taillée différemment, mais il était parfaitement reconnaissable néanmoins. « Des Ygrathiens, répondit-il, une pointe d'excitation dans la voix. Des soldats du roi d'Ygrath. Tu n'en as peut-être jamais vu, aussi loin dans l'est, mais c'est pourtant ce que sont vos "Autres". »

Mattio parut brusquement songeur. Il secoua la tête, mais ce fut Donar qui prit la parole.

« Ne te méprends pas, Baerd. Rappelle-toi où nous sommes et ce que je t'ai dit. Tu n'es plus dans la péninsule, et ce n'est pas une bataille ponctuelle contre tes ennemis d'outremer qui nous attend.

— Mais je les vois, Donar ! Je sais ce que je vois.

— Et moi je vois des silhouettes hideuses, grises et brunes, des corps nus et imberbes qui dansent et s'accouplent tout en nous défiant de leur supériorité numérique.

— Pour moi, les Autres sont différents, fit Mattio brutalement comme s'il était en colère. Ils sont plus grands et plus forts que les hommes ; ils ont de la fourrure sur le dos et leur colonne vertébrale s'achève par une queue, un peu à la manière des chats de montagne. Ils marchent sur deux jambes mais ils ont les doigts griffus et les dents tranchantes comme des rasoirs. »

Baerd fit demi tour, le cœur battant, le regard tourné vers l'ouest où brillait cette lumière inquiétante, d'un vert éclatant, celle du monde où ils se trouvaient. Mais, à mi-distance, les collines déversaient des hordes de soldats armés d'épées, de piques et de couteaux à lame courbe d'Ygrath. Il se tourna vers Elena, un tantinet désespéré.

« Je n'aime pas mettre un nom sur les créatures que je vois, murmura-t-elle en baissant les yeux. Elles me font trop peur ; elle sortent tout droit de mes cauche-mars d'enfant. Mais elles n'ont rien de commun avec ce que tu vois, Baerd. Je t'en prie, crois-moi, crois-nous. Ceux que tu vois sont modelés par la haine que tu portes en ton cœur, mais ce n'est pas une bataille de notre univers quotidien que nous allons livrer. »

Il secoua la tête en signe d'absolue négation. Il était plein d'une énergie farouche et sentait le sang courir dans ses veines. Les Autres se rapprochaient maintenant, des centaines d'entre eux, qui déferlaient des hauteurs.

« Je mène le même combat depuis toujours, fit-il en s'adressant à elle mais aussi aux deux hommes. Où que je me trouve. Et je sais ce que je vois là-bas. Je suis également en mesure de vous dire que j'ai quinze ans et non quatorze, sinon je ne serais pas ici. Ils ne m'y auraient pas autorisé. » Une remarque lui vint à l'esprit. « Dites-moi : n'y a-t-il pas un cours d'eau à l'ouest du champ où nous nous trouvons, une rivière, au pied des collines qu'ils dévalent ?

— Si, répondit Donar. C'est là que tu veux livrer bataille ? »

Baerd éprouvait une joie intense et sauvage qu'il ne contrôlait pas.

« Oui, dit-il. Oh oui ! Mattio, où sont nos armes ?

— Là-bas. » Mattio désigna un petit champ tout proche, au sud-est, dans lequel poussait du blé comme pour défier la saison présente. « Viens vite. Ils ne vont pas tarder à atteindre la rivière. »

Baerd se tut. Il laissa Mattio le guider. Elena et Donar les suivirent. Il y avait déjà des gens dans le champ, et Baerd les vit se pencher et arracher des tiges de blé qui leur serviraient d'armes dans la nuit. C'était étrange, à peine croyable, mais petit à petit il commençait à prendre la mesure de cet univers, à comprendre la magie qui s'y exerçait, et un coin de son esprit, capable de fonc-tionner en dehors de la logique implacable du monde diurne, saisit que les longues tiges jaunâtres, si directe-ment menacées, étaient la seule arme possible ce soir. Ils allaient se battre pour les champs armés de chaumes.

Il pénétra dans le champ en faisant attention à ne rien piétiner et prit un chaume pour lui-même. La tige s'arracha facilement, presque volontairement, dans la nuit verte. Il se dirigea de nouveau vers la jachère et, la soulevant d'une main, la fit osciller prudemment ; il constata que le chaume avait durci, comme du métal forgé. Il fendit l'air avec un sifflement aigu. Baerd passa le doigt dessus et le sang perla. Il était aussi tranchant que toutes les épées qu'il avait eues entre les mains, aussi maniable, et, comme les lames légendaires de la Quileia, il présentait de multiples arêtes.

Il jeta un coup d'œil à l'ouest. Les Ygrathiens dévalaient la colline la plus proche. Il distinguait le reflet de leurs armes au clair de lune. *Ceci n'est pas un rêve*, songea-t-il. *Pas un rêve du tout.*

Donar se tenait tout près de lui, sévère et inébranlable. Derrière lui, Mattio arborait une expression de défi passionné. Des hommes et des femmes se rassemblèrent en deçà et tout autour d'eux, chacun armé d'une épée de chaume ; tous affichaient le même regard ferme, déterminé et serein.

« Sommes-nous prêts ? fit Donar en se tournant vers eux tous. Sommes-nous prêts à nous battre pour nos champs, pour notre peuple ? Irez-vous à la bataille des Quatre-Temps avec moi ?

— Pour les champs ! » s'écrièrent les Marcheurs de la Nuit en levant leurs épées vivantes vers le ciel.

Baerd de Tigane, fils de Saevar, poussa un cri de guerre aussi, non pas à voix haute mais dans son cœur, et il alla de l'avant avec eux tous, une tige de blé telle une longue épée à la main, pour se battre sous la lune vert pâle de ce monde magique.

Quand les Autres tombaient, gris et squameux, aveugles et grouillants de vers, il n'y avait jamais de sang. Elena savait pourquoi, Donar le lui avait expliqué des années plus tôt : le sang est synonyme de vie, or leurs ennemis étaient opposés à toute forme de vie. Quand ils tombaient, touchés par les épées de chaume, ils ne laissaient pas s'échapper la moindre substance ; rien ne coulait d'eux pour aller enrichir la terre.

Ils étaient si nombreux, comme toujours ! Ils tourbillonnaient en formant une masse grise, telles des limaces dévalant la colline, et se rassemblaient dans le cours d'eau où Donar, Mattio et Baerd avaient pris position.

Elena se préparait à frapper dans le tourbillon bruyant aux reflets verts de la nuit. Elle avait peur mais se savait capable de dominer sa peur. Elle se souvint à quel point elle était effrayée la première fois qu'elle avait participé à un combat des Quatre-Temps : comment elle, qui pouvait à peine soulever une épée dans le monde diurne, parviendrait-elle à se battre contre les créatures hideuses de ses cauchemars ?

Mais Donar et Verzar avaient apaisé ses craintes : ici, dans ce monde magique où la nuit était verte, c'étaient l'âme et l'esprit qui comptaient, c'étaient le courage et le désir qui forgeaient et animaient les corps qu'ils épousaient. Elena avait tellement plus de force les nuits de Quatre-Temps, tellement plus d'agilité et de rapidité ! Elle avait également pris peur, la première fois et même par la suite, lorsqu'elle avait été forcée d'admettre que, sous cette lune verte, elle était capable de tuer. C'était une découverte qu'il lui avait fallu accepter, un effort d'adaptation à fournir. Qui valait pour eux tous, à des degrés moindres. Aucun d'eux n'était exactement le même que chez lui, sous le soleil et les deux lunes. Les nuits de combat, le corps de Donar faisait un bond dans un passé de plus en plus reculé au fil des années, à la rencontre de ce qu'il avait été.

Baerd avait lui aussi effectué un retour en arrière plus conséquent que ce qu'on aurait pu deviner ou pressentir. Quinze ans, avait-il dit, et non quatorze, sinon il n'aurait pas été autorisé à venir. Elle ne comprenait pas le sens de ces paroles et n'avait pas le temps de résoudre l'énigme. Pas maintenant, en tout cas. Les Autres avaient atteint le cours d'eau et ils essayaient d'en remonter, prisonniers des formes hideuses que son esprit leur conférait.

Elle évita de justesse un coup de hache qu'une créature dégoulinante tentait de lui assener tout en remontant la berge ; elle serra les dents et frappa un grand coup avec une précision dont elle se serait crue bien incapable. Elle sentit son épée, cette arme vivante, fendre avec un craquement une armure écailleuse pour plonger dans le corps infesté de vers de l'ennemi.

Elle retira son épée non sans mal, horrifiée de ce qu'elle venait de faire, mais sa haine des Autres était plus forte que tout, infiniment plus forte. Elle se retourna juste à temps pour parer un coup venant de plus bas et reculer d'un pas devant deux nouveaux assaillants aux mâchoires béantes. Elle leva son arme et fit une tentative désespérée pour se protéger.

Mais brusquement un des deux Autres disparut ; puis les deux.

Elle abaissa son épée et regarda Baerd. Son étranger surgi de la nuit, son promis de l'obscurité. Il lui adressa un sourire sévère ; les lèvres serrées, il se tenait debout au-dessus du corps de ceux qu'il venait de tuer. Il eut un sourire un peu plus chaleureux. Il venait de lui sauver la vie mais se garda de tout commentaire. Il lui tourna le dos et s'avança jusqu'au bord du cours d'eau. Elle le regarda s'éloigner et vit son corps d'adolescent pénétrer au cœur de la bataille. Elle ne savait pas si elle devait céder à une lueur d'espoir née de son habileté guerrière ou pleurer parce qu'un regard comme le sien ne seyait pas à des yeux aussi jeunes.

Mais le moment ne se prêtait guère à la réflexion. L'eau de la rivière était agitée de remous et de bouillonnements tandis que les Autres s'y enfonçaient en pataugeant. Des cris de douleur, de rage, de fureur fendaient la nuit comme autant de lames grinçantes. Elle aperçut Donar, sur la berge orientée au sud, qui faisait tournoyer son épée à deux mains et décrivait de grands cercles dissuasifs. À ses côtés, Mattio taillait et pourfendait l'ennemi, les pieds dégagés malgré les nombreux cadavres qui jonchaient le sol, magnifique de courage. Tout autour d'elle, les Marcheurs de la Nuit plongeaient dans le chaudron de la bataille.

Elle vit une femme tomber, puis une autre, dépassées par le nombre et la violence des créatures de l'ouest. Elle-même se mit à crier, de fureur et de dégoût, et remonta sur la berge, courant à la rencontre de Carenna, son épée droit devant elle, son sang – ce sang qui était synonyme de vie – bouillonnant à l'idée de les repousser. Maintenant et à chaque nuit des Quatre-Temps, cette année comme toutes les années à venir, afin que les semis de printemps soient fructueux, que la terre puisse faire preuve de générosité à l'automne. Cette année, la suivante et celle d'après.

Au milieu de ce chaos, de ce vacarme et de cette effervescence, Elena leva les yeux. Elle observa la hauteur de la lune qui ne cessait de monter, puis, incapable de résister à cette envie, porta le regard vers la plus proche des collines dévastées au-delà du torrent, l'estomac noué par la peur. Mais il n'y avait personne. Du moins pas encore.

Elle était pourtant certaine d'y trouver une silhouette. Et alors ? Elle chassa cette pensée de son esprit. Ce qui devait arriver arriverait. Autour d'elle la bataille faisait rage, ici et maintenant, et les Autres massés devant elle qui sortaient de la rivière et se répartissaient sur chacune des berges lui inspiraient bien assez de terreur.

Elle cessa de penser à la colline et frappa devant elle, de toutes ses forces, sentant son épée mordre dans une épaule rugueuse. Elle entendit l'Autre émettre un petit bruit liquide. Elle arracha son épée et fit un quart de tour vers la gauche juste à temps pour arrêter un coup de biais, puis elle lutta pour garder l'équilibre. De sa main libre, Carenna la soutint ; elle n'eut pas le temps de lui jeter un regard, mais elle savait qui l'avait aidée de la sorte.

Il se livrait une lutte féroce sous ces étoiles inconnues, sous la lumière verte de cette lune ; la frénésie et le chaos régnaient. Ce n'étaient que cris et hurlements le long de cette rive boueuse, glissante et fourbe. Les Autres, tels que les voyait Elena, étaient gris et humides, rongés de parasites et de blessures suintantes. Elle serra les dents et continua de se battre; le corps gracieux qu'elle avait épousé en cette nuit de Quatre-Temps était guidé par son âme, et le chaume qui lui servait d'épée dansait avec une vigueur qui semblait venir de lui autant que d'elle. Elle était maculée de boue et d'eau, de sang aussi, elle en était sûre, mais elle n'avait pas le temps de vérifier, pas le temps de rien faire que parer les coups, frapper, pourfendre et garder coûte que coûte l'équilibre sur la berge, car quiconque tombait mourait.

Elle sentit la présence de Donar à ses côtés, ainsi que celle, plus brève, de Carenna. Mais il s'agissait d'instants furtifs, désordonnés, hallucinatoires. Puis elle vit Donar s'éloigner à grandes enjambées avec une poignée de Marcheurs pour endiguer une attaque au sud. Baerd surgit sur sa gauche, là où elle était la plus exposée, mais, quand elle se tourna de nouveau dans cette direction, alors que la lune venait d'atteindre son apogée, il avait disparu.

Elle réussit bientôt à le localiser. Il n'avait pas attendu que les Autres fondent sur lui, il était allé à leur rencontre dans la rivière et les attaquait dans l'eau, tout en hurlant des mots incohérents qu'elle ne comprenait pas. Il était mince, jeune, beau et animé d'une fougue meurtrière. Les corps des Autres s'amoncelaient à ses pieds comme une masse informe obstruant le cours d'eau. Il avait d'eux une vision différente de la sienne, elle le savait. Il leur avait dit ce qu'il voyait : des soldats d'Ygrath, de Brandin, du tyran venu par l'ouest.

Il maniait son épée avec une telle vélocité qu'elle n'en distinguait même plus la forme. Dans l'eau jusqu'aux genoux, il semblait indéracinable : les Autres ne parvenaient ni à le repousser ni à lui résister. Ils tombaient à la renverse alors même qu'ils tentaient de fuir en contournant leurs propres morts pour descendre la rivière. Il les chassait, bataillant seul dans l'eau, et le clair de lune parait son visage ainsi que la matière vivante de son épée d'un étrange éclat ; ce n'était pourtant qu'un garçon de quinze ans. Rien de plus. Bien qu'écrasée de fatigue elle-même, Elena avait mal pour lui.

Elle trouva en elle la volonté de tenir ferme et de défendre sa portion de berge boueuse, au nord de l'endroit où il se trouvait. Plus au sud, Carenna combattait aux côtés de Donar. Deux hommes et une femme d'un autre village rejoignirent Elena et tous quatre défendirent leur bande de terrain glissant ; ils s'efforçaient d'agir de concert, comme un seul homme.

Ce n'étaient pas des guerriers, ils n'étaient pas entraînés au combat. Ils étaient fermiers, meuniers, forgerons, maçons, chevriers dans la chaîne du Braccio ; elles étaient fermières ou servantes. Mais tous et toutes étaient nés avec une coiffe sur la tête, qui les avait désignés dès leur enfance pour recevoir l'enseignement de Carlozzi et aller à la guerre des Quatre-Temps. Et, sous la lune verte qui se couchait maintenant, leurs cœurs enflammés guidaient leurs bras, leur enseignaient à défendre la vie avec ces longues tiges de blé changées en épées.

Et c'est ainsi que les Marcheurs de la Nuit du Certando livrèrent bataille près de cette rivière pour défendre le plus vieux et le plus profondément enraciné de tous leurs rêves : celui de champs s'étendant à perte de vue, bien au-delà des hauts murs de la ville. Le rêve de la terre, mère nourricière, source de vie, de l'humus riche et moelleux et florissant, du cycle des saisons et des années ; un rêve où les Autres étaient repoussés de plus en plus loin, où ils finiraient par disparaître, même si aucun d'entre eux ne serait plus là pour le voir.

Puis vint un moment, au milieu du tumulte, de la frénésie et du manège bruyant et flou de la violence, où Elena et ses compagnons se ménagèrent un répit. Elle prit le temps de regarder autour d'elle et constata que dans la rivière le flot des ennemis diminuait ; et qu'à l'ouest les Autres tournaient en rond, dans la plus extrême confusion. Elle vit Baerd s'enfoncer davantage dans l'eau ; il en avait jusqu'à la taille maintenant et criait à l'ennemi de venir à lui, le maudissant d'une voix si torturée qu'elle en était méconnaissable.

Elena tenait à peine debout. Elle s'appuyait sur son épée et respirait par à-coups en poussant de gros sanglots ; elle sentait ses forces l'abandonner. Elle s'aperçut alors qu'un des hommes qui s'étaient battus à ses côtés était à genoux et se tenait l'épaule droite. Il avait une vilaine plaie sanguinolente aux lèvres déchiquetées. Elle s'agenouilla près de lui et tenta vainement de déchirer un morceau de tissu de sa vareuse pour panser sa blessure. Il l'arrêta cependant.

Il lui effleura l'épaule et, sans mot dire, pointa l'index au-delà de la rivière. Elle regarda à son tour, en direction de l'ouest, et sentit la peur l'envahir de nouveau. Alors que la victoire semblait à portée de la main, Elena vit que la colline la plus proche n'était plus aussi déserte. Quelqu'un se dressait au sommet.

« Regardez ! s'écria un des hommes un peu plus en aval. Il est encore avec eux ! Nous sommes perdus ! »

D'autres voix firent écho à ce cri tout le long de la berge ; c'était un cri unanime, un cri d'horreur et d'effroi, car tous constataient maintenant que la silhouette noire était revenue. Bien qu'elle eût refoulé cette certitude au plus profond de son cœur, Elena avait toujours su qu'il reviendrait.

Comme les années précédentes, depuis quinze ans ; vingt peut-être. Avant cela, il ne venait jamais, leur avait dit Donar. Quand la lune commençait de descendre, verte et pleine, au moment où, presque à chaque fois, il leur semblait tenir une chance de repousser les Autres, la silhouette noire surgissait derrière les rangs ennemis, drapée dans le brouillard comme dans un linceul.

Et c'était cette silhouette que les Marcheurs voyaient s'avancer depuis le début des années de défaite, quand ils se faisaient repousser puis battaient en retraite. C'était elle qui foulait le champ pour lequel on se battait avec autant d'ardeur, le champ perdu désormais, et le

proclamait sien. Et, partout où elle passait, elle répandait les fléaux, la maladie, la désolation.

Elle se dressait sur la plus proche des collines dévastées, à l'ouest de la rivière ; des nuages de brume
montaient qui flottaient tout autour. Elena ne voyait pas
son visage – nul n'y était jamais parvenu – mais, au
milieu de l'obscurité et du brouillard, elle le vit lever
les mains et les tendre vers eux, comme s'il cherchait à
atteindre les Marcheurs sur la berge. Elena sentit alors
une flèche soudaine et glaciale lui percer le cœur et
répandre un froid terrible et paralysant. Ses jambes se
mirent à trembler. Elle vit qu'elle ne contrôlait plus ses
mains non plus, comme si son courage et sa volonté lui
échappaient.

De l'autre côté du cours d'eau, les Autres, son armée,
ses alliés, les projections informes de son esprit, le
regardèrent étendre les bras vers le champ de bataille.
Elena perçut une exultation sauvage dans leurs cris ;
elle les vit se masser à l'ouest de la rivière, prêts à fondre
sur les Marcheurs. Et, malgré son état d'extrême fatigue, elle se souvint, tandis qu'un sombre désespoir
lui emplissait le cœur, que les choses s'étaient passées
ainsi l'année précédente, et celle d'avant également.
Elle souffrait de savoir ce qui allait se produire une
fois de plus, les pertes qu'ils allaient subir, tout en se
débattant pour trouver un moyen de stimuler son corps
épuisé et de le préparer à affronter une nouvelle charge.

Mattio se tenait tout près. « Non ! » fit-il d'une voix
rauque, avec une insistance bornée, désespérée, com-
battant aveuglément le pouvoir de la silhouette sur la
colline. « Non, pas cette fois encore ! Qu'ils me tuent !
Je ne supporterai pas de battre en retraite une fois de
plus ! »

Il parlait avec difficulté, et il saignait, constata-t-elle.

Il avait une entaille au côté droit, une autre à la
jambe. Quand il se redressa pour se diriger vers la rivière,
elle vit qu'il boitait. Il n'abandonnait pas cependant, et
marchait au-devant de la menace qui planait sur eux.
Elena laissa échapper un sanglot de sa gorge sèche.

Et voilà que les Autres revenaient à la charge. Près d'elle, l'homme blessé se remit courageusement debout et prit son épée de la main gauche ; son bras droit, inutile désormais, pendait à son flanc. Plus loin sur la berge, elle aperçut d'autres compagnons aussi sérieusement blessés ou pire encore. Mais tous étaient encore debout et brandissaient leurs épées. Avec amour, avec un éclair de fierté presque douloureux, Elena vit qu'aucun des Marcheurs de la Nuit n'était prêt à battre en retraite. Pas un seul d'entre eux. Ils étaient décidés à défendre cette terre coûte que coûte. Et certains allaient mourir, elle le savait, beaucoup peut-être.

Puis Donar fut à ses côtés ; Elena tressaillit en apercevant son visage blafard. « Non, dit-il, c'est de la folie. Il faut nous retirer. Nous n'avons pas le choix. Si nous perdons trop des nôtres cette nuit, ce sera encore pire le printemps prochain. Il faut miser sur le temps, il faut se dire que l'avenir apportera un espoir de changement. » On aurait dit que les mots lui arrachaient la gorge.

Elena sentit qu'elle pleurait, d'épuisement surtout. Et, tandis qu'elle hochait la tête du fond de l'abîme où l'avait jetée sa fatigue pour essayer de convaincre Donar qu'elle le comprenait et le soutenait, pour tenter d'alléger sa douleur aiguë, alors que les Autres approchaient, triomphants, hideux, infatigables, elle s'aperçut brusquement que Baerd n'était plus avec eux sur la berge. Elle se tourna vers la rivière, le cherchant des yeux, et c'est ainsi qu'elle assista à la genèse du miracle.

Jamais il ne douta. Dès que la silhouette drapée de brume apparut sur la colline sombre, Baerd sut ce qu'elle représentait. Il le savait confusément bien avant de l'apercevoir. C'était la raison même de sa présence. Donar l'ignorait sans doute, mais ainsi s'expliquait pourquoi il avait rêvé la venue de quelqu'un et pourquoi les pas de Baerd l'avaient conduit là même d'où Elena scrutait l'obscurité. Il eut l'impression qu'il s'était écoulé beaucoup de temps depuis.

Il ne distinguait pas très bien la silhouette, mais cela importait peu ; pas du tout, à vrai dire. Les événements avaient un sens pour lui. C'était comme si tous les chagrins, toutes les leçons, tous les labeurs de son existence, les siens et ceux d'Alessan mis bout à bout, l'avaient conduit à cette rivière sous cette lune verte afin que quelqu'un sût enfin ce que représentait cette silhouette sur la colline noire et quelle était la nature de son pouvoir. Un pouvoir auquel les Marcheurs de la Nuit ne savaient comment résister, faute de le comprendre.

Il entendit des éclaboussements derrière lui et sut instinctivement que c'était Mattio. Sans se retourner, il lui tendit son étrange épée. Les Autres, les Ygrathiens qui hantaient ses rêves et attisaient sa haine, se regroupaient sur la berge à l'ouest.

Il décida de les ignorer. Ils n'étaient que l'instrument d'un pouvoir. Ils n'étaient d'aucune importance en vérité. Ils avaient été battus par le courage de Donar et des Marcheurs ; seule la silhouette comptait maintenant, et Baerd savait ce qu'il lui fallait faire. L'heure n'était plus aux prouesses d'épée, pas même avec ces épées de chaume. Tout cela appartenait au passé désormais.

Il inspira profondément et, le cœur gros d'un chagrin très vieux et d'une certitude toute neuve, il leva les bras vers cette silhouette nimbée de brume au moment précis où elle tendait les siens dans leur direction. Alessan n'aurait pas manqué de trouver les mots appropriés, il en était certain, mais c'est à lui qu'incombait cette tâche et il savait ce qu'il convenait de faire. Baerd perça alors l'étrangeté de cette nuit d'un cri :

« Va-t'en ! Nous n'avons pas peur de toi ! Je vous connais, toi et ta sorcellerie ! Va-t'en, ou je te nommerai et je détruirai tes facultés, car aucun de nous n'ignore le pouvoir des noms par une nuit comme celle-ci ! »

Petit à petit, les cris rauques de l'autre côté de la rivière se turent, ainsi que le murmure des Marcheurs. Il régna bientôt un silence de mort. Baerd entendait Mattio respirer avec peine derrière lui. Il ne se retourna pas. Il attendit, s'usant la vue à essayer de pénétrer la brume qui enveloppait la silhouette sur la colline. Et, tandis qu'il scrutait le brouillard et l'obscurité, il eut l'impression, non sans un choc au cœur, qu'elle avait légèrement baissé les bras et que la brume enveloppante s'était légèrement dissipée.

Il n'attendit pas davantage.

« Va-t'en ! répéta-t-il, plus fort cette fois, tandis qu'une assurance nouvelle perçait dans sa voix. J'ai dit que je te connaissais, et c'est la vérité. Tu incarnes l'esprit des envahisseurs, la présence d'Ygrath sur cette péninsule, et de Barbadior. Des deux ! Tu incarnes la tyrannie sur une terre libre ! Tu es le fléau et la désolation de cette terre ! À l'ouest, tu t'es servi de ta magie pour opérer une désacralisation, pour oblitérer un nom. Tu n'es qu'une force de l'ombre et de l'obscurité sous cette lune, *mais je te connais et je puis te nommer, faisant ainsi disparaître toutes tes ombres !* »

Il leva les yeux : à mesure qu'il prononçait ces mots, ils devenaient réalité. Son incantation agissait. La brume se levait, comme emportée par le vent. Mais, même à cet instant, quelque chose tempérait sa joie : il savait que la victoire se limitait à ce territoire, à ce monde irréel. Il éprouvait à la fois un grand bonheur et un sentiment de vide. Il songea à son père agonisant près de la Deisa, puis à sa mère, à Dianora, et sentit ses doigts s'engourdir bien qu'il entendît un murmure d'espoir incrédule monter derrière lui.

Mattio marmonnait quelque chose d'une voix étouffée. Baerd comprit qu'il s'agissait d'une prière.

À l'ouest de la rivière, les Autres tournaient en rond, en proie à un profond désarroi. Immobile, les mains ouvertes, le cœur tourmenté, Baerd regardait les ombres qui drapaient le maître des Autres monter et s'éparpiller dans l'atmosphère ; certaines commençaient même à

disparaître de l'autre côté de la colline. Baerd crut un
instant qu'il distinguait la silhouette plus nettement.
C'était celle d'un homme barbu et mince, de taille
moyenne, et il reconnut le tyran comme celui venu par
l'ouest. Et quelque chose se fit jour en lui, qui remonta
en hâte à la surface, telle une vague venue se briser
contre son âme.

« Mon épée ! cria-t-il d'une voix brisée par l'émotion. Vite ! »

Il se retourna. Mattio la lui mit dans la main. Devant
eux, les Autres amorçaient un mouvement de repli, lent
d'abord, puis de plus en plus précipité, et tout à coup
ils se mirent à courir. Mais cela n'avait pas d'importance ; cela n'avait aucune importance en vérité.

Baerd regarda la silhouette sur la colline. Il vit disparaître les dernières ombres et leva la voix derechef,
criant la passion qui l'animait – sa raison d'être :

« Attends-moi ! Si tu portes le nom d'Ygrath, si tu
es véritablement le sorcier de ce pays, je te veux de
suite. Attends-moi, j'arrive ! Au nom de mon pays et
de mon père, je viens à ta rencontre ! Je suis Baerd de
Tigane, fils de Saevar ! »

Sans cesser de hurler son défi, il s'élança comme
un fou et sortit de la rivière dans une gerbe d'éclabous-
sures ; il émergea sur l'autre rive. La terre dévastée était
froide comme glace sous ses bottes mouillées. Il comprit qu'il entrait dans une aire où il n'y avait pas place
pour la vie, mais à cet instant, face à cette silhouette
sur la colline, cela n'avait pas d'importance non plus.
Peu lui importait de mourir.

L'armée des Autres était en déroute et ils jetaient
leurs armes à terre à mesure qu'ils fuyaient. Il n'y avait
personne pour le contredire. Il leva la tête. La lune se
couchait anormalement vite. On aurait dit qu'elle reposait, tel un énorme disque, au sommet de la colline noire.
Baerd vit la silhouette se découper contre cette lune
verte ; les ombres avaient disparu, et il faillit le distinguer nettement par-delà les terres dévastées.

C'est alors qu'il entendit un long rire moqueur, comme en réponse au cri qu'il avait poussé et au nom qu'il avait prononcé. C'était le rire qui hantait ses rêves, le rire des soldats l'année de la chute. Sans cesser de rire ni se presser, la silhouette fit demi-tour et descendit du sommet de la colline avant de disparaître à l'occident.

Baerd se mit à courir.

« Baerd, attends ! cria la femme du nom de Carenna derrière lui. Tu ne dois pas fouler les terres dévastées après le coucher de la lune ! Reviens ! Nous avons gagné ! »

Eux avaient gagné. Lui-même non, quoi qu'en pensent, quoi qu'en disent les Marcheurs des hautes terres. Son combat, celui d'Alessan et le sien, n'était pas plus proche de son terme que la veille. Certes, il avait soutenu les Marcheurs de la Nuit du Certando, mais cette victoire n'était pas la sienne, elle ne pouvait l'être. Il le savait en son âme et conscience. Et son ennemi, la forme que prenait la haine de son cœur, le savait aussi bien que lui et se gaussait de lui, même après avoir disparu sur le flanc caché de cette petite colline.

« *Attends-moi !* » hurla encore Baerd, déchirant la nuit de sa voix juvénile et désemparée.

Il s'élança et traversa comme un éclair la terre désolée, dévoré par l'urgence. Il dépassa quelques traînards parmi les Autres et les tua sans cesser de courir, sans même ralentir. Cela n'avait guère d'importance, il ne le faisait que pour soulager les Marcheurs, pour l'année suivante. Les Autres s'éparpillaient au nord et au sud, loin de lui et du chemin qui le séparait de la colline. Baerd parvint au bas de la pente et grimpa directement, cherchant des prises dans la terre froide et désolée. Il se propulsa au sommet, haletant.

Il était à l'endroit exact où se tenait la silhouette un moment plus tôt. Il regarda vers l'ouest, en direction des vallées dépeuplées et des collines dévastées au-delà, et ne vit rien. Il n'y avait absolument personne là-bas.

Il se tourna aussitôt vers le nord, puis le sud, sa poitrine se soulevant malgré lui, et vit que l'armée des Autres s'était volatilisée elle aussi. Il pivota et regarda encore une fois vers l'ouest, puis comprit.

La lune verte s'était couchée.

Il était seul sur cette terre désolée sous un dôme lointain et sans nuage, parsemé d'étoiles brillantes qu'il ne connaissait pas, mais le sort de la Tigane n'avait pas évolué d'un pouce depuis la veille. Et son père n'avait pas ressuscité, il ne lui serait jamais rendu, pas plus que sa mère et sa sœur, mortes elles aussi, ou égarées quelque part dans l'univers.

Baerd tomba à genoux sur la colline dévastée. Le sol y était froid comme en hiver. Plus froid, même. L'épée glissa de ses doigts soudain inertes. Il regarda ses mains à la lumière des étoiles, les mains frêles de l'adolescent qu'il avait été, et, pour la deuxième fois en cette nuit de Quatre-Temps, il couvrit son visage de ces mains-là et pleura comme si son cœur ne s'était pas brisé bien des années plus tôt mais venait seulement de le faire.

Elena arriva au pied de la colline et entreprit l'ascension. Elle était essoufflée d'avoir couru, mais la pente n'était pas trop forte. Mattio lui avait saisi le bras si fort qu'elle avait mis le pied dans la rivière. Il lui avait rappelé qu'elle risquait de mourir si elle s'attardait sur les terres dévastées après le coucher de la lune, mais Donar lui avait dit qu'il n'y avait pas grand danger désormais. Donar n'avait plus cessé de sourire depuis que Baerd avait fait disparaître la silhouette noire. Son visage exprimait une stupéfaction proche de l'incrédulité, mais aussi une grande fierté.

La plupart des Marcheurs, blessés, épuisés mais ivres de gloire, étaient repartis vers le champ où ils avaient pris possession de leur arme. De là, ils seraient ramenés chez eux avant le lever du soleil. Il en avait toujours été ainsi.

Évitant soigneusement le regard de Mattio, Elena traversa la rivière pour aller chercher Baerd. Elle entendait les chants dans son dos. Elle savait ce qui allait suivre dans les renfoncements obscurs et abrités de ce champ après une victoire telle que celle-ci. Elle sentit son pouls s'accélérer rien qu'en y pensant. Elle devinait l'expression qu'avait dû prendre le visage de Mattio après qu'il l'avait vue traverser la rivière. Mentalement elle lui présenta ses excuses, mais ne ralentit pas l'allure pour autant; à mi-chemin, elle se mit à courir, brusquement inquiète pour l'homme qu'elle venait chercher, mais pour elle-même aussi, seule sur cette vaste étendue déserte et sombre.

Baerd était assis au sommet, là où s'était dressée la silhouette noire devant la lune descendante, avant de s'enfuir. Il leva les yeux en la voyant approcher, et une expression étrange, voisine de la peur, passa sur son visage éclairé par les seules étoiles.

Elena s'arrêta, incertaine.

« Ce n'est que moi », dit-elle en essayant de reprendre son souffle.

Il resta silencieux un moment. « Pardonne-moi, dit-il. Je ne m'attendais pas à ce qu'on vienne me trouver ici. Pendant un instant… pendant un instant tu m'as rappelé quelque chose que j'ai vu lorsque j'étais jeune. Quelque chose qui a changé ma vie. »

Elena ne savait que répondre. Elle n'avait eu rien d'autre en tête que le rejoindre. Maintenant qu'elle l'avait trouvé, elle se sentait brusquement intimidée. Elle s'assit en face de lui, sur la terre dévastée. Il la regarda mais n'ajouta rien.

Elle prit une profonde inspiration et déclara courageusement: «Tu aurais dû t'attendre à ce que quelqu'un vienne. Tu aurais dû savoir que je viendrais. » Elle déglutit avec peine ; son cœur battait à tout rompre dans sa poitrine.

Baerd resta longtemps immobile, la tête légèrement penchée, comme s'il écoutait l'écho des paroles qu'elle venait de prononcer. Puis il sourit, et ce sourire vint éclairer son jeune visage aux joues creuses, aux orbites démesurés, au regard blessé.

« Merci, fit-il. Merci, Elena. » C'était la première fois qu'il prononçait son nom. Des chansons montaient du champ de blé au loin. Les étoiles brillaient inexorablement sur la voûte sombre du ciel.

Elena sentit qu'elle rougissait. Elle baissa les yeux pour éviter son regard. « Après tout, tu ne pouvais pas savoir qu'il est dangereux de rester sur les terres désolées, puisque c'est la première fois que tu viens ici. Avec nous, je veux dire. Tu n'aurais même pas su comment rentrer au village.

—Il me vient une idée, dit-il d'un air grave. Je suppose que nous avons jusqu'au lever du soleil. Et, d'ailleurs, ces terres ne sont plus désolées, nous venons de les récupérer. Elena, regarde le sol que tu as foulé en montant ici. »

Elle se retourna et resta muette d'étonnement et de plaisir en constatant que les abords du chemin qu'elle avait emprunté étaient couverts de fleurs blanches.

Les fleurs s'étendaient dans toutes les directions. Des larmes jaillirent de ses yeux, qui glissèrent sur ses joues sans qu'elle s'en aperçût, jusqu'à ce que sa vision se brouillât. Elle en avait assez vu cependant pour comprendre. C'était la réponse de la terre à leur victoire de cette nuit. Elle n'avait jamais rien vu de plus beau que ces délicates fleurs blanches, écloses sous les étoiles.

Doucement, Baerd ajouta : « C'est toi qui es à l'origine de cette métamorphose, Elena. C'est ta présence ici ; et il faut que tu le dises à Donar, à Carenna et à tous les Marcheurs. Pour gagner la guerre des Quatre-Temps, il ne suffit pas de défendre son camp. Il faut encore poursuivre les Autres et les repousser, Elena. Car il est possible de reconquérir les terres perdues lors des batailles précédentes. »

Elle hocha la tête : son discours faisait écho à un aphorisme connu mais oublié depuis longtemps. Elle exprima ce souvenir : « La terre ne meurt pas définitivement. Elle peut toujours revivre. Sinon, quelle valeur

accorder au cycle des saisons et des années ? » Elle
essuya ses larmes et le regarda.

Il émanait de son visage une tristesse en contradiction avec l'esprit du moment. Elle aurait aimé pouvoir
dissiper ce chagrin, et pas seulement pour cette nuit.
« C'est vrai la plupart du temps, dit-il, j'imagine. C'est
vrai des grandes choses, en tout cas. Il arrive que les
petites meurent par contre : les gens, les rêves, un pays. »

Obéissant à une impulsion, Elena lui prit la main :
une main longue et fine qui reposait paisiblement dans
la sienne mais paraissait indifférente. À l'est de la rivière, les Marcheurs chantaient pour accueillir la venue
du printemps et saluer la promesse d'une récolte abon-
dante l'été suivant. Elena se mit à souhaiter de toutes
ses forces qu'elle fût plus sage, pour trouver une réponse
au chagrin si profondément enfoui et si douloureux qui
rongeait cet homme.

« Notre mort fait partie de ce cycle, reprit-elle. Nous
renaissons sous une autre forme. » Mais c'étaient là les
paroles de Donar, sa manière à lui de s'exprimer, non
la sienne.

Baerd se taisait. Elle le regarda mais ne trouva rien
à dire qui n'eût sonné faux ou n'eût déjà été dit par
quelqu'un d'autre. Alors elle songea qu'il valait sans
doute mieux l'inciter à parler, lui, et demanda : « Tu as
dit que tu connaissais la silhouette noire, Baerd. Comment est-ce possible ? Peux-tu m'expliquer ? » Elle
découvrait le plaisir presque illicite de prononcer son
nom.

Il lui sourit avec beaucoup de douceur. Son visage
même était doux, surtout sous les traits juvéniles qui
étaient les siens en ce moment. « Donar disposait de
tous les indices nécessaires, Mattio aussi, ainsi que
vous tous. Cela faisait vingt ans que vous subissiez la
défaite, m'ont-ils dit. Donar a même ajouté que j'étais
trop préoccupé par les batailles anecdotiques du monde
diurne, tu te souviens ? »

Elena hocha la tête.

«Il n'avait pas complètement tort, poursuivit Baerd. J'ai vu des soldats ygrathiens dans ces créatures ; elles n'en étaient pas vraiment, bien sûr, je le comprends maintenant, même si je souhaitais de toutes mes forces que ce fût le cas. Je n'avais pourtant pas complètement tort non plus. »

Pour la première fois, elle sentit sa main presser fermement la sienne. «Elena, le mal se nourrit du mal. Et les maux d'une époque, aussi éphémères soient-ils, ne font que renforcer le pouvoir que vous affrontez ici les nuits de Quatre-Temps. J'en suis certain, Elena, il ne peut en être autrement. Toutes choses sont liées. Nous ne pouvons nous confiner dans nos seuls desseins propres. C'est la leçon que m'a enseignée l'ami le plus cher que j'aie jamais eu. Les tyrans qui ont assujetti notre péninsule ont commis une faute qui dépasse largement les problèmes politiques du moment. Et le mal dont ils sont responsables rejaillit sur ce champ de bataille, où vous combattez les forces de l'obscurité au nom de la lumière.

— Le mal attire le mal, fit-elle sans bien savoir d'où elle tirait ces paroles.

— Exactement, répondit Baerd. C'est exactement cela. Je saisis le sens du combat que vous menez ici maintenant, et qui va bien au-delà du mien, de la lutte que je mène dans le monde diurne. Mais que l'un dépasse l'autre n'empêche pas que les deux soient liés. C'est là l'erreur de Donar. Il aurait dû s'en apercevoir il y a longtemps déjà, si seulement il avait eu des yeux pour voir.

— Et le pouvoir de nommer, alors ? La dénomination ? demanda Elena. Qu'a-t-elle à voir avec tout cela ?

— La dénomination est un élément capital », lui expliqua Baerd posément. Il ôta sa main de la sienne et se frotta les yeux. « Les noms importent davantage encore ici où s'exerce la magie que chez nous, là où nous autres mortels vivons et mourons. » Il eut une hésitation. Puis, après un silence souligné par les chants au loin, il murmura : « M'as-tu entendu me nommer tout à l'heure ? »

La question semblait presque idiote. Il avait crié à pleins poumons. Tout le monde avait entendu. Mais son expression était si intense qu'elle ne pût refuser de lui répondre.

« Je t'ai entendu, fit-elle. Tu t'es nommé Baerd de Tigane, fils de Saevar. »

Et, dans un mouvement très lent et tout à fait intentionnel, Baerd alla chercher sa main et la porta à ses lèvres, comme s'il s'agissait d'une grande dame demeurant dans un des châteaux voisins, non plus d'une jeune veuve, fille d'un charretier dans un petit village proche de Borso.

« Merci, fit-il d'une voix bizarre. Merci beaucoup. Je me suis dit… je me suis dit que tout pouvait être différent, ici, cette nuit. »

Elle ressentait un picotement sur le dos de la main, là où ses lèvres s'étaient posées, et son pouls s'était brusquement emballé. S'efforçant de se ressaisir, Elena lui dit : « Je ne comprends pas. Qu'ai-je fait ? »

Son chagrin était toujours là, mais son visage paraissait plus serein, il ressemblait moins à un écorché vif. Il lui expliqua assez calmement : « Tigane est le nom d'un pays ; ce nom a été éradiqué, et cette perte fait partie intégrante du mal qui a engendré la silhouette de l'ombre et l'a hissée sur la colline, ainsi que sur tous les autres champs de bataille où vous avez combattu ces vingt dernières années. Elena, tu ne peux pas tout à fait comprendre, mais je te demande de me croire si je te dis que tu n'aurais pas entendu le nom de ce pays dans ton village, pas plus à la lumière du jour que sous les deux lunes. Pas même si je t'avais parlé d'aussi près que je te parle en ce moment, ou si j'avais crié ce nom plus fort encore depuis la rivière. »

Elle comprenait enfin. Non pas l'ensemble complexe de ce qu'il essayait de lui expliquer, mais ce qui lui importait le plus : la source de son chagrin, de ce regard dans ses yeux sombres.

« Et la Tigane est ton pays », conclut-elle. Ce n'était pas une question. Plutôt une certitude.

Il hocha la tête. Sereinement. Il tenait toujours sa main dans la sienne, remarqua-t-elle.

« La Tigane est mon pays, acquiesça-t-il. On l'appelle la Basse-Corte maintenant dans le monde des hommes. »

Elle demeura silencieuse un long moment ; elle réfléchissait. « Tu devrais en parler à Donar, dit-elle enfin. Avant que le matin nous ramène chez nous. Il sait peut-être quelque chose à ce sujet, quelque chose qui pourrait t'aider. Car il voudra t'aider. »

Une lueur d'espoir ou d'hésitation passa sur son visage. « C'est entendu, dit-il. Je lui parlerai avant de partir. »

Ils restèrent tous deux silencieux alors. *Avant de partir.* Elena chassa cette idée le plus loin possible. Elle avait la bouche sèche et le cœur qui battait presque aussi vite qu'au plus fort de la bataille. Baerd ne bougeait pas. Il paraissait si jeune. Quinze ans, avait-il précisé. Elle regarda au loin, de nouveau intimidée, et vit que partout autour d'eux maintenant la terre était couverte d'un tapis de fleurs blanches.

« Regarde ! » fit-elle, débordante de joie et de révérence.

Il suivit son regard et lui sourit du fond du cœur.

« C'est toi qui les as apportées », dit-il.

Dans le champ de blé en contrebas, à l'est du cours d'eau, seules quelques voix chantaient encore. Elena savait ce que cela signifiait. C'était la première nuit des Quatre-Temps de printemps, le début de l'an nouveau et du cycle des semailles à la récolte. Et ce soir ils avaient gagné la bataille des Quatre-Temps. Elle savait ce que ces hommes et ces femmes s'apprêtaient à faire dans ce champ. Au-dessus, les étoiles semblaient plus proches d'eux, presque palpables, comme les fleurs.

Elle déglutit et rassembla tout son courage. « Beaucoup de choses sont différentes, une nuit comme celle-ci. Ici surtout.

—Je sais », dit Baerd d'une voix douce.

Et il se déplaça enfin et vint se mettre à genoux parmi les toutes nouvelles fleurs blanches. Il lâcha sa main alors, mais seulement pour prendre son visage entre ses paumes, avec d'infinies précautions, comme s'il craignait qu'il se brisât ou souffrît à son contact. Malgré le bruit assourdissant de son cœur, Elena l'entendit murmurer son nom, une seule fois, comme une sorte de prière, et elle eut le temps de répondre et de prononcer le sien dans sa totalité, tel un présent, avant qu'il se penchât au-dessus d'elle et rencontrât ses lèvres.

Toute parole devint impossible ensuite, car le désir et le besoin de l'autre fusionnèrent en elle et la soulevèrent, tel un fétu de paille ou un fragment d'écorce. Elle se sentit emportée par une longue vague déferlante ; Baerd l'accompagnait. Ils étaient ensemble, ici, en cet endroit, et bientôt ils furent nus parmi les fleurs fraîchement écloses de la colline.

Tandis qu'elle l'attirait en elle, en proie à un profond désir et à une infinie tendresse qui frisait la douleur, Elena regarda un instant au-delà de son épaule et vit le carrousel des étoiles incandescentes de la nuit des Quatre-Temps. Et elle jubila à la pensée que chacune portait un nom.

Puis Baerd se fit plus pressant, ravivant sa propre ardeur, et toutes ses pensées s'éparpillèrent comme poussière au milieu des étoiles. Elle inclina la tête pour trouver sa bouche, referma ses bras sur lui et l'absorba tout entier en fermant les yeux. Et ils laissèrent cette vague puissante les déposer à l'aube du printemps.

CHAPITRE 12

Devin s'éveilla près d'une heure avant le lever du soleil, transi et ankylosé. Il faisait encore nuit dans la chambre, et il lui fallut un moment pour se rappeler où il se trouvait. Il se frotta le cou en écoutant la respiration régulière de Catriana sous les couvertures. Une expression de tristesse passa sur son visage.

Tout en décrivant de petits cercles avec la tête pour apprivoiser la douleur, il s'étonna qu'après quelques heures de sommeil dans un fauteuil trop mou on se réveillât le corps engourdi et plus courbatu qu'à l'issue d'une nuit entière à même la terre froide.

Il se sentait étonnamment éveillé cependant, malgré la nuit qu'il venait de passer et le peu de sommeil qu'il avait pris, trois heures tout au plus. Il envisagea d'aller s'allonger dans son lit, mais comprit qu'il ne parviendrait pas à se rendormir. Il décida de descendre aux cuisines et d'essayer de persuader les serviteurs de lui préparer une grande tasse de khav.

Il sortit en prenant garde à refermer derrière lui le plus silencieusement possible. Il était si absorbé par cette tâche qu'il sursauta en apercevant Alessan dans le couloir, devant la porte de sa chambre.

Le prince traversa le couloir en haussant les sourcils.

Devin secoua résolument la tête. « Nous n'avons fait que parler. J'ai dormi dans le fauteuil. J'en veux pour preuve le torticolis dont je souffre ce matin.

—Nul doute.

—Je t'assure, insista Devin.

—Je te crois », répondit Alessan. Il sourit. « Si tu avais osé autre chose, j'aurais entendu des cris, les tiens en l'occurrence, car je t'imagine assez bien recevant quelque blessure désagréable.

—C'est plus que probable », acquiesça Devin. Ils longèrent le couloir.

« Et comment était-ce avec Aliénor ? »

Devin se sentit rougir. « Comment… ? » fit-il tout en prenant conscience de l'état de ses vêtements et du regard amusé d'Alessan.

« Intéressant », risqua-t-il.

Alessan lui sourit. « Viens avec moi, j'ai besoin de ton aide pour résoudre un problème. Il me faut du khav pour la route, d'ailleurs.

—Ça tombe bien, je me dirigeais vers les cuisines moi aussi. Accorde-moi une minute ou deux, le temps que je me change.

—Ce ne sera pas du luxe, en effet, chuchota Alessan en lorgnant la chemise déchirée. On se retrouve en bas. »

Devin se précipita dans sa chambre et se changea rapidement. Pour faire bonne mesure, il mit le gilet qu'Alaïs lui avait envoyé. Penser à elle et à son innocence de jeune fille simple et protégée le ramena, par contraste, à ce qui s'était passé dans la nuit. Il s'immobilisa au milieu de la chambre et tenta d'analyser sa conduite et ses conséquences.

Intéressant, venait-il de dire. Des mots. L'exercice qui consistait à partager une expérience à l'aide de mots lui paraissait si futile par moments ! Une bouffée de la tristesse qu'il avait éprouvée en quittant Aliénor le balaya soudain, grossie du chagrin que Catriana venait de lui dévoiler. Il se sentit comme lessivé par la mer sur une plage grise, dans une aube tout aussi grise.

« Un peu de khav, fit-il à voix haute, ou je ne sortirai jamais de cette humeur. »

En descendant les marches, il comprit à retardement ce que lui avait signifié Alessan en annonçant qu'il avait besoin de khav « pour la route ». La fameuse rencontre, celle qu'il préparait depuis six mois, était prévue pour aujourd'hui.

Ensuite, il partirait pour l'Ouest. Pour la Tigane. Où sa mère se mourait dans un sanctuaire d'Eanna.

L'esprit parfaitement alerte maintenant, Devin renonça bien vite à ses réflexions nocturnes pour se préoccuper des problèmes plus aigus du jour. Il suivit une lueur qui le mena à l'immense cuisine du château Borso, s'arrêta sous la voûte de la porte et passa la tête.

Assis près d'un feu ardent, Alessan buvait du khav à petites gorgées dans une tasse aux proportions impressionnantes. Sur une chaise à côté, Erlein en faisait autant. Ils paraissaient absorbés par les flammes, tandis qu'autour d'eux chacun allait et venait dans la cuisine, vaquant à des tâches bien précises.

Devin s'arrêta un moment sur le seuil, sans se faire remarquer, et se mit à les observer attentivement. Tous deux étaient silencieux et graves ; on les aurait crus immortalisés sur une frise ou dans un tableau, acteurs d'une scène symbolisant de manière complexe la vie de ceux qui prennent la route avant l'aube. Ils avaient l'un et l'autre une longue expérience de cette heure encore nocturne où, assis devant le feu d'une cuisine de château en compagnie des serviteurs, l'on se réveille doucement, l'on goûte la chaleur fugitive tout en se préparant à prendre la route, avec tous les tours et détours qu'elle vous réserve.

Devin avait l'impression, en les voyant assis de la sorte, qu'Alessan et Erlein étaient liés par quelque chose bien au-delà de l'événement brutal qui les avait unis au clair de lune, près de cette rivière du Ferraut. C'était un lien qui n'avait rien à voir avec la relation d'un prince et de son magicien, mais qui avait pris forme avec ce que l'un et l'autre avaient accompli. Ce qu'ils avaient accompli d'identique. Des souvenirs qu'ils pourraient partager, si ces deux hommes étaient encore capables de partager réellement quelque chose après ce qui s'était passé.

Tous deux voyageaient depuis des années. Il y avait nécessairement bon nombre d'images qui se superposaient et évoquaient des ambiances, des émotions, des bruits, des odeurs identiques. Tels que ceux-ci : l'obscurité dehors, les prémices d'une aube grise, le réveil du château dès que le soleil serait levé, la froideur des couloirs, annonciatrice de vent de l'autre côté des murs, le crépitement et le ronronnement du feu dans la cuisine, les tasses fumantes entre leurs mains, l'odeur rassurante du khav, le sommeil et les rêves qui s'évanouissent peu à peu, l'esprit qui s'ouvre progressivement au jour à venir, lové dans les brumes matinales. Observant leur immobilité au milieu du remue-ménage de la cuisine, Devin sentit monter une nouvelle vague de tristesse, dans le prolongement de cette longue nuit dans les hautes terres du Certando.

De la tristesse et un accès de nostalgie qui lui donnaient envie de partager ce fragment d'histoire, de faire partie de cette fraternité discrète mais bien réelle des acteurs de cette scène. Il était assez jeune pour en apprécier le romantisme, mais assez mûr, surtout après les événements de l'hiver qui s'achevait, outre ses expériences du temps de Menico, pour connaître le prix à payer avant de pouvoir engranger de tels souvenirs et présenter le regard réservé, solitaire et compétent des deux hommes devant lui.

Il pénétra dans la pièce. Une jolie servante le remarqua et lui sourit timidement. Sans un mot, elle lui apporta une tasse de khav brûlant. Alessan lui jeta un regard et, attrapant une chaise avec le pied, il la tira près de lui devant le feu. Devin s'approcha de lui et ne se fit pas prier pour s'asseoir à la chaleur. Son torticolis le faisait souffrir.

« Je n'ai même pas eu besoin de faire du charme à quiconque, déclara Alessan. Erlein était déjà là qui préparait du khav. Certains serviteurs passent toute la nuit à la cuisine pour veiller sur le feu. Il n'aurait pas été possible de le rallumer un jour de Quatre-Temps. »

Devin acquiesça en aspirant avec délice de petites gorgées du breuvage brûlant. « Et l'autre question que tu as soulevée ? demanda-t-il prudemment, en jetant un coup d'œil de biais à Erlein.

—Résolue », fit le prince en hâte. Il semblait plus joyeux qu'à la normale, débordant d'entrain. « Erlein va devoir m'accompagner. Nous sommes tombés d'accord pour dire qu'il n'est pas bon que nous nous éloignions exagérément l'un de l'autre, sinon il ne perçoit plus mes ordres. Et qu'en conséquence le mieux est encore qu'il m'accompagne là où je me rends ; que nous gagnions la province occidentale ensemble. Car nous sommes vraiment liés l'un à l'autre, non ? » Il sourit à Erlein, découvrant ses dents d'un blanc éclatant. Erlein ne prit pas la peine de répondre ; il continua de siroter son khav, le regard perdu dans la contemplation du feu.

« Et pourquoi t'es-tu levé si tôt ? » lui demanda Devin au bout d'un moment.

Erlein prit une expression revêche. « L'esclavage nuit à mon sommeil », marmonna-t-il, le nez dans sa tasse.

Devin décida d'ignorer cette remarque. Il y avait des moments où il plaignait sincèrement le magicien ; par contre, il supportait mal ses accès d'autocomplaisance.

Devin se rappela brusquement quelque chose et se tourna vers Alessan. « Il t'accompagne aussi à ta réunion de ce matin ?

—Il faut croire que oui, fit Alessan avec une apparente insouciance. Une petite récompense pour sa loyauté et le long voyage qui l'attend ensuite. Car j'entends m'arrêter le moins possible. » Il parlait sur un ton franchement curieux : une désinvolture excessive, comme s'il niait la réalité de l'effort physique à fournir.

« Je vois », fit Devin d'une voix qu'il voulait impassible. Il se mit à regarder le feu et ne détourna plus les yeux.

Il y eut un silence. Comme il s'éternisait, Devin finit par tourner la tête et constata qu'Alessan le regardait.

«Ça te dirait de venir?» demanda le prince.

Si ça lui dirait? Depuis six mois, depuis le moment
où Devin et Sandre s'étaient joints aux trois autres,
Alessan n'avait cessé de leur dire que tous leurs efforts,
toutes leurs entreprises visaient à préparer certaine réunion qui se tiendrait dans les hautes terres méridionales
au premier jour des Quatre-Temps.

Si ça lui dirait de venir?

Il eut une quinte de toux et renversa du khav sur le
pavé. «Eh bien, fit-il, je ne voudrais en aucun cas être
une charge. Mais, si tu penses que je puis t'être d'une
quelconque utilité, peut-être...»

Il ne termina pas sa phrase parce qu'Alessan se moquait de lui.

Erlein lui-même avait momentanément renoncé à
bouder et paraissait presque amusé, quoique à contrecœur. Les deux aînés échangèrent un regard.

«Tu es un fieffé menteur, dit le magicien en s'adressant à Devin.

—Il a raison, renchérit Alessan qui n'avait cessé de
rire. Mais peu importe. Je ne pense pas que tu puisses
réellement te montrer utile, en raison de la nature même
de ce que je dois faire. Mais je suis certain que tu ne
me gêneras pas non plus, et Erlein et toi pourrez vous
tenir compagnie. Nous ne sommes pas prêts d'arriver.

—Comment? À la réunion?»

Alessan secoua la tête. «Non, il ne nous faudra pas
plus de deux ou trois heures, en fonction de l'état du col
ce matin. Non, Devin, je t'invite à l'Ouest avec moi.»
Sa voix changea pour ajouter:

«Chez nous.»

«Poussin!» cria un homme solidement bâti, au crâne
dégarni, dès qu'il les eut aperçus. Il était assis dans un
imposant fauteuil de chêne bien calé au milieu du col
du Braccio. Des fleurs précoces éclosaient déjà sur les
pentes en contrebas, encore peu nombreuses à cette altitude. Des empilements de cailloux bordaient le chemin;

au-delà commençait la forêt. Plus haut, en direction du sud, ce n'étaient que neige et rocher.

Des perches étaient arrimées au fauteuil, qui permettaient de le soulever ; six hommes en livrée rouge se tenaient à proximité. Devin pensait qu'il s'agissait de serviteurs mais, de plus près, il vit qu'ils étaient armés et comprit son erreur : ces hommes étaient des soldats, des gardes.

« Poussin, répéta l'homme d'une voix forte, tu en as fait du chemin depuis la dernière fois ! Tu as des compagnons maintenant ! »

Devin n'en revenait pas que ce surnom puéril ainsi que ce discours prononcé d'une voix éraillée mais qui portait bien fussent destinés à Alessan.

Le prince avait pris une expression tout à fait inhabituelle. Il ne répondit rien cependant, et tous trois s'approchèrent des sept hommes. Alessan descendit de cheval ; derrière lui, Devin et Erlein firent de même. L'homme dans le fauteuil ne se leva pas pour les saluer, mais de ses petits yeux vifs il suivait chacun des mouvements d'Alessan. Ses grosses mains étaient posées bien à plat sur les accoudoirs sculptés du fauteuil ; il portait six bagues au moins, qui toutes étincelaient à la lumière du soleil levant. Il avait le nez crochu, cassé en plusieurs endroits, et son visage tanné était marqué de cicatrices plus pâles. L'une, celle d'une ancienne blessure, dessinait une ligne oblique blanche sur sa joue. L'autre, beaucoup plus récente, encore rougeâtre, zigzaguait sur son front jusqu'à la racine de ses cheveux grisonnants et clairsemés au-dessus de son oreille gauche.

« J'aime voyager en compagnie, dit Alessan d'une voix suave. Je n'étais pas sûr que tu viendrais. Ce sont des chanteurs ; ils m'auraient consolé sur le chemin du retour. Le plus jeune, c'est Devin, l'autre, c'est Erlein. Tu as drôlement grossi depuis l'an passé !

— Et pourquoi ne grossirais-je pas ? rugit l'autre, ravi. Et comment as-tu pu penser que je ne viendrais

pas ? Ne t'ai-je pas toujours été fidèle ? » Il s'exprimait
sur un ton enjoué, mais Devin remarqua que ses petits
yeux étaient en permanence sur le qui-vive.

« Si, toujours », fit doucement Alessan. Il s'était
départi de sa fébrilité et affichait un calme presque
artificiel. « Mais beaucoup de choses ont changé en
deux ans. Tu n'as plus besoin de moi. Pas depuis l'été
dernier, en tout cas.

— Comment peux-tu dire une chose pareille ! s'écria
le gros homme. Bien sûr que j'ai besoin de toi, poussin !
Tu incarnes ma jeunesse, le souvenir de ce que j'étais.
Et tu m'as porté chance à chaque combat.

— Les combats sont terminés cependant, fit remarquer Alessan. Me permets-tu de te présenter mes plus
sincères félicitations ?

— Non ! grogna l'autre. Je ne te le permets pas. Nous
ne sommes pas à la cour ici, et je ne veux pas de boni-
ments pareils de ta part. Ce dont j'ai envie, c'est que tu
t'approches et me donnes une grande tape dans le dos
au lieu de tout ce baratin stupide ! Qui sommes-nous
donc pour minauder de la sorte ? Ce n'est pourtant pas
notre genre, si ? »

Et, à ces mot, il se souleva en prenant appui sur ses
deux bras musclés. Le gros fauteuil de chêne bascula
en arrière. Trois gardes en livrée se précipitèrent pour
le redresser.

Le gros homme infirme avança de deux pas en sautillant maladroitement, tandis qu'Alessan allait à sa
rencontre. Et, à ce moment, Devin comprit brusquement
qui était cet homme balafré et mutilé. Une douche
froide ne lui aurait pas fait plus d'effet.

« Gros ours ! » fit Alessan en étouffant un rire. Il
l'étreignit affectueusement. « Marius, c'est vrai, tu sais,
je n'étais pas absolument certain que tu viendrais. »

Marius.

Ce n'étaient pas uniquement l'altitude et la nuit presque blanche qu'il venait de passer qui étaient causes de
son émoi : Devin était réellement stupéfait de voir celui

qui s'était proclamé roi de Quileia, après avoir tué sept rivaux armés à main nue dans le Bosquet sacré, soulever le prince de Tigane du sol et lui déposer un baiser sonore sur chaque joue. Il reposa un Alessan rougissant et le tint à bout de bras pour mieux le passer en revue.

« Ainsi c'est vrai, dit-il enfin lorsque Alessan eut cessé de rire. Je vois que tu as bel et bien douté de moi. Je devrais me sentir gravement offensé, blessé, mortifié. Et qu'en a pensé l'autre poussin ?

— Baerd était sûr que tu viendrais, reconnut Alessan, la mine contrite. Je lui dois de l'argent, d'ailleurs.

— Il y en a au moins un sur les deux qui est devenu sensé en grandissant », grogna Marius. C'est alors qu'il saisit le sens des paroles d'Alessan. « Quoi ? Vauriens, vous avez osé parier sur mon honnêteté ! Comment avez-vous pu ! » Tout en riant, il gratifia Alessan d'une bourrade dans l'épaule qui le déséquilibra.

Marius retourna à son fauteuil en sautillant et s'assit. Devin fut à nouveau frappé par le regard incisif du souverain. Il ne s'arrêta pas plus d'une fraction de seconde sur lui, mais le jeune homme eut l'impression déroutante que ce laps de temps lui avait suffi à le cerner assez précisément, et qu'il se souviendrait de lui s'il venait à le rencontrer, même dans dix ans.

Il eut un sentiment étrange et fugace, proche de la pitié, pour les sept guerriers qui avaient dû se battre dans un bosquet contre cet homme, même pourvus d'une épée ou d'une lance, d'une armure et de deux jambes valides.

Ces bras en troncs d'arbre et le message de ces yeux étaient assez explicites pour que Devin comprît de quel côté penchait inévitablement la balance en dépit de la mutilation rituelle, qui consistait à sectionner les tendons de la cheville du consort, censé mourir dans le Bosquet pour la plus grande gloire de la déesse mère et de sa grande prêtresse.

Marius, lui, n'était pas mort. Pour la plus grande gloire de quiconque. À sept reprises, il avait survécu.

Et maintenant, depuis cette septième victoire, la Quileia avait de nouveau un roi, et la dernière grande prêtresse était morte. C'était Rovigo, se rappela soudain Devin, qui lui avait appris la nouvelle. Dans une taverne à l'odeur fétide nommée *l'Oiseau Marin*, quelque six mois plus tôt. Six mois qui ressemblaient à une éternité.

« Tu dormais ou tu étais déjà devenu gros et paresseux, l'été dernier dans le Bosquet, lui disait Alessan en désignant la cicatrice qui barrait le front de Marius. Ou Tonalius ne t'aurait pas approché de si près avec sa lame. »

Le sourire du roi de Quileia n'était pas à vrai dire un spectacle réjouissant. « Pas du tout, fit-il, lugubre. J'ai exécuté mon plongeon, les pieds devant, depuis le vingt-septième arbre, et il était mort avant que nous touchions le sol. La cicatrice est un cadeau d'adieu de ma défunte femme lors de notre dernière rencontre. Que notre Mère sacrée à tous ait son âme ! Voulez-vous partager mon repas et mon vin ? »

Alessan cligna des yeux. « Avec plaisir, dit-il.

— Bien », fit Marius. Il fit signe aux gardes. « Dans ce cas, pendant que mes hommes s'occupent du repas, j'espère bien, poussin, que tu vas prendre le temps de m'expliquer pourquoi tu as eu un moment d'hésitation avant d'accepter mon invitation. »

Ce fut au tour de Devin de cligner des yeux ; il n'avait même pas pris garde à l'intervalle entre la question et la réponse. Alessan souriait néanmoins. « J'aimerais bien qu'un détail t'échappe une fois de temps en temps », fit-il avec une grimace.

Marius eut un petit sourire mais se tut.

« Je dois entreprendre un long voyage. De trois jours au moins, en faisant au plus vite. Quelqu'un que je dois rejoindre dès que possible.

— Quelqu'un qui t'importe plus que moi, poussin ? Tu m'en vois désolé. »

Alessan secoua la tête. « Non, ce n'est pas une question d'importance, sinon je ne serais pas ici ce matin, mais d'urgence plutôt. J'ai trouvé un message de Danoleon à Borso hier soir. Ma mère est mourante. »

Le visage de Marius s'assombrit brusquement. « Je te demande pardon, Alessan. Du fond du cœur. Il n'a pas dû t'être facile de venir à notre rendez-vous. »

Alessan eut un de ces petits haussements d'épaules qui n'appartenaient qu'à lui seul. Il se mit à regarder le col, derrière Marius, puis les hauts sommets au-delà. Les soldats avaient étendu un tissu couleur d'or sur le sol étale devant le fauteuil. Ils poussèrent l'extravagance jusqu'à déposer des coussins multicolores dessus, ainsi que des paniers et des plats regorgeant de victuailles.

« Nous allons rompre le pain ensemble, fit joyeusement Marius, et évoquer les sujets qui nous préoccupent ; ensuite tu partiras. Ce message te paraît fiable ? Ne cours-tu pas un risque en retournant là-bas ? »

Devin n'avait même pas songé à cet aspect des choses.

« Je suppose que si, fit Alessan, indifférent. Mais j'ai confiance en Danoleon, bien sûr. Après tout, c'est lui qui m'a conduit chez toi en premier lieu.

—Je sais, répondit Marius. Je me souviens de lui. Je sais aussi que, sauf changement notoire, il n'est pas le seul prêtre au sanctuaire d'Eanna et que le clergé de la Palme ne brille pas par sa fiabilité. »

Alessan haussa encore les épaules. « Que puis-je faire ? Ma mère se meurt. Cela fera bientôt vingt ans que je ne l'ai pas revue, gros ours. » Il fit la moue. « Je ne pense pas que grand monde me reconnaisse, même sans les déguisements de Baerd. Tu ne trouves pas que j'ai passablement changé depuis l'âge de quatorze ans ? » Il y avait un léger défi dans le ton.

« Passablement, fit Marius calmement. Mais peut-être pas autant que tu le crois. Tu étais déjà adulte à bien des égards. Et Baerd aussi, lorsqu'il t'a rejoint. »

Une fois de plus Alessan laissa son regard vagabonder vers la ligne de crête, comme pour repousser plus au sud un souvenir ou une image lointaine. Devin sentait distinctement qu'il se disait des choses qui allaient bien au-delà des mots qu'il entendait.

« Venez, dit alors Marius en appuyant les mains sur les accoudoirs pour se lever, et joignez-vous à moi sur ce tapis rupestre.

— Ne bouge pas de ta chaise, fit Alessan d'un ton sec mais sans se départir de son expression calme et badine. Combien d'hommes t'ont accompagné jusqu'ici ? »

Marius n'avait pas bougé. « Une compagnie nous a escortés jusqu'au pied des montagnes ; puis ces six-là sont montés au col avec moi. Pourquoi ? »

Un sourire insouciant aux lèvres, Alessan s'assit avec souplesse sur le tapis aux pieds du roi. « Ce n'est pas très sage de venir ici avec si peu d'hommes.

— Il n'y a pas grand danger. Mes ennemis sont trop superstitieux pour s'aventurer dans les montagnes, tu le sais, poussin. Ces cols ont été déclarés tabous il y a déjà longtemps, quand les relations commerciales avec la Palme ont cessé.

— Dans ce cas, fit Alessan, toujours souriant, je ne parviens pas à m'expliquer la présence de l'archer que je viens d'apercevoir derrière un rocher, plus haut sur la piste.

— Tu es certain ? demanda Marius sur le même ton anodin qu'Alessan, mais son regard, lui, était devenu glacial.

— Je l'ai aperçu à deux reprises, murmura le prince. Erlein, es-tu en mesure de faire quelque chose qui passe inaperçu ? »

Le magicien pâlit mais parla d'une voix neutre lui aussi. « Rien d'agressif en tout cas. Cela me demanderait trop de pouvoir, et n'importe quel pisteur entraîné s'en apercevrait aussitôt.

— Une protection pour le roi ? »

Erlein hésitait.

« Mon ami, fit Alessan d'une voix grave, j'ai besoin de toi et je vais avoir besoin de toi pendant longtemps encore. Je sais que la mise en œuvre de ta magie comporte des dangers pour nous tous. Mais il faut que tu me répondes franchement, afin que de mon côté je puisse prendre des décisions raisonnables. Verse-lui du vin », ordonna-t-il au soldat quiléian.

Erlein accepta le verre et but. « Je peux mettre en place un écran de protection réduit contre les flèches derrière lui. » Il s'interrompit. « Cela te convient ? Il y a un risque.

—Cela me va, dit Alessan. Mets l'écran en place de manière aussi discrète que possible. »

Erlein pinça les lèvres mais ne fit aucun commentaire. Il leva très légèrement la main gauche et la promena d'un côté à l'autre. Devin vit qu'il lui manquait effectivement deux doigts mais ne remarqua rien d'autre.

« C'est fait, dit Erlein, maussade. Plus longtemps je le maintiens, plus le risque est grand. » Il but une autre gorgée de vin.

Alessan hocha la tête en acceptant une tranche de pain ainsi qu'une assiette de charcuterie et de fromage que lui tendait un des soldats.

« Devin ? »

Devin s'y attendait. « J'aperçois le rocher en question, dit-il posément. Là-haut, sur le côté droit de la piste. À portée de flèche.

—Prends mon cheval, il y a un arc dans la selle. »

Devin secoua la tête. « Il pourrait s'en apercevoir et je ne suis pas assez bon tireur. Je vais essayer de m'y prendre autrement. Peux-tu t'arranger pour faire un peu de bruit d'ici une vingtaine de minutes ?

—Tout le bruit que tu désires, dit Marius de Quileia. Il te sera plus facile de grimper et de le contourner en passant à gauche du chemin, juste après le virage en descendant. J'aimerais bien l'avoir vivant si possible. »

Devin sourit. Tout à coup, Marius éclata de rire et Alessan l'imita. Erlein demeura silencieux, tandis qu'Alessan faisait un geste pressant de la main à l'intention de Devin.

« Si tu l'as oublié, eh bien, à toi d'aller le rechercher, tête de linotte ! Nous ne bougerons pas d'ici. Nous
allons déguster ce repas, et peut-être te laisserons-nous
quelque chose à grignoter.

—Ce n'est pas de ma faute ! » protesta vivement
Devin tandis que sa gaieté tournait peu à peu à l'irritation. Il leur tourna le dos et s'approcha des chevaux.
Secouant la tête, manifestement inconsolable, il enfour-
cha son cheval gris et se mit à redescendre le chemin
par lequel ils étaient montés.

Jusqu'au virage.

Là, il mit pied à terre et attacha sa monture. Il réfléchit un instant, puis décida de laisser l'épée qui pendait
de sa selle là où elle était. Il savait qu'une pareille
décision pouvait lui coûter la vie. Il avait repéré les
pentes boisées de part et d'autre du chemin cependant ;
une épée risquait de le gêner dans son ascension et de
faire du bruit.

En coupant à l'ouest, il fut bientôt au milieu des
arbres. Il revint sur ses pas par le sud et se mit à grimper en restant aussi loin de la sente que le terrain le
permettait. L'ascension était éreintante et il lui fallait
se presser, mais Devin était en excellente condition
physique et compensait sa petite taille par beaucoup de
souplesse et de tonicité. Il escalada la pente escarpée,
zigzaguant entre les arbres et les noirs buissons de ge-
névrier, s'agrippant à des racines profondément enfouies.

À mi-chemin, les arbres s'arrêtèrent brusquement
au pied d'un petit escarpement orienté au sud-ouest. Il
avait le choix entre l'escalader et le contourner en se
rapprochant un peu du col. Devin essaya de se repérer,
mais ce n'était pas chose aisée car aucun bruit ne lui
parvenait à cette distance. Impossible de savoir avec
certitude s'il dominait déjà le terrain où les autres dé-
jeunaient. Vingt minutes, leur avait-il dit. Il grinça des
dents et, après avoir adressé une courte prière à Adaon,
partit à l'ascension de l'abrupt. Il réfléchit brusquement
qu'il était pas courant pour un fils de fermier des plaines

marécageuses du nord de l'Asoli de s'attaquer à un à-pic dans la chaîne du Braccio.

Il n'était pas asolien cependant. Il était originaire de Tigane, son père aussi, et c'était leur prince qui lui avait assigné cette tâche.

Devin se déplaça latéralement sur l'escarpement en s'efforçant de ne pas déloger le moindre caillou ; il avisa alors un pan de roche qui dépassait, changea d'appui, les pieds dans le vide, puis se propulsa en l'air et posa les deux pieds dessus. Il se hissa vivement au sommet, jusqu'à une petite plate-forme, et, la respiration haletante, regarda au sud.

Puis directement sous lui. Il retint son souffle : la chance lui souriait au-delà de ce qu'il avait espéré. Il aperçut une silhouette dissimulée derrière un rocher, juste en dessous. Devin avait conscience de s'être mis à découvert dans la dernière partie de son ascension, là où l'escarpement émergeait des arbres. Mais son silence l'avait servi car l'individu ne semblait pas l'avoir remarqué, concentré qu'il était sur le groupe qui festoyait en dessous. Le soleil se cacha derrière un nuage et Devin s'aplatit instinctivement au moment où le tueur levait les yeux pour évaluer le changement d'éclairage.

La lumière est un facteur capital au tir à l'arc, Devin le savait. L'archer devait atteindre une cible à longue distance en contrebas, partiellement dissimulée par les gardes.

Et il n'aurait certainement pas le temps de tirer une deuxième flèche. Devin se demanda si la pointe était empoisonnée et conclut que c'était vraisemblable.

En prenant mille et une précautions, il se mit à ramper pour essayer de contourner l'assassin et de le surprendre par-derrière. Son cerveau fonctionnait à toute allure, tandis qu'il se glissait au milieu d'une rangée d'arbres juste au-dessus. Comment allait-il s'approcher assez près de cet archer pour lui régler son compte ?

C'est alors que le son de la flûte d'Alessan monta jusqu'à lui, suivi, une mesure plus tard, de la harpe d'Erlein. Un instant après, plusieurs voix entonnèrent l'une des plus vieilles et plus joyeuses ballades du Certando ; elle évoquait une bande légendaire de hors-la-loi qui avait régné sur ces sommets avec une impunité arrogante avant que le Certando et la Quileia unissent leurs forces pour les en déloger :

> *Du nord arrivèrent trente braves à bride abattue,*
> *Et quarante Quiléians se rangèrent à leurs côtés.*
> *Et là, dans les montagnes, chacun se promit*
> *De déloger Gan Burdash de son perchoir.*

De sa voix tonitruante, Marius entraîna les autres dans le refrain. Devin venait de se souvenir d'un détail et il sut ce qu'il allait faire. Il était conscient que son plan était un peu farfelu, mais il n'avait pas beaucoup de temps devant lui et guère d'autre choix.

Le cœur battant, il essuya ses mains moites sur son haut-de-chausses et se hâta entre les arbres le long de la corniche. Derrière lui, ses compagnons chantaient ; à vingt pieds sous lui et légèrement à l'est, un tueur armé d'un arc guettait. Le soleil émergea des nuages.

Le Quiléian était en contrebas maintenant, légèrement devant. S'il avait eu un arc et la dextérité nécessaire, Devin l'aurait tenu à sa merci.

À défaut, il avait trois atouts : un couteau, une bonne coordination, dont il tirait une certaine fierté, et un pin géant qui prenait racine juste derrière le rocher abritant l'archer et s'élevait jusqu'à la corniche. Il distinguait nettement l'ennemi maintenant : il était habillé de vert pour passer inaperçu sur la piste, et tenait un arc et des flèches à portée de la main.

Devin savait ce qui lui restait à faire. Il savait également, parce qu'il y avait des bois dans la campagne de son enfance à défaut de montagnes, qu'il ne pouvait pas descendre d'un arbre dans le silence absolu. Pas même avec ces voix fortes, sans respect d'aucune justesse, qui masquaient en partie le bruit de ses déplacements.

Ce qui, autant qu'il pût en juger, ne lui laissait qu'une option. D'autres auraient peut-être mis au point un plan plus efficace, mais ceux-là n'étaient pas sur la corniche. Devin essuya soigneusement ses paumes moites pour la deuxième fois et concentra son attention sur une grosse branche, plus longue que les autres et isolée. La seule qui pût lui être utile. Il essaya de calculer l'angle et la distance de son mieux, sachant qu'il n'avait aucune expérience en la matière. Pourtant, ce qu'il s'apprêtait à tenter n'avait rien d'un exercice d'initiation.

Il vérifia que son poignard était solidement accroché à sa ceinture, s'essuya les mains une dernière fois et se releva. Bêtement, le souvenir lui revint du jour où ses frères l'avaient surpris pendu par les pieds à un arbre dans l'espoir que cela le ferait grandir.

Il eut un sourire crispé et s'approcha du bord de la corniche. La branche paraissait très loin et nettement au-dessus du niveau du col. Il se promit intérieurement, s'il survivait à cette épreuve, que Baerd allait lui apprendre à se servir d'un arc.

Les voix éraillées montaient par à-coups ; elles arrivaient au terme de la ballade :

Gan Burdash régnait en maître dans les hauteurs,
Et sa bande le suivait de sommet en vallon,
Mais soixante-dix valeureux gaillards le traquèrent
jusque dans son repaire,
Et, quand les lunes se furent couchées, les sommets
étaient libérés !

Devin sauta. Il perçut le sifflement de l'air contre sa joue. La branche aux contours indécis se précipita à sa rencontre. Il tendit les mains, la saisit au vol et se balança. Légèrement. Juste assez pour changer de direction et ralentir son allure. Et atterrir directement sur le tueur derrière le rocher.

La branche tint bon, mais les feuilles craquèrent bruyamment tandis qu'il pivotait. C'était prévu. Le

Quiléian jeta un coup d'œil inquiet vers le ciel et saisit son arc.

Pas tout à fait assez vite. Hurlant de toutes ses forces, Devin s'abattit comme un oiseau de proie des montagnes. Quand sa cible se mit en mouvement, Devin était déjà sur elle.

Chute et coup de pied du vingt-septième arbre, pensa-t-il.

En tombant, il inclina le torse, de sorte qu'il atterrit sur le Quiléian de biais et le frappa des deux pieds au passage. L'impact lui souleva le cœur. Il sentit ses jambes faire un bruit discordant tandis qu'il heurtait sa victime, et ses propres poumons se vider.

Devin et l'archer s'écrasèrent au sol et culbutèrent, puis firent un roulé-boulé qui les éloigna du rocher. Devin cherchait désespérément à reprendre son souffle ; autour de lui, le monde basculait. Il serra les dents et chercha son poignard.

Il s'aperçut alors que ce n'était pas nécessaire.

« Mort avant que nous ne touchions le sol », avait dit Marius.

Il souleva la poitrine en frissonnant et força l'air dans ses poumons au supplice. Une douleur aiguë, inconnue, lui chatouillait la jambe droite. Il se força à l'ignorer. Il se dégagea du Quiléian inconscient et, à demi asphyxié, se débattit pour prendre une nouvelle bouffée d'air. Puis il regarda sa victime.

Une femme. Ce qui, étant donné les circonstances, n'était pas vraiment surprenant. Elle n'était pas morte. Son front avait ricoché sur le rocher au moment où il avait atterri sur elle. Elle gisait sur le flanc et saignait abondamment d'une blessure à la tête. Il lui avait probablement brisé des côtes en la frappant des pieds. Elle souffrait aussi d'innombrables plaies et bosses dues à leur descente forcée le long de la pente.

Devin n'avait pas été épargné, comme il eut tôt fait de le remarquer. Sa chemise était déchirée et, pour la seconde fois en moins de vingt-quatre heures, il était méchamment éraflé. C'était assez drôle en soi, mais il était encore trop tôt pour qu'il goûtât l'humour de la situation. Plus tard, peut-être.

Il était vivant toutefois, et s'était acquitté de la tâche qu'on lui avait confiée. Il venait juste de trouver un second souffle lorsque Alessan et l'un des soldats quiléians arrivèrent en courant. Erlein les suivait de près, constata Devin, surpris.

Il se releva, mais le monde tournait à toute allure et Alessan dut le soutenir. Le soldat retourna l'assassine sur le dos. Il l'observa un long moment, puis lui cracha délibérément au visage.

Devin détourna le regard.

Il croisa celui d'Alessan. « Nous t'avons vu sauter de là-haut. En principe il faut des ailes pour se lancer de la sorte, dit le prince. Tu l'ignorais ? »

L'expression de son regard était en parfaite contradiction avec son ton badin. « J'ai eu peur pour toi, dit-il doucement.

— Je n'ai pas trouvé d'autre solution », fit Devin en s'excusant presque. Il sentait néanmoins une certaine fierté sourdre en lui. Il haussa les épaules. « Ce chant était parfaitement insupportable. Il fallait faire quelque chose pour y mettre un terme. »

Alessan lui adressa un large sourire. Il lui passa un bras autour du cou puis lui pressa l'épaule. Baerd avait fait la même chose dans la grange des Nievolene.

Ce fut Erlein qui rit de la plaisanterie de Devin. « Viens donc par ici, fit le magicien, il va falloir que je nettoie toutes ces plaies. »

Ils l'aidèrent à redescendre. Le soldat portait la femme et son arc. Devin vit qu'il était fait d'un bois très sombre, presque noir, et sculpté de manière à évoquer un croissant de lune. À une extrémité pendait une mèche de cheveux grisonnants enroulés serrés. Il frissonna en devinant à qui ils appartenaient.

Debout, Marius les observait, une main posée sur le dossier de son fauteuil. C'est tout juste s'il jeta un coup d'œil aux quatre hommes et au tueur qu'ils ramenaient. Par contre, il posa un long regard froid et sévère à l'arc noir en forme de croissant de lune. Le souverain avait l'air effrayant.

D'autant plus, songea Devin, qu'il ne semblait même pas avoir peur.

« Je crois que nous nous connaissons suffisamment pour ne plus avoir besoin de jouer sur les mots, dit Alessan. Je préfère te dire clairement ce que je veux, tu me répondras si tu peux me l'accorder, et nous en resterons là. »

Marius leva la main pour l'arrêter.

Il avait rejoint les trois autres sur le tapis doré, au milieu des coussins. Les plats et les paniers avaient été enlevés. Deux des Quiléians avaient conduit la femme sur l'autre versant du col, là où le reste de la compagnie attendait. Les quatre autres étaient postés un peu plus loin. Le soleil était haut ; il ne monterait pas plus dans cette région en début de printemps. Il faisait un temps doux et engageant.

« L'ours n'a jamais su jouer avec les mots, poussin, se contenta de répondre le roi de Quileia. Tu le sais. Tu sais aussi à quel point cela me peinerait de te refuser quelque chose. Alors j'aimerais procéder différemment : je préfère te dire d'emblée ce que je ne suis pas en mesure de t'accorder afin que tu ne me le réclames pas et que je ne sois pas obligé de te le refuser. »

Alessan hocha la tête. Il se contenta de regarder le roi en silence.

« Je ne peux pas te donner d'armée, lui dit Marius tout net. Pas pour le moment, en tout cas, et peut-être jamais. Mon pouvoir est trop peu assis et je suis loin d'avoir atteint la stabilité dont j'aurais besoin pour conduire des troupes ou même leur ordonner de franchir ces montagnes. Je dois faire basculer le poids de traditions qui remontent à des centaines d'années, et il faut que je fasse vite. Je ne suis plus tout jeune, poussin. »

Devin se sentit soulevé par une vague d'excitation qu'il s'employa à maîtriser. Les circonstances étaient trop graves pour se laisser aller à des sentiments puérils.

Mais il avait du mal à croire qu'il fût si proche, pour ne pas dire au cœur, de quelque chose de cette importance. Il jeta un regard de biais à Erlein, puis observa son visage de plus près car il venait d'y déceler la même étincelle passionnée. En dépit de son âge et de ses longs périples, Devin se dit que le magicien troubadour n'avait jamais approché d'aussi près des événements de cette envergure.

Alessan secouait la tête. « Gros ours, dit-il, je ne t'aurais jamais rien demandé de pareil. Pour notre bien à tous : le nôtre autant que le tien. Je ne voudrais pas qu'on se souvînt de moi comme l'homme qui le premier invita la puissance nouvellement réveillée de Quileia dans la Palme. Si jamais une armée quiléiane s'aventure au nord de ce col – et j'espère bien que ni toi ni moi ne serons témoins d'une chose pareille –, je souhaite qu'elle se fasse tailler en pièces et repousser avec des pertes telles qu'aucun roi du Sud n'ait envie de recommencer.

—Si tant est qu'il y ait un roi dans le Sud, et non pas quatre cents ans de Mère sainte et de grandes prêtresses. Très bien, fit Marius, alors dis-moi ce dont tu as tant besoin. »

Alessan avait croisé les jambes avec application et posé ses longues mains croisées sur ses genoux. Rien ne laissait supposer qu'il discutait de sujets plus fondamentaux que, par exemple, l'ordre des chansons pour une représentation d'un soir.

Seuls ses doigts le trahissaient ; Devin remarqua qu'ils étaient blancs tant il les serrait fort.

« Une question d'abord, fit-il en contrôlant sa voix. As-tu reçu des lettres t'offrant de reprendre les relations commerciales ? »

Marius hocha la tête. « De tes deux tyrans. Accompagnées de présents, de messages de félicitations et d'offres généreuses pour rouvrir les anciennes voies commerciales, par mer et sur terre.

—Et chacun t'incitait à ignorer les propositions de l'autre sous prétexte qu'elles n'étaient pas fiables et le pouvoir de leur auteur instable. »

Marius eut un petit sourire. «Tu lis mon courrier ou quoi, poussin ? C'est exactement ce que chacun d'eux m'a dit.

—Et qu'as-tu répondu ? » lança Alessan avec la précision d'une flèche. Pour la première fois, la tension dans sa voix était nettement perceptible.

Marius s'en rendit compte. « Rien pour l'instant », dit-il. Son sourire s'évanouit. « J'attends de connaître la teneur de leurs prochains messages avant de répondre. »

Alessan baissa les yeux et parut s'apercevoir de ses doigts noués pour la première fois. Il les décroisa et, selon son habitude, se passa la main dans les cheveux.

«Tu seras bien obligé de prendre une décision néanmoins, dit-il avec quelque difficulté. Tu auras besoin de commercer. Dans ta position, il va falloir que tu montres à la Quileia ce que tu peux faire pour elle. Et commercer avec le Nord est encore le moyen le plus rapide, non ? » Il y avait dans le ton comme un défi maladroit.

« Bien sûr, répondit simplement Marius. Il le faut. À quoi bon régner, sinon ? Ce n'est qu'une question de calendrier, et, après ce qui s'est passé ce matin, je crois qu'il va me falloir agir au plus vite. »

Alessan acquiesça comme s'il avait déjà bien réfléchi à tout cela.

«Que comptes-tu faire alors ? demanda-t-il.

—Rouvrir les cols et commercer avec les deux. Pas de préférence, pas de taxes douanières non plus. Je vais laisser Alberico et Brandin m'offrir toutes les libéralités, tous les bienfaits et toutes les offrandes qu'ils voudront ; que leur commerce fasse de moi un roi, un vrai, un souverain capable d'apporter la prospérité à son peuple. Et je dois commencer sans tarder. Tout de suite, à vrai dire. Je dois engager la Quileia dans une nouvelle voie et faire reculer l'ancienne le plus loin possible. Sinon je mourrai sans avoir rien fait d'autre que vivre un peu plus vieux que la plupart des rois d'une année, et les prêtresses reprendront le pouvoir avant que les vers aient eu le temps de dévorer ma dépouille. »

Alessan ferma encore les yeux. Devin prit conscience du bruissement des feuilles, des appels sporadiques des oiseaux. Puis le prince regarda de nouveau Marius de ses grands yeux calmes et lui déclara carrément :

« Voici ma requête : que tu me donnes six mois avant de prendre une décision concernant la réouverture des liaisons commerciales ; dans l'intervalle, il me faut autre chose encore.

— Ces six mois à eux seuls représentent déjà un gros effort, fit Marius. Mais dis-moi le reste, poussin. L'" autre chose ".

— Trois lettres, gros ours. J'ai besoin que tu envoies trois lettres dans le Nord. Dans la première, tu dis oui à Brandin, sous condition. Tu lui demandes un délai, le temps d'asseoir ton pouvoir, avant de soumettre la Quileia à des influences extérieures. Tu lui laisses clairement entendre que la balance penche en sa faveur parce qu'il te semble plus puissant qu'Alberico, plus susceptible de durer. Deuxième lettre : tu rejettes, en exprimant tes regrets, les propositions d'Astibar. Tu expliques à Alberico que les menaces de Brandin t'intimident. Que tu aimerais beaucoup commercer avec l'empire de Barbadior et que tu en ressens le besoin, mais que les Ygrathiens constituent une force trop importante dans la Palme pour que tu prennes le risque de les offenser. Tu souhaites bonne chance à Alberico. Tu le pries de rester en contact avec toi, discrètement. Tu lui dis que tu vas suivre les événements politiques au nord avec le plus grand intérêt. Tu ajoutes que tu n'as pas encore fait part à Brandin de ta décision finale et que tu es prêt à la retarder le plus longtemps possible. Tu envoies tes plus chaleureuses salutations à l'empereur. »

Devin était perdu. Il eut recours à la méthode qui lui avait si bien réussi pendant l'hiver : écouter, mémoriser, réfléchir ensuite. Marius avait les yeux brillants et affichait de nouveau ce sourire froid et déroutant.

« Et ma troisième lettre ? demanda-t-il.

— Elle est pour le gouverneur du Senzio. Tu lui proposes de reprendre des relations commerciales sur-le-champ : pas de barrières douanières, le meilleur choix de produits, le mouillage et la sécurité de ses navires dans tes ports. Tu exprimes ta plus profonde admiration pour le courageux Senzio qui a su garder son indépendance et son esprit d'entreprise dans l'adversité. » Alessan fit une pause. « Et cette troisième lettre, bien sûr...

— Sera interceptée par Alberico de Barbadior. Poussin, sais-tu ce que cela déclencherait ? Te rends-tu bien compte des dangers d'un tel jeu ?

— Attendez une minute, intervint brusquement Erlein di Senzio en se levant.

— Tais-toi ! » lança Alessan sur un ton réellement hargneux que Devin ne lui avait encore jamais entendu employer.

Erlein se tut instantanément. Il se rassit, la respiration rauque, les yeux brillants de colère, car il entrevoyait confusément ce qui se tramait. Alessan l'ignora. Marius également. Assis sur leur tapis d'or dans la haute montagne, ils ne semblaient pas attentifs à autre chose qu'à eux-mêmes.

« Tu t'en rends compte, n'est-ce pas ? reprit Marius. Bien sûr que tu t'en rends parfaitement compte. » Un certain étonnement admiratif perçait dans sa voix.

Alessan hocha la tête : « La Triade sait que j'ai eu le temps d'y réfléchir. Dès que les échanges commerciaux reprendront, je pense que ma province et son nom seront perdus pour toujours. Avec ce que tu as à lui offrir, Brandin apparaîtra comme un héros dans l'Ouest, non plus comme un tyran. Son avenir sera assuré, et je ne pourrai plus rien faire, gros ours. Ta souveraineté risque de causer ma perte. Et celle de mon pays.

— Tu regrettes de m'avoir aidé à prendre le pouvoir, poussin ? »

Devin vit Alessan se débattre avec cette interrogation qui mettait en jeu des émotions bien plus profondes que ce qu'il pouvait voir ou comprendre. Il écouta pour se souvenir.

« Je devrais le regretter, murmura enfin le prince. D'une certaine façon, c'est un acte de trahison. Mais comment pourrais-je jamais regretter ce que nous nous sommes donné tant de mal à obtenir ? » Il eut un sourire rêveur.

« Tu sais combien je vous aime, poussin. L'un comme l'autre.

— Je sais. Nous le savons tous deux.

— Et tu n'as pas oublié les problèmes qui m'attendent chez moi.

— Non. J'ai de bonnes raisons de m'en souvenir. »

Dans le silence qui suivit, Devin sentit une certaine tristesse l'envahir, comme en prolongement de la nuit passée ; un sens aigu du gouffre qui sépare parfois les gens et qu'il faut réussir à franchir, ne serait-ce que pour établir un simple contact.

Et pour des hommes comme ces deux-là, animés de projets à long terme, sur qui pesait la charge de leur identité comme de leur fonction, le gouffre devait être tellement plus large ! Comme il était difficile, terriblement difficile, de se tendre la main par-dessus des siècles d'histoire, quand on est porteur de tant de responsabilités et de tant de chagrins !

« Oh, poussin ! fit Marius de Quileia, la voix réduite à un murmure, peut-être n'es-tu qu'une flèche que la lune blanche a logée dans mon cœur il y a dix-huit ans. Je t'aime comme un fils, Alessan, fils de Valentin. Tu auras tes six mois et tes trois lettres. Élève un feu de joie à ma mémoire si tu apprends que je ne suis plus de ce monde. »

Il avait beau ne pas y entendre grand-chose, naviguer à la frange de ce drame, Devin sentit sa gorge se serrer ; il avait du mal à avaler. Il les regarda tous deux ; il n'aurait su dire lequel il admirait le plus : celui qui avait demandé, sachant ce qu'il demandait, ou celui qui avait donné, sachant ce qu'il donnait. Humblement, il éprouvait une conscience aiguë du chemin qui lui restait à parcourir et dont il ne verrait peut-être jamais le bout, avant qu'il pût se sentir un homme au même titre que ces deux-là.

« Est-ce qu'un de vous se rend compte, intervint alors Erlein di Senzio, rompant le silence d'une voix lugubre comme un glas, du nombre d'innocents qui risquent de se faire massacrer à cause de ce que vous vous apprêtez à faire ? »

Marius ne répondit pas. Alessan se tourna vers le magicien avec la rapidité d'un éclair.

« Et est-ce que tu te rends compte, répliqua-t-il en lui lançant un regard glacial de ses yeux gris, qu'en t'entendant proférer des propos pareils je dois me retenir à deux mains pour ne pas te tuer ? » Erlein pâlit mais ne recula pas. Pas plus qu'il ne baissa les yeux.

« Je n'ai pas demandé à naître en cette époque trouble, chargé, de par ma naissance, de trouver des solutions aux maux qui l'accablent, reprit Alessan, la voix tendue comme une corde prête à se rompre. J'étais le plus jeune. Cette tâche aurait dû revenir à l'un ou l'autre de mes frères, voire aux deux. Ils sont morts sur les rives de la Deisa. Tant mieux pour eux. » Un flot d'amertume passa dans sa voix, qu'il réussit cependant à maîtriser. « Je m'efforce d'agir pour le bien de la Palme tout entière. Et pas seulement de sauver la Tigane et son nom. Cela m'a valu de me faire injurier et traiter de renégat ou d'imbécile ; ma propre mère y a vu la raison de me maudire. Venant d'elle, je me sens capable de l'accepter. Je lui devrai des comptes pour le sang versé et la destruction de ce qu'était la Tigane si j'échoue. Mais je refuse de me soumettre à ton jugement, Erlein di Senzio. Je n'ai pas besoin de toi pour savoir qui ou ce que je mets en danger. J'ai besoin que tu fasses ce que je te dis de faire, un point c'est tout ! Si tu dois mourir en esclave, autant que ce soit le mien que celui d'un d'autre ! Tu vas te battre à mes côtés, Senzian ! De ton plein gré ou contre ta volonté, tu vas te battre avec moi pour la liberté ! »

Il se tut. Devin s'aperçut qu'il tremblait, comme si un terrible orage avait secoué la montagne avant de disparaître.

« Pourquoi lui laisses-tu la vie sauve ? » demanda Marius.

Alessan cherchait à retrouver son calme. Il parut réfléchir à la question. « Parce que c'est un brave à sa manière, répondit-il. Et parce qu'il est vrai que je fais peser un réel danger sur son peuple. Parce que je lui ai fait du tort, de son point de vue comme du mien. Et parce que j'ai besoin de lui. »

Marius secoua sa grosse tête. « Ce n'est pas bon d'avoir ainsi besoin de quelqu'un.

— Je sais, gros ours.

— Il reviendra peut-être, dans plusieurs années, pour te demander un immense service. Quelque chose que ton cœur ne pourra pas lui refuser.

— Je sais, gros ours », répéta Alessan. Les deux hommes se regardèrent, parfaitement immobiles sur le tapis brodé au fil d'or.

Devin détourna les yeux ; il se faisait l'impression d'un intrus devant cet échange de regards. Dans le silence imposant de ce col dominé par les hauts sommets de la chaîne du Braccio, le chant d'un oiseau retentit avec bonheur, et, en regardant au sud, Devin s'aperçut que le dernier nuage avait disparu, révélant la blancheur éblouissante des cimes inondées de soleil. Il lui sembla tout à coup qu'il y avait davantage de beauté et de douleur en ce bas monde qu'il ne l'avait imaginé.

Quand ils redescendirent du col, Baerd les attendait sur son cheval à quelques milles au sud du château, dans une prairie des contreforts. Il était seul.

Il écarquilla les yeux en apercevant Devin et Erlein. Chose rare, il esquissa un sourire amusé derrière sa barbe quand Alessan arrêta son cheval à sa hauteur.

« Tu as beau prétendre le contraire, tu es encore pire que moi dans ces situations, dit-il.

—Pas pire. Aussi mauvais peut-être, répondit Alessan en baissant tristement la tête. Après tout, la seule raison que tu aies trouvée pour justifier ton refus de venir, c'est que tu ne voulais pas accroître la pression…

—Et, après m'avoir assené des propos cinglants, voilà que tu emmènes deux étrangers pour réduire encore la pression. Je répète ce que j'ai dit : tu es pire que moi.

—Eh bien, assène-moi quelque propos cinglant.»

Baerd secoua la tête. «Comment va-t-il? demanda-t-il.

—Pas mal, quoiqu'il soit sous tension. Devin a empêché une tentative d'assassinat là-haut.

—Quoi?» Baerd jeta un regard furtif à Devin et remarqua la chemise et le haut-de-chausses déchirés, ainsi que les plaies et les coupures.

«Il va falloir que tu m'apprennes à me servir d'un arc, fit Devin. Il y aura moins de dégâts.»

Baerd sourit. «C'est d'accord. Dès que l'occasion se présentera.» Puis il se mit à réfléchir. «Un assassinat? dit-il à Alessan. Dans les sommets? C'est impossible!

—Et pourtant si, fit Alessan, la mine lugubre. Elle portait un arc en forme de croissant de lune avec une mèche de ses cheveux à l'extrémité. Le tabou relatif à la montagne a disparu, du moins les assassins n'en ont-ils plus peur.»

Baerd plissa le visage d'inquiétude. Il resta un moment silencieux sur son cheval, puis ajouta : «Ainsi, il n'a pas vraiment le choix; il faut qu'il agisse au plus vite. Il a dit non?

—Il a dit oui. Nous avons six mois devant nous; il a accepté d'envoyer les lettres.» Alessan hésita. «Il m'a demandé d'élever un feu de joie à sa mémoire si jamais il mourait.»

Baerd ordonna soudain une demi-volte à son cheval. Il se mit à fixer obstinément l'occident. Le soleil de cette fin d'après-midi répandait une lumière ambrée sur la bruyère et les fougères des pentes.

« Cet homme m'est cher », dit Baerd qui regardait toujours au loin.

« Je sais », fit Alessan. Baerd se tourna lentement vers lui pour échanger un long regard avec son ami, sans un mot.

« Le Senzio ? » demanda Baerd.

Alessan hocha la tête. « Il faudra que tu expliques à Aliénor comment mettre au point l'interception. Ces deux-là m'accompagnent dans l'Ouest. Catriana, le duc et toi allez prendre au nord et pénétrer en Tregea. Nous allons bientôt récolter ce que nous avons semé, Baerd. Tu connais l'enchaînement des opérations aussi bien que moi, et tu sais ce que tu as à faire avant notre prochaine rencontre, qui contacter dans l'Est. Je ne sais que faire pour Rovigo ; je te laisse le soin de décider.

— Cela ne me plaît guère que nous nous séparions, murmura Baerd.

— À moi non plus, si tu veux le savoir. Si tu as une autre solution à me proposer, je ne serai que trop heureux de t'écouter. »

Baerd secoua la tête. « Qu'envisages-tu de faire ?

— De prendre le temps de parler à quelques personnes en chemin. De voir ma mère. Ensuite, je ne suis pas sûr ; tout dépend de ce qui se présentera, de ce que je saurai récolter à l'ouest avant l'arrivée de l'été. »

Baerd jeta un bref coup d'œil à Devin et Erlein. « En tout cas, protège-toi, ne te laisse pas blesser trop profondément. »

Alessan haussa les épaules. « Elle est mourante, Baerd ; et je lui ai fait assez de mal comme ça en dix-huit ans.

— Certainement pas ! répliqua l'autre, brusquement en colère. C'est à toi-même que tu fais du mal avec de telles convictions ! »

Alessan soupira. « Elle meurt inconnue et seule dans un sanctuaire d'Eanna, dans une province qui s'appelle la Basse-Corte désormais. Elle a quitté pour toujours le palais de la Mer de Tigane. Ne me dis pas qu'elle n'a pas souffert.

— Mais tu n'y es pour rien ! protesta Baerd. Pourquoi te sens-tu responsable ? »

Alessan eut le même haussement d'épaules. « J'ai
fait des choix pendant les douze années qui ont suivi
notre retour de Quileia. Je suis prêt à accepter que tous
n'approuvent pas ces choix. » Il lança un regard furtif à
Erlein. « Laisse tomber, Baerd. J'ai promis de ne pas
me laisser déstabiliser, même en ton absence. Si j'ai
besoin d'aide, Devin sera là. »

Baerd fit une grimace derrière sa barbe et donna un
instant l'impression qu'il allait poursuivre cette discussion, mais, quand il rouvrit la bouche, ce fut pour
s'exprimer sur un tout autre ton : « Tu crois que ça y
est ? Que toutes les conditions sont désormais réunies ?

— Je crois que ce sera cet été ou jamais. À moins
que Marius ne soit victime d'un assassinat en Quileia,
auquel cas nous nous retrouverions à la case départ,
sans pouvoir repartir dans une autre direction. Ce qui
signifierait que ma mère et beaucoup d'autres avaient
raison ; et qu'il ne nous resterait plus, à toi et à moi, qu'à
nous ruer à Chiara pour prendre d'assaut les murs du
palais, tuer Brandin d'Ygrath et voir la Palme devenir un
avant-poste du royaume de Barbadior. Qu'adviendrait-
il de la Tigane alors ? »

Il se retint, puis poursuivit à voix basse : « Marius
est notre seule carte ; cela fait des années que j'attends
de pouvoir concrétiser l'espoir qu'il représente. Or il
vient de m'autoriser à nous servir de lui à notre guise.
Nous avons une chance. Mais chacun de nous peut dire
une prière ou deux dans les jours à venir, ce ne sera
pas du luxe. L'échéance s'est fait attendre assez longtemps. »

Baerd ne bougeait pas. « Assez longtemps », répéta-
t-il pour faire écho aux paroles de son ami, et quelque
chose dans sa voix fit frissonner Devin. « Qu'Eanna
éclaire ton chemin pendant les Quatre-Temps et après. »
Il s'interrompit, le temps de jeter un bref coup d'œil à
Erlein. « Bonne chance à tous les trois. »

Le visage d'Alessan exprimait une foule de choses. « Bonne chance à vous aussi », se contenta-t-il de dire avant de faire volter son cheval pour prendre à l'ouest.

Devin le suivit. Il se retourna une seule fois et vit que Baerd n'avait pas bougé. Il était en selle sur sa monture et les regardait; le soleil éclairait ses cheveux et sa barbe, et les parait des mêmes reflets d'or que Devin avait observés lors de leur première rencontre. Il était trop loin pour qu'on pût distinguer l'expression de son visage.

Devin leva la main en signe d'adieu, la paume et les doigts complètement ouverts ; il eut alors l'heureuse surprise de constater qu'Erlein faisait de même.

Baerd leva haut le bras en guise de salut, puis tira un coup sec sur les rênes de son cheval et s'éloigna en direction du nord.

Alessan, qui avançait à bonne allure dans le soleil couchant, ne se retourna pas.

FIN DU PREMIER VOLUME

GUY GAVRIEL KAY...

... est né en Saskatchewan en 1954. Après avoir étudié la philosophie au Manitoba, il a collaboré à l'édition de l'ouvrage posthume de J.R.R. Tolkien, *le Silmarillon*, puis terminé son droit à Toronto, ville où il réside toujours. Scénariste de *The Scales of Justice*, une série produite par le réseau anglais de Radio-Canada, il publiait au milieu des années quatre-vingts *la Tapisserie de Fionavar*, une trilogie qui devait le hisser au niveau des plus grands. Ont suivi *Tigane*, *la Chanson d'Arbonne* et *les Lions d'Al-Rassan*, trois romans de fantasy historique dont la toile de fond s'inspirait respectivement de l'Italie, de la France et de l'Espagne médiévale. Traduit en plus de douze langues, Guy Gavriel Kay a vendu plus d'un million d'exemplaires de ses livres au Canada et à l'étranger, ce qui en fait l'un des auteurs canadiens les plus lus de sa génération.

Extrait du catalogue

ALIRE

« L'Autre » Littérature Québécoise !

➡ Science-fiction

Vonarburg, Élisabeth

003 • *Les Rêves de la Mer* (Tyranaël –1)
Eïlai Liannon Klaïdaru l'a « rêvé » : des étrangers
viendraient sur Tyranaël... Aujourd'hui, les Terriens
sont sur Virginia et certains s'interrogent sur la disparition de ceux qui ont construit les remarquables
cités qu'ils habitent... et sur cette mystérieuse « Mer »
qui surgit de nulle part et annihile toute vie !

004 • *Le Jeu de la Perfection* (Tyranaël –2)
Après deux siècles de colonisation, les animaux de
Virginia fuient encore les Terriens. Pourtant, sous un
petit chapiteau, Éric et ses amis exécutent des
numéros extraordinaires avec des chachiens, des
oiseaux-parfums et des licornes. Le vieux Simon
Rossem sait que ces jeunes sont des mutants, mais
est-ce bien pour les protéger qu'il a « acquis » la possibilité de ressusciter ?

005 • *Mon frère l'ombre* (Tyranaël –3)
Une paix apparente règne depuis quelques siècles sur
Virginia, ce qui n'empêche pas l'existence de ghettos
où survivent des "têtes-de-pierre". Mathieu, qui croit
être l'un d'eux, s'engage dans la guerre secrète qui
oppose les " Gris " et les " Rebbims ", mais sa quête
l'amènera plutôt à découvrir le pont menant vers le
monde des Anciens...

010 • *L'Autre Rivage* (Tyranaël –4)

Lian est un lointain descendant de Mathieu, le premier sauteur d'univers virginien, mais c'est aussi un "tête-de-pierre" qui ne pourra jamais se fondre dans la Mer. Contre toute attente, il fera cependant le grand saut à son tour, tout comme Alicia, l'envoyée du vaisseau terrien qui, en route depuis des siècles, espère retrouver sur Virginia le secret de la propulsion Greshe.

012 • *La Mer allée avec le soleil* (Tyranaël –5)

La stupéfiante conclusion – et la résolution de toutes les énigmes – d'une des plus belles sagas de la science-fiction francophone et mondiale, celle de Tyranaël.

PELLETIER, FRANCINE

011 • *Nelle de Vilvèq* (Le Sable et l'Acier –1)

Qu'y a-t-il au-delà du désert qui encercle la cité de Vilvèq ? Qui est ce « Voyageur » qui apporte les marchandises indispensables à la survie de la population ? Et pourquoi ne peut-on pas embarquer sur le navire de ravitaillement ? N'obtenant aucune réponse à ses questions, Nelle, une jeune fille curieuse éprise de liberté, se révolte contre le mutisme des adultes...

016 • *Samiva de Frée* (Le Sable et l'Acier –2)

Apprentie mémoire, Samiva connaissait autrefois par cœur les lignées de Frée. Elle a cru qu'elle oublierait tout cela en quittant son île, dix ans plus tôt, pour devenir officier dans l'armée continentale. Mais les souvenirs de Frée la hantent toujours, surtout depuis qu'elle sait que le sort de son île repose entre ses mains...

020 • *Issa de Qohosaten* (Le Sable et l'Acier –3)

Devenue la Mémoire de Frée, Samiva veut percer le mystère des origines de son peuple. Mais son enquête la mènera beaucoup plus loin qu'elle ne le croyait, jusque sur la planète dévastée des envahisseurs. Et c'est là, en compagnie de Nelle, qu'elle découvrira enfin la terrible vérité...

CHAMPETIER, JOËL

006 • *La Peau blanche*

Thierry Guillaumat, étudiant en littérature à l'UQAM, tombe éperdument amoureux de Claire, une rousse flamboyante. Or, il a toujours eu une phobie profonde des rousses. Henri Dieudonné, son colocataire haïtien, qui croit aux créatures démoniaques, craint le pire : et si "elles" étaient parmi nous?

021 • *Les Amis de la forêt* (PRINTEMPS 1999)

Afin de démasquer les auteurs d'un trafic de drogue, les autorités d'un hôpital psychiatrique décident de travestir en « patient » un détective privé. Mais ce dernier découvre qu'il se passe, à l'abri des murs de l'hôpital, des choses autrement plus choquantes, étranges et dangereuses qu'un simple trafic de drogue...

SÉNÉCAL, PATRICK

015 • *Sur le seuil*

Thomas Roy, le plus grand écrivain d'horreur du Québec, est retrouvé chez lui inconscient et mutilé. Les médecins l'interrogent, mais Roy s'enferme dans un profond silence. Le psychiatre Paul Lacasse s'occupera de ce cas qu'il considère, au départ, comme assez banal. Mais ce qu'il découvre sur l'écrivain s'avère aussi terrible que bouleversant...

➡ ESPIONNAGE

DEIGHTON, LEN

009 • *SS-GB*

Novembre 1941. La Grande-Bretagne ayant capitulé, l'armée allemande a pris possession du pays tout entier. À Scotland Yard, le commissaire principal Archer travaille sous les ordres d'un officier SS lorsqu'il découvre, au cours d'une enquête anodine sur le meurtre d'un antiquaire, une stupéfiante machination qui pourrait bien faire basculer l'ensemble du monde libre...

PELLETIER, JEAN-JACQUES

001 • *Blunt – Les Treize Derniers Jours*

Pendant neuf ans, Nicolas Strain s'est caché derrière une fausse identité pour sauver sa peau. Ses anciens employeurs viennent de le retrouver, mais comme ils sont face à un complot susceptible de mener la planète à l'enfer atomique, ils tardent à l'éliminer: Strain pourrait peut-être leur servir une dernière fois...

022 • *La Chair disparue*

Trois ans plus tôt, Hurt a démantelé un trafic d'organes en Thaïlande, non sans subir des représailles qui l'ont blessé jusqu'au plus profond de son être. Et voici qu'une série d'événements laisse croire qu'un réseau similaire a pris racine au Québec, là même où F, l'énigmatique directrice de l'Institut, a trouvé un refuge pour Hurt...

➡ POLAR

MALACCI, ROBERT

008 • *Lames sœurs*

Un psychopathe est en liberté à Montréal. Sur ses victimes, il écrit le nom d'un des sept nains de l'histoire de Blanche-Neige. Léo Lortie, patrouilleur du poste 33, décide de tendre un piège au meurtrier en lui adressant des *messages* par le biais des petites annonces des journaux...

KAY, GUY GAVRIEL

018 • *Tigane -1*   019 • *Tigane -2*

Le sort de la péninsule de la Palme s'est joué il y a vingt ans lorsque l'armée du prince Valentin a été défaite par la sorcellerie de Brandin, roi d'Ygrath. Depuis lors, une partie de la Palme ploie sous son joug, alors que l'autre subit celui d'Alberico de Barbadior. Mais la résistance s'organise enfin ; réussira-t-elle cependant à lever l'incroyable sortilège qui pèse sur tous les habitants de Tigane ?

023 • *Les Lions d'Al-Rassan* (PRINTEMPS 1999)

ROCHON, ESTHER

002 • *Aboli* (Les Chroniques infernales –1)

Une fois vidé, l'ancien territoire des enfers devint un désert de pénombre où les bourreaux durent se recycler. Mais c'étaient toujours eux les plus expérimentés et, bientôt, des troubles apparurent dans les nouveaux enfers...

007 • *Ouverture* (Les Chroniques infernales –2)

La réforme de Rel, roi des nouveaux enfers, est maintenant bien en place, et les damnés ont maintenant droit à la compassion et à une certaine forme de réhabilitation. Pourtant Rel ne se sent pas au mieux de sa forme. Son exil dans un monde inconnu, sorte de limbes accueillant de singuliers trépassés, pourra-t-il faire disparaître l'étrange mélancolie qui l'habite ?

014 • *Secrets* (Les Chroniques infernales –3)

Avant d'entreprendre son périlleux voyage au pays de Vrénalik, Rel, le roi des nouveaux enfers, veut partager avec son peuple les terribles événements qui ont parsemé son enfance et sa jeunesse. Les secrets qu'il révèlera à la foule venue l'entendre seront pour le moins stupéfiants...

013 • *Le Rêveur dans la citadelle*

En ce temps-là, Vrénalik était une grande puissance maritime. Pour assurer la sécurité de sa flotte, le chef du pays, Skern Strénid, avait décidé de former un Rêveur qui, grâce à la drogue farn, serait à même de contrôler les tempêtes. Mais c'était oublier qu'un Rêveur pouvait aussi se révolter...

024 • *L'Archipel noir* (Printemps 1999)

Quand Taïm Sutherland arrive dans l'Archipel de Vrénalik, il trouve ses habitants repliés sur eux et figés dans une déchéance hautaine. Serait-ce à cause de cette ancienne malédiction lancée par le Rêveur et sa compagne, Inalga de Bérilis?

Collection « Recueils »

➡ Science-fiction

Meynard, Yves

• *La Rose du désert*

Cinq prodigieuses nouvelles de SF qui vous feront explorer les étendues désertiques d'une planète où la vie éternelle ressemble à la mort, rencontrer un poisson-dieu et sa cargaison d'hommes-écailles et voyager jusque dans un lointain avenir où un vaisseau navigue vers la fin de l'univers et le début du suivant.

COLLECTION « ESSAIS »

➡ ### FANTASTIQUE / HORREUR

MORIN, HUGUES *ET AL.*

001 • *Stephen King – Trente Ans de Terreur*

L'auteur le plus lu du monde fêtait en 1997 ses trente ans de vie professionnelle. Cinq spécialistes francophones vous invitent à partager leur engouement et leur connaissance de l'œuvre traduite de celui qui est devenu, pour des millions de lecteurs, une cause d'insomnie ! Et pour que ce livre de références demeure toujours d'actualité, lisez en direct – et gratuitement – tous les ajouts aux articles et aux bibliographies du livre sur www.alire.com !

➡ ### SCIENCE-FICTION

BOUCHARD, GUY

• *Les 42 210 univers de la science-fiction*

Qu'est-ce que la science-fiction ? Guy Bouchard donne une réponse définitive et éclatante à cette épineuse question. Un essai qui convaincra les plus sceptiques de la richesse incroyable de ce genre littéraire, tout comme de sa position privilégiée dans l'ensemble des imaginaires potentiels de l'Humanité.

VOUS VOULEZ LIRE DES EXTRAITS
DE TOUS LES LIVRES PUBLIÉS AUX ÉDITIONS ALIRE ?

VENEZ VISITER NOTRE DEMEURE VIRTUELLE !

w w w . a l i r e . c o m

TIGANE -1
est le vingtième titre publié
par Les Éditions Alire inc.

Il a été achevé d'imprimer
en septembre 1998 sur les presses de

IMPRESSION
IMPRIMERIE GAGNÉ